Aus Freude am Lesen

Buch

Die Anwältin Rebecka Martinsson ist nach einem Fall, der ihr körperlich und seelisch stark zugesetzt hat, von Stockholm weggezogen. Sie lebt in dem alten Haus ihrer Großmutter nahe ihrer Geburtsstadt Kiruna und versucht, innerlich zur Ruhe zu kommen. Doch schon bald wird ihr eine Stelle bei der Staatsanwaltschaft angeboten – und kurze Zeit später ist sie mit Polizeikommissarin Anna Maria Mella in einen neuen Mordfall verwickelt. Am zugefrorenen Fluss wurde eine Leiche gefunden. Das Opfer ist schnell identifiziert: Es handelt sich um Inna Wattrang, leitende Angestellte einer weltweit erfolgreichen Grubengesellschaft. Deren Gründer, Mauri Kallis, war einst bettelarm. Seinen märchenhaften Aufstieg verdankt er nicht nur seiner verwegenen Lust am Spekulieren, sondern auch Inna und Diddi Wattrang, gutaussehenden Geschwistern aus verarmtem Hochadel mit besten gesellschaftlichen Beziehungen. Hatte die Tote etwas mit Mauris überaus dubiosen Geschäften zu tun?

Autorin

Åsa Larsson wurde 1966 in Kiruna geboren. Sie arbeitete lange Jahre als Steueranwältin. Seit dem überwältigenden Erfolg ihrer preisgekrönten Kriminalromane »Sonnensturm« und »Weiße Nacht« widmet sie sich ganz dem Schreiben. »Der schwarze Steg« ist ihr dritter Roman, der auf Deutsch erscheint. Larsson hat zwei Kinder und lebt mit ihrer Familie südlich von Stockholm.

Åsa Larsson bei btb

Sonnensturm. Roman (73600)
Weiße Nacht. Roman (73641)

Åsa Larsson

Der schwarze Steg
Roman

Aus dem Schwedischen
von Gabriele Haefs

btb

Die schwedische Originalausgabe erschien 2006 unter dem Titel
»Svart stig« bei Albert Bonniers Förlag, Stockholm.

FSC
Mixed Sources
Product group from well-managed
forests and other controlled sources
Cert no. GFA-COC-001223
www.fsc.org
© 1996 Forest Stewardship Council

Verlagsgruppe Random House FSC-DEU-0100
Das für dieses Buch verwendete FSC-zertifizierte Papier *Munken Pocket*
liefert Arctic Paper Munkedals AB, Schweden.

4. Auflage
Genehmigte Taschenbuchausgabe Januar 2009, btb Verlag
in der Verlagsgruppe Random House GmbH, München
Copyright © der Originalausgabe 2006 by Åsa Larsson
Published in German language by arrangement
with Bonnier Group Agency, Stockholm, Sweden
Copyright © der deutschsprachigen Ausgabe 2007
by C. Bertelsmann Verlag, München, in der Verlagsgruppe
Random House GmbH
Umschlaggestaltung: semper smile, München
Umschlagmotiv: Anthony Ise / Getty Images
Satz: Uhl + Massopust, Aalen
Druck und Einband: CPI – Clausen & Bosse, Leck
UB · Herstellung: BB
Printed in Germany
ISBN 978-3-442-73862-5

www.btb-verlag.de

Können Sie sich erinnern?

Rebecka Martinsson sah ihren toten Freund in Poikkijärvi im Kies liegen. Und die Welt brach zusammen. Rebecka musste festgehalten werden, sonst wäre sie in den Fluss gegangen.

Das hier ist das dritte Buch.

Auszug aus dem Krankenbericht, 12. September 2003, betr. Patientin Rebecka Martinsson

Kontaktursache: Pat. wurde ins Krankenhaus von Kiruna eingeliefert, mit Gesichtsverletzungen nach Sturz und Schlag auf den Kopf. Befindet sich bei Einweisung in akutem psychotischem Zustand. Chirurgische Behandlung der Gesichtsverletzungen notwendig, weshalb Pat. in Narkose versetzt wurde. Bei Erwachen weiterhin floride psychotische Symptome vorhanden. Entscheidung zur Zwangseinweisung gemäß § 3 Gesundheitsgesetzgebung. Überführung in die psychiatrische Abteilung des St.-Görans-Krankenhauses in Stockholm, geschlossene Abteilung. Vorl. Diagnose: Psychose INA. Behandlung: Risperdal mix 8 mg/Tag sowie Sobril 50 mg/Tag.

Die Zeit ist nahe.

Sehet, er kommt mit den Wolken, und es werden ihn sehen alle Augen.

Die Stunde ist nahe.

Es ist die Zeit des feuerroten Pferdes. Dessen, der da kommt mit dem langen Schwert, auf dass die Menschen einander abschlachten.

Und hier! Halten sie mich in den Armen! Sie hören nicht! Hartnäckig weigern sie sich, den Blick zum Himmel zu heben, der sich über ihnen auftut.

Es ist die Zeit des fahlen Pferdes.

Und er scharrt mit seinem scharfen Huf. Er tritt die Erde auf seinem Weg fort. Da geschah ein großes Erdbeben, und die Sonne wurde finster wie ein schwarzer Sack voller Haare, und der ganze Mond wurde wie Blut.

Und ich blieb zurück. Es sind ihrer viele, die zurückgelassen wurden. Wir fallen vor unserer Reise in die Finsternis auf die Knie, und wir leeren vor Furcht unser Gedärm. Auf dem Weg zur See, die mit Feuer und Schwefel brennt, und das ist der zweite Tod. Nur wenige Minuten bleiben noch. Man packt das Erstbeste. Klammert sich an den Nächstbesten.

Ich höre die Stimmen der sieben Donner. Endlich sind die Wörter deutlich.

Sie sagen. Dass die Zeit. Nahe ist.

Aber hier hört niemand zu!

Auszug aus dem Krankenbericht, 27. September 2003, betr. Patientin Rebecka Martinsson.

Die Patientin ist ansprechbar, antwortet auf Anrede, kann sich zu den Ereignissen äußern, die die depressive Psychose ausgelöst haben. Zeigt Symptome von Depressivität, wie Gewichtsverlust, Unlust, gestörten Nachtschlaf und frühes Erwachen. Suizidgefährdet. ECT-Behandlung wird fortgesetzt. Cipramil in Tablettenform, 40 mg/Tag.

Einer der Pfleger (ich habe Pfleger, allein die Vorstellung!) heißt Johan. Oder Jonas? Johnny? Er geht mit mir spazieren. Ich darf nicht allein los. Wir gehen nicht weit. Trotzdem werde ich unvorstellbar müde. Vielleicht sieht er das, als wir zurückgehen. Er gibt vor, nichts zu merken. Redet die ganze Zeit. Das ist gut, dann muss ich nichts sagen.

Er spricht über Muhammad Alis Titelkampf 1974 gegen George Foreman in Zaire.

»Der hat so viel Prügel eingesteckt! Stand vor dem Seil und

ließ Foreman schlagen. Foreman, also, der war übel. Wir reden hier von Schwergewicht, die meisten haben das ja vergessen, aber die Leute haben sich vor diesem Kampf wirklich Sorgen um Ali gemacht. Dachten, Foreman würde ihn vielleicht umbringen. Und dann stand Ali einfach da wie ein verdammter… Fels! Und steckte sieben Runden lang Prügel ein. Hat Foreman psychisch total fertig gemacht. In der siebten Runde beugte er sich zu Foreman vor und flüsterte ihm ins Ohr: ›Is that all you got, George?‹ Und das war es auch. Danach, in der achten, konnte Foreman sich kaum noch verteidigen, und dann kam diese Öffnung. Ali, einfach: tschum!« (Seine rechte Hand jagt als Haken durch die Luft.) »Foreman kippt um wie ein gefällter Baum. Prrrakasch!«

Ich gehe schweigend weiter. Registriere, dass es bei den Bäumen jetzt nach Herbst riecht. Er dagegen redet. Rumble in the Jungle. I am the greatest. Thrilla in Manilla.

Oder er redet über den Zweiten Weltkrieg (darf er das eigentlich, frage ich mich in Gedanken, bin ich denn nicht empfindlich, zerbrechlich sozusagen, was würde der Oberarzt dazu sagen?).

»Die Japaner, das sind echte Krieger. Verstehst du, wenn den Kampfflugzeugen mitten über dem Pazifik der Treibstoff ausging. Wenn ein amerikanischer Flugzeugträger in Reichweite war, haben sie sich einfach drauffallen lassen. Peng. Oder sie haben auf dem Meer eine elegante Bauchlandung hingelegt, nur um zu zeigen, was sie für unglaublich fähige Flieger waren. Danach, wenn sie überlebt hatten, sprangen sie ins Wasser und töteten sich mit dem Schwert. Sie fielen dem Feind nicht lebend in die Hände. Das war auch bei den Kämpfen bei Guadalcanal so. Sie sprangen wie Lemminge in den Abgrund, als ihnen aufging, dass sie besiegt waren. Die Amis standen da mit ihren Megafonen und riefen, sie sollten sich ergeben.«

Als wir zur Station zurückkommen, habe ich plötzlich Angst, er könnte mich fragen, ob ich gern spazieren gehe. Fragen, ob ich diesen Spaziergang gern gemacht habe. Ob ich morgen auch einen machen möchte.

Ich kann nicht mit »ja« oder »gern« antworten. Dann komme ich mir vor wie damals als Kind. Bei den Frauen im Dorf, wenn sie zu Eis oder Limo einluden. Die mussten immer fragen: »Schmeckt das?« Obwohl sie es doch sehen konnten. Ich saß da und schleckte, andächtig, stumm. Ich musste ihnen etwas geben. Einen Preis. »Ja« und am liebsten »danke« von der Kleinen, der Armen mit der verrückten Mutter. Jetzt habe ich nichts zu geben. Nicht einen Mucks. Wenn er fragt, muss ich Nein sagen. Obwohl es wunderschön war, in der Luft zu atmen. Auf der Station riecht es nach ausgeschwitzter Medizin, nach Zigaretten, Schmutz, Krankenhaus, Reinigungsmittel für die Plastikböden.

Aber er fragt nicht. Nimmt mich auch am nächsten Tag mit auf eine Runde.

Auszug aus dem Krankenbericht, 27. September 2003, betr. Patientin Rebecka Martinsson.

Patientin reagiert gut auf die Behandlung. Suizidgefahr scheint nicht mehr zu bestehen. In den beiden vergangenen Wochen Behandlung im Rahmen der Gesundheitsgesetzgebung. Niedergeschlagen, aber nicht ernsthaft deprimiert. Wird in eine Wohnung in Kurravaara gebracht, einem Dorf bei Kiruna, wo sie aufgewachsen ist. Weiterhin poliklinische Gesprächstherapie in Kiruna. Weiterhin medikamentös behandelt, Cipramil 40 mg/Tag.

Der Oberarzt fragt, wie es mir geht. Ich antworte: Gut.

Er schweigt und sieht mich an. Fast ein Lächeln. Verständnisvoll. Er kann unendlich lange schweigen. Darin ist er Experte. Schweigen provoziert ihn nicht. Am Ende antworte ich: Gut genug. Das ist die richtige Antwort. Er nickt.

Ich darf nicht hierbleiben. Habe lange genug Platz weggenommen. Es gibt Frauen, die diesen Platz dringender brauchen. Solche, die sich die Haare anstecken. Die hier auf der Toilette Spiegelscherben schlucken und in aller Eile auf die Notstation gebracht werden müssen. Ich kann sprechen, antworten, morgens aufstehen und mir die Zähne putzen.

Ich hasse ihn, weil er mich nicht dazu zwingt, in alle Ewigkeit hierzubleiben. Weil er nicht Gott ist.

Dann sitze ich im Zug nach Norden. Die Landschaft jagt in kleinen Bruchstücken vorbei. Zuerst hohe Laubbäume in roten und gelben Tönen. Herbstsonne und jede Menge Häuser. In allen leben Menschen ihre Leben. Auf irgendeine Weise kommen sie weiter.

Hinter Bastuträsk liegt Schnee. Und dann endlich: Wald, Wald, Wald. Ich bin auf dem Heimweg. Die Birken schrumpfen, heben sich jämmerlich und schwarz vom Weiß ab.

Ich presse Stirn und Nase ans Fenster.

Mir geht es gut, sage ich mir. So ist es, wenn es gut geht.

Samstag, 15. März 2005

Spätwinterabend in Torneträsk. Das Eis lag dick, über einen Meter. Überall auf dem siebzig Kilometer langen See standen die Archen, kleine Hütten auf Kufen, vier Quadratmeter groß. Im Spätwinter pilgerten die Bewohner von Kiruna nach Torneträsk. Sie fuhren mit dem Schneemobil und der Arche im Schlepp.

Der Boden der Arche hatte eine Luke. Ins dicke Eis wurde ein Loch gebohrt. Ein Plastikrohr verband das Loch mit der Luke im Boden, auf diese Weise konnte der eisige Wind nicht von unten her in die Arche eindringen. Und dann saß jemand in der Arche und angelte durch das Loch.

Leif Pudas war nur mit seiner Unterhose bekleidet und angelte. Es war halb neun Uhr abends. Er hatte ein paar Bier getrunken, es war ja Samstag, der Propanofen sauste und pfiff. Es war wirklich warm, inzwischen über fünfundzwanzig Grad. Fische hatte er auch erwischt, fünfzehn Bergforellen, kleine zwar, aber dennoch. Außerdem hatte er für die Katze seiner Schwester ein paar Aalquappen beiseite gelegt.

Als er pinkeln musste, kam ihm das wie eine Befreiung vor, er war einfach überhitzt, es würde schön sein, sich draußen ein wenig abkühlen zu können. Er stieg in seine Schneemobilstiefel und ging, weiterhin nur mit der Unterhose bekleidet, hinaus in die Kälte und die Finsternis.

Als er die Tür öffnete, packte sie der Wind.

Tagsüber hatte die Sonne geschienen, und es war windstill gewesen. Aber im Gebirge ändert sich das Wetter die ganze Zeit. Jetzt riss und zerrte der Sturm an der Tür wie ein tollwütiger

Hund. Zuerst gab es kaum Wind, er lag sozusagen auf der Lauer und knurrte und sammelte Kraft, dann legte er wie der Teufel los. Man konnte sich wirklich fragen, ob die Türangeln durchhalten würden. Leif Pudas musste die Tür mit beiden Händen packen, um sie schließen zu können. Vielleicht hätte er sich mehr anziehen sollen. Aber Scheiß drauf, Wasser abzuschlagen dauerte ja wohl nicht lange.

Die Windstöße brachten Schnee mit sich. Keinen weichen, feinen Pulverschnee, sondern scharfgeschliffene Diamanten. Der Schnee jagte über den Boden wie eine weiße neunschwänzige Katze und zerfetzte Leif Pudas' Haut in einem langsamen, bösen Rhythmus.

Leif Pudas rannte um die Arche herum, um Schutz vor dem Wind zu finden, und stellte sich zum Pinkeln auf. Hier war es windgeschützt, aber auch ungeheuer kalt. Er hätte nicht in Unterhose aus dem Haus gehen dürfen. Sein Sack zog sich zu einer steinharten Kugel zusammen. Aber immerhin kam die Pisse. Er wartete fast darauf, dass sie auf dem Weg durch die Luft gefror. Sich in einen gelben Eisbogen verwandelte.

Als er fertig war, hörte er durch das Fenster eine Art Gebrüll, dann hatte er die Arche plötzlich im Rücken. Fast hätte sie ihn überfahren, und gleich darauf war sie verschwunden.

Erst nach zwei Sekunden ging ihm wirklich auf, was passiert war. Der Sturm hatte die Arche mitgerissen. Er sah das Fenster, das Viereck aus warmem Licht in der Dunkelheit, und er sah, dass es ohne ihn davonjagte.

Er machte einige rasche Schritte durch die Dunkelheit, aber als die Vertäuung riss, gewann die Arche an Tempo. Er hatte nicht die geringste Chance, sie einzuholen, auf ihren Kufen jagte sie davon.

Zuerst dachte er nur an die Arche. Er hatte sie selbst aus Spanplatten gebaut und sie isoliert und mit Aluminium verkleidet. Morgen, wenn er sie fand, würde sie nur noch Kleinholz sein. Er konnte nur hoffen, dass sie keinen Schaden anrichtete.

Dann kam ein kräftiger Windstoß. Der riss ihn fast zu Boden. Nun erst ging ihm auf, dass er in Gefahr schwebte. Und er hatte noch dazu so viel Bier getrunken, sein Blut lag sozusagen gleich unter der Haut. Wenn er nicht sehr bald ins Warme käme, würde er im Handumdrehen erfroren sein.

Er sah sich um. Zur Touristenstation in Abisko war es mindestens ein Kilometer, das würde er nie im Leben schaffen, jetzt ging es um Minuten. Wo war die nächste Arche? Schneegestöber und Sturm hinderten ihn daran, das Licht der anderen Archen zu sehen.

Überlegen, sagte er sich. Jetzt gehst du nicht einen Scheißschritt, solange du deinen Grips nicht angestrengt hast. In welche Richtung schaust du gerade?

Er strengte drei Sekunden lang seinen Grips an, merkte, dass seine Hände schon steif wurden, schob sie in seine Achselhöhlen. Ging vier Schritte geradeaus und lief voll gegen sein Schneemobil. Der Schlüssel lag in der fliehenden Arche, aber unter dem Sitz hatte er einen kleinen Werkzeugkasten. Den zog er hervor.

Dann betete er zu jemandem da oben, ihn den richtigen Weg einschlagen zu lassen, und lief los in Richtung der nächsten Arche. Es waren nur zwanzig Meter, aber er hätte bei jedem Schritt in Tränen ausbrechen mögen. Aus Angst, sie zu verfehlen. Denn das würde den Tod bedeuten.

Er hielt Ausschau nach Perssons Glasfaserarche. Der scharfe Schnee wurde ihm in die Augen geweht, er kniff die Augen zusammen, und eine Schicht aus Schneematsch legte sich darüber, die er wegwischen musste. Er konnte einfach nichts sehen, außer Dunkelheit und Schnee.

Er dachte an seine Schwester. Und er dachte an seine ehemalige Lebensgefährtin, daran, dass sie es trotz allem gut miteinander gehabt hatten.

Er stieß fast gegen Perssons Arche, ehe er sie sah. Niemand zu Haus, schwarze Fenster. Er zog den Hammer aus dem Werkzeugkasten, musste die linke Hand nehmen, die rechte war einfach unbrauchbar, sie tat schrecklich weh, da sie den kalten Stahlgriff des Werkzeugkastens gehalten hatte. Er tastete in der Dunkelheit nach dem kleinen Kunststofffenster und schlug es ein.

Die Angst machte ihn stark, er hievte seinen an die hundert Kilo schweren Körper durch das Fenster. Fluchte, als er sich den Bauch an der scharfen Metallkante aufschrammte. Aber was spielte das für eine Rolle. Aus solcher Nähe hatte der Tod ihm noch nie in den Nacken gehaucht.

In der Arche musste er ganz schnell Feuer machen. Er war zwar jetzt vor dem Wind geschützt, aber trotzdem war es hier drinnen eiskalt.

Er suchte in allerlei Kästen, bis er Streichhölzer gefunden hatte. Wie ist es möglich, etwas so Kleines festzuhalten, wenn die Hände durch die Kälte unbrauchbar geworden sind? Er steckte die Finger in den Mund, um sie zu wärmen, dann bekam er sie so weit unter Kontrolle, dass er Propanlampe und Ofen anzünden konnte. Sein Körper wollte nur noch zittern und beben, nie im Leben hatte er dermaßen gefroren. Eiskalt bis auf die Knochen.

»Jetzt ist es verdammt noch mal kalt, Scheiße, das ist ja vielleicht kalt«, sagte er mehrmals vor sich hin. Er redete laut, das hielt ihm in gewisser Weise die Panik vom Leib, er hatte das Gefühl, sich selber Gesellschaft zu leisten.

Der Wind schlug durch das Fenster wie ein boshafter Gott, Leif Pudas riss eine Matratze an sich, die an der Wand lehnte, und konnte sie einigermaßen an Ort und Stelle bugsieren, er klemmte sie zwischen Gardinenstange und Wand ein.

Er fand eine rote Daunenjacke, die vermutlich Frau Persson gehörte. Er fand auch einen Kasten mit Unterwäsche, zog zwei lange Unterhosen an, eine über die Beine und eine über den Kopf.

Die Wärme kam langsam, er hielt seine Glieder vor den Ofen, in seinen Körperteilen prickelte und brannte es, es tat schrecklich weh. In der einen Wange und dem Ohr hatte er überhaupt kein Gefühl, das war grauenhaft.

Auf der Pritsche lag ein Haufen Decken. Die waren natürlich

eiskalt, aber er konnte sich trotzdem hineinwickeln, sie isolierten immerhin.

Ich habe überlebt, sagte er sich. Was spielt es da für eine Rolle, ob mein Ohr sich verabschiedet hat?

Er riss die Tagesdecke von der Pritsche. Sie war großgeblümt, in allerlei Blautönen, ein Relikt aus den Siebzigerjahren.

Und darunter lag eine Frau. Ihre Augen waren offen und zu Eis gefroren, sie waren ganz weiß, wie mattes Glas. Etwas, das aussah wie Brei oder vielleicht Erbrochenes, an ihrem Kinn und ihren Händen. Sie trug einen Trainingsanzug. Das Oberteil wies einen roten Fleck auf.

Er schrie nicht. Er war nicht einmal überrascht. Sein Empfindungsvermögen war nach allem, was er soeben durchgemacht hatte, sozusagen erschöpft.

»Also, zum Teufel«, sagte er nur.

Und seine Gefühle glichen denen, die man hat, wenn man sich einen kleinen Hund zulegt und der zum hundertsten Mal ins Zimmer pisst. Es war die Resignation angesichts der Tücke jeglichen Objekts.

Er unterdrückte den Impuls, einfach die Decke zurückzulegen und die Frau zu vergessen.

Dann setzte er sich hin und überlegte. Was zum Henker sollte er jetzt tun? Natürlich musste er machen, dass er zur Touristenstation kam. Nicht, dass er Lust gehabt hätte, sich in der Dunkelheit auf den Weg zu begeben. Aber ihm blieb wohl keine Wahl. Und außerdem wollte er nicht mit der Frau zusammen auftauen.

Aber eine kleine Weile musste er doch noch sitzen bleiben. Bis er nicht mehr so entsetzlich fror.

Zwischen ihnen bildete sich eine Art Gemeinschaft. Sie leistete ihm Gesellschaft, als er eine Stunde lang mit schmerzendem Körper dasaß, während die Wärme sich wieder einstellte. Er hielt die Hände gegen den Propanofen. Er sagte nichts. Und sie auch nicht.

KOMMISSARIN ANNA-MARIA Mella und ihr Kollege Sven-Erik Stålnacke kamen um Viertel vor zwölf in der Nacht zum Sonntag an der Fundstelle an. Die Polizei hatte bei der Touristenstation Abisko zwei Schneemobile ausgeliehen. Das eine hatte einen Schlitten. Ein Bergführer hatte seine Hilfe angeboten und die beiden nach unten gefahren. Durch Sturm und Finsternis.

Leif Pudas, der die Leiche gefunden hatte, saß in der Touristenstation und war bereits einmal vernommen worden, von der Besatzung des Streifenwagens, der zuerst hier eingetroffen war.

Als Leif Pudas zur Touristenstation gekommen war, war die Rezeption geschlossen gewesen. Es hatte eine Weile gedauert, bis die Leute in der Kneipe ihm geglaubt hatten. Es war doch Samstagabend, und zwar waren sie in der Touristenstation an saloppe Kleidung gewöhnt, viele streiften einfach den Schneemobilanzug ab und tranken ihr Bier in Unterwäsche. Aber Leif Pudas kam in einer Damendaunenjacke hereingewankt, die ihm knapp bis zum Nabel reichte, dazu trug er wie einen Turban eine lange Unterhose um den Kopf.

Erst, als er in Tränen ausbrach, begriffen sie, dass etwas Entsetzliches passiert sein musste. Sie hörten ihm zu, und danach behandelten sie ihn wie ein rohes Ei, während sie auf die Polizei warteten.

Er hatte eine Tote gefunden, sagte er. Mehrere Male betonte er, dass es nicht seine Arche war. Trotzdem hielten sie ihn sicher für einen Mann, der seine Frau umgebracht hat. Niemand wollte seinen Blick erwidern. Er saß ganz allein da und weinte, ohne irgendwen zu stören, als die Polizei eintraf.

Es erwies sich als unmöglich, die Umgebung der Arche abzusperren, der Wind riss die Absperrbänder sofort mit. Also hatten sie die gelb-schwarz gestreiften Bänder um die Arche gewickelt, hatten die Arche wie ein Paket verschnürt. Jetzt knisterten die Bänder wütend im Wind. Die Techniker waren schon eingetroffen und arbeiteten auf engstem Raum, im Schein der Scheinwerfer und der gedämpften Propanbeleuchtung aus der Arche.

Drinnen war wirklich kein Platz für mehr als zwei Personen. Während die Technik den Boden untersuchte, standen Anna-Maria Mella und Sven-Erik Stålnacke draußen und versuchten, in Bewegung zu bleiben.

Es war so gut wie unmöglich, durch den Sturm und die dicken Mützen zu hören, was gesagt wurde. Sogar Sven-Erik trug eine Mütze mit Ohrenklappen, obwohl er sonst noch mitten im Winter barhäuptig herumlief. Sie brüllten einander an und bewegten sich in ihren dicken Schneemobilanzügen wie Michelinmännchen.

»Sieh mal«, rief Anna-Maria. »Das ist doch komisch!«

Sie breitete die Arme aus und stand da wie ein geblähtes Segel. Sie war eine kleine Frau, wog nicht gerade viel. Außerdem war der Schnee tagsüber geschmolzen, um dann abends zu gefrieren und blank und wie Eis zu werden, und als sie also so in Positur ging, packte sie der Wind, und langsam glitt sie davon.

Sven-Erik lachte und gab vor, sie eilig einfangen zu wollen, ehe sie auf die andere Seite des Sees getrieben würde.

Jetzt kamen die Techniker aus der Arche.

»Das ist jedenfalls nicht der Tatort«, rief der eine Anna-Maria Mella zu. »Erstochen, wie es aussieht. Aber wie gesagt, offenbar nicht hier. Ihr könnt die Leiche haben. Wir machen morgen weiter, wenn wir etwas sehen können.«

»Und uns nicht den Arsch abfrieren«, schrie sein viel zu dünn angezogener Kollege.

Die Techniker setzten sich auf den Schlitten des Schneemobils und wurden zur Touristenstation kutschiert.

Anna-Maria Mella und Sven-Erik Stålnacke gingen in die Arche.

Dort war es eng und kalt.

»Aber immerhin sind wir vor dem Scheißwind geschützt«, sagte Sven-Erik und zog die Tür zu. »So, jetzt können wir uns in normaler Lautstärke unterhalten.«

Der kleine, an der Wand befestigte Klapptisch war mit Folie in Holzoptik bezogen. Stühle, vier Stück aus weißem Kunststoff, waren aufeinandergestapelt. Es gab eine Kochplatte und eine kleine Spülschüssel. Ein rot-weiß karierter Vorhang und Stoffblumen in einer Keramikvase lagen auf dem Boden unter dem Plexiglasfenster. Eine dort festgeklemmte Matratze hielt den Wind, der durch das Fenster eindringen wollte, einigermaßen auf.

Sven-Erik öffnete den Schrank. Dort stand ein Brennapparat für die Schnapsherstellung. Er schloss den Schrank.

»Ja, ja, das haben wir nicht gesehen«, sagte er nur.

Anna-Maria betrachtete die Frau auf der Pritsche.

»Eins fünfundsiebzig?«, fragte sie.

Sven-Erik nickte und brach sich kleine Eiszapfen vom Schnurrbart. Anna-Maria zog das Tonbandgerät aus der Tasche. Sie fummelte eine Weile daran herum, denn die Batterien waren so kalt geworden, dass das Gerät nicht funktionierte.

»Na los«, sagte sie und hielt es vor den Propanofen, der tapfer kämpfte, um trotz des eingeschlagenen Fensters und des Rein- und Rausgerennes das Archeninnere zu wärmen.

Als das Tonbandgerät endlich ansprang, gab Anna-Maria eine Beschreibung.

»Frau, blond, Pagenkopf, um die vierzig… sieht gut aus, was?«

Sven-Erik stieß einen Laut der Zustimmung aus.

»Ich finde das jedenfalls. An die eins fünfundsiebzig groß, schlank, große Brüste. Kein Ring am Finger. Kein Schmuck. Augenfarbe in dieser Situation schwer zu beurteilen, vielleicht kann die Gerichtsmedizin… helle Trainingsjacke, winddichtes

Modell, vermutlich mit Blutflecken, aber das werden wir wohl bald erfahren, dazu passende Trainingshose, Turnschuhe.« Anna-Maria beugte sich über die Frau.

»Und sie ist geschminkt, Lippenstift, Lidschatten und Wimperntusche«, fügte sie hinzu. »Ist das nicht ein bisschen seltsam, wenn sie doch joggen wollte? Und warum trägt sie keine Mütze?«

»Heute war es mittags sehr warm und schön, gestern auch«, sagte Sven-Erik. »Solange kein Wind weht…«

»Aber es ist Winter! Du bist der Einzige weit und breit, der nie eine Mütze trägt. Die Kleider sehen jedenfalls nicht billig aus, und die Frau auch nicht. Sie wirkt irgendwie fein.«

Anna-Maria schaltete das Tonbandgerät aus.

»Wir müssen schon heute Abend die Umgebung befragen. Touristenstation und Ost-Abisko. Wir erkundigen uns auch im Laden, ob sie da bekannt ist. Und eigentlich müsste doch irgendwer sie vermisst melden, finde ich.«

»Mir kommt sie irgendwie bekannt vor«, sagte Sven-Erik nachdenklich.

Anna-Maria nickte.

»Vielleicht ist sie aus Kiruna. Muss überlegen. Vielleicht haben wir sie da gesehen. Zahnärztin? Verkäuferin in irgendeinem Laden? Bank?«

Sven-Erik schüttelte den Kopf.

»Hör auf«, sagte er. »Es wird uns schon einfallen.«

»Wir müssen auch zwischen den Archen nachsehen«, sagte Anna-Maria.

»Ja, und das bei diesem Scheißsturm!«

»Trotzdem.«

»Ja.«

Sie musterten einander eine Weile lang.

Sven-Erik wirkte müde, fand Anna-Maria. Müde und niedergeschlagen. Das war er oft angesichts von toten Frauen. In der Regel handelte es sich ja um tragische Todesfälle. Sie lagen erschlagen in der Küche, der Mann saß in Tränen aufgelöst im Nebenzimmer, und man musste froh sein, wenn es keine kleinen Kinder gab, die alles mit angesehen hatten.

Sie selbst fühlte sich nie so unangenehm berührt, doch, natürlich, wenn es um Kinder ging. Kinder und Tiere, daran würde sie sich nie gewöhnen. Aber ein Mord wie dieser. Nicht, dass er sie in gute Laune versetzte. Oder dass sie es gut fand, dass irgendwer umgebracht worden war, so war das nicht. Aber ein Mord wie dieser… Der brachte doch sozusagen etwas zu beißen. Und das konnte sie brauchen.

Sie lächelte in Gedanken über Sven-Eriks nassen Schnurrbart. Der sah aus wie etwas, das überfahren und am Straßenrand liegen gelassen worden ist. In letzter Zeit wucherte er ganz schön. Sie fragte sich, wie einsam Sven-Erik wirklich war. Seine Tochter wohnte mit ihrer Familie in Luleå. Sie sahen sich wohl nicht sehr oft.

Und vor anderthalb Jahren war ja sein Kater verschwunden. Anna-Maria wollte ihn überreden, sich einen neuen zuzulegen, aber Sven-Erik weigerte sich. »Das macht nur Ärger«, sagte er. »Und man ist so gebunden.« Sie wusste natürlich, was das bedeutete. Er wollte sich neuen Kummer ersparen. Himmel, was hatte er sich wegen Manne Sorgen gemacht und den Kopf zerbrochen, ehe er endlich die Hoffnung aufgegeben und nicht mehr über ihn gesprochen hatte.

Und das fand Anna-Maria so schade. Sven-Erik war ein feiner Bursche. Er würde für irgendeine Frau einen guten Mann abgeben. Und ein gutes Herrchen für jegliches Tier. Er und Anna-Maria verstanden sich gut miteinander, aber sie würden nie auf die Idee kommen, auch ihre Freizeit zusammen zu verbringen. Das lag nicht nur daran, dass er viel älter war. Sie hatten ganz einfach nicht so viele Gemeinsamkeiten. Wenn sie sich außer Dienst in der Stadt oder im Laden begegneten, fehlte es immer an Gesprächsstoff. Bei der Arbeit dagegen konnten sie plaudern und sich zusammen einfach wohlfühlen.

Sven-Erik sah Anna-Maria an. Sie war wirklich eine kleine Frau, gerade mal eins fünfzig, sie verschwand fast in ihrem voluminösen Schneemobilanzug. Ihre langen blonden Haare waren von der Mütze platt gedrückt. Nicht, dass sie das interessiert hätte. Sie hatte keinen Sinn für Schminke und solche Dinge. Hatte wohl auch keine Zeit. Vier Kinder und ein Mann, der zu Hause offenbar nicht oft mit anpackte. Ansonsten war wohl nicht viel an Robert auszusetzen, Anna-Maria und er schienen sich gut zu verstehen, nur war er so träge.

Obwohl, wie viel hatte er denn selbst zu Hause gemacht, als er noch mit Hjördis verheiratet gewesen war? Er konnte sich nur vage daran erinnern, aber er wusste noch, wie ungewohnt ihm das Kochen vorgekommen war, als er dann allein lebte.

»Also«, sagte Anna-Maria. »Sollen wir beiden uns anbieten, im Schneesturm zwischen den Archen herumzukriechen? Dann können die anderen sich Dorf und Touristenstation vornehmen.«

Sven-Erik grinste.

»Spielt ja eigentlich keine Rolle, der Samstagabend ist ohnehin ruiniert.«

Was aber im Grunde nicht stimmte. Was hätte er denn sonst gemacht? Ferngesehen und vielleicht mit dem Nachbarn in der Sauna gesessen. Immer das Gleiche.

»Ja«, antwortete Anna-Maria und zog den Reißverschluss ihres Schneemobilanzugs hoch.

Aber es kam nicht von Herzen. Das hier war durchaus kein ruinierter Samstagabend. Ein Ritter kann einfach nicht zu Hause im Schoße der Familie herumlungern, das macht ihn verrückt. Er muss losziehen und sein Schwert schwenken. Um dann heimzukehren, erschöpft und der Abenteuer satt, zur Familie, die bestimmt die leeren Pizzakartons und die Plastikflaschen wild durcheinander auf dem Wohnzimmertisch herumliegen lässt, aber das spielte keine Rolle. So war das Leben einfach wunderbar. Mit einer Suchaktion draußen auf dem Eis, in der Dunkelheit.

»Hoffentlich hatte sie keine Kinder«, sagte Anna-Maria, als sie in den Wind hinausgingen.

Sven-Erik gab keine Antwort. Er schämte sich ein wenig. An Kinder hatte er nicht einmal gedacht. Er hatte nur gedacht, dass hoffentlich nicht irgendwo, eingesperrt in eine Wohnung, eine Katze auf ihr Frauchen wartete.

NOVEMBER 2003

REBECKA MARTINSSON WIRD aus der psychiatrischen Klinik St. Göran entlassen. Sie fährt mit dem Zug nach Kiruna. Jetzt sitzt sie in einem Taxi vor dem Haus ihrer Großmutter in Kurravaara.

Seit die Großmutter tot ist, gehört das Haus Rebecka und Onkel Affe. Es ist ein graues Eternithaus unten am Flussufer. Abgenutzte Linoleumböden und feuchte Flecken an den Wänden.

Früher roch das Haus alt, aber bewohnt. Ein stetiger Geruch, trotz feuchter Gummistiefel, Stall, Kocherei und Backerei. Großmutters Geborgenheit schenkender Geruch. Und Papas natürlich, damals. Jetzt riecht das Haus verlassen und muffig. Der Keller ist mit Glaswolle vollgestopft, um die Bodenkälte auszusperren.

Der Taxifahrer bringt ihren Koffer ins Haus. Fragt, ob er den ins Erdgeschoss oder in den ersten Stock tragen soll.

»In den ersten«, antwortet sie. Sie hat mit der Großmutter im ersten Stock gewohnt.

Papa wohnte in der Wohnung unten. Dort stehen die Möbel in einem seltsam stillen, zeitlosen Schlaf unter großen weißen Laken. Onkel Affes Frau Inga-Britt nutzt das Erdgeschoss als Lager. Hier sammeln sich immer neue Bananenkartons mit Büchern und Kleidern, hier stehen alte Stühle, die Inga-Britt billig gekauft hat und irgendwann restaurieren wird. Papas Möbel unter den Laken müssen immer dichter an die Wand geschoben werden.

Es hilft nichts, dass es nicht so aussieht wie früher. Für Rebecka ändert sich die Wohnung im Erdgeschoss nicht.

Papa ist seit so vielen Jahren tot, aber sowie sie zur Tür hineintritt, sieht sie ihn auf dem Küchensofa sitzen. Es ist Zeit zum Frühstück oben bei Großmutter. Er hat sie die Treppe herunterkommen hören und ist ganz schnell aufgestanden. Er trägt ein rot-schwarz kariertes Flanellhemd und einen blauen Helly-Hansen-Pullover. Seine blaue Arbeitshose aus Nylon hat er in grobe Wollsocken gesteckt, die die Großmutter gestrickt hat. Seine Augen sind ein wenig geschwollen. Als er Rebecka erblickt, streicht er sich über die Bartstoppeln und lächelt.

Sie sieht jetzt so viel, was sie damals nicht gesehen hat. Oder vielleicht doch? Die Hand, die über die Bartstoppeln strich, jetzt sieht sie, dass es eine verlegene Bewegung war. Was schert sie das denn? Dass er sich nicht rasiert hat? Dass er angezogen geschlafen hat? Das ist ihr doch egal. Er ist schön, schön.

Und die Bierdose, die auf dem Spülstein steht. Die ist so glanzlos und abgegriffen. Sie enthält schon lange kein Bier mehr. Er trinkt etwas anderes daraus, aber die Nachbarn sollen glauben, dass es sich um Lightbier handelt.

Mir war das doch immer egal, möchte sie sagen. Mama hat sich darüber beschwert. Ich hab dich wirklich, wirklich lieb gehabt.

Das Taxi ist gefahren. Sie hat im Kamin Feuer gemacht und die Heizkörper aufgedreht.

Sie liegt auf dem Rücken in der Küche, auf einem von Großmutters Flickenteppichen. Sieht einer Fliege zu. Die brummt laut und gequält. Knallt immer wieder wie blind gegen die Decke. Sie sind so, wenn sie erwachen, weil es im Haus plötzlich warm geworden ist. Ein quälend lautes Geräusch, unsicheres, langsames Fliegen. Jetzt landet sie auf der Wand, wandert träge und ziellos umher. Sie hat überhaupt kein Reaktionsvermögen. Rebecka könnte sie vermutlich mit der bloßen Hand erschlagen. Dann würde sie sich dieses Brummen nicht anhören müssen. Aber sie bringt es nicht über sich. Liegt einfach nur da und sieht zu. Die wird ja doch bald sterben. Und dann kann sie sie wegfegen.

DEZEMBER 2003

Es ist Dienstag. Jeden Dienstag fährt Rebecka in die Stadt. Sucht eine Therapeutin auf und holt sich ihre Wochendosis Cipramil. Die Therapeutin ist eine Frau von Mitte vierzig. Rebecka versucht, sie nicht zu verachten. Muss sich aber immer wieder ihre Schuhe vorstellen und »billig« denken, und ihre Jacke, und dass die nicht richtig sitzt.

Verachtung ist jedoch eine verräterische Freundin. Sie kehrt sich plötzlich gegen uns: Und was ist mit dir? Du arbeitest ja nicht einmal.

Die Therapeutin bittet sie, von ihrer Kindheit zu erzählen.

»Warum?«, fragt Rebecka. »Deshalb bin ich ja wohl nicht hier.«

»Warum sind Sie dann hier, was meinen Sie?«

Rebecka hat diese professionellen Gegenfragen so satt. Sie starrt den Teppich an, um ihren Blick zu verbergen.

Was könnte sie denn schon erzählen? Jedes kleinste Ereignis ist wie ein roter Knopf. Wenn sie draufdrückt, weiß niemand, was passiert. Man erinnert sich, dass man ein Glas Milch getrunken hat, und alles andere kommt von selbst.

Ich habe nicht vor, mich darin zu suhlen, denkt sie und starrt hasserfüllt auf den Karton mit Papiertaschentüchern, die immer zwischen ihnen auf dem Tisch bereitstehen.

Sie sieht sich von außen. Kann nicht arbeiten. Sitzt morgens auf der kalten Klobrille und drückt die Tabletten aus der Platte, hat Angst davor, was sonst passieren könnte.

Es gibt so viele Wörter. Peinlich, pathetisch, jämmerlich, ekelhaft, widerlich, Belastung, verrückt, krank. Mörderin.

Sie muss ein bisschen nett zu der Therapeutin sein. Entgegenkommend. Auf dem Weg der Besserung. Nicht immer so anstrengend.

Ich werde ihr etwas erzählen, denkt sie. Beim nächsten Mal. Sie könnte lügen. Das wäre nicht das erste Mal.

Sie könnte sagen: Meine Mutter. Ich glaube, sie hat mich nicht geliebt. Und das wäre vielleicht gar keine Lüge. Sondern eine kleine Wahrheit. Aber diese kleine Wahrheit verbirgt die große Wahrheit:

Ich habe bei ihrem Tod nicht geweint, denkt Rebecka. Ich war elf Jahre alt und eiskalt. Etwas Grundlegendes stimmt nicht mit mir.

SILVESTER 2003

REBECKA FEIERT SILVESTER zusammen mit Sivving Fjällborgs Hündin Bella. Sivving ist ihr Nachbar. Er war ein Freund ihrer Großmutter, als Rebecka noch klein war.

Er hatte Rebecka eingeladen, mit zu seiner Tochter zu kommen, zu Lena und ihrer Familie. Rebecka servierte Ausflüchte, und er versuchte nicht, sie zu überreden. Stattdessen ließ er den Hund bei ihr zurück. Eigentlich ist es kein Problem, Bella mitzunehmen. Er sagte, Bella müsse das Haus bewachen, aber wer hier wirklich bewacht werden muss, ist Rebecka. Das spielt keine Rolle. Rebecka ist froh darüber, dass sie Gesellschaft hat.

Bella ist eine lebhafte Vorsteherhündin. Sie ist verrückt nach Essen wie alle Vorstehhunde, und sie wäre dick wie eine Wurst, wenn sie nicht die ganze Zeit aktiv wäre. Sivving lässt sie auf dem Fluss rennen, bis die schlimmste Unruhe verflogen ist, und er versucht, andere aus dem Dorf zu überreden, sie ab und zu mit auf die Jagd zu nehmen. Sie läuft im Haus umher, reibt sich an den Beinen der Menschen, es ist zum Verrücktwerden. Springt beim geringsten Geräusch hoch und bellt los. Aber diese dauernde Aktivität sorgt dafür, dass sie dünn wie ein Strich ist. Ihre Rippen zeichnen sich unter ihrem Fell deutlich ab.

In der Regel betrachtet sie es als Strafe, liegen zu müssen. Aber jetzt schnarcht Bella auf Rebeckas Bett. Rebecka war stundenlang am Fluss auf Skiern unterwegs. Anfangs musste Bella sie ziehen. Dann durfte Bella frei laufen, sie jagte wie verrückt hin und her, und der Schnee stob nur so auf. Die letzten Kilometer trottete sie zufrieden in Rebeckas Skispuren.

Gegen zehn ruft Måns an, Rebeckas Chef aus der Kanzlei.

Als sie seine Stimme hört, fährt ihre Hand durch ihre Haare. Als ob er sie sehen könnte.

Sie hat an ihn gedacht. Oft. Sie bildet sich ein, dass er angerufen und sich nach ihr erkundigt hat, als sie im Krankenhaus war. Aber sie ist sich nicht sicher. Ihre Erinnerung ist so schlecht. Aber sie glaubt, zur Stationsschwester gesagt zu haben, dass sie nicht mit ihm reden wolle. Die Elektroschocks hatten sie so verwirrt. Und ihr Kurzzeitgedächtnis war verschwunden. Sie wurde wie eine alte Frau, die innerhalb von fünf Minuten mehrmals das Gleiche sagt. Sie wollte damals zu keinem Menschen Kontakt haben. Und zu Måns schon gar nicht. Der durfte sie nicht so sehen.

»Wie geht's?«, fragt er.

»Gut«, sagt sie und kommt sich innerlich vor wie ein blödes mechanisches Klavier, sowie sie seine Stimme hört. »Und du?«

»Ja, verdammt, unverschämt gut.«

Jetzt muss sie etwas sagen. Sie versucht, etwas Kluges zu finden, am besten etwas Witziges, aber in ihrem Kopf steht alles still.

»Ich sitze in einem Hotelzimmer in Barcelona«, sagt er endlich.

»Ich sehe mit dem Hund meines Nachbarn fern. Der Nachbar feiert bei seiner Tochter Neujahr.«

Måns antwortet nicht sofort. Er wartet eine Sekunde. Rebecka lauscht. Später wird sie sich über diese stumme Sekunde den Kopf zerbrechen wie ein Teenie. Hatte die etwas zu bedeuten? Wenn ja, was? Einen Hauch von Eifersucht auf den Nachbarn mit dem Hund?

»Was ist denn das für einer?«, fragt Måns.

»Ach, das ist Sivving. Er ist Rentner und wohnt im Haus gegenüber.«

Sie erzählt von Sivving. Dass er mit dem Hund in seinem Heizkeller haust. Weil das einfacher ist. Da hat er doch alles, was er braucht, Kühlschrank, Dusche und Kochplatte. Und weniger

Mühe mit der Sauberkeit, wenn er sich nicht überall ausbreitet. Und sie erzählt, woher er seinen Namen hat. Dass er eigentlich Erik heißt, dass seine Mutter aber in einem Anfall von Stolz seinen Titel, Zivil-Ingenieur, ins Telefonbuch eintragen ließ, Siv. Ing. auf Schwedisch. Und dass sich das sofort im Dorf verbreitete, wo nach der Devise gelebt wurde: »Da könnte ja jeder kommen«, und es hieß: »Sieh an, da kommt ja der Sivving persönlich!«

Måns lacht. Sie lacht auch. Und dann lachen sie noch ein wenig, vor allem, weil sie sich nichts zu sagen haben. Er fragt, ob es kalt ist. Sie steht vom Küchensofa auf und schaut aufs Thermometer.

»Zweiunddreißig Grad.«

»O Scheiße!«

Neues Schweigen. Ein wenig zu lange. Dann sagt er rasch:

»Ich wollte dir nur ein gutes neues Jahr wünschen… Ich bin ja schließlich noch immer dein Chef.«

Was will er damit sagen?, überlegt Rebecka. Ruft er alle seine Angestellten an? Oder nur die, von denen er weiß, dass sie kein Leben haben? Oder macht er sich Sorgen um mich?

»Danke, gleichfalls«, sagt sie, und weil das schon ziemlich förmlich klingt, erlaubt sie ihrer Stimme, weich zu werden.

»Nein… jetzt muss ich wohl mal rausgehen und mir das Feuerwerk ansehen…«

»Und ich muss bald mit dem Hund raus…«

Als sie aufgelegt haben, bleibt sie mit dem Telefon in der Hand sitzen. Ob er allein in Barcelona ist? Wohl kaum, was? Am Ende war alles ein bisschen schnell gegangen. Hatte sie eine Tür gehört? War jemand ins Zimmer gekommen? Hatte er das Gespräch deshalb so abrupt beendet?

JUNI 2004

Es war gut, dass Rebecka Martinsson niemals zusehen musste, wie der Oberstaatsanwalt Alf Björnfot bettelte, um sie anstellen zu dürfen. Denn dann hätte ihr Stolz sie gezwungen, Nein zu sagen.

Oberstaatsanwalt Alf Björnfot trifft seine Vorgesetzte, Margareta Huuva, bei einem frühen Abendessen nach Feierabend, und er sucht sich ein Lokal mit soliden Leinenservietten und echten Blumen in den Vasen auf den Tischen aus.

Margareta Huuva wird in gute Laune versetzt, der junge Kellner rückt ihr außerdem den Stuhl zurecht und macht ihr ein Kompliment.

Man könnte glauben, das hier sei ein Stelldichein. Ein Paar, das erst spät im Leben zueinandergefunden hat, beide sind über sechzig.

Margareta Huuva ist eine kleine, ein wenig kräftige Frau. Ihre silbergrauen Haare sind kurz geschnitten, ihr Lippenstift passt zu dem rosa Polohemd unter ihrem blauen Blazer.

Als Alf Björnfot sich setzt, registriert er, dass die Cordrippen von seinen Hosenknien fast verschwunden sind. Die Taschenklappen seiner Jacke sind teilweise nach innen gestopft, sie machen das immer und sind im Weg, wenn er etwas in die Tasche stecken will.

»Stopf dir nicht immer so viel Müll in die Taschen«, mahnt seine Tochter dann und versucht, die geschundenen Klappen glatt zu streichen.

Margareta Huuva bittet Alf Björnfot zu erzählen, warum er Rebecka Martinsson anstellen will.

»Ich brauche in meinem Bezirk jemanden, der sich mit Wirtschaftskriminalität auskennt«, sagt er. »Die LKAB wächst doch ständig. Wir haben immer mehr Firmen da oben, und immer mehr wirtschaftliche Missstände müssen untersucht werden. Wenn wir Rebecka Martinsson zu uns locken können, bekommen wir ungeheuer viel Juristin für unser Geld. Sie hat in einer der besten Wirtschaftskanzleien Schwedens gearbeitet, ehe sie hergezogen ist.«

»Vor ihrer psychischen Erkrankung, meinst du«, gibt Margareta Huuva scharf zurück. »Was ist da eigentlich passiert?«

»Ich war ja nicht dabei, aber vor etwas über zwei Jahren hat sie diese drei Männer in Jiekajärvi getötet. Es war einwandfrei Notwehr, von Anklageerhebung konnte nie auch nur die Rede sein. Tja … und als sie sich davon so einigermaßen erholt hatte, passierte dann das in Poikkijärvi. Lars-Gunnar Vinsa hat sie in seinem Keller eingesperrt und dann seinen Sohn und sich erschossen. Als sie den Jungen sah. Da konnte sie nicht mehr.«

»Ist in der geschlossenen Abteilung gelandet.«

»Ja. Da hatte sie sich und ihr Leben überhaupt nicht mehr im Griff.«

Alf Björnfot verstummt und denkt daran, was Kommissarin Anna-Maria Mella und ihr Kollege Sven-Erik Stålnacke erzählt haben. Dass Rebecka Martinsson wie wahnsinnig geschrien hatte. Sie hatte Dinge und Menschen gesehen, die gar nicht existierten. Sie mussten sie festhalten, weil sie sonst in den Fluss gerannt wäre.

»Und die soll ich jetzt also als stellvertretende Staatsanwältin engagieren.«

»Sie ist ja wieder gesund. Eine solche Gelegenheit bietet sich nie wieder. Wenn ihr das hier nicht passiert wäre, würde sie jetzt in Stockholm sitzen und sich eine goldene Nase verdienen. Aber sie ist nach Hause gezogen. Und ich glaube nicht, dass sie noch in einer Kanzlei arbeiten möchte.«

»Calle von Post sagt, dass sie Sanna Strandgård nicht gerade gut vertreten hat.«

»Aber sie hat doch mit ihm den Boden aufgewischt, deshalb sagt er das. Auf den darfst du nicht hören! Der glaubt schließlich, dass die Sonne morgens aus seinem Arsch aufgeht!«

Margareta Huuva lächelt und schaut auf ihren Teller. Sie selbst hat keinerlei Probleme mit Carl von Post. Er ist so einer, der sich bei seinen Vorgesetzten lieb Kind macht. Aber natürlich ist er im Grunde ein selbstzufriedener kleiner Drecks-kerl, so dumm, das nicht zu durchschauen, ist sie nun wirklich nicht.

»Also sechs Monate. Für den Anfang.«

Oberstaatsanwalt Alf Björnfot stöhnt.

»Nein, nein. Sie ist Anwältin und verdient doppelt so viel wie ich. Da kann ich ihr nicht mit einer Probezeit kommen.«

»Anwältin oder nicht. Im Moment wissen wir nicht mal, ob sie Obst im Supermarkt sortieren könnte. Probezeit und damit basta.«

Und so wird es dann entschieden. Sie gehen zu angenehmeren Themen über, sie klatschen über Kollegen, Polizisten, Richter und Lokalpolitiker.

Eine Woche darauf sitzt Oberstaatsanwalt Alf Björnfot zusammen mit Rebecka auf der Treppe vor dem Haus in Kurravaara.

Die Schwalben jagen wie Wurfmesser über den Himmel. Es klappert, wenn sie sich unter das Scheunendach fallen lassen. Und dann geht es wieder weiter. Sie können die Jungen gierig schreien hören.

Rebecka sieht Alf Björnfot an. Ein Mann von an die sechzig, trutschige Hose, Lesebrille an einer Schnur um den Hals. Er wirkt sympathisch. Sie fragt sich, ob er beruflich gute Arbeit leistet.

Sie trinken Kaffee aus großen Bechern, sie bietet Haferkekse gleich aus der Packung an. Er ist gekommen, um ihr eine vorläufige Anstellung als stellvertretende Staatsanwältin in Kiruna anzubieten.

»Ich brauche eine, die tüchtig ist«, sagt er einfach. »Und eine, die bleibt.«

Während sie antwortet, hat er die Augen geschlossen und hält sein Gesicht in die Sonne. Er hat nicht mehr viele Haare, und auf seiner Kopfhaut sind Altersflecken zu sehen.

»Ich weiß nicht, ob ich diese Art von Arbeit noch schaffe«, sagt Rebecka. »Ich hab kein Vertrauen zu meinem Kopf.«

»Aber es wäre doch Vergeudung, das nicht auszuprobieren«, sagt er, ohne die Augen zu öffnen. »Versuch es sechs Monate lang. Wenn es nicht geht, dann geht es eben nicht.«

»Ich bin verrückt geworden, das weißt du, nicht wahr?«

»Ja, aber ich kenne die Polizisten, die dich gefunden haben.«

Wieder wird sie daran erinnert. Dass sie ein Gesprächsthema ist.

Oberstaatsanwalt Alf Björnfot hat noch immer die Augen geschlossen. Er denkt daran, was er eben gesagt hat. Hätte er etwas anderes sagen sollen? Nein, bei diesem Mädel muss man ganz offen sein, das spürt er deutlich.

»Haben sie dir erzählt, dass ich wieder hier bin?«, fragt sie.

»Ja, einer von ihnen hat einen Vetter hier in Kurravaara.«

Rebecka lacht. Ein trockenes, ziemlich freudloses Geräusch.

»Ich bin hier wohl die Einzige, die nichts über andere Leute weiß. – Es war alles zu viel für mich«, fügt sie dann hinzu. »Teddy, der tot im Kies lag. Ich mochte ihn wirklich. Und sein Vater … ich dachte, der würde mich umbringen.«

Er grunzt als Antwort. Hat noch immer die Augen geschlossen. Rebecka schaut ihn unverwandt an. Und das Reden fällt ihr leicht, wenn er sie nicht ansieht.

»Man glaubt, dass man so etwas einfach nicht erleben kann. Anfangs hatte ich solche Angst, es könnte noch einmal passieren. Und ich würde dort bleiben müssen. Den Rest meines Lebens in einem Albtraum feststecken.«

»Hast du noch immer Angst davor, dass es wieder passiert?«

»Jederzeit, meinst du? Ich gehe über die Straße, und dann – peng!«

Sie ballt die Faust und öffnet sie, spreizt die Finger, wie um ein Feuerwerk an Verrücktheit darzustellen.

»Nein«, sagt sie. »Ich brauchte die Verrücktheit gerade in dieser Zeit. Die Wirklichkeit wurde zu schwer.«

»Mir ist das jedenfalls egal«, sagt Alf Björnfot.

Und jetzt sieht er sie an.

»Ich brauche eine tüchtige Staatsanwältin.«

Dann verstummt er. Dann redet er wieder. Viel später wird Rebecka sich an seine Worte erinnern und denken, dass er genau wusste, was er da tat. Wie er sie behandeln musste. Sie wird entdecken, dass er ein Menschenkenner ist.

»Obwohl ich an sich verstehen kann, dass du zögerst. Der Posten ist ja in Kiruna angesiedelt. Das wird also schrecklich einsam. Die anderen Staatsanwälte sitzen in Gällivare und Luleå und sind nur zu den Verhandlungen hier. Und du sollst dich um die meisten Fälle kümmern. Eine Sekretärin von den Anklagebehörden kommt einen Tag in der Woche und schickt Vorladungen raus und so. Also wird es ziemlich isoliert sein.«

Rebecka verspricht, sich die Sache zu überlegen. Aber dass es ein einsamer Posten sein wird, ist dann entscheidend. Sie wird keine Leute um sich herum ertragen müssen. Das und die Tatsache, dass eine Woche zuvor eine Sachbearbeiterin vom Sozialamt angerufen und über Arbeitstraining und schrittweise Rückführung ins Berufsleben gesprochen hat. Worauf Rebecka sich vor Angst krank fühlte. Angst davor, mit einer Bande von armen Teufeln mit Burn-out-Syndrom zusammengepfercht zu werden und den Computerführerschein oder einen Kurs in positivem Denken machen zu müssen.

»Die Gnadenfrist ist zu Ende«, sagt sie abends zu Sivving. »Ich kann die Staatsanwaltschaft ebenso gut probieren wie etwas anderes.«

Sivving steht am Herd und wendet in der Pfanne Blutwurstscheiben.

»Gib dem Hund kein Brot unter dem Tisch«, sagt er. »Das sehe ich doch. Und was ist mit einer Anwaltskanzlei?«

»Nie wieder.«

Sie denkt an Måns. Jetzt muss sie kündigen. Irgendwie ist das auch schön. Sie kommt sich schon lange wie eine Belastung für die Firma vor. Aber dann wird er für immer für sie verschwinden.

Das ist nur gut, sagt sie sich. Wie sieht ein Leben mit ihm aus? Man durchsucht seine Tasche, wenn er schläft, auf der Jagd nach Quittungen und Rechnungen, um zu überprüfen, ob er in der Kneipe war und getrunken hat. Spuren machen Angst, wie es heißt. Kann irgendwer beziehungsunfähiger sein als er? Mieses Verhältnis zu seinen erwachsenen Kindern. Geschieden. Nur kurze Affären.

Sie zählt seine Fehler auf. Das hilft überhaupt nichts.

Als sie für ihn gearbeitet hat, kam es vor, dass er sie berührte. »Gut gemacht, Martinsson« und dann die Berührung. Die Hand um ihren Oberarm. Einmal ganz kurz über ihre Haare gefahren.

Ich werde nicht mehr an ihn denken, nimmt sie sich vor. Das macht mich nur verrückt. Den ganzen Kopf von einem Mann besetzt, seinen Händen, seinem Mund, und von vorn und von hinten und überhaupt. Monate können vergehen, ohne dass sie einen vernünftigen Gedanken denkt.

Sonntag, 16. März 2005

DIE TOTE KAM durch die Dunkelheit auf Kommissarin Anna-Maria Mella zu. Sie schwebte so, wie sie es getan hätte, wenn ein Zauberer sie mit dem Zauberstab berührt und zum Abheben gebracht hätte, auf dem Rücken liegend, die Arme eng an die Seiten gepresst.

Wer bist du, überlegte Anna-Maria Mella.

Die weiße Haut und die Augen aus mattem Glas ließen sie aussehen wie eine Statue. Ihre Züge erinnerten ebenfalls an ein antikes Standbild. Die Nasenwurzel saß so hoch zwischen den Augenbrauen, die Stirn und die Nase bildeten im Profil eine ungebrochene Linie.

Gustav, Anna-Marias drei Jahre alter Sohn, bewegte sich im Schlaf und trat sie mehrmals in die Seite. Sie packte den kleinen, aber muskulösen Knabenkörper und drehte ihn entschieden um, so dass er ihr Hinterteil und Rücken zukehrte. Sie zog ihn an sich und liebkoste den Bauch unter seinem Schlafanzug mit Kreisbewegungen, drückte die Nase in seine nachtschwarzen Haare und küsste ihn. Er seufzte zufrieden im Schlaf.

Sie war so schön und sinnlich, diese Zeit mit den Kindern. Sie wurden so rasch groß, und dann war Schluss mit Schmusen und Liebkosen. Anna-Maria Mella grauste es ein wenig vor dem Tag, an dem sie kein kleines Kind mehr im Haus haben würde. Hoffentlich würde sie Enkel bekommen. Sie konnte immerhin hoffen, dass Marcus, ihr Ältester, früh anfangen würde.

Und Robert ist für den Notfall ja auch noch da, dachte sie und lächelte zu ihrem schlafenden Mann hinüber. Es hat auch seine Vorteile, den Mann zu behalten, mit dem man angefangen hat. Egal, wie runzlig und schlaff ich werde, er wird immer das Mädchen sehen, das er zu Anbeginn der Zeiten gekannt hat.

Oder wir könnten uns Hunde anschaffen, so fuhr sie in ihren Überlegungen fort. Die mit verdreckten Pfoten und entzündeter, tropfender Blase und allem bei uns im Bett schlafen dürfen.

Sie ließ Gustav los und griff nach ihrem Telefon, schaute auf die Uhr, halb fünf.

Ihre eine Wange war heiß. Sie hatte sich am Vorabend, als sie und Sven-Erik die Archen draußen auf dem Eis abgeklappert hatten, wohl eine leichte Erfrierung zugezogen. Aber niemand hatte etwas gesehen. Sie und die Kollegen hatten sich auch auf der Gebirgsstation erkundigt, hatten Skitouristen geweckt und Bargäste aufgehalten. Aber niemand hatte etwas über die Frau erzählen können. Alle hatten aufrichtig geschockt gewirkt, hatten die tote Frau auf dem Bild aber nicht erkannt.

Anna-Maria Mella dachte über mögliche Handlungsverläufe nach. Natürlich kann man auch mit geschminktem Gesicht an einer Schneemobilspur entlangjoggen. Oder sie hat den Norgeväg genommen. Ein Wagen hält an. Jemand, den sie kennt. Jemand, der fragt, ob sie mitfahren will. Und dann? Sie steigt ins Auto und bekommt einen Schlag auf den Kopf? Oder geht mit in die Sauna, wird vergewaltigt, wehrt sich, wird erstochen.

Oder war es einer, den sie nicht kannte? Sie läuft am Norgeväg entlang. Ein Mann in einem Auto fährt vorüber. Ein Stück weiter vorn wendet er. Vielleicht fährt er sie mit dem Auto an und zerrt sie auf den Rücksitz, dann kann sie sich ja nicht wehren. Und kein Mensch in Sichtweite. Er fährt mit ihr zu einer Hütte…

Anna-Maria drehte ihr Kissen um und mahnte sich, endlich einzuschlafen.

Vielleicht wurde sie nicht vergewaltigt, dachte sie dann. Vielleicht lief sie an der Schneemobilspur entlang zum See. Traf auf einen verdammten Irren mit Drogen im Leib und einem Messer in der Tasche. Solche gibt es überall. Auch in Torneträsk. Der Albtraum jeder Frau. Zufällig einem Mann über den Weg laufen, wenn der Wahnsinn explodiert.

Aufhören, sagte sie sich. Keine fertigen Bilder produzieren, solange du nichts weißt.

Sie musste mit dem Gerichtsmediziner sprechen, Lars Pohjanen. Er war am Vorabend aus Luleå hochgekommen. Die Frage war, ob sie schon etwas mit der steif gefrorenen Leiche hatten machen können.

Total sinnlos, im Bett liegen zu bleiben. Und warum wollte sie überhaupt schlafen? Sie war doch gar nicht müde. Hatte den Kopf voll von adrenalinstrotzenden Gehirnzellen, die Quiz spielten.

Sie stand auf und zog sich an. Sie war daran gewöhnt, das im Dunkeln zu tun, es ging leise und rasch.

Es war fünf Minuten nach fünf, als Anna-Maria Mella ihren roten Ford Escort vor dem Krankenhaus abstellte. Der Mann von der Wachgesellschaft ließ sie in den Durchgang, der unter dem Gebäude hindurchführte. Brummende Lüftungsrohre unter der Decke. Menschenleere Gänge. Ein abgenutzter Plastikboden und das Geräusch von Türen, die sich automatisch vor ihr öffneten. Sie begegnete einem Hausmeister, der auf einem Tretroller angesaust kam, sonst war alles still und ruhig.

Im Obduktionssaal brannte kein Licht, im Raucherzimmer aber schlief Oberarzt Lars Pohjanen auf dem verfilzten Siebzigerjahresofa, so, wie sie gehofft hatte. Er kehrte der Tür den Rücken zu, sein Körper hob und senkte sich zu seinen mühseligen Atemzügen.

Einige Jahre zuvor war er wegen Kehlkopfkrebs operiert worden. Seine Obduktionstechnikerin, Anna Granlund, hatte ihm immer mehr Arbeit abgenommen. Sie sägte Brustkästen auf, fischte Organe heraus, machte die notwendigen Tests, legte die Organe zurück, nähte Bäuche zu, trug Pohjanens Taschen, ging ans Telefon, ließ nur die wichtigsten Anrufe durch, eigentlich nur die von Frau Pohjanen, hielt den Obduktionssaal sauber, sorgte dafür, dass sein Operationskittel regelmäßig gewaschen wurde, und schrieb seine Berichte.

Neben dem Sofa standen seine jämmerlich abgenutzten Holzschuhe ordentlich nebeneinander. Einst waren sie weiß gewesen. In Anna-Marias Phantasie stopfte Anna Granlund die karierte Synthetikdecke sorgfältig um den Gerichtsmediziner fest, stellte die Holzschuhe neben das Sofa, zog dem Oberarzt die Zigarette aus dem Mund und knipste das Licht aus, ehe sie nach Hause ging.

Anna-Maria streifte die Jacke ab und setzte sich in einen zum Sofa passenden Sessel.

Der Schmutz von dreißig Jahren und noch dazu total zugeräuchert, dachte sie und zog ihre Jacke über sich wie eine Decke. Gemütlich.

Dann war sie auch schon eingeschlafen.

Eine halbe Stunde darauf wurde sie von Pohjanens Husten geweckt. Er saß vornübergebeugt auf der Sofakante und schien die halbe Lunge aus sich herauszuwürgen.

Anna-Maria kam sich sofort dumm und fehl am Platze vor. Sich einfach hereinzuschleichen und im selben Zimmer zu schlafen. Das war doch fast so, als hätte sie sich heimlich in seinem Schlafzimmer ins Bett gelegt.

Dort saß er und hustete seinen Morgenhusten, während der Mann mit der Sense ihm den Arm um die Schultern legte. Das war etwas, das nicht für die Augen aller Welt bestimmt war.

Jetzt ist er sauer, dachte sie. Was habe ich hier denn zu suchen?

Pohjanens Hustenanfall endete mit einem angestrengten Räuspern. Seine Hand betastete automatisch seine Jackentasche, um sich davon zu überzeugen, dass das Zigarettenpäckchen an Ort und Stelle lag.

»Was willst du? Ich hab noch gar nicht mit ihr angefangen. Sie war steif gefroren, als sie gestern Abend hergekommen ist.«

»Ich brauchte schnell einen Ort zum Schlafen«, sagte Anna-Maria. »Zu Hause gibt's nur jede Menge Kinder, die sich querlegen und mit den Beinen strampeln.«

Er starrte sie an, wider Willen belustigt.

»Und Robert furzt im Schlaf«, fügte sie hinzu.

Er schnaubte, um zu verbergen, dass er besänftigt war, erhob sich und warf den Kopf in den Nacken, zum Zeichen dafür, dass sie ihn begleiten solle.

Anna Granlund war soeben eingetroffen. Sie stand in der Spülküche und leerte wie irgendeine Hausfrau die Spülmaschine. Der Unterschied war nur, dass sie hier nicht Besteck und Service herausnahm, sondern Messer, Zangen, Pinzetten, Skalpelle und rostfreie Schalen.

»Sie ist eine wahre Hätähousu«, sagte Pohjanen zu Anna Granlund und nickte zu Anna-Maria hinüber.

»Hetzhose«, übersetzte er dann, als er sah, dass Anna Granlund nichts verstanden hatte.

Anna Granlund bedachte Anna-Maria Mella mit einem gemäßigten Lächeln. Sie mochte Anna-Maria, aber die Leute sollten ihrem Chef verdammt noch mal keinen Stress machen.

»Ist sie aufgetaut?«, fragte Pohjanen.

»Nicht ganz«, sagte Anna Granlund.

»Komm heute Nachmittag wieder, dann kriegst du einen vorläufigen Bericht«, sagte Pohjanen zu Anna-Maria Mella. »Die Analysen dauern unterschiedlich lange, aber das ist ja immer so.«

»Kannst du wirklich nicht schon irgendetwas sagen?«, fragte Anna-Maria Mella und versuchte, sich nicht anzuhören wie eine Hätähousu.

»Wir können ja mal nachsehen«, sagte er.

Die Frau lag auf dem Obduktionstisch. Anna-Maria registrierte, dass aus dem Körper Flüssigkeit abgelaufen war, in den Abfluss unter dem Tisch.

Und weiter ins Trinkwasser, überlegte sie.

Pohjanen sah ihren Blick.

»Sie taut auf«, sagte er. »Aber es wird natürlich schwer sein, sie zu untersuchen. Die Wände der Muskelzellen werden gesprengt und lösen sich.«

Er zeigte auf den Brustkasten der Frau.

»Da siehst du ein Loch«, sagte er. »Wir können uns ja denken, was sie umgebracht hat.«

»Ein Messer?«

»Nein, nein. Etwas anderes, rund, vermutlich spitz.«

»Ein Werkzeug? Eine Ahle?«

Pohjanen zuckte mit den Schultern.

»Du musst warten«, sagte er. »Aber dieses Loch ist offenbar perfekt platziert. Du siehst, dass ihre Kleidung verhältnismäßig wenig Blut abbekommen hat. Vermutlich ist der Stich quer durch den Knorpelbereich des Brustkastens in den Herzbeutel gegangen, und dann hast du im Herzen eine Tamponade.«

»Tamponade?«

Pohjanens Tonfall wurde bissig.

»Aber irgendwas musst du in all diesen Jahren doch gelernt haben? Wenn das Blut nicht aus dem Körper geflossen ist, wo mag es dann geblieben sein? Tja, vermutlich ist der Herzbeutel dermaßen mit Blut gefüllt, dass das Herz am Ende nicht mehr schlagen konnte. Das geht ziemlich rasch. Dann sinkt auch der Druck, und das trägt dazu bei, dass du nicht so sehr blutest. Es kann auch eine Lungentamponade vorliegen, ein Liter in die Lunge, und dann, gute Nacht. Übrigens muss es länger gewesen sein als eine Ahle, auf dem Rücken gibt es ja ein Austrittsloch.«

»Etwas, das sie einfach durchbohrt hat? Teufel auch!«

»Weiter«, Pohjanen redete einfach weiter, »keine äußeren Anzeichen von Vergewaltigung. Sieh her.«

Er richtete die Taschenlampe auf die Beine der Frau.

»Keine blauen Flecken, keine Kratzspuren. Du siehst, dass ihr ins Gesicht geschlagen worden ist, hier und … schau her, Blut in der Nasenhöhle und eine leichte Schwellung über der Nase, und irgendwer hat ihr das Blut von der Oberlippe gewischt. Aber sie hat keine Würgemale, keine Spuren an den Handgelenken, also hat niemand sie daran festgehalten. Aber das hier, das ist auffällig.«

Er zeigte auf den einen Knöchel der Frau.

»Was ist das?«, fragte Anna-Maria. »Eine Brandspur?«

»Ja, die Haut ist jedenfalls versengt worden. Eine kleine bandförmige Verletzung um den ganzen Knöchel herum. Und noch etwas ist auffällig.«

»Ja?«

»Die Zunge. Sie hat sie einfach zerkaut. Das kommt bei schweren Verkehrsunfällen ziemlich häufig vor. Bei dieser Art von Schock also … aber bei Stichwaffen, das habe ich noch nie gesehen. Und wenn es eine Tamponade war und schnell ging … nein, das hier ist ein kleines Rätsel.«

»Darf ich mal sehen«, bat Anna-Maria.

»Das ist nur noch Hackfleisch«, sagte Anna Granlund und hängte frische Handtücher über das Waschbecken. »Ich wollte Kaffee aufsetzen. Möchtet ihr?«

Anna-Maria und der Gerichtsmediziner nahmen das Angebot dankend an, während der Gerichtsmediziner mit der Taschenlampe in den Mund der Toten leuchtete.

»Himmel«, sagte Anna-Maria. »Dann ist sie also vielleicht nicht an dem Stich gestorben? Aber woran dann?«

»Das kann ich dir vielleicht heute Nachmittag sagen. Der Stich ist tödlich, möchte ich behaupten. Aber man fragt sich nach dem Handlungsverlauf. Und schau her.«

Er drehte die eine Handfläche der Frau zu Anna-Maria hin.

»Auch das kann ein Hinweis auf Schock sein. Sie hat die Fäuste geballt und die Nägel tief in ihre Handflächen gebohrt.«

Pohjanen hielt die Hand der Frau in seiner und lächelte vor sich hin.

Deshalb arbeite ich gern mit ihm zusammen, dachte Anna-Maria. Er findet das noch immer wahnsinnig witzig. Je schwieriger und verwickelter, desto besser.

Sie registrierte ein wenig schuldbewusst, dass sie ihn mit Sven-Erik verglich.

Aber Sven-Erik ist so gleichgültig geworden, führte sie zu ihrer Verteidigung an. Und was kann ich schon daran ändern. Mir reicht es, dass ich meine Kinder bei Laune halten muss.

Sie tranken im Raucherzimmer Kaffee. Pohjanen zündete sich eine Zigarette an und ignorierte Anna Granlunds Blick.

»Komisch, das mit der Zunge«, sagte Anna-Maria. »Und das kommt häufig von einem Schock, sagst du? Und dann diese scheußliche Brandwunde um den Knöchel… der Stich ist durch ihre Kleidung hindurchgegangen, sie war also angezogen, als sie ermordet wurde?«

»Aber ich glaube nicht, dass sie beim Training war«, sagte Anna Granlund. »Hast du ihren BH gesehen?«

»Nein.«

»Superluxus. Spitzen und Bügel. Aubade, eine schweineteure Marke.«

»Woher weißt du das?«

»Man hat sich ja selbst auch mal was gegönnt, als man noch Hoffnungen hatte.«

»Kein Sport-BH also?«

»Das nun wirklich nicht.«

»Wenn wir nur wüssten, wer sie ist«, sagte Anna-Maria.

»Mir kommt sie irgendwie bekannt vor«, sagte Anna Granlund.

Anna-Maria setzte sich gerade.

»Das hat Sven-Erik auch gesagt!«, sagte sie. »Versuch doch, dich zu erinnern. Supermarkt? Zahnärztin? Big Brother?«

Anna Granlund schüttelte nachdenklich den Kopf.

Lars Pohjanen drückte seine Zigarette aus.

»Jetzt störst du mal bitte andere als uns«, sagte er. »Ich mache sie nachher auf, und dann werden wir ja sehen, ob wir Klarheit in diese Brandspur um ihren Knöchel bringen können.«

»Wen soll ich denn stören?«, fragte Anna-Maria jammernd. »Um zwanzig vor sieben am Sonntagmorgen! Außer euch ist doch niemand auf.«

»Wie gut«, sagte Pohjanen trocken. »Dann hast du ja das Vergnügen, sie alle wecken zu dürfen.«

»Ja«, sagt Anna-Maria ernst. »Das werde ich tun.«

Oberstaatsanwalt Alf Björnfot trampelte den Schnee ab und kratzte sorgfältig seine Schuhsohlen sauber, bevor er den Gang des Polizeigebäudes betrat. Drei Jahre zuvor hatte er es einmal eilig gehabt, war auf vereisten Sohlen ausgerutscht, hatte sich die Hüfte verletzt und eine Woche lang Schmerzmittel einwerfen müssen.

Zeichen, dass man alt wird, dachte er. Man hat Angst zu fallen.

Er arbeitete an den Wochenenden eigentlich nicht. Und schon gar nicht so früh am Sonntagmorgen. Aber am Vorabend hatte Kommissarin Anna-Maria Mella ihn angerufen und von der Toten erzählt, die in einer Arche in Torneträsk gefunden worden war, und er hatte um eine Besprechung am nächsten Morgen gebeten.

Die Anklagebehörden waren im ersten Stock des Polizeigebäudes untergebracht. Der Oberstaatsanwalt warf einen schuldbewussten Blick auf die Treppe und drückte dann auf den Fahrstuhlknopf.

Als er an Rebecka Martinssons Büro vorbeikam, bildete er sich aus irgendeinem Grund ein, dass sie anwesend war. Statt in sein eigenes Büro weiterzugehen, machte er kehrt, lief zurück, klopfte an Rebeckas Tür und öffnete.

Rebecka Martinsson schaute von ihrem Platz hinter dem Schreibtisch auf.

Sie muss mich im Fahrstuhl und auf dem Gang gehört haben, dachte Alf Björnfot. Aber sie gibt sich nicht zu erkennen. Sitzt mucksmäuschenstill da und hofft, nicht entdeckt zu werden.

Er glaubte schon, dass sie ihn leiden mochte. Und sie war auch nicht menschenscheu, auch wenn sie eine echte einsame Wölfin war. Sie wollte verbergen, wie viel sie arbeitete, nahm er an.

»Es ist sieben Uhr«, sagte er, ging hinein, hob einen Stapel Unterlagen vom Besuchersessel und nahm Platz.

»Hallo. Komm rein. Setz dich.«

»Ja, hier haben wir immer Haus der offenen Tür, weißt du. Es ist Sonntagmorgen. Bist du hier eingezogen?«

»Ja. Möchtest du Kaffee? Ich hab welchen in der Thermosflasche. Anstelle dieser Abwasserbrühe aus dem Eisenwerk, die es hier im Automaten gibt.«

Sie füllte für ihn einen Becher.

Er hatte sie kopfüber in die Arbeit als stellvertretende Staatsanwältin fallen lassen. Sie war keine, die vorsichtig startet und sozusagen wochenlang am Rand steht und zusieht, das hatte er schon am ersten Tag begriffen. Da waren sie nach Gällivare gefahren, hundert Kilometer weiter im Süden, wo die anderen Staatsanwälte des Bezirks untergebracht waren. Sie hatte alle freundlich begrüßt, hatte aber ruhelos gewirkt und sich offenbar nicht wohl in ihrer Haut gefühlt.

Am zweiten Tag hatte er ihr einen Stapel Unterlagen überreicht.

»Kleinkram«, hatte er gesagt. »Erheb Anklage, und lass die Mädels im Sekretariat Termine anberaumen. Wenn du etwas nicht weißt, dann frag einfach.«

Er hatte geglaubt, sie damit für eine Woche beschäftigt zu haben.

Am nächsten Tag hatte sie um neue Aufgaben gebeten.

Ihr Arbeitstempo sorgte für Nervosität in der Behörde.

Die anderen Staatsanwälte machten Witze und fragten, ob sie sie arbeitslos machen wolle. Hinter ihrem Rücken sagte man, sie habe kein Leben, vor allem kein Sexualleben.

Die Damen im Sekretariat fühlten sich gestresst. Sie erklärten ihrem Chef, die Neue dürfe nicht davon ausgehen, dass sie bei den vielen Fällen, mit denen sie überhäuft wurden, alle Vorladungen sofort verschicken könnten, sie hätten schließlich auch noch anderes zu tun.

»Was denn?«, fragte Rebecka Martinsson, als der Oberstaatsanwalt ihr dieses Problem vortrug, so schonend er konnte. »Im Netz surfen? Auf dem Bildschirm Patiencen legen?«

Dann hatte sie die Hand gehoben, noch ehe er den Mund zu einer Antwort öffnen konnte.

»Ist schon gut. Ich werde die Sachen ins Reine schreiben und selbst aufgeben.«

Alf Björnfot ließ sie arbeiten, wie sie wollte. Sollte sie eben ihre eigene Sekretärin sein.

»Ist doch sicher gut so«, sagte er zur Leiterin des Sekretariats. »Dann braucht ihr nicht so oft nach Kiruna zu fahren.«

Die Leiterin des Sekretariats fand das überhaupt nicht gut so. Es war schwer, sich für unersetzlich zu halten, wenn Rebecka Martinsson offenbar gut ohne Sekretärin auskam. Sie rächte sich, indem sie an drei Tagen in der Woche für Rebecka Martinsson Gerichtstermine ansetzte.

Rebeckas Antwort war, sich nicht zu beklagen.

Oberstaatsanwalt Alf Björnfot wollte keine Konflikte. Er wusste, dass in seinem Bezirk die Sekretärinnen herrschten, angeführt von der Sekretariatsleiterin. Er fand es gut, dass Rebecka Martinsson sich nicht beklagte, und immer häufiger sorgte er dafür, dass er in Kiruna zu tun hatte und nicht in Gällivare.

Er spielte an seinem Becher herum. Es war guter Kaffee.

Aber er wollte doch auch nicht, dass sie sich zu Tode schuftete. Er wollte, dass sie sich wohlfühlte. Und blieb.

»Du arbeitest viel«, sagte er.

Rebecka Martinsson seufzte und schob ihren Stuhl zurück. Sie streifte die Schuhe ab.

»Daran bin ich eben gewöhnt«, sagte sie. »Du brauchst dir

keine Sorgen zu machen. Das ist es nun wirklich nicht, womit ich Probleme habe.«

»Das weiß ich, aber ...«

»Ich habe keine Kinder. Keine Familie. Nicht einmal Topfblumen. Ich arbeite gern viel. Also lass mich viel arbeiten.«

Alf Björnfot zuckte mit den Schultern. Er fühlte sich erleichtert, er hatte es immerhin versucht.

Rebecka trank einen Schluck Kaffee und dachte an Måns Wenngren. In der Kanzlei hatten sie sich wirklich fast zu Tode geschuftet. Aber ihr war das nur recht gewesen, sie hatte ja nichts anderes gehabt.

Ich war doch nicht ganz gescheit, dachte sie. Ich konnte die ganze Nacht durcharbeiten, nur für ein kurzes »gut« oder ein anerkennendes Nicken von ihm.

Nicht an ihn denken, mahnte sie sich.

»Was machst du eigentlich heute hier?«, fragte sie dann.

Alf Björnfot erzählte von der Frau, die sie in der Arche gefunden hatten.

»Ich finde es eigentlich nicht so seltsam, dass sie nicht vermisst gemeldet ist«, sagte Rebecka. »Wenn hier jemand seine Frau umgebracht hat, dann lässt er sich jetzt sicher irgendwo voll laufen und jammert und tut sich ja so leid. Und sonst hat noch niemand Zeit gehabt, sie zu vermissen.«

»Das kann natürlich sein.«

Es wurde an die Tür geklopft, und gleich darauf schaute Kommissarin Anna-Maria Mella herein.

»Hier bist du also«, sagte sie fröhlich zum Oberstaatsanwalt. »Ja, jetzt ist Besprechung. Alle sind da. Kommst du auch?«

Das war an Rebecka Martinsson gerichtet.

Rebecka schüttelte den Kopf. Sie und Anna-Maria liefen einander ab und zu über den Weg. Dann sagten sie hallo, viel mehr aber auch nicht. Anna-Maria Mella und ihr Kollege Sven-Erik Stålnacke waren dabei gewesen, als Rebecka den Verstand verloren hatte. Sven-Erik Stålnacke hatte sie festgehalten, bis der Krankenwagen eingetroffen war. Sie dachte manchmal daran. Dass jemand sie festgehalten hatte. Das war ein gutes Gefühl.

Aber es war schwer, mit ihnen zu sprechen. Was sollte sie sagen? Ehe sie von der Arbeit nach Hause fuhr, schaute sie immer durch das Fenster auf den Parkplatz. Manchmal sah sie dort Anna-Maria Mella oder Sven-Erik Stålnacke. Und dann wartete sie, bis die anderen verschwunden waren.

»Was ist passiert?«, fragte Alf Björnfot.

»Nichts ist passiert, seit wir zuletzt miteinander gesprochen haben«, sagte Anna-Maria. »Niemand hat etwas gesehen. Wir wissen noch immer nicht, wer sie ist.«

»Lass sie mal ansehen«, sagte Alf Björnfot und streckte die Hand aus.

Anna-Maria reichte ihm das Foto der Toten.

»Mir kommt sie auch bekannt vor«, sagte Alf Björnfot.

»Darf ich mal?«, fragte Rebecka.

Alf Björnfot schob das Foto über den Tisch und sah Rebecka an.

Sie trug Jeans und Pullover. So hatte er sie noch nie gesehen, seit sie bei ihm arbeitete. Sicher lag es daran, dass Sonntag war. Normalerweise hatte sie die Haare hochgesteckt und trug gut geschnittene Kostüme. Er dachte dann immer, dass sie ein fremder Vogel war. Einige von den anderen trugen auch Kostüm oder Anzug, wenn sie vor Gericht zu tun hatten. Er selbst hatte das schon längst aufgegeben. Begnügte sich damit, zu Gerichtsverhandlungen eine Tweedjacke zu tragen. Bügelte nur die Kragenspitzen und zog einen Wollpullover darüber.

Aber Rebecka sah auf irgendeine Weise immer teuer aus. Teuer und sehr schlicht in ihren grauen oder schwarzen Kostümen und der weißen Bluse.

Etwas rührte sich in ihm. Diese Frau. Er hatte sie im Kostüm gesehen.

»Nein, die kenne ich nicht«, sagte Rebecka.

Wie Rebecka. Weiße Bluse und Kostüm. Auch diese Frau war ein fremder Vogel.

Sie unterschied sich von den anderen.

Von welchen anderen?

Er sah vor sich das Bild einer Politikerin. Kostüm, Blusenkragen über der Jacke. Blonder Pagenkopf. Sie war umgeben von Männern in Anzügen.

Der Gedanke lag auf der Lauer wie ein Hecht im Schilf. Er spürte die Schwingungen von etwas, das sich näherte. EU? UN?

Nein. Politikerin war sie nicht.

»Jetzt weiß ich«, sagte Alf Björnfot. »Ich hab es in den Nachrichten gesehen. Eine Gruppe von Anzugträgern, die sich hier in Kiruna im Schnee zu einem Gruppenbild aufgestellt hatten. Was zum Teufel war denn nur der Anlass? Ich weiß noch, dass ich gelacht habe, weil sie viel zu dünn angezogen waren. Keine Mäntel. Dünne schwarze Schuhe. Sie standen im Schnee und hoben die Füße wie eine Storchenschar. Das sah so witzig aus. Und sie war dabei…«

Er schlug sich auf die Stirn, wie um die Münze in Bewegung zu setzen.

Rebecka Martinsson und Anna-Maria Mella warteten geduldig.

»Ja, jetzt…«, sagte er und verschränkte die Finger. »Das war doch verflixt noch mal dieser Typ aus Kiruna, dem eine von den neuen Grubengesellschaften gehört. Sie hatten hier oben ihre Generalversammlung oder so was… ach, mein Kopf ist einfach das totale Sieb. – Na los«, forderte er dann Rebecka und Anna-Maria auf. »Das war doch kurz vor Weihnachten in den Nachrichten.«

»Ich schlafe nach der Kinderstunde auf dem Sofa ein«, sagte Anna-Maria.

»Verdammt!«, rief Alf Björnfot. »Ich frage Fred Olsson. Der muss es wissen.«

Kommissar Fred Olsson war fünfunddreißig und unersetzlich als inoffizieller Computerexperte der ganzen Wache. Er wurde angerufen, wenn der Computer hing oder jemand Musik aus dem Netz herunterladen wollte. Er hatte keine Familie, deshalb kam er auch gern abends vorbei und half den Kollegen mit heimischen Computerproblemen, wenn das gewünscht wurde.

Und er hatte Überblick über die Leute in der Stadt. Er wusste, wo die kleinen Gauner wohnten und was sie so machten. Gab ihnen ab und zu einen Kaffee aus und blieb dadurch auf dem Laufenden. Er kannte das feinmaschige Netz der Macht. Wusste, welche Spitzen der hiesigen Gesellschaft wem halfen, und ob Verwandtschaft, Leichen im Keller oder Gegendienste der Grund waren.

Alf Björnfot erhob sich, lief den Gang entlang und eine Treppe tiefer zur Polizei.

Anna-Maria gab Rebecka ein Zeichen, und die beiden Frauen liefen hinterher.

Auf dem Weg zu Fred Olssons Büro drehte Alf Björnfot sich plötzlich zu seinen Verfolgerinnen um und rief:

»Kallis! Mauri Kallis heißt er. Er ist doch hier geboren, auch wenn er schon vor ewigen Zeiten weggezogen ist.«

Dann lief er weiter zu Fred Olssons Büro.

»Na gut, Mauri Kallis, und was jetzt«, murmelte Anna-Maria Rebecka zu. »Wir haben doch eine Frau gefunden.«

Jetzt standen alle drei vor Fred Olssons Tür.

»Fredde«, keuchte der Oberstaatsanwalt. »Mauri Kallis! Nicht wahr, der hatte doch hier im Dezember einen Haufen von wichtigen Leuten zu Besuch?«

»Sicher«, sagte Fred Olsson. »Kallis Mining hat hier in der Stadt eine Grubengesellschaft namens Northern Explore AB, eine von ihren wenigen börsennotierten Unternehmen. Eine kanadische Investitionsgesellschaft hat gegen Ende des Jahres ihren kompletten Aktienposten verkauft, und da wurden viele Vorstandsmitglieder ausgewechselt ...«

»Kannst du ein Bild von diesem Treffen finden?«, fragte Alf Björnfot.

Fred Olsson kehrte den drei Personen, die in seiner Tür aufgetaucht waren, den Rücken zu und schaltete seinen Computer ein. Die drei Gäste warteten geduldig.

»Sie haben einen Mann aus Kiruna in den Vorstand gewählt«, sagte Fred Olsson. »Den geb ich mal ein. Wenn wir Mauri Kallis eingeben, kriegen wir sicher tausend Treffer.«

»Ich glaube mich zu erinnern, dass ein Haufen von Anzügen im Schnee stand und fotografiert wurde«, sagte Alf Björnfot. »Ich glaube, die Frau aus der Arche war auch auf diesem Bild.«

Fred Olsson tippte eine Weile auf seiner Tastatur herum. Dann sagte er:

»Hier. Das muss sie sein.«

Auf dem Bildschirm erschien ein Bild von einer Gruppe von Männern in Anzügen. In der Mitte stand eine Frau.

»Doch«, sagte Anna-Maria Mella. »Sie hat diese antike Nase, die sozusagen zwischen den Augenbrauen anfängt.«

»Inna Wattrang, Informationschefin«, las Alf Björnfot vor.

»Na gut«, sagte Anna-Maria. »Dann lasst sie identifizieren. Sagt den Angehörigen Bescheid. Man fragt sich ja schon, wie sie draußen in Torneträsk gelandet ist.«

»Kallis Mining hat in Abisko ein Ferienhaus«, sagte Fred Olsson.

»Hör doch auf!«, rief Anna-Maria.

»Doch, wirklich. Das weiß ich, weil der Ex meiner Schwester Rohrleger ist. Und er hat die Rohre gelegt, als die Hütte gebaut wurde. Wenngleich das nicht gerade eine Hütte ist. Villa mit sportlicher Prägung, oder wie immer man das nennen soll.«

Anna-Maria drehte sich zu Alf Björnfot um.

»Natürlich«, sagte Alf Björnfot, ehe sie fragen konnte. »Ich schreibe sofort die Durchsuchungsgenehmigung aus. Soll ich Bennys Schloss & Alarm anrufen?«

»Ja, bitte«, sagte Anna-Maria. »Los geht's«, rief sie und stürzte los, um ihre Jacke aus ihrem Büro zu holen. »Die Besprechung holen wir dann heute Nachmittag nach.«

Sie hörten ihre Stimme aus ihrem Büro.

»Komm du auch mit, Fredde. Und Sven-Erik!«

Eine Minute darauf waren sie verschwunden. Plötzlich herrschte im Haus sonntägliche Stille. Auf dem Gang standen Alf Björnfot und Rebecka Martinsson.

»Na gut«, sagte Alf Björnfot. »Und wo waren wir noch gleich?«

»Wir waren beim Kaffeetrinken«, sagte Rebecka lächelnd. »Höchste Zeit für einen Nachschlag.«

»Ach, wie schön«, sagte Anna-Maria. »Wie aus einer Reisebroschüre!«

Sie fuhren in ihrem roten Ford Escort über den Norgeväg. Rechts lag Torneträsk. Strahlend blauer Himmel. Sonne und glitzernder Schnee. Überall auf dem langen See standen Archen in allen möglichen Farben und Formen. Auf der anderen Straßenseite breitete sich die Gebirgswelt aus.

Es wehte nicht mehr. Aber es war nicht warm geworden. Anna-Maria schaute zwischen den Birken hindurch und dachte, der Schnee ist sicher sehr hart geworden. Vielleicht so hart, dass man im Wald den Tretschlitten benutzen könnte.

»Sieh lieber auf die Straße«, regte Sven-Erik an, der neben ihr saß.

Die Berghütte von Kallis Mining war ein großes Holzhaus, schön gelegen am Seeufer. In der Gegenrichtung ragte der Berg Nuolja auf.

»Der Ex meiner Schwester hat davon erzählt«, sagte Fred Olsson. »Sein Vater war beim Bau beschäftigt. Sie haben zwei Almhütten aus Hälsingland hergebracht. Das Holz ist zweihundert Jahre alt. Und unten am Ufer liegt die Sauna.«

Benny von Bennys Schloss & Alarm saß in seinem Firmenwagen auf dem Hofplatz. Er kurbelte das Fenster herunter und rief: »Ich habe aufgemacht, aber ich muss jetzt los.« Er hob die Hand zu einem raschen Gruß und fuhr davon.

Anna-Maria und ihre beiden Kollegen gingen hinein. Anna-Maria hatte noch nie so ein Haus gesehen. Die handgezimmerten silbergrauen Wände waren sparsam geschmückt mit kleinen Ölgemälden von der Gebirgswelt und Spiegeln in schweren vergoldeten Rahmen. Große türkise und rosafarbene Kleiderschränke im indischen Stil bildeten einen Kontrast zur Schlichtheit der unbemalten Wände. Die hohe Decke wurde von sichtbaren Balken getragen. Auf den breiten Bodenbrettern lagen in allen Zimmern schlichte Flickenteppiche, mit einer Ausnahme: Vor dem großen Kamin im Wohnzimmer lag ein Eisbärfell mit klaffendem Schlund.

»Meine Güte«, sagte Anna-Maria.

Küche, Flur und Wohnzimmer waren offen gehalten, auf der einen Seite gab es große Fenster mit Aussicht auf den im Spätwinterlicht glitzernden See. Auf der anderen Zimmerseite kam viel Licht durch kleine, hoch gelegene mundgeblasene Bleiglasfenster in unterschiedlichen Farbtönen.

Auf dem Küchentisch standen ein Milchkarton und eine Packung Müsli, ein benutzter Teller und ein Löffel. Im Spülbecken waren schmutzige Teller aufeinandergestapelt, Besteck schaute dazwischen heraus.

»Igitt«, sagte Anna-Maria, als sie den Milchkarton schüttelte und den geronnenen Klumpen darin hörte.

Nicht, dass es bei ihr zu Hause jemals aufgeräumt wäre. Aber was für eine Vorstellung, in so einem schönen Haus ganz allein sein zu können und keine Ordnung zu halten. Sie würde das tun, wenn sie jemals so wohnte. Die Skier vor der Tür anschnallen und zur Inspiration einen langen Ausflug am Seeufer machen. Nach Hause kommen und kochen. Beim Abwasch Radio hören, oder auch ganz still sein und mit den Händen im warmen Wasser den eigenen Gedanken nachhängen. Auf dem einladenden Wohnzimmersofa liegen und das Feuer im Kamin knistern hören.

»Diese Menschen sind vielleicht nicht der Typ, der spült«, kommentierte Sven-Erik Stålnacke. »Sicher macht das irgendwer, wenn sie aufgebrochen sind.«

»Diese Person müssen wir uns dann jedenfalls schnappen«, sagte Anna-Maria rasch.

Sie öffnete die Türen zu den vier Schlafzimmern. Große Doppelbetten mit Flickendecken. Über den Kopfenden hingen Rentierfelle, silbergraues Zottelfell vor den silbergrauen Holzwänden.

»Schön«, sagte Anna-Maria. »Warum sieht es bei mir zu Hause nicht so aus?«

In den Schlafzimmern gab es keine Schränke, stattdessen standen dort große Seekisten und antike Truhen. An prachtvollen indischen Wandschirmen und eleganten Haken und Hörnern an der Wand hingen Kleiderbügel. Es gab Sauna, Waschküche und einen großen Trockenschrank. Neben der Sauna lag ein großer Umkleideraum mit Platz für Skiausrüstung und Stiefel.

In einem Schlafzimmer stand ein offener Koffer. Kleider lagen wild durcheinander darin und davor. Das Bett war nicht gemacht.

Anna-Maria machte sich an den Kleidern zu schaffen.

»Ein bisschen unordentlich, aber keine Hinweise auf Kampf oder Einbruch«, sagte Fred Olsson. »Nirgendwo Blut, nichts Auffälliges. Ich seh mir mal die Badezimmer an.«

»Nein, hier ist nichts vorgefallen«, sagte Sven-Erik Stålnacke.

Anna-Maria fluchte in Gedanken. Sie brauchten doch eine Mordstätte.

»Was sie hier wohl gemacht hat«, sagte sie und musterte einen teuer aussehenden Rock und seidene Stay-ups. »Das sind nicht gerade Kleider für einen Skiurlaub.«

Anna-Maria nickte und schnitt eine Grimasse, die ihre Enttäuschung zum Ausdruck bringen sollte.

Fred Olsson tauchte hinter ihnen auf. Er hielt eine Handtasche in der Hand. Sie war aus schwarzem Leder und hatte gelbe Griffe.

»Die lag im Badezimmer«, sagte er. »Prada. Zehn-, fünfzehntausend.«

»Drinnen?«, fragte Sven-Erik.

»Nein, das kostet sie.«

Fred Olsson kippte den Tascheninhalt auf das nicht gemachte Bett. Er öffnete die Brieftasche und hielt Anna-Maria Inna Wattrangs Führerschein hin.

Anna-Maria Mella nickte. Das war sie. Kein Zweifel möglich.

Sie sah sich die anderen Dinge an, die aus der Tasche gefallen waren. Tampons, Nagelfeile, Puder, jede Menge Bankquittungen, ein Röhrchen mit Kopfschmerztabletten.

»Kein Mobiltelefon«, stellte sie fest.

Fred Olsson und Sven-Erik nickten. Es gab auch sonst nirgendwo eins. Das konnte darauf hinweisen, dass sie den Täter kannte, dass sie seine Nummer in ihrem Mobiltelefon einprogrammiert hatte.

»Wir nehmen ihre Sachen mit auf die Wache«, sagte Anna-Maria. »Und hier sperren wir alles ab.«

Ihr Blick fiel wieder auf die Tasche.

»Die ist feucht«, sagte sie.

»Wollte ich auch gerade erwähnen«, sagte Fred Olsson. »Die stand im Waschbecken. Wahrscheinlich hat der Hahn ein wenig getropft.«

Die anderen wechselten einen überraschten Blick.

»Seltsam«, sagte Anna-Maria.

Sven-Eriks üppiger Schnurrbart erwachte unter seiner Nase zum Leben, bewegte sich hin und her, von einer Seite zur anderen.

»Könnt ihr eine Runde ums Haus drehen?«, fragte Anna-Maria. »Dann übernehme ich die hier drinnen.«

Fred Olsson und Sven-Erik Stålnacke verschwanden. Anna-Maria ging langsam weiter.

Wenn sie nicht hier gestorben ist, dachte sie, dann war jedenfalls der Täter hier. Wenn er das Telefon mitgenommen hat. Aber natürlich, vielleicht hatte sie es bei sich, als sie losgelaufen ist, wo immer sie hinwollte. Hatte es in der Tasche.

Sie sah das Waschbecken an, in dem die Tasche gestanden hatte. Was hatte sie dort zu suchen gehabt? Sie öffnete den Badezimmerschrank. Ganz leer. Typisch für ein Ferienhaus, das für Gäste oder Angestellte gedacht ist, da liegen keine persönlichen Gegenstände herum.

Ich kann davon ausgehen, dass alle persönlichen Gegenstände, die wir hier finden werden, ihr gehören, dachte Anna-Maria.

Im Kühlschrank lagen einige Fertiggerichte. Drei von vier Schlafzimmern waren unbenutzt.

Hier gibt es nicht mehr zu sehen, dachte Anna-Maria und ging wieder hinaus auf den Flur.

Auf einer weißen Kommode dort stand eine alte Lampe. An einem anderen Ort hätte sie kitschig ausgesehen, hier aber passte sie perfekt, fand Anna-Maria. Der Fuß war aus Porzellan. Er war mit einer Landschaft bemalt, die aus den bayerischen Alpen zu stammen schien, ein Berg im Hintergrund, davor ein stattlicher Hirsch. Der Schirm war kognakbraun und hatte Fransen. Der Schalter saß direkt unter der Glühbirne.

Anna-Maria versuchte, die Lampe einzuschalten. Als das nicht klappte, stellte sie fest, dass nicht die Birne durchgebrannt war, sondern dass die Leitung fehlte.

Der Lampenfuß wies dort, wo die Leitung hätte sein sollen, nur ein Loch auf.

Was haben sie mit der Leitung gemacht, überlegte Anna-Maria.

Vielleicht wurde die Lampe auf einem Flohmarkt oder in einem Antiquitätenladen gekauft und hatte keine Leitung mehr.

Sie hatten sie vielleicht auf die Kommode gestellt und bald reparieren wollen und waren dann nicht dazu gekommen.

Bei Anna-Maria zu Hause gab es tausend solcher Gegenstände. Gegenstände, die im nächsten Jahr repariert werden sollten. Aber am Ende gewöhnte man sich an die Defekte. An die Tür der Spülmaschine zum Beispiel. Die funktionierte wie die Schranktüren, war aber vor hundert Jahren locker geworden, und deshalb war sie jetzt zu leicht für den Federungsmechanismus. Die ganze Familie Mella hatte sich daran gewöhnt, die Spülmaschine ein- und auszuräumen, indem sie einen Fuß gegen die Tür stemmten, damit die nicht von selbst hochklappte. Anna-Maria machte das jetzt, ohne zu überlegen, auch bei anderen. Roberts Schwester lachte immer über sie, wenn Anna-Maria beim Einräumen der Spülmaschine half.

Sie hatten die Lampe vielleicht verstellen wollen, und dann war die Leitung zwischen der Wand und einem Möbelstück eingeklemmt und deshalb von der Lampe abgerissen worden. Aber das konnte doch gefährlich sein. Wenn die Leitung in der Steckdose saß und locker herunterhing.

Anna-Maria dachte an die Feuergefahr, und dann dachte sie an Gustav, ihren drei Jahre alten Sohn, und an all die Plastikstöpsel, die sie zu Hause in die Steckdosen gesteckt hatten.

Für einen Moment sah sie Gustav vor sich, er war acht Monate alt und krabbelte überall herum. Wie entsetzlich! Ein Stecker, der in der Steckdose steckte, und eine abgerissene Leitung lag auf dem Boden. Die Kupferdrähte waren in der Kunststoffisolierung gut zu sehen. Und Gustav nutzte den Mund als wichtigstes Werkzeug, um seine Umwelt zu untersuchen. Anna-Maria verdrängte dieses Bild.

Dann ging es ihr auf. Elektrischer Schock. Sie hatte in ihrem Berufsleben schon etliche gesehen. Herrgott, der Junge, der vor fünf Jahren gestorben war. Sie war hingefahren, um sich davon zu überzeugen, dass es sich um einen Unglücksfall handelte. Er hatte barfuß auf dem Spülstein gestanden und eine Deckenlampe reparieren wollen. Die Haut unter seinen Füßen war eine einzige Brandwunde gewesen.

Inna Wattrang hatte eine bandförmige Brandwunde um den Knöchel.

Es wäre vorstellbar, dass jemand eine ganz normale Leitung aus einer Lampe reißt, dachte Anna-Maria. Zum Beispiel von einer Lampe, auf der ein Hirsch abgebildet ist. Und dass jemand dieses Stück Leitung auseinanderzieht und die Isolierschicht abschält und den einen Kupferdraht um den Knöchel eines Menschen wickelt.

Sie riss die Tür auf und rief ihre Kollegen. Die kamen mit langen Schritten durch den Neuschnee angerannt.

»Verdammt«, rief Anna-Maria. »Sie ist hier gestorben. Das weiß ich. Holt Tintin und Krister Eriksson!«

Polizeikommissar und Hundeführer Krister Eriksson traf eine knappe Stunde nach dem Anruf seiner Kollegen ein. Sie hatten Glück, oft war er mit Tintin an anderen Orten im Einsatz.

Krister Eriksson sah aus wie jemand von einem anderen Stern. Sein Gesicht wies schlimme Spuren einer Brandverletzung in seiner Jugend auf. Er hatte keine Nase, sondern nur zwei Löcher mitten im Gesicht. Seine Ohrmuscheln sahen aus wie zwei Mäuseohren. Er hatte keine Haare, keine Augenbrauen, keine Wimpern und seltsame Augen, deren Lider von Chirurgen geformt worden waren.

Anna-Maria betrachtete seine blanke schweinchenrosa Haut, und ihre Gedanken liefen zurück zu Inna Wattrang und ihrem versengten Knöchel.

Ich muss Pohjanen anrufen, dachte sie.

Krister Eriksson nahm Tintin an die Leine. Sie schmiegte sich an seine Füße und fiepte erwartungsvoll.

»Sie ist immer so eifrig«, sagte Krister und wickelte sich aus der Leine. »Ich muss sie zurückhalten, sonst geht die Suche zu schnell, und dann kann sie etwas übersehen.«

Krister Eriksson und Tintin gingen allein ins Haus. Sven-Erik Stålnacke und Fred Olsson stapften durch den Schnee und schauten durch die Fenster hinein.

Anna-Maria Mella setzte sich ins Auto und rief Oberarzt Lars Pohjanen an. Sie berichtete von der fehlenden Lampenleitung.

»Also?«, fragte sie dann.

»Natürlich kann die Verletzung am Knöchel von einer Leitung stammen, die Strom durch ihren Körper gesandt hat«, sagte Pohjanen.

»Ein Stück einer zerteilten Leitung, das um den Knöchel gewickelt worden ist?«

»Sicher. Und mit dem anderen Ende der Leitung wird der Strom geschickt.«

»Ist sie gefoltert worden?«

»Vielleicht. Es kann aber auch ein Spiel gewesen sein, das aus dem Ruder gelaufen ist. Kommt nicht oft vor, manchmal aber eben doch.«

»Ja?«

»Sie hat Leimspuren an Knöcheln und Handgelenken. Du solltest die Techniker die Möbel im Haus überprüfen lassen. Sie war mit Klebeband gefesselt, vielleicht Hände und Füße aneinander. Aber sie kann ja auch an ein Möbelstück gebunden worden sein, an Bettpfosten oder einen Stuhl oder so... Moment mal...«

Eine Sekunde verstrich. Dann hörte sie wieder die raue Stimme des Gerichtsmediziners.

»Ich habe Handschuhe angezogen und seh sie mir jetzt an«, sagte er. »Doch, am Hals gibt es einen kleinen, aber deutlichen Flecken.«

»Stammt der vom anderen Teil der Leitung?«, fragte Anna-Maria.

»Eine Lampenleitung, hast du gesagt?«

»Mmmm.«

»Dann müsste es Kupferreste in den Schmelzspuren in der

Hornschicht geben. Ich werde eine histologische Gewebeprobe machen, dann weißt du es genau. Aber es ist wahrscheinlich, dass es sich so verhält. Sie hat jedenfalls eine Rhythmusstörung erlitten. Und ist in diesen schockartigen Zustand geraten. Das könnte die zerbissene Zunge und die Spuren ihrer Fingernägel in der Handfläche erklären.«

Sven-Erik Stålnacke klopfte an das Wagenfenster und zeigte auf das Haus.

»Du, ich muss aufhören«, sagte Anna-Maria zum Gerichtsmediziner. »Ich ruf wieder an.«

Sie stieg aus dem Auto aus.

»Tintin hat etwas gefunden«, sagte Sven-Erik.

Krister Eriksson stand mit Tintin in der Küche. Der Hund zog an der Leine, bellte und kratzte wie wahnsinnig auf dem Boden herum.

»Sie macht eine Markierung«, sagte Krister und zeigte auf einen Punkt zwischen Spülstein und Herd. »Ich kann nichts sehen, aber sie scheint total überzeugt zu sein.«

Anna-Maria sah zu Tintin hinüber, die jetzt frustriert heulte, weil sie von der Fundstelle zurückgehalten wurde.

Ein türkisfarbener Linoleumbelag mit orientalischem Muster bedeckte den Boden. Anna-Maria ging hin und sah ihn sich genauer an. Sven-Erik Stålnacke und Fred Olsson liefen hinterher.

»Ich kann auch nichts sehen«, sagte Anna-Maria.

»Nein«, stimmte Fred Olsson zu und schüttelte den Kopf.

»Kann es etwas unter dem Linoleum sein?«, fragte Anna-Maria.

»Irgendetwas ist da jedenfalls«, sagte Krister Eriksson, der vollauf damit beschäftigt war, Tintin in Schach zu halten.

»Na gut«, sagte Anna-Maria und schaute auf die Uhr. »Wir können in der Touristenstation zu Mittag essen, während wir auf die Techniker warten.«

Um halb drei Uhr nachmittags hatten die Kollegen von der Technik den Linoleumbelag vom Küchenboden entfernt. Als Anna-Maria Mella, Sven-Erik Stålnacke und Fred Olsson zum Haus zurückkamen, lag er im Gang, aufgewickelt und in Papier gehüllt.

»Seht mal«, sagte ein Techniker und zeigte auf eine überaus kleine Kerbe im Holzboden unter dem Linoleum.

In der winzigen Kerbe klebte etwas Braunes, das aussah wie getrocknetes Blut.

»Dieser Hund muss ja eine Supernase haben.«

»Ja«, sagte Anna-Maria. »Sie ist tüchtig.«

»Das muss Blut sein, wenn wir die Reaktion des Hundes bedenken«, sagte der Techniker. »Linoleum ist doch ein phantastisches Material. Meine Mutter hatte einen Boden, der über dreißig Jahre gehalten hat. Linoleum repariert sich selbst.«

»Wie denn das?«

»Also, wenn du es beschädigst, durch eine Kerbe oder so, dann zieht es sich so zusammen, dass nichts mehr zu sehen ist. Offenbar hat sich eine spitze Waffe oder ein Werkzeug durch den Belag gebohrt und im Holzboden darunter eine Kerbe hinterlassen. Und da ist dann Blut reingelaufen. Danach hat das Material sich zusammengezogen, und wenn der Boden dann geputzt wird, ist keine Spur mehr zu sehen. Wir schicken das Blut aus der Kerbe, wenn es denn Blut ist, zur Analyse, dann werden wir ja sehen, ob es von Inna Wattrang stammt.«

»Ich wette hundert Eier, dass es das tut«, sagte Anna-Maria. »Sie ist hier gestorben.«

Es war acht Uhr am Sonntagabend, als Anna-Maria ihre Jacke anzog, Robert anrief und sagte, sie werde jetzt Feierabend machen. Er klang nicht sauer oder müde, fragte, ob sie gegessen habe, und teilte mit, in der Küche stehe noch Essen, das aufgewärmt werden könne. Gustav schlief, sie waren mit dem Schlitten unterwegs gewesen. Auch Petter war mitgekommen, obwohl er sonst ein Stubenhocker war. Jenny war bei einer Freundin, erzählte er und fügte rasch hinzu, ehe Anna-Maria ›morgen ist ein Schultag‹ denken konnte, sie sei jetzt auf dem Heimweg.

Anna-Maria war fast lächerlich froh. Sie waren draußen gewesen und hatten sich bewegt und jede Menge frische Luft abbekommen. Sie waren fröhlich gewesen. Robert war ein guter Vater. Jetzt spielte es keine Rolle mehr, dass die Kleider der ganzen Familie im Flur auf dem Boden herumlagen und das Abendessen nur zur Hälfte abgeräumt worden war. Sie würde den Rest mit guter Laune erledigen.

»Ist Marcus zu Hause?«, fragte sie.

Marcus war ihr Ältester. Er ging in die letzte Klasse des Gymnasiums.

»Nein, ich glaube, er will bei Hanna übernachten. Wie war es denn bei dir?«

»Gut, sehr gut. Es sind erst vierundzwanzig Stunden vergangen, und schon wissen wir, wer sie ist, Inna Wattrang, ein hohes Tier bei Kallis Mining. Das wird morgen in den Zeitungen stehen. Wir haben den Tatort gefunden, obwohl der Mörder sich alle Mühe gegeben hat, sämtliche Spuren zu tilgen. Auch wenn die zentrale Kriminalpolizei vielleicht den Fall übernimmt, kann uns niemand nachsagen, wir hätten keine gute Arbeit geleistet.«

»Sie wurde erstochen?«

»Ja, aber das ist nicht alles. Der Täter hat sie unter Strom gesetzt. Die Techniker waren heute Abend vor Ort, und sie haben an einem Küchenstuhl Leimspuren gefunden, an Armen und Beinen. Dieselbe Art Leim klebt an ihren Handgelenken und Knöcheln. Jemand hat sie gefesselt und ihr einen Elektroschock verpasst.«

»O verdammt. Aber womit denn?«

»Mit einer ganz normalen Lampenleitung, glaube ich, er hat das eine Ende abgeschält, es zerteilt, es um ihren Knöchel gewickelt und das andere Ende an ihren Hals gehalten.«

»Und danach hat er sie erstochen.«

»Ja.«

»Was steckt dahinter?«

»Keine Ahnung. Es kann sich um einen Verrückten handeln oder um einen Hassausbruch. Kann auch ein Sexspiel sein... eins, das irgendwie ausgeufert ist, aber es scheint kein Sperma in ihr zu geben, an ihr auch nicht. Sie hatte etwas Weißes und Schleimiges im Mund, aber das war nur Erbrochenes.«

Robert stieß ein Geräusch des Unbehagens aus.

»Versprich mir, mich nie zu verlassen«, sagte er. »Stell dir vor, ich ziehe durch die Stadt und suche eine Neue... und wenn wir dann nach Hause kommen, will sie unter Strom gesetzt werden.«

»Da bist du mit mir besser dran, wo ich mich mit der Missionarsstellung begnüge.«

»Guter altmodischer Alltagssex.«

Anna-Maria gurrte.

»Ich mag guten altmodischen Alltagssex«, sagte sie. »Falls alle Kinder schlafen, wenn ich nach Hause komme...«

»Komm mir ja nicht so, du wirst essen und dann auf dem Sofa vor dem Fernseher einschlafen. Wir sollten vielleicht doch ein bisschen an uns arbeiten.«

»Wir könnten uns ein Kamasutra-Buch kaufen.«

Robert lachte am anderen Ende der Leitung. Anna-Maria freute sich. Sie hatte ihn zum Lachen gebracht. Und sie sprachen über Sex.

Das müsste ich häufiger machen, dachte sie. Mit ihm herumjuxen und Unsinn reden...

»Genau«, sagte Robert. »Stellungen wie der Flug des Kranichs über das Himmelsgewölbe oder so, ich mache die Brücke und du darüber einen Spagat.«

»Ja, dann ist das abgemacht. Ich mache mich sofort auf den Weg.«

Anna-Maria Mella hatte kaum aufgelegt, da klingelte das Telefon wieder. Es war Oberstaatsanwalt Alf Björnfot.

»Hallo«, sagte er. »Wollte nur schnell mitteilen, dass Mauri Kallis morgen hochkommt.«

Anna-Maria Mella überlegte eine Weile. Sie hatte damit gerechnet, dass Robert noch einmal anrief, weil ihm plötzlich etwas eingefallen war, das sie auf dem Heimweg einkaufen sollte.

»Mauri Kallis wie in Kallis Mining?«

»Jepp. Seine Sekretärin hat mich eben angerufen. Und ich hatte die Kollegen aus Stockholm an der Strippe. Sie hatten Inna Wattrangs Eltern informiert. Die natürlich geschockt waren. Wussten nicht einmal, dass sie in Abisko war, sagten sie. Aber Inna Wattrang und ihr Bruder Diddi arbeiten beide für Kallis Mining. Und er hat ein großes Gut am Mälar, wo beide Geschwister wohnen. Die Eltern haben den Kollegen gesagt, sie sollten auch den Bruder informieren und Mauri Kallis bitten, hochzufahren und sie zu identifizieren.«

»Morgen!«, stöhnte Anna-Maria. »Ich wollte gerade nach Hause.«

»Fahr nach Hause.«

»Geht nicht. Ich muss doch mit ihm reden. Über Inna Wattrang und ihre Rolle im Konzern und alles. Ich habe keine Ahnung von Kallis Mining. Er wird uns für Idioten halten.«

»Rebecka Martinsson hat morgen einen Gerichtstermin, also sitzt sie sicher da oben. Bitte sie, sich über Kallis Mining zu informieren und dir morgen früh eine Zusammenfassung von einer halben Stunde zu liefern.«

»Das kann ich doch nicht machen. Sie …«

Anna-Maria verstummte für eine halbe Sekunde. Sie hätte fast gesagt, auch Rebecka Martinsson habe ein Leben, aber das stand ja nicht fest. Unter den Kollegen wurde darüber geredet, dass Rebecka Martinsson allein auf dem Land wohnte und zu niemandem Kontakt suchte.

» … sie muss doch schlafen wie alle anderen auch«, sagte sie stattdessen. »Ich kann sie nicht bitten.«

»Na gut.«

Anna-Maria dachte an Robert, der zu Hause wartete.

»Oder vielleicht doch?«

Alf Björnfot lachte.

»Ich habe jedenfalls vor, mich vor den Fernseher zu pflanzen«, sagte er.

»Ja, genau«, sagte Anna-Maria vergrätzt.

Sie beendete ihr Gespräch mit dem Oberstaatsanwalt und sah aus dem Fenster. Doch. Rebeckas Wagen stand noch auf dem Parkplatz.

Drei Minuten darauf klopfte Anna-Maria an Rebecka Martinssons Bürotür.

»Also, ich weiß, dass du viel hier bist«, sagte sie. »Und dass das nicht deine Aufgabe ist. Es ist also total in Ordnung, wenn du Nein sagst...«

Sie sah auf den Papierstapel auf Rebeckas Tisch.

»Vergiss es«, sagte sie dann. »Du hast auch so genug zu tun.«

»Was soll ich vergessen?«, fragte Rebecka. »Wenn es mit Inna Wattrang zu tun hat, dann frag nur. Ich finde...«

Sie unterbrach sich.

»Ich hätte fast gesagt, dass ich Morde immer klasse finde, aber so meine ich das gar nicht.«

»Das macht nichts«, sagte Anna-Maria Mella. »Ich verstehe genau, was du meinst. Eine Mordermittlung ist wirklich etwas Besonderes. Ich will natürlich nicht, dass auch nur ein Mensch ermordet wird. Aber wenn es passiert, dann möchte ich bei der Aufklärung mitwirken.«

Rebecka Martinsson schien erleichtert zu sein.

»Davon habe ich einst geträumt, als ich mich für die Polizeischule entschieden habe«, sagte Anna-Maria Mella. »Du auch vielleicht, als du mit Jura angefangen hast?«

»Nein, ich weiß nicht. Ich bin aus Kiruna weggegangen und habe das Studium aufgenommen, weil ich mich mit den Leuten hier überworfen hatte. Dass es Jura wurde, war eher Zufall.

Und ich war fleißig und tüchtig und fand sofort eine Stelle. Ich bin sozusagen in alles einfach so hineingeschlittert. Entschieden habe ich mich wohl erst, als ich hierher zurückgezogen bin.«

Sie hatten sich rasch einem ernsthaften Gesprächsthema genähert. Aber sie kannten einander zu wenig, um den Weg weiterzugehen, den sie eingeschlagen hatten. Deshalb hörten sie auf und schwiegen eine Weile.

Aber Rebecka registrierte dankbar, dass dieses Schweigen nichts Belastendes hatte.

»Also«, sagte Rebecka und lächelte ein wenig. »Worum wolltest du mich bitten?«

Anna-Maria erwiderte das Lächeln. Aus irgendeinem Grund war ihre Beziehung zu Rebecka Martinsson immer ein wenig angespannt gewesen. Das hatte ihr nicht sehr viel ausgemacht, aber ab und zu dachte sie, dass man einem anderen Menschen nicht automatisch nahestand, nur weil man ihm das Leben gerettet hatte. Jetzt aber schien diese Anspannung plötzlich davonzufliegen.

»Inna Wattrangs Chef Mauri Kallis kommt morgen her«, sagte sie.

Rebecka stieß einen Pfiff aus.

»Wirklich«, sagte Anna-Maria. »Und ich muss doch mit ihm reden, aber ich weiß nichts über seine Firma oder darüber, was Inna Wattrang da gemacht hat oder sonst was.«

»Im Internet muss doch jede Menge Stoff zu finden sein.«

»Das ist es ja gerade«, sagte Anna-Maria mit Leidensmiene.

Sie hasste es zu lesen. Schwedisch und Mathe waren in der Schule ihre schwächsten Fächer gewesen. Nur um Haaresbreite hatte sie die Noten bekommen, die für die Aufnahme an der Polizeischule verlangt wurden.

»Alles klar«, sagte Rebecka. »Du kriegst morgen eine Zusammenfassung. Wir machen das um halb acht, weil ich den Rest des Tages vor Gericht sein muss, um neun geht es los.«

»Bist du sicher?«, fragte Anna-Maria. »Das ist doch sehr viel Arbeit.«

»Aber das ist doch genau das Richtige für mich, weißt du«, sagte Rebecka. »Einen Haufen Geschwafel auf zwei A4-Seiten zu kondensieren.«

»Und dann musst du den ganzen Tag ins Gericht. Hast du denn alles vorbereitet?«

Rebecka grinste.

»Jetzt fühlst du dich ein bisschen schuldig«, sagte sie neckend. »Zuerst soll ich dir einen Gefallen tun. Und dir dann auch noch die Absolution erteilen.«

»Vergiss es«, sagte Anna-Maria. »Lieber hab ich ein schlechtes Gewissen, als das alles selbst zu lesen. Das ist doch so ein Konzernkram und …«

»Mmm, Kallis Mining ist eine multinationale Unternehmensgruppe. Kein Konzern, eher eine Sphäre. Aber ich werde dir auch die Gesellschaftsstruktur erklären, die ist eigentlich gar nicht so kompliziert.«

»Bestimmt nicht. Du brauchst nur Gesellschaftsstruktur und Konzern und Sphäre zu sagen, und schon krieg ich Ausschlag an den Armen. Aber ich finde es wirklich großartig, dass du das machst. Und ich werde an dich denken, wenn ich meinen Hintern heute Abend vor den Fernseher pflanze. Aber jetzt mal ganz ernst, soll ich dir eine Pizza holen oder so? Denn du bleibst doch sicher hier?«

»Ich will auch nach Hause und mich auf dem Sofa vor dem Fernseher niederlassen. Das hier mach ich so nebenbei.«

»Wer bist du eigentlich? Superwoman?«

»Ja. Fahr du jetzt zum Fernseher. Hast du nicht auch jede Menge Kinder, die ihren Gutenachtkuss wollen?«

»Mmmm, die beiden Ältesten küssen ihre Mutter nicht mehr. Und das Mädel küsst nur Papa.«

»Aber der Jüngste …«

»Gustav. Der ist drei. Doch, der will seine alte Mutter küssen.«

Rebecka lächelte. Ein freundliches, warmes Lächeln mit einem Hauch von Kummer. Der verlieh ihr etwas Weiches.

Sie tut mir leid, dachte Anna-Maria, als sie bald darauf im Auto saß. Sie hat so viel durchgemacht.

Ihr schlechtes Gewissen versetzte ihr einen Stich, weil sie über ihre Kinder gesprochen hatte. Rebecka hatte doch keine.

Aber was soll ich machen, führte sie zu ihrer Verteidigung an. Die sind ein sehr großer Teil von meinem Leben. Wenn es tabu ist, sie zu erwähnen, kann ich überhaupt nichts mehr sagen.

Robert hatte den Küchentisch abgeräumt und sogar abgewischt. Sie machte unter der Mikrowelle Fischstäbchen und Kartoffelpüree heiß und trank dazu ein Glas Rotwein. Freute sich darüber, dass das Kartoffelpüree richtig aus Kartoffeln gestampft worden war. Spürte, dass sie das beste Leben hatte, das irgendwer sich wünschen konnte.

Doch, dachte Rebecka Martinsson, als sie in Kurravaara aus ihrem Auto stieg. Ich bin wirklich Superwoman. Ich war eine von Schwedens besten Juristinnen. Jedenfalls war ich auf dem Weg dahin. Aber das kann ich ja niemandem sagen. Ich darf es nicht einmal denken.

Sie hatte in ihr Notebook Informationen über Kallis Mining heruntergeladen. Es würde ihr wirklich Spaß machen, glaubte sie. Etwas anderes als die ewigen Verkehrsvergehen und Diebstähle und Körperverletzungen.

Das Mondlicht lag wie gepinseltes Silber auf der blanken Schneekruste. Und auf dem Silber lagen die blauen Schatten der Bäume. Der Fluss schlief unter dem Eis.

Sie legte eine Wolldecke über die Windschutzscheibe und klemmte sie in den Autotüren fest, um nicht am nächsten Morgen das Fenster freikratzen zu müssen.

Hinter den Fenstern des grauen Eternithauses, das früher ihrer Großmutter gehört hatte, brannte Licht. Sie konnte sich fast einbilden, dass jemand im Haus sie erwartete, aber das Licht hatte sie selber brennen lassen.

Einst waren sie hier, dachte sie. Papa und Großmutter. In diesen Jahren hatte ich alles. Und das ist mehr, als viele haben. Manche haben nie etwas.

Sie blieb stehen und lehnte sich ans Auto. Die Trauer überkam sie. Wie ein Wesen, das auf sie gewartet hatte, darauf, dass sie aus dem Auto ausstieg. Das war immer so. Immer war sie vollständig unvorbereitet.

Warum kann ich nicht froh sein, überlegte sie. Froh darüber, dass ich sie immerhin so lange hatte. Nichts dauert ewig. Herrgott, es ist so lange her. Man kann nicht in alle Ewigkeit trauern. Mit mir stimmt doch etwas nicht.

Sie hörte die Worte ihrer Therapeutin: »Vielleicht haben Sie niemals richtig getrauert, vielleicht wird es jetzt Zeit.«

Wie gut, dass sie die Gesprächstherapie abgebrochen hatte. Aber sie vermisste das Cipramil, vielleicht hätte sie nicht aufhören sollen. Sie war mit diesen Gedanken leichter fertig geworden, als sie die Medizin noch genommen hatte. Damals waren die schwierigen Gefühle sozusagen nicht an die Oberfläche gestiegen. Und es war schön gewesen, nicht zerbrechlich zu sein wie eine Eierschale.

Sie zog den einen Handschuh aus und fuhr sich mit der Hand über die Augen, nein, sie weinte nicht. Es war nur ihr Atem. Als wäre sie sehr schnell gelaufen. Eiskalte Luft in der Lunge.

Ganz ruhig jetzt, mahnte sie sich. Ganz ruhig jetzt. Nicht zu Sivving und Bella rennen, die können dir auch nicht helfen.

Sie dachte, dass sie ins Haus gehen müsste, aber sie blieb stehen und wusste nicht, ob sie die Autotür schon abgeschlossen hatte, ob sie irgendwo eine Handtasche hatte und zu welchem Schloss der Schlüssel in ihrer Hand gehörte.

Das geht vorüber, sagte sie sich. Du wirst dich nicht in den Schnee legen. Es geht immer vorüber.

Aber diesmal nicht, erwiderte eine Stimme in ihr. Jetzt kommt die Dunkelheit.

Was sie in der Hand hatte, war der Autoschlüssel. Sie schloss ab. Sie schaffte es, die Computertasche und die Aktentasche von Mulberry aufzuheben, sie lagen vor ihren Füßen. Sie ging auf das Haus zu.

Als sie die Treppe hochstieg, nahm sie eine Faust voll Schnee vom Geländer und presste sie gegen ihr Gesicht. Der Hausschlüssel lag in der Computertasche. Rein ins Schloss. Umdrehen. Raus mit dem Schlüssel. Öffnen.

Sie war drinnen.

Eine halbe Stunde später ging es ihr viel besser. Sie hatte im Kamin Feuer gemacht, hörte, wie das Feuer gewissermaßen Anlauf nahm, wie es im Schornstein zog und im Holz knisterte.

Eine Tasse Tee mit Milch. Mit dem Notebook auf dem Schoß auf das Ausziehsofa.

Sie versuchte, alle Gedanken zu denken, die sie vor dem Anfall gehabt hatte. Jetzt war das überhaupt kein Problem mehr. Die schwierigen Gefühle ließen sich nicht hervorrufen, nicht einmal, wenn sie sich Mühe gab.

Und sie gab sich Mühe. Spielte ihre höchste Karte aus. Mama sollte in ihrem Kopf Gestalt annehmen.

Aber es passierte nicht viel. Rebecka sah ihre Mutter vor sich. Die hellgrauen Augen, die duftende Schminke, die elegante Frisur, die weißen, ebenmäßigen Zähne.

Und wie sie sich einen Lammfellmantel zugelegt hatte, dachte Rebecka und grinste bei dieser Erinnerung. Die Leute im Ort knirschten mit den Zähnen und fragten sich, wieso sie sich für etwas Besonderes hielt.

Was zum Henker hatte sie eigentlich in Papa gesehen? Sie hatte vielleicht geglaubt, sich nach einem sicheren Hafen zu sehnen. Aber dafür war sie nicht geschaffen. Mama hätte noch den letzten Segelfetzen hissen und mit wehenden Haaren in den Sturm hinausfahren müssen. Das Hafenleben war nicht das Richtige für sie gewesen.

Rebecka versuchte sich daran zu erinnern, wie es gewesen war, als die Mutter die Familie verlassen hatte.

Der Vater war zurück zur Großmutter nach Kurravaara gezogen. Er wohnte im Erdgeschoss und ich oben bei Oma, ich bin zwischen den Etagen hin- und hergerannt. Und Jussi. Er war ein kluger Hund. Kaum war ich eingezogen, sah er seine Chance, was seinen Schlafplatz anging. Er legte sich in meinem Bett ans Fußende. Oma duldete keine Hunde auf ihren Möbeln. Aber was sollte sie machen? Das Mädel schlief gut und geborgen mit dem Hund im Bett, plauderte mit ihm, während die Großmutter zum abendlichen Melken im Stall war.

Mama machte im Schlafwagen die Betten und wurde dann in den Speisewagen befördert. Sie zog von unserer Dreizimmerwohnung in der Stadt in eine mit zwei Zimmern. Ich muss doch auch da gewohnt haben, schließlich ist Papa dann gestorben, aber daran kann ich mich nicht erinnern.

Und die Erinnerungen, die man so hat, dachte Rebecka. Helfen die wirklich? Es sind doch nur einige wenige Bilder in einem Album in unserem Kopf. Zwischen den Szenen, an die wir uns erinnern, gibt es Hunderte, Tausende von Szenen, die wir vergessen haben. Und können wir uns dann an die Wahrheit erinnern?

Oma in Mamas Zweizimmerwohnung. Sie trägt ihren guten Mantel, aber Mama schämt sich trotzdem, meint, Oma müsse sich einen neuen kaufen. Das hat sie Rebecka gesagt. Aber jetzt ist Mama diejenige, die sich schämen muss. Oma schaut sich um. Von dort, wo sie steht, sieht sie ins Schlafzimmer. In Rebeckas Bett gibt es kein Bettzeug. Mamas Bett ist nicht gemacht. Mama ist die ganze Zeit schrecklich müde. Sie hat bei der Arbeit angerufen und sich krankgemeldet. Es ist schon einige Male passiert, dass Oma gekommen ist und die ganze Wohnung geputzt hat. Sie hat gespült, Wäsche gewaschen und gekocht. Aber diesmal ist das anders.

»Ich nehm die Kleine mit«, sagt die Großmutter.

Mama widerspricht nicht, aber als Rebecka sie zum Abschied umarmen will, schiebt die Mutter sie weg.

»Beeil dich jetzt«, sagt sie, ohne Rebecka anzusehen. »Oma hat auch nicht den ganzen Tag Zeit.«

Rebecka mustert ihre Füße, als sie die Treppe hinuntergeht. Bum, bum. Die Füße sind schwer. Sind groß wie Felsblöcke. Sie hätte Mama ins Ohr flüstern müssen: »Dich hab ich am liebsten.« Manchmal hilft das. Rebecka sammelt gute Dinge, die sie sagen kann. »Du bist genauso, wie eine Mama sein soll.« – »Kattis Mutter riecht nach Schweiß.« Sie lange ansehen und sagen: »Du bist so fein.«

Ich werde Sivving bitten zu erzählen, dachte Rebecka. Er hat sie beide gekannt. Und ehe ich mich's versehe, ist auch er nicht mehr da, und dann gibt es niemanden mehr, den ich fragen kann.

Sie öffnete das Notebook. Inna Wattrang auf einem weiteren Bild. Jetzt mit Helm auf dem Kopf vor einer Zinkgrube in Chile.

Seltsamer Job, dachte Rebecka. Sich mit Toten bekannt machen.

Montag, 17. März 2005

REBECKA MARTINSSON TRAF Anna-Maria Mella und Sven-Erik Stålnacke um halb acht Uhr am Montagmorgen im Besprechungszimmer des Polizeigebäudes.

»Wie ist es gelaufen?«, fragte Anna-Maria als Erstes. »Hast du gestern Abend noch ferngesehen?«

»Nein«, sagte Rebecka. »Du vielleicht?«

»Nein, ich bin gleich eingeschlafen«, sagte Anna-Maria.

In Wirklichkeit hatten sie und Robert vor dem Fernseher ganz andere Dinge gemacht, aber das ging niemanden etwas an.

»Ich auch«, Rebecka log ebenfalls.

Sie hatte bis halb drei Uhr nachts Informationen über die Kallis-Mining-Gruppe und Inna Wattrang durchgesehen. Als ihr Mobiltelefon sie um sechs Uhr geweckt hatte, hatte sie die vertraute leiche Übelkeit verspürt, die sich bei Schlafmangel immer einstellte.

Das spielte keine große Rolle. Eigentlich spielte es überhaupt keine Rolle. Ein bisschen Schlafmangel war ja wohl nicht der Rede wert. An diesem Tag hatte sie einen dicht gedrängten Stundenplan, zuerst musste sie Anna-Maria und ihren Kollegen informieren, dann kamen die Gerichtsverhandlungen. Und Rebecka hatte gern alle Hände voll zu tun.

»Mauri Kallis hat mit leeren Händen angefangen«, sagte Rebecka. »Er ist Schwedens Antwort auf den amerikanischen Traum. Also: Geboren 1964 in Kiruna, wann bist du geboren?«

»Zweiundsechzig«, antwortete Anna-Maria. »Aber er muss auf einer anderen Grundschule gewesen sein. Und auf dem Gymnasium kennt man die aus den tieferen Klassen doch nicht.«

»Als kleines Kind unter Amtspflegschaft gestellt«, sagte Rebecka jetzt. »Pflegefamilie, mit zwölf Jahren Anzeige wegen Einbruchs, aber natürlich wurde keine Anklage erhoben, und dann kam die Wende, eine Betreuerin konnte ihn dazu bringen, für die Schule zu büffeln. Er ging 1984 auf die Handelshochschule in Stockholm und fing schon während des Studiums mit Aktienspekulationen an. Damals lernte er Inna Wattrang und ihren Bruder Diddi kennen. Diddi und Mauri waren derselbe Jahrgang auf der Handelshochschule. Mauri Kallis arbeitete nach dem Examen eine Zeit lang bei einem Aktienmakler, kaufte früh H&M, verkaufte Fermenta vor dem Konkurs, war der Entwicklung immer einen Schritt voraus. Dann stieg er aus der Firma aus und widmete sich seinen eigenen Geschäften. Er verlegte sich voll auf Hochrisikoprojekte, zuerst Rohstoffhandel, dann mehr und mehr An- und Verkauf von Konzessionen, in der Öl- und in der Bergwerksbranche.«

»Konzessionen?«, fragte Anna-Maria.

»Man kauft die Genehmigung, nach einem Rohstoff zu bohren, Öl, Gas, Mineralien. Dann findet man vielleicht etwas, aber statt die Fundstelle selbst auszubeuten, verkauft man seine Konzession.«

»Man kann viel verdienen, aber auch viel verlieren?«, fragte Sven-Erik.

»Ja, ja, man kann alles verlieren. Also, du musst eine Spielerpersönlichkeit sein, um das durchzustehen. Und manchmal lag er wirklich unter null. Aber schon damals haben Inna und Diddi Wattrang für ihn gearbeitet. Offenbar haben sie ihm Investoren für seine verschiedenen Projekte besorgt.«

»Es ist bestimmt nicht immer einfach, jemanden zu so einem Risiko zu überreden«, meinte Anna-Maria.

»Genau. Banken geben dafür keine Darlehen, man muss also risikobereite Investoren finden. Und das scheint eine Stärke der Geschwister Wattrang gewesen zu sein.«

Rebecka erzählte weiter.

»Aber in den letzten drei Jahren haben sie einige Konzessionen in der Firma behalten und außerdem Gruben gekauft und selber mit der Ausbeutung begonnen. Alle schwedischen Zeitungen beschreiben den Übergang von Wertpapieren in die Bergwerksbranche als den großen Sprung. Ich sehe das nicht so, ich halte es für einen größeren Sprung, von der Spekulation mit Konzessionen auf den reinen Grubenbetrieb überzuwechseln, also auf die industrielle Seite …«

»Vielleicht wollte er es ein bisschen ruhiger haben«, schlug Anna-Maria vor. »Nicht mehr so große Risiken eingehen.«

»Glaube ich nicht«, sagte Rebecka. »Er hat sich ja für den Anfang nicht gerade leichte Gegenden ausgesucht. Indonesien zum Beispiel. Oder Uganda. Vor einiger Zeit haben die Medien gegen so ungefähr alle Bergwerksgesellschaften gehetzt, die Interessen in Entwicklungsländern hatten.«

»Weil …?«

»Weil … alles Mögliche. Weil arme Länder nicht wagen, Umweltschutzgesetze zu erlassen, die ausländische Investoren vergraulen könnten, und weil deshalb das Wasser vergiftet wird und die Leute an Krebs und unheilbaren Leberschäden sterben. Weil die Gesellschaften mit korrupten Regimes zusammenarbeiten, in Ländern, wo Bürgerkrieg herrscht und wo das Militär gegen die eigene Bevölkerung eingesetzt wird.«

»Und ist an diesen Vorwürfen etwas Wahres?«, fragte Sven-Erik mit dem tief verwurzelten Misstrauen des Polizisten allen Medien gegenüber.

»Sicher. Etliche Gesellschaften aus der Kallis-Gruppe sind auf den schwarzen Listen von Organisationen wie Greenpeace und Human Rights Watch gelandet. Einige Jahre lang galt Mauri Kallis als Paria, er hatte keine Interessen hier in Schweden. Kein Investor mochte das Risiko eingehen, mit ihm in einem Atemzug genannt zu werden. Aber vor ungefähr einem Jahr änderte sich dann alles. Vor einem Jahr prangte er auf der Titelseite von *Business Week*, der Artikel handelte von der Bergwerksbranche.

Und gleich danach brachte *Dagens Nyheter* ein großes Interview mit ihm.«

»Wieso hat sich alles geändert?«, fragte Anna-Maria. »Haben sie sich gebessert oder was?«

»Das glaube ich nicht. Es liegt wohl einfach daran... tja, es gibt zu viele Gesellschaften mit Interessen in diesen Ländern, und alle gehen gleich vor. Und wenn alle zu Schurken werden, dann gibt es am Ende gewissermaßen keine Schurken mehr. Dieses Bild ist man doch irgendwann auch satt. Plötzlich müssen die Zeitungen auch über den unvorstellbar erfolgreichen und tüchtigen Geschäftsmann berichten.«

»Wie in Dokusoaps«, sagte Anna-Maria. »Zuerst gibt es da irgendwen, den alle mit wahrer Inbrunst hassen, und die Zeitungen schreiben darüber, wie Olinda ihre Mitbewerberinnen zum Weinen bringt, die Schlagzeilen schreien ›Hass-Schock-Angriff‹. Dann sind die Leute es plötzlich leid, sie zu hassen, und da ist sie auf einmal Madonna und keine Zicke mehr, das pure Powergirl.«

»Und sein Erfolg ist doch auch ein dankbares Thema, weil es eben ein solches Märchen ist«, sagte Rebecka. »Hat sein Vermögen aus dem Nichts aufgebaut. Hatte im Leben den denkbar schlechtesten Start. Und jetzt besitzt er ein Gut in Södermanland und ist mit einer Adligen verheiratet, Ebba von Uhr. Falls sie noch adlig ist, jetzt, da sie ihn geheiratet hat.«

»Ach«, sagte Anna-Maria. »Ist das Adelsgen nur auf männlicher Seite dominant? Kinder?«

»Zwei, zehn und zwölf.«

Anna-Maria lebte plötzlich auf.

»Wir überprüfen das Fahrzeugregister«, sagte sie. »Ich will wissen, was er für ein Auto fährt. Oder was für Autos.«

»Jetzt spielen wir nicht«, sagte Sven-Erik energisch und drehte sich aufmerksam zu Rebecka um. »Das mit dem Bergwerksbetrieb... wieso meinst du, das ist etwas anderes als der Handel mit Konzessionen für Probebohrungen?«

»Eine Grube zu betreiben erfordert ganz andere Dinge. Du musst die Umweltgesetze eines Landes kennen, seine Firmengesetzgebung, das Arbeitsrecht, Verwaltungsrecht, Steuerrecht…«

»Alles klar«, sagte Anna-Maria und hob abwehrend die Hand.

»In einzelnen Ländern gibt es dabei Probleme, weil das System nicht geschmeidig ist oder einfach nicht so funktioniert wie im Westen. Es gibt Probleme mit Gewerkschaften und Unternehmern, Probleme damit, von den Behörden Zulassungen zu bekommen, es ist schwierig, mit Korruption umzugehen, man hat nicht die nötigen Kontakte…«

»Was denn für Zulassungen?«

»Für alles. Für die Ausbeutung der Rohstoffvorkommen, für die Verunreinigung von Wasser, für Straßenbau, Hausbau… für alles, alles, alles. Du musst ganz andere Arten von Organisationen aufbauen. Und du hast die Verantwortung des Arbeitgebers. Du wirst… wie soll ich sagen… du wirst zu einem Teil der Gesellschaft des Landes, in dem du deine Tätigkeit aufnimmst. Und du entwickelst selbst eine Gesellschaft, um dein Bergwerk herum. In der Regel gibt es da doch nichts, du befindest dich irgendwo in einer Steinwüste oder in einem Dschungel. Und dann entsteht um deine Grube herum eine kleine Stadt. Familien. Kinder, die eigentlich in die Schule gehen müssen. Es ist interessant, dass er plötzlich zu dieser Sorte von Gründern wird…«

»Was waren Inna Wattrangs Aufgaben in der Gesellschaft?«, fragte Anna-Maria.

»Sie war in der Hauptgesellschaft angestellt, Kallis Mining, hat aber für die gesamte Gruppe gearbeitet. Saß in mehreren Vorständen. Juristin, und sie hat auch sehr viel Betriebswirtschaft studiert, aber ich habe nicht den Eindruck, dass sie mit firmenrechtlichen Fragen beschäftigt war, sie haben in der Muttergesellschaft einen kanadischen Juristen mit mehr als dreißig

Jahren in der Bergwerks- und Ölbranche, und der befasst sich damit.«

»Sie war Juristin. Aber du hast sie nicht gekannt?«

»Nein, nein, sie war älter als ich, und jedes Jahr gibt es doch Hunderte von Studienanfängerinnen. Sie hat außerdem in Stockholm studiert. Und ich war in Uppsala.«

»Und was hat sie nun eigentlich gemacht?«, fragte Anna-Maria.

»Sie war für Unternehmenskontakte und Finanzierung zuständig.«

»Und was macht man da?«

»Okay, sagen wir, Mauri Kallis findet eine Gegend, wo er Konzessionen kaufen kann, also das Recht, Probebohrungen nach Gold oder Diamanten oder so vorzunehmen. Solche Probebohrungen können sehr viel kosten. Und da die Suche nach Diamanten ein Hochrisikoprojekt ist, kann es passieren, dass er an einem Tag sehr viel Geld hat und am nächsten kaum welches, und vielleicht kann er das nötige Kapital nicht freisetzen. Wie schon gesagt, im Prinzip gibt es auf der ganzen Welt keine Bank, die bereit wäre, für solche Unternehmungen Kredite zu gewähren. Also braucht er Investoren. Personen oder Investitionsgesellschaften, die Anteile des Projekts kaufen. Ab und zu muss man dann reine Promotiontouren unternehmen und versuchen, seine Ideen zu vermarkten. Man muss in der Branche außerdem einen guten Ruf genießen. Sie hat ihm dabei geholfen, den aufzubauen, Goodwill, und sie hatte offenbar eine glückliche Hand für Finanzierungen. Ihr Bruder, Diddi Wattrang, hat sich ebenfalls mit Finanzierungen beschäftigt. Mauri Kallis selber konzentriert sich mehr auf das Kerngeschäft, er spürt interessante Projekte auf, verhandelt, trifft Abmachungen. Und in letzter Zeit ist eben die industrielle Seite dazugekommen, der Grubenbetrieb.«

»Ich wüsste ja gern, was das für einer ist«, sagte Anna-Maria und war plötzlich ein bisschen nervös, weil sie ihm in wenigen Stunden gegenüberstehen würde.

Hör doch auf, sagte sie sich dann. Er ist ja schließlich auch nur ein Mensch.

»Ich habe im Internet ein Interview mit ihm gefunden, seht euch das mal an«, sagte Rebecka. »Das ist gut. Inna Wattrang ist auch dabei. Über sie habe ich nicht so viele Informationen. Sie ist ja in Wirtschaftskreisen kein Promi, nicht so wie Kallis.«

DIE SENDUNG DAUERTE eine Stunde. Das Interview wurde im September 2004 gemacht. Malou von Sivers trifft Mauri Kallis. Malou von Sivers kann zufrieden sein. Sie wird vor der eigentlichen Sendung interviewt, und sie betont, wie zufrieden sie ist. Das gehört zur Marketingstrategie. Wir erfahren, dass TV4 das Interview an nicht weniger als zwölf ausländische Sender verkauft hat. Viele wollten Mauri Kallis schon interviewen, aber seit 1995 hat er sämtliche Anfragen abgelehnt.

Malou wird gefragt, warum er gerade bei ihr zugesagt hat. Das hat viele Ursachen, glaubt sie. Einerseits fühlte er sich sicher zu diesem Interview gedrängt, sein wachsender Bekanntheitsgrad verlangte das eben. Und auch, wenn man bewusst mehr sein als scheinen will, muss man doch ab und zu auch scheinen. Sonst kann man schließlich für lichtscheu gehalten werden. Außerdem wollte er ein schwedisches Interview. Sozusagen aus Solidarität mit seinem Heimatland.

Und Malou von Sivers erweist ihren Interviewpartnern Respekt, das hat sicher auch eine Rolle gespielt. »Ich weiß, dass er meint, dass ich immer gut vorbereitet und seriös bin«, sagt sie ganz offen. Der Journalist, der sie interviewt, fühlt sich von dieser Selbstsicherheit provoziert und fragt, ob die Tatsache, dass Malou eine Frau ist, auch eine Rolle gespielt habe. War es vielleicht eine taktische Entscheidung? Um dem unternehmerischen Goodwill einen weichen Aspekt hinzuzufügen? Die Bergwerksbranche gilt doch als männlich dominiert und ein wenig – wie soll man sagen … grob eben. Jetzt verstummt Malou von Sivers für eine Weile. Und sie lächelt auch nicht. »Es kann ja auch daran liegen, dass ich sehr gut bin«, sagt sie dann endlich.

Zu Beginn des Interviews sitzen Malou von Sivers und Inna Wattrang mit Inna Wattrangs Bruder Jacob »Diddi« Wattrang in einem Wohnzimmer auf dem Herrensitz Regla, der sich seit dreizehn Jahren im Besitz der Familie Kallis befindet.

Mauri Kallis kommt zu spät zum Interview, die Beech B200 der Gesellschaft konnte in Amsterdam nicht plangemäß starten. Malou von Sivers beginnt das Interview deshalb mit den beiden Geschwistern, das wird der Sendung eine schöne Dynamik geben.

Die Geschwister sitzen behaglich zurückgelehnt in ihren Sesseln. Beide tragen weiße Hemden mit aufgekrempelten Ärmeln und große Herrenuhren. Sie sehen einander sehr ähnlich, mit ihren markanten Nasen, dem hohen Nasenansatz zwischen den Augen und dem blonden Pagenkopf. Sie bewegen sich auch gleich, haben die gleiche Art, sich zerstreut den Pony aus den Augen zu streichen.

Rebecka musterte sie und dachte, dass ein leichtes, aber deutlich bemerkbares sinnliches Signal darin lag, diese Finger, die der Haarsträhne bis zur Spitze folgten. Auf dem Rückweg zu den Knien oder zur Armlehne des Sessels streiften die Fingerkuppen ganz schnell Kinn oder Mund.

Anna-Maria betrachtete diese Bewegungen und dachte, Teufel, wieso fummeln die sich die ganze Zeit im Gesicht rum wie die Junkies!

»Soll ich euch Kaffee holen, ehe ich losmuss?«, fragte Rebecka.

Sven-Erik Stålnacke und Anna-Maria Mella nickten, ihre Blicke waren auf den Bildschirm gerichtet.

Man sollte sich so eine Körpersprache zulegen, dachte Rebecka auf dem Weg zum Kaffeeautomaten. Das ist genau mein

Problem. Keinerlei sinnliche Signale. Dann musste sie lächeln. Wenn sie sich vor Måns Wenngren so aufführte, würde der glauben, sie wolle sich Mitesser ausdrücken.

Malou von Sivers Hände huschen nicht umher. Sie ist ein Profi. Ihre kupferfarbene Mähne ist gründlich eingesprayt und bleibt an Ort und Stelle.

Malou von Sivers: »Sie wohnen hier auf dem Gutsgelände?«

Diddi Wattrang (lacht): »Ach, wie schrecklich das klingt. Nach Wohngemeinschaft oder so.«

Inna Wattrang (lacht ebenfalls und legt kameradschaftlich ihre Hand auf die von Malou): »Sie können ja einziehen und sich meiner Kochgruppe anschließen.«

Malou von Sivers: »Aber jetzt mal im Ernst: Ist das nicht manchmal anstrengend? Sie arbeiten eng zusammen. Und wohnen eng zusammen.«

Diddi Wattrang: »So eng ist das nun auch wieder nicht. Das Grundstück ist ziemlich groß. Meine Familie und ich haben das alte Verwalterhaus, man kann es von hier aus nicht sehen.«

Inna Wattrang: »Und ich hause in der alten Wäscherei.«

Malou von Sivers: »Erzählen Sie! Wie haben Sie einander kennengelernt? Sie beide und Mauri Kallis?«

Diddi Wattrang: »Mauri und ich haben zu Anfang der Achtzigerjahre zusammen die Handelshochschule besucht. Mauri gehörte zu der kleinen Gruppe von Studenten, die mit Aktien spekulierten und vor den Börsenmonitoren der Kneipen herumhingen, wenn der Handel in Gang kam.«

Inna Wattrang: »Das war damals ziemlich ungewöhnlich, mit Wertpapieren zu handeln, meine ich. Das war nicht so wie heute.«

Diddi Wattrang: »Und Mauri war ungeheuer tüchtig.«

Inna Wattrang (beugt sich vor und lächelt neckend): »Und Diddi hat Mauri dann beschwatzt...«

Diddi Wattrang (versetzt seiner Schwester einen Rippenstoß): »Beschwatzt! Wir waren schließlich Freunde!«

Inna Wattrang (stellt sich ernst): »Sie waren Freunde!«

Diddi Wattrang: »Und ich habe ein wenig Kapitel zugeschossen...«

Malou von Sivers: »Sind Sie reich geworden?«

Alles schweigt für eine halbe Sekunde.

Hoppla, dachte Anna-Maria und versuchte, den viel zu heißen Kaffee zu trinken, mit dem Rebecka hereingeschlichen war. Über Geld redet man offenbar nicht. Bestimmt ist das vulgär.

Diddi Wattrang: »An studentischen Maßstäben gemessen, ja. Er hatte damals schon den richtigen Riecher. Stieg 1984 langfristig bei Hennes & Mauritz ein, traf sich mit den Spitzen von Skanska, Sandvik, SEB, das Timing war perfekt, fast die ganze Zeit. Ende der Achtzigerjahre ging es vor allem um Substanzbewertung, und er war einfach teuflisch begabt darin, das nächste Objekt zu finden, das vor einer Aufwertung stand. Grundstücke wurden schon während unseres Studiums wichtig. Ich weiß noch, wie Anders Wall an der Schule einen Vortrag hielt und allen riet, Wohnungen in der Stockholmer Innenstadt zu kaufen. Da war Mauri schon aus dem Studentenwohnheim ausgezogen und besaß eine Zweizimmerwohnung, die er selbst bewohnte, und zwei kleine Einzimmerwohnungen, die er vermietete.«

Malou von Sivers: »Die Presse nennt ihn Wunderkind, Aschenbrödel, Finanzgenie aus dem Niemandsland...«

Inna Wattrang: »So ist er noch immer. Lange ehe China in Gang kam, hat er schon auf Grönland Probebohrungen nach Olivin vorgenommen. Und danach lagen die LKAB und China vor ihm auf den Knien und flehten, die Funde kaufen zu dürfen.«

Malou von Sivers: »Das müssen Sie uns, die in der Materie nicht so bewandert sind, aber näher erklären.«

Inna Wattrang: »Sie brauchen Olivin, um aus Eisen Stahl zu machen. Das hat er vor allen anderen erkannt. Dass wir auf dem Stahlmarkt eine unglaubliche Entwicklung beobachten würden, wenn China erst einmal loslegt.«

Diddi Wattrang: »Was China anging, war er sich absolut sicher. Lange vor allen anderen.«

Es ist Februar 1985. Diddi Wattrang besucht seit einigen Monaten die Handelshochschule. Er ist kein begabter Student. Und dabei ist der Druck von zu Hause sehr stark, auf ihn und auf seine Lehrer. Seine Mutter lädt zum Sommerkonzert, das jedes Jahr Anfang August stattfindet, unter freiem Himmel natürlich, man lässt doch nicht alle Welt ins Haus. Für die Eingeladenen ist es trotzdem einer der Höhepunkte des Jahres, sie bezahlen gern für die Eintrittskarte, mit dem Geld soll schließlich der kulturhistorische Wert des Gutes erhalten bleiben, es ist fast ein wohltätiges Ziel, immer muss ein Dach neu gedeckt oder eine Wand gekalkt werden. Und wenn sich die Leute dann untereinander mischen, prägt Mama Diddis Französischlehrer immer ein: »In unserer Familie halten wir ihn für eine echte Begabung.« Papa ist Duzfreund des Rektors, aber der Rektor weiß, dass es hier um Geben und Nehmen geht. Es ist großartig, der Kumpel des Freiherrn zu sein, aber umsonst gibt es das natürlich nicht.

Diddi hat sich irgendwie durch das Gymnasium gehangelt, hat hier geklaut und da gepfuscht. Es gibt immer tüchtige, aber hoffnungslose Mitschüler, die Hilfe bei Aufsätzen und Klausuren gegen ein wenig Aufmerksamkeit eintauschen. Eine Win-win-Situation.

Ein Talent hat Diddi jedenfalls. Er ist ungemein liebenswert. Legt den Kopf ein wenig schräg, um sich den Pony aus den Augen zu werfen, wenn er mit jemandem redet. Scheint alle wirklich gern zu mögen, vor allem das augenblickliche Gegenüber. Lacht mit Augen und Mund und streckt mit ungeheurer

Behutsamkeit und Leichtigkeit die Hand nach den Herzen der Menschen aus.

Jetzt ist es Mauri Kallis, der sich auserwählt und umworben fühlen darf. Es ist Mittwochabend, und sie sitzen in einer Unikneipe. Sie kommen sich vor wie alte Freunde. Diddi ignoriert eine übellaunige Blondine, die einen Tick zu laut lacht und zu ihnen herüberschielt. Er begrüßt eine Menge Leute, die an den Tisch kommen und plaudern wollen. Aber er spricht nicht mit ihnen, an diesem Abend sind diese Leute nicht angesagt.

Mauri trinkt ein wenig zu viel, wie man das macht, wenn man anfangs nervös ist. Diddi hält mit, aber er kann es besser vertragen. Sie geben abwechselnd Runden aus. Diddi hat ein wenig Kokain in der Tasche. Für den Fall, dass es angebracht sein sollte. Er spielt nach Gehör.

Aber dieser Typ ist wirklich nicht uninteressant. Diddi erzählt auserwählte Anekdoten aus seiner Kindheit. Wie er vom Vater unter Druck gesetzt wurde, weil er studieren sollte. Wutausbrüche und Demütigungen, wenn er bei Klausuren versagt hatte. Er gibt alles ohne Umschweife zu und ergänzt lachend, dass er leider ein dummes Blondchen ist, das an einer Uni nichts zu suchen hat.

Aber dann verteidigt er seinen Vater. Der kann natürlich nicht über seinen Schatten springen. Erzogen nach der alten Schule, stand auf der Türschwelle und musste sich vor seinem Vater verbeugen, also vor Diddis Großvater, ehe er das Zimmer betreten durfte. Von Auf-dem-Schoß-Sitzen und Schmusen war da nicht die Rede.

Und nach dieser vertraulichen Eröffnung bohrt und fragt er. Und betrachtet Mauri, den schmächtigen Jungen, zu weite Flanellhose, billige Schuhe, gut gebügeltes Hemd aus so dünner Baumwolle, dass man die Brustbehaarung sieht. Mauri, der seine Bücher in einer Plastiktüte aus einem Supermarkt mit sich trägt. Er gibt sein Geld nicht für Gegenstände aus, so viel steht fest.

Und Mauri erzählt von sich. Dass er mit zwölf Jahren einen

Einbruch begangen hat, bei dem er erwischt wurde. Er erzählt von der Sozialarbeiterin, die ihn dazu gebracht hat, sich zusammenzureißen und in der Schule zu lernen. »War sie hübsch?«, fragt Diddi. Mauri lügt und sagt Ja. Er weiß nicht, warum. Diddi muss lachen. »Du steckst wirklich voller Überraschungen«, sagt er. »Und besonders kriminell siehst du nicht gerade aus.« Mauri, dem ein wenig schwindelt und der sich genau überlegt, was er erzählen will, verrät nichts darüber, dass eine Bande von älteren Jungen, sein Pflegebruder und dessen Kumpels, ihn und die anderen kleinen, noch nicht strafmündigen Jungen die Drecksarbeiten für sich machen ließ.

»Wie sieht man aus, wenn man kriminell ist?«, fragt er stattdessen.

Diddi wirkt durchaus beeindruckt. »Und jetzt bist du der Star der Handelshochschule«, sagt er.

»Mit meinen Noten in BWL kann ich kaum etwas werden«, sagt Mauri.

»Das liegt doch daran, dass du lieber Aktienkurse studierst, statt zu büffeln. Das wissen schließlich alle.«

Mauri gibt keine Antwort. Versucht, die Aufmerksamkeit des Barmanns zu erregen, um noch zwei Bier zu bestellen, kommt sich vor wie ein ignorierter Zwerg, der versucht, über die Tischkante zu lugen. Diddi lächelt derweil die Blondine an und schaut ihr in die Augen. Eine kleine Investition für die Zukunft.

Sie enden im Grodan und sitzen eng gequetscht in der Bar und bezahlen dreimal so viel für das Bier.

»Ich hab ein paar Mäuse«, sagt Diddi. »Die könntest du für mich investieren. Das meine ich wirklich ernst. Das Risiko gehe ich ein.«

Diddi versteht nicht so ganz, was er jetzt bei Mauri sieht. Eine halbe Sekunde, in der er sich irgendwie zusammenreißt, auf einen nüchternen Teil seines Gehirns umschaltet, analysiert, einen Entschluss fasst. Später wird Diddi lernen, dass Mauri niemals die Urteilsfähigkeit einbüßt. Die Angst hält ihn wach. Aber dieser Moment vergeht sehr schnell. Mauri zuckt im trägen Suff mit den Schultern.

»Von mir aus«, sagt er. »Ich kriege fünfundzwanzig Prozent, und wenn ich die Sache satt habe, musst du selber übernehmen oder verkaufen, ganz wie du willst.«

»Fünfundzwanzig!« Diddi ist total baff. »Das ist doch Wucher! Was nehmen die Banken?«

»Dann geh doch zur Bank, die haben schließlich fähige Makler.«

Aber Diddi ist einverstanden.

Und dann lachen sie, als wäre das Ganze eigentlich ein Witz gewesen.

In der ausgestrahlten Version ist zu sehen, wie Mauri Kallis zum Interview dazukommt. In der rechten unteren Bildecke erscheint Malou von Sivers Hand in einer rotierenden Bewegung, »weiterdrehen«, an die Person hinter der Kamera gerichtet. Mauri Kallis ist dünn und ziemlich klein, wie ein braver Schulbube. Der Anzug sitzt perfekt. Seine Schuhe sind blank. Sein Hemd ist weiß, heutzutage trägt er maßgeschneiderte Baumwollhemden von hoher Qualität, die alles andere sind als durchsichtig.

Er bittet Malou von Sivers um Entschuldigung für die Verspätung, reicht ihr die Hand, dreht sich dann zu Inna Wattrang um und küsst sie auf die Wange. Sie lächelt und sagt: »Herrchen!« Diddi Wattrang und Mauri Kallis schütteln einander die Hand. Irgendwer zaubert einen Stuhl herbei, jetzt sitzen alle drei mit Malou von Sivers vor der Kamera.

Malou von Sivers fängt harmlos an. Die schwierigen Fragen bewahrt sie sich für den späteren Teil des Interviews auf. Mauri Kallis soll sich erst wohlfühlen, und wenn bei dem Interview etwas schiefläuft, dann doch besser gegen Ende, wenn sie fast fertig sind.

Sie hebt eine Nummer der *Business Week* vom Frühjahr 2004 hoch, mit Mauri auf der Titelseite, und einen zweiseitigen Artikel aus der Wirtschaftsbeilage von *Dagens Nyheter*. Die Überschrift in *DN* lautet: »Der Junge mit den Goldhosen«.

Inna sieht die Zeitung und denkt, dass es ein Wunder war, dass dieser Artikel geschrieben wurde. Wo Mauri doch Interviews verweigert. Sie konnte ihn am Ende immerhin zum Fototermin überreden. Der Fotograf der *Business Week* entschied sich für eine Großaufnahme, auf der Mauri zu Boden sieht. Der Assistent des Fotografen ließ einen Kugelschreiber fallen, der über den Boden kullerte. Mauri folgte ihm mit den Blicken. Der Fotograf schoss viele Bilder. Mauri sieht wie versunken aus. Fast wie im Gebet.

Malou von Sivers: »Vom Problemkind zu diesem hier« (sie macht eine Kopfbewegung, die den Herrensitz Regla, die erfolgreichen Geschäfte, die schöne Frau, einfach alles umfasst). »Das sieht doch eigentlich aus wie ein Märchen, was ist das für ein Gefühl?«

Mauri sieht die Bilder an und wappnet sich gegen das Gefühl von Selbstekel, das sie in ihm auslösen.

Er ist aller Welt Eigentum. Sie nehmen ihn als Beweis dafür, dass ihre Ideologie die richtige ist. Die schwedischen Wirtschaftsverbände laden ihn als Redner ein. Sie zeigen auf ihn und sagen: »Seht ihn an. Alle können Erfolg haben, wenn sie das wollen.« Göran Persson hat erst kürzlich seinen Namen im Fernsehen erwähnt, in einer Diskussion über Jugendkriminalität. Schließlich wurde Mauri durch eine Sozialarbeiterin auf den richtigen Weg gebracht. Das System funktioniert. Noch immer existiert der schwedische Wohlfahrtsstaat. Die Schwachen haben eine Chance.

Mauri ist angewidert. Er will nicht benutzt, begrabscht werden.

Er lässt sich nichts anmerken. Seine Stimme ist die ganze Zeit ruhig und freundlich. Vielleicht ein wenig eintönig. Aber er sitzt ja nicht da, weil er eine charismatische Persönlichkeit ist, dafür sind Inna und Diddi zuständig.

Mauri Kallis: »Ich fühle mich… nicht wie eine Figur aus einem Märchen.«

Stille.

Malou von Sivers (macht noch einen Versuch): »In ausländischen Zeitungen werden Sie das ›schwedische Wunder‹ genannt und mit dem IKEA-Gründer Ingvar Kamprad verglichen.«

Mauri Kallis: »Wir haben ja beide die Nase mitten im Gesicht…«

Malou von Sivers: »Aber etwas ist doch dran? Sie haben beide mit leeren Händen angefangen. Haben eine internationale Gesellschaft aufgebaut, in einem Schweden, das als… schwer für Neuanfänge gilt.«

Mauri Kallis: »Und das ist es auch, die Steuergesetze bevorzugen altes Geld, aber beim Übergang von den Achtziger- in die Neunzigerjahre bestand doch die Möglichkeit, Kapital aufzubauen, und die habe ich genutzt.«

Malou von Sivers: »Erzählen Sie. Einer Ihrer alten Kommilitonen von der Handelshochschule hat in einem Interview gesagt, es sei Ihnen schon zuwider gewesen, Ihr Studiendarlehen auszugeben, ›es aufzufressen und dann auszuscheißen‹.«

Mauri Kallis: »Was für eine grobe Ausdrucksweise. Eine solche Sprache hätte ich niemals verwendet. Aber sicher, es stimmt schon. Ich hatte noch nie so viel Geld auf einmal bekommen. Und sicher steckt in mir ein Gründer. Geld soll arbeiten, investiert werden.« (Jetzt ist für einen Moment ein Lächeln zu sehen.) »Ich war der totale Börsenfetischist. Bin mit Kopien von Aktienanalysen in der Tasche herumgelaufen.«

Diddi Wattrang: »Hast die Zeitung *Affärsvärlden* gelesen…«

Mauri Kallis: »Als die noch Biss hatte.«

Malou von Sivers: »Und dann?«

Mauri Kallis: »Ja, dann…«

Im Studentenheim wohnt Mauri Kallis auf einem Flur mit acht Zimmern, Gemeinschaftsküche und zwei Duschen. Einmal in der Woche kommt eine Putzfrau, trotzdem möchte man lieber nicht auf Socken über den Küchenboden laufen. Man spürt Krümel und Schmutz auch durch den Stoff, und hier und dort bleibt man an etwas Klebrigem hängen, das nicht richtig wegge-wischt worden ist, sondern einfach verdunsten soll. Stühle und Tisch sind aus vergilbtem Furnier. Klobig und schwer. Möbel, gegen die man aus irgendeinem Grund immer stößt. Man holt sich blaue Flecken an den Oberschenkeln, stößt sich die Zehen wund.

Auf dem Gang wohnen einige Mädchen, die viel zusammen sind und Feste besuchen, zu denen er niemals eingeladen wird. Anders, der Mauri genau gegenüber wohnt, trägt die angesagte Brille und studiert Jura, den sieht er manchmal in der Küche, aber die meiste Zeit verbringt er bei seiner Freundin.

Håkan ist groß und kommt aus Kramfors. Mattias ist groß und fett. Und dann er selbst, Mauri, ein magerer kleiner Hänf-ling. Was für eine Bande. Keiner von ihnen geht auf Feste. Und es hat auch keinen Sinn, selbst eins zu veranstalten, wen sollten sie schließlich einladen? Abends sitzen sie in Håkans Zimmer vor dem Fernseher und glotzen lustlos Pornofilme, mit Kissen auf den Knien, wie halbwüchsige Knaben.

So war es jedenfalls. Aber jetzt ist Mauri zum Börsenfeti-schisten geworden, und da ist er doch immerhin jemand. Nicht, dass er Kontakt zu den anderen hätte, die vor dem Monitor des Café Kopparporten herumhängen.

Er ist zu einem verbissenen Spieler geworden, lässt Vorle-sungen sausen, liest abends mit brennenden Augen die Mel-dungen in *Dagens Industri*, statt zu studieren.

Es ist Fieber und Verliebtheit. Und ein Kick im System, der ihm sagt, dass er das Richtige tut.

Der erste Coup. Er weiß noch, was das für ein Gefühl war, wird es nie vergessen, es ist sicher wie bei der ersten Frau. Er kaufte vor der Fusion mit Artemis fünfhundert Aktien von Cura Nova. Dann schoss der Kurs gen Himmel. Zuerst gab es diesen Sprung, dann ging es weiterhin stetig bergauf, als andere Investoren einstiegen. Sie lagen weit hinter ihm zurück, er dachte schon ans Verkaufen. Er sagte nichts, wie viel er schon verdient hatte, zu niemandem. Ging hinaus. Stand unter einer Straßenlaterne und hob sein Gesicht in den fallenden Schnee. Gewissheit. Gespür. Ich werde reich werden. Das hier ist mein Ding.

Und als Zugabe hatte er sich mit Diddi angefreundet. Mit Diddi, der vor dem Monitor stehen bleibt, einen Blick auf die Kurse wirft und ein wenig plaudert, sich manchmal in den Vorlesungen zu Mauri setzt.

Ab und zu gehen sie feiern, Mauri schöpft fünfundzwanzig Prozent von Diddis Gewinnen ab, er ist schließlich kein Wohltätigkeitsunternehmen.

Er ist auch kein Trottel. Er weiß, dass das Geld ihm die Eintrittskarte in die andere Welt liefern kann.

Dann, wenn es so weit ist, sagt er sich. Für ihn ist das Geld die Eintrittskarte. Ein anderer hat ein hübsches Gesicht, ein Dritter Charme, ein Vierter einen Namen. Eine Eintrittskarte will er, alle Eintrittskarten kann man verlieren. Also muss man die festhalten, die man an sich reißen kann.

Es gibt Regeln. Unausgesprochene. Zum Beispiel: Diddi nimmt Kontakt zu Mauri auf. Diddi ruft an und fragt, ob Mauri mit ihm ausgehen möchte. Es geht nicht umgekehrt. Mauri würde nie auf den Gedanken kommen, sich die Freiheit zu nehmen und Diddi zu fragen.

Also wartet Mauri darauf, dass Diddi anruft. Es gibt Stimmen in ihm. Die ihm von anderen Kreisen erzählen, in denen Diddi verkehrt und zu denen er, Mauri, keinen Zugang hat. Schöne Freunde. Lässige Feste. Diddi ruft Mauri an, wenn er nichts anderes vorhat. Etwas, das Ähnlichkeit mit Eifersucht hat, rotiert in Mauris Innerem. Er denkt ab und zu, dass er nicht mehr für Diddi kaufen will. Gleich darauf verteidigt er sich damit, dass er durch Diddi Geld verdient, dass sie sich also gegenseitig ausnutzen.

Er versucht zu studieren. Und wenn er weder Studium noch Aktienhandel ertragen kann, spielt er Karten mit Håkan und Matthias. Denkt, dass Diddi anrufen wird. Stürzt auf den Gang, wenn das Telefon klingelt, aber fast immer ist der Anruf für das Nebenzimmer, wo eins der Mädchen wohnt.

Und wenn es doch Diddi ist, sagt Mauri Ja. Jedes Mal denkt er, dass er beim nächsten Mal Nein sagen wird. Vorgeben wird, beschäftigt zu sein.

Eine weitere Regel: Diddi entscheidet, mit wem sie zusammen sind. Es ist absolut ausgeschlossen, dass Mauri jemanden mitbringt, Håkan oder Mattias zum Beispiel. Nicht, dass er das gewollt hätte. Mit denen verbindet ihn keine Freundschaft, keine Solidarität oder was zum Teufel es auch sein könnte. Sie sind überflüssig, das ist alles, was sie gemeinsam haben. Und auch diese Gemeinsamkeit existiert nicht mehr.

Und Mauri und Diddi sind himmelhoch berauscht. Hellwach, kokainhigh. Er kann morgens aufwachen und sich einfach nicht mehr daran erinnern, wann und wie er nach Hause gekommen ist. Er hat Quittungen und Eintrittskarten in den Taschen, Stempel auf den Händen, die ihm Hinweise darauf liefern, wohin seine Reise ihn geführt hat. Vom Pub ins Café in einen Club zu einer Nachfeier bei irgendwelchen Mädchen.

Und er darf mit den nicht ganz so hübschen Freundinnen der hübschesten Mädchen vögeln. Was total okay ist und verdammt viel mehr, als Håkan und Mattias abkriegen.

So geht das ein halbes Jahr. Mauri weiß, dass Diddi eine Schwester hat, aber ihr ist er noch nicht begegnet.

Niemand kann wie Diddi mit den Schultern zucken. Beide fallen beim Examen durch. Mauri kehrt seine Wut nach innen, sie kratzt und ätzt in ihm. Eine Stimme sagt ihm, dass er wertlos ist, ein Bluff, dass er bald über die Kante fallen wird, in die Welt, in die er eigentlich gehört.

Diddi sagt, ja, Scheiße, aber dann schiebt er das Fiasko anderen in die Schuhe, dem Aufseher bei der Prüfung, dem Prüfer, dem Typen, der vor ihm saß und heimlich gefurzt hat ... Schuld sind einfach alle, nur er selber nicht. Dann kehrt seine Sorglosigkeit zurück.

Es dauert eine Stunde, bis Mauri begreift, dass Diddi nicht vermögend ist. Er hat immer geglaubt, dass Jungen aus der Oberklasse, vor allem adlige, in Geld schwimmen. Aber so ist das nicht. Als Mauri Diddi kennenlernt, lebt der praktisch von nichts und von seinem Studiendarlehen. Er wohnt in einer Wohnung auf Östermalm, aber die gehört einer Verwandten. Seine Hemden stammen aus dem Schrank seines Vaters, dem Vater sind sie schon seit langem zu klein. Er trägt sie achtlos geknöpft über T-Shirts. Er besitzt eine Jeans und zwei Paar Schuhe. Im Winter friert er, aber immer sieht er gut aus. Vielleicht ist er am hübschesten, wenn er friert. Wenn er die Schultern hochzieht und die Arme an den Leib presst. Dann muss man sich zusammenreißen, um ihn nicht in die Arme zu nehmen.

Woher Diddi das Geld nimmt, das er in Mauris Aktienspiel einsetzt, weiß Mauri nicht. Er sagt sich, das sei nicht sein Problem. Später, als Mauri begreift, wieso ein sturzbesoffener Diddi zur Toilette torkeln und frisch und munter zurückkehren kann, fragt er sich, auf welche Weise Diddi diesen Konsum finanziert. Er macht sich da so seine Gedanken. Einmal, als sie zusammen in einem Lokal waren, kam ein älterer Mann zu ihnen und fing ein Gespräch an. Aber er hatte kaum Guten Abend gesagt, schon war Diddi aufgesprungen und einfach verschwunden. Mauri hatte das Gefühl, dass es verboten war, nach diesem Mann zu fragen.

Diddi mag Geld. Sein ganzes Leben lang hat er Geld gesehen, hatte Kontakt zu Leuten mit Geld, nur selbst hatte er niemals welches. Sein Hunger ist gewachsen. Schon bald zieht er immer größere Anteile aus seinen Aktiengewinnen heraus. Jetzt ist Mauri derjenige, der mit den Schultern zuckt. Sein Problem ist das nicht. Diddis Anteil an ihrer kleinen Gesellschaft schmilzt.

Diddi fängt an, über längere Zeiträume zu verschwinden. Er fährt an die Riviera und nach Paris. Er hat die Taschen voll Geld.

Alle trifft es irgendwann. Bald wird Diddi an die Reihe kommen. Und Mauri wird Diddis Schwester kennenlernen.

Malou von Sivers: »Sie haben ihn ›Herrchen‹ genannt.«

Inna Wattrang: »Wir sind doch seine Haushunde.«

Mauri Kallis lächelt und schüttelt den Kopf. »Das haben sie von Jan Stenbeck gestohlen, ich weiß nicht, ob ich mich geschmeichelt oder beleidigt fühlen soll.«

Malou von Sivers: »Aber sind die beiden Ihre Haushunde?«

Mauri Kallis: »Wenn wir hier schon von Tieren sprechen, dann arbeite ich am liebsten mit hungrigen Katzen.«

Diddi Wattrang: »Und wir sind fett …«

Inna Wattrang: » … und träge.«

Malou von Sivers: »Ja, erzählen Sie. Zwischen Ihnen ist doch eine ganz besondere Freundschaft entstanden. Die Geschwister Wattrang wurden mit einem silbernen Löffel im Mund geboren, und Sie kommen von ganz unten, kann man das so sagen?«

Mauri Kallis: »Ja.«

Malou von Sivers: »Dann sind ja wohl eher Sie der hungrige Kater. Was macht drei Menschen wie Sie zu einem so guten Team?«

Mauri Kallis: »Diddi und Inna sind die perfekte Ergänzung. Ein großer Teil unserer Tätigkeit läuft darauf hinaus, dass wir Menschen finden müssen, die spielen wollen, die bereit sind, ein hohes Risiko einzugehen, wenn die Möglichkeit besteht, einen großen Gewinn einzufahren. Und die sich das leisten können. Die ihren Aktienposten nicht verkaufen müssen, wenn er im Keller ist, sondern die es sich leisten können, ein Verlustunternehmen zu sein, bis ich ein Gewinnprojekt gefunden habe. Denn das passiert immer. Früher oder später. Nur muss man warten können. Deshalb gehen wir mit unseren Gesellschaften im Prinzip nie an die Börse, wir bevorzugen private Anlagen, sodass man ein wenig kontrollieren kann, wer kauft. Das ist genauso wie zum Beispiel beim Grubenbetrieb in Uganda. Im Moment ist es da unten so unruhig, dass wir überhaupt nicht tätig werden können. Aber ich bin davon überzeugt, dass unser Engagement sich auf lange Sicht lohnt. Und das Letzte, was ich brauchen kann, ist eine Bande von Aktienbesitzern, die mir in den Nacken pusten und innerhalb von sechs Monaten Profit sehen wollen. Diddi und Inna finden die richtigen Investoren für unsere unterschiedlichen Projekte. Sie finden abenteuerlustige Investoren für unsichere Projekte und geduldige Investoren ohne Liquiditätsprobleme für langfristige Projekte. Sie haben einfach mehr soziale Kompetenz als ich. Sie üben eine magnetische Anziehungskraft auf Geld aus. Und jetzt, da wir uns innerhalb unserer Gruppe auf den Bergbau verlegen, sind sie mir auch eine große Hilfe im Kontakt mit den Leuten vor Ort und den Mitarbeitern. Sie können sich überall bewegen, geschickt und geschmeidig und ohne sich mit irgendwem anzulegen.«

Malou von Sivers (an Inna): »Und was ist Mauris Stärke?«

Inna Wattrang: »Er hat doch diese Nase für gute Geschäfte. Eine innere Wünschelrute. Und er ist ein großartiger Verhandler.«

Malou von Sivers: »Wie ist er als Arbeitgeber?«

Inna Wattrang: »Er behält immer die Ruhe. Das ist das Faszinierendste. Manchmal kann es ganz schön stürmisch zugehen, wie in den ersten Jahren, als er Konzessionen kaufen musste, ohne die Finanzierung im Griff zu haben. Er hat damals nie gezeigt, ob er besorgt oder gestresst war. Und das gibt uns, die in seiner Nähe arbeiten, eine große Sicherheit.«

Malou von Sivers: »Aber jetzt haben Sie in der Presse aufgeschrien. Gefühle gezeigt.«

Mauri Kallis: »Sie denken an die Grube am Ruwenzori? Die Sida-Sache?«

Malou von Sivers: »Sie haben die schwedische Entwicklungshilfeorganisation einen Witz genannt, unter anderem.«

Mauri Kallis: »Aber das Zitat war aus dem Zusammenhang gerissen. Und ich habe nicht in der Presse aufgeschrien, ein Journalist hat über eine Vorlesung von mir berichtet. Natürlich war ich am Ende sauer, als ich die ganze Zeit von Presseleuten angegriffen wurde, die ihre Hausaufgaben nicht gemacht hatten. ›Kallis Mining baut Milizen auf.‹ Und dann zeigen sie Fotos, auf denen ich einem General der Lendu-Miliz die Hand reiche, und schreiben, was diese Miliz im Kongo angerichtet hat, und plötzlich ist meine Grubengesellschaft mitten in Nordwest-Uganda der Leibhaftige selber. Und ich auch. Es ist sehr leicht, moralische Werte aufrechtzuerhalten, wenn man sich nicht mit krisengeschüttelten Ländern befasst. Man schickt Entwicklungshilfe und lässt die Finger aus der Butter. Aber die Bevölkerung dieser Länder braucht Betriebe, Wachstum, Arbeitsplätze. Die Regierung dagegen will ein Entwicklungshilfebudget, keine Kontrolle. Wir brauchen ja nur einen Blick nach Kampala zu werfen, dann sehen wir, was aus einem Großteil dieser Gelder wird. Unvorstellbare Luxusvillen an den Berghängen. Und wer nicht sieht, dass Mittel der schwedischen Entwicklungshilfe, der Sida, ans Militär gehen, das die Zivilbevölkerung terrorisiert und außerdem Gruben in Nord-Kongo betreibt und ausplündert, den nenne ich naiv. Jedes Jahr werden Milliarden zur Aidsbekämpfung nach Afrika gepumpt, aber fragen Sie irgendeine Frau in irgendeinem afrikanischen Land, und sie wird sagen: Kein Unterschied. Was also wird aus diesem vielen Geld?«

Malou von Sivers: »Ja, was?«

Mauri Kallis: »Das landet in der Privatschatulle der Regierungsmitglieder, aber das ist nicht einmal das Schlimmste. Lieber Luxusvillen als Waffen. Aber die Angestellten der Sida fühlen sich ja wohl bei ihrer Arbeit, und das ist gut und schön. Ich versuche nur zu sagen, dass man, wenn man da unten die Wirtschaft ankurbeln will, zwangsläufig mit Menschen zu tun hat, die auf irgendeine Weise zweifelhaft sind. Man macht sich die Finger ein wenig schmutzig, aber man tut doch immerhin etwas. Und wenn ich eine Straße zu meinem Bergwerk baue, kann ich kaum verhindern, dass auch Kampftruppen sie benutzen.«

Malou von Sivers: »Sie schlafen nachts also gut?«

Mauri Kallis: »Ich schlafe nachts immer gut, aber nicht deshalb.«

Malou von Sivers (jetzt gerät er in die Defensive, deshalb ändert sie die Stoßrichtung): »Und nun habe ich das Gefühl, dass wir wieder bei Ihrer Kindheit angelangt sind, können Sie davon erzählen? Geboren in Kiruna, 1964. Alleinstehende Mutter, die sich nicht um Sie kümmern konnte.«

Mauri Kallis: »Nein, sie war nicht fähig, ein Kind zu versorgen. Meine Halbschwestern, die dann später kamen, wurden fast sofort in die Obhut des Jugendamtes genommen, aber ich war ja ihr erstes Kind, deshalb habe ich bei ihr gewohnt, bis ich elf war.«

Malou von Sivers: »Wie war das?«

Mauri Kallis (sucht nach Worten, schließt ab und zu die Augen, er scheint Pausen einzulegen, um vor seinem inneren Auge Szenen ablaufen zu sehen): »Ich musste ja allein zurechtkommen... fast immer. Sie schlief, wenn ich morgens zur Schule ging. Sie... war schrecklich böse, wenn ich sagte, dass ich Hunger hätte. Sie blieb tagelang verschwunden, ohne dass ich wusste, wo sie war.«

Malou von Sivers: »Fällt es Ihnen schwer, darüber zu reden?«

Mauri Kallis: »Sehr.«

Malou von Sivers: »Sie haben selbst Familie. Frau, zwei Jungen von zwölf und dreizehn Jahren. In welcher Weise hat Ihre Kindheit Sie in Ihrer Rolle als Familienvater geprägt?«

Mauri Kallis: »Das ist schwer zu sagen, aber ich habe keine

Erinnerungsbilder von einem normalen Familienleben. In der Schule sah ich, wie soll man das nennen, normale Mütter. Sie hatten saubere, ordentlich frisierte Haare … und Väter. Manchmal war ich zu Hause bei Klassenkameraden, aber nicht sehr oft. Und ich sah, wie ein Zuhause aussehen kann. Möbel, Teppiche, Ziergegenstände, Fische im Aquarium. Zu Hause hatten wir fast nichts. Vom Sozialamt bekamen wir einmal ein schönes gebrauchtes Sofa, das weiß ich noch. Es hatte so eine Klappe in der Rückenlehne, die man öffnen konnte, und dann konnte man ein Extrabett herausrollen. Ich fand das ungeheuer luxuriös. Zwei Tage darauf war es verschwunden.«

Malou von Sivers: »Was ist damit passiert?«

Mauri Kallis: »Sicher ist es von irgendwem verkauft worden. Bei uns kamen und gingen die Leute. Die Tür war nie abgeschlossen, wenn ich das richtig in Erinnerung habe.«

Malou von Sivers: »Und dann wurden Sie in eine Pflegefamilie gegeben.«

Mauri Kallis: »Mutter wurde schrecklich paranoid und bedrohte die Leute in der Nachbarschaft und in der Stadt. Und da griffen die Behörden ein. Und als die Behörden eingriffen …«

Malou von Sivers: »Da betraf das auch Sie. Und Sie waren damals elf.«

Mauri Kallis: »Ja. Und man kann sich noch so denken und wünschen … dass alles anders gekommen wäre, dass das Jugendamt früher eingegriffen hätte oder so … aber so war es eben.«

Malou von Sivers: »Sind Sie selbst ein guter Vater?«

Mauri Kallis: »Schwer zu sagen. Ich gebe mir alle Mühe, aber ich bin natürlich viel zu oft weg. Das ist ein Problem.«

Anna-Maria Mella setzte sich in ihrem Sessel zurecht.

»Das macht mich verrückt«, sagte sie zu Sven-Erik. »Gestandene Sünde ist keine Sünde, sozusagen. Sowie er gesagt hat, ›müsste mehr Zeit für meine Kinder haben‹, ist er ein guter Mensch. Was will er den Jungen sagen, wenn sie erwachsen sind?

›Ich weiß, dass ich nie für euch da war, aber ihr könnt mir glauben, dass ich die ganze Zeit ein schlechtes Gewissen hatte.‹ – ›Das wissen wir, Papa. Danke, Papa. Wir lieben dich, Papa.‹«

Mauri Kallis: »Aber zum Glück ist meine Frau immer da, und ich kann mich auf sie verlassen. Ohne sie könnte ich dieses Unternehmen nicht leiten und gleichzeitig Kinder haben. Sie hat mich anlernen müssen.«

Malou von Sivers (offenbar bezaubert von seiner Dankbarkeit seiner Frau gegenüber): »Wobei denn, zum Beispiel?«

Mauri Kallis (denkt nach): »Oft bei ganz einfachen Dingen. Dass eine Familie zusammen isst, zum Beispiel.«

Malou von Sivers: »Glauben Sie, dass Sie das normale Leben mehr zu schätzen wissen als ich, die ich eine ganz gewöhnliche Kindheit hatte?«

Mauri Kallis: »Ja, wenn Sie entschuldigen, dann glaube ich das schon. Ich komme mir in der ›normalen‹ Welt vor wie ein Flüchtling.«

Als Diddi ins dritte Semester an der Handelshochschule geht, kann er die normale Welt endlich verlassen. Er hat immer schon Schönheit und Charme besessen, jetzt aber hat er Geld. Er ist über Stockholm hinaus. Und auch über das Riche. Er schwankt, während über Paris die Sonne untergeht, mit zwei x-beinigen Fotomodellen am Canal Saint-Martin entlang. Nicht, weil sie so berauscht sind, dass sie sich nicht mehr richtig auf den Beinen halten können, nein, sie stupsen einander an, fast wie Kinder auf ihrem verspielten Heimweg. Die Bäume hängen über dem Wasser wie verlassene Frauen und lassen ihr Laub ins Wasser fallen wie alte Liebesbriefe, allesamt blutrot. Aus den Bäckereien duftet es nach frisch gebackenem Brot. Lieferwagen sausen in Richtung Zentrum, die Reifen poltern über die Pflastersteine. Die Welt wird niemals schöner sein als in diesem Moment.

Auf einer Poolparty lernt er einen Schauspieler kennen und wird dazu eingeladen, mit einem Privatjet zu zweiwöchigen Dreharbeiten in die Ukraine zu reisen. Diddi kann die nötige Freigebigkeit an den Tag legen. Er bringt zehn Flaschen Dom Pérignon mit.

Und dann lernt er Sofia Fuensanta Cuervo kennen. Sie ist viel älter als er, zweiunddreißig, mütterlicherseits entfernt verwandt mit dem spanischen Königshaus, väterlicherseits mit Johannes vom Kreuz.

Sie sei das schwarze Schaf der Familie, sagt sie, geschieden, zwei Kinder, die ein Internat besuchen.

Diddi ist noch keiner begegnet, die sich mit ihr messen könnte. Er ist ein Wanderer, der endlich das Meer erreicht hat, und er watet bis zu den Ellbogen hinein und ertrinkt. Ihre Umarmung entschädigt für alles. Er ist verloren, wenn sie nur lächelt oder sich an der Nase kratzt. Er ertappt sich sogar bei Phantasien von sich und den Kindern. Diffuse Bilder, auf denen sie am Strand Drachen steigen lassen und er abends laut vorliest. Er lernt sie aber nicht kennen, und Sofia spricht nicht viel über sie. Sie will nicht, dass sie sich an jemanden hängen, der plötzlich verschwindet, sagt sie. Aber er wird niemals verschwinden. Für immer will er hier sitzen, die Hände in ihren rabenschwarzen Haaren verflochten.

Ihre Freunde besitzen große Boote. Er geht mit auf die Jagd, als sie das Gut von Verwandten im Nordwesten Englands besuchen. Diddi ist in dem geliehenen Jägeranzug und dem kleinen Filzhut einfach bezaubernd. Er ist der kleine Bruder der Männer und die Sehnsucht der Frauen.

»Ich weigere mich, etwas zu töten«, erklärte er der Gesellschaft auf die todernste Weise eines Kindes. Er und ein Mädchen von dreizehn Jahren dürfen sich am Treiben beteiligen, sie sprechen lange über die Pferde der Kleinen, und abends überredet das Mädchen die Gastgeberin, sie bei Tisch neben Diddi zu setzen. Sofia leiht ihn aus und lacht. Jetzt ist sie ausgestochen worden.

Diddi lädt Sofia zum Essen ein, er kauft ihr wahnwitzig teure Schuhe und Schmuckstücke. Er lädt sie zu einer Woche Sansibar ein. Es ist wie eine Theaterkulisse, die zerfallene Schönheit der Stadt, die wunderschön geschnitzten Holztüren, die mageren Katzen, die an den langen weißen Stränden Jagd auf kleine weiße Krebse machen, der schwere Duft von Gewürznelken, die in großen Haufen zum Trocknen auf Stoffbahnen auf dem Boden liegen. Und vor diesem Hintergrund aus Schönheit, die in den letzten Zügen liegt, denn bald werden Türen und Fassaden ganz und gar verwittert sein, bald ist die Insel verbraucht, bald werden sich die Strände mit krakeelenden Deutschen und fetten Schweden bevölkern, vor diesem Hintergrund: ihre Liebe.

Die Leute drehen sich nach ihnen um, wenn sie durch die Straßen spazieren und ihre Finger miteinander verflechten. Seine Haare sind von der Sonne fast weiß gebleicht, ihre sind die blanke schwarze Mähne einer andalusischen Stute.

Ende November ruft Diddi aus Barcelona an und will verkaufen. Mauri erklärt, dass es nichts zu verkaufen gibt. »Dein Kapital ist aufgebraucht.«

Diddi berichtet, dass er von einem wutschnaubenden Hotelbesitzer verfolgt wird, der verdammt energisch darauf besteht, dass Diddi seine Rechnung bezahlt. »Der ist stocksauer, echt, ich muss mich aus dem Haus schleichen, damit er mich nicht auf der Treppe abfängt.« Mauri beißt während des peinlich langen Schweigens die Zähne zusammen, während Diddi darauf wartet, dass er ein Darlehen anbietet. Und dann fragt Diddi ganz offen danach. Mauri sagt Nein.

Nach diesem Gespräch macht Mauri einen Spaziergang durch das verschneite Stockholm. Die Wut des Verschmähten folgt ihm wie ein Hund. Was zum Teufel bildet Diddi sich denn ein? Dass er einfach anrufen kann, und dann beugt sich Mauri mit heruntergelassener Hose vor?

Nein. Die folgenden drei Wochen verbringt Mauri bei seiner neuen Freundin. Viele Jahre später, im Interview mit Malou von Sivers, würde ihr Name ihm nicht mehr einfallen, selbst wenn man ihn mit der Pistole bedrohte.

Drei Wochen nach diesem Gespräch taucht Diddi in Mauris Gemeinschaftsküche im Studentenheim auf. Es ist Samstagabend. Mauris Freundin isst bei ihren Freundinnen, Mauris Gangnachbar Håkan starrt Diddi an, wie man einen Fernseher anstarrt. Er vergisst, den Blick abzuwenden und an seine Manieren zu denken. Glotzt mit offenem Mund. Mauri verspürt eine unerklärliche Lust, ihn zu streicheln. Damit er das Maul zuklappt.

Diddis Augen sind weißes gesprungenes Eis über einem blutroten Meer. Schneeklumpen schmelzen in seinen Haaren und laufen über sein Gesicht.

Sofias Liebe verschwand mit dem Geld, aber davon weiß Mauri noch nichts.

In Mauris Zimmer kommt es dann. Mauri ist ein verdammter Gauner. Fünfundzwanzig Prozent, was? Verdammter Wucherer. So gierig, dass er beim Scheißen weint. Zehn Prozent kann Diddi akzeptieren, und er will sein Geld. JETZT.

»Du bist betrunken«, sagt Mauri.

Er hört sich sehr fürsorglich an, als er das sagt. Er ist durch eine harte Schule gegangen, um mit einer solchen Situation umgehen zu können. Er übernimmt problemlos Haltung und Tonfall seines Pflegevaters. Weiche Schale, steinharter Kern. Der Pflegevater steckt in ihm. Und im Pflegevater wartet der Pflegebruder. Es ist wie bei einer russischen Puppe. Im Pflegebruder steckt Mauri. Aber es wird noch viele Jahre dauern, bis diese Puppe zum Vorschein kommt.

Diddi hat keine Ahnung von russischen Puppen. Oder sie sind ihm egal. Voller Wut dreht er die Pflegevaterpuppe auf, schreit und tobt. Er ist selbst schuld, wenn dann der Pflegebruder herauskommt.

Malou von Sivers: »Mit elf Jahren kamen Sie also in Pflege. Wie war das?«

Mauri Kallis: »Im Vergleich zu vorher war das doch ein ziemlicher Fortschritt. Aber für meine Pflegeeltern war es nur eine Möglichkeit, Geld zu verdienen, das mit den Pflegekindern. Beide waren Gelegenheitsarbeiter und hatten schrecklich viel zu tun. Meine Pflegemutter hatte mindestens drei Jobs gleichzeitig. Sie nannte meinen Pflegevater ›Alterchen‹. Das machte auch mein Pflegebruder und ich dann eben auch. Und er selbst ebenfalls.«

Malou von Sivers: »Erzählen Sie von ihm.«

Mauri Kallis: »Er war ein Schurke, der sich irgendwie im Rahmen der Gesetze bewegte, dem es aber an Skrupeln fehlte. Geschäftsmann in der alleruntersten Liga, sozusagen.« (Jetzt lächelt er und schüttelt bei dieser Erinnerung den Kopf.) »Zum Beispiel kaufte und verkaufte er Autos, der ganze Hofplatz stand voll mit alten Wracks. Manchmal fuhr er zum Verkaufen in andere Städte. Dann zog er ein Hemd mit Pastorenkragen an, weil die Leute doch Vertrauen zu Gottesmännern haben. ›Ich habe das Kirchengesetz von Anfang bis Ende gelesen‹, sagte er. ›Da steht an keiner Stelle, dass man ordiniert sein muss, um einen solchen Kragen tragen zu dürfen!‹«

Es kommt vor, dass Leute bei Alterchen auftauchen, die sich betrogen fühlen. Oft sind sie wütend, ab und zu weinen sie. Alterchen bedauert, es tut ihm leid. Er bietet Schnaps oder Kaffee an, aber Geschäfte sind Ehrensache. Am Vertrag ist nicht zu rütteln. Das Geld wird nicht zurückgezahlt.

Einmal kommt eine Frau, die von Alterchen einen Gebrauchtwagen gekauft hat. Sie bringt ihren Exmann mit. Alterchen durchschaut ihn sofort. »Jocke holen«, sagt er, sowie das Paar auf dem Hofplatz aus dem Auto steigt. Mauri macht sich eilig auf die Suche nach seinem Pflegebruder.

Als Mauri und Jocke zurückkehren, hat Alterchen schon

einige Stöße gegen die Brust einkassiert. Aber nun erscheint Jocke mit einem Baseballschläger in der Hand. Die Frau macht große Augen.

»Jetzt fahren wir«, sagt sie und packt ihren Exmann am Arm.

Er lässt sich von ihr davonziehen. Denn dann verlässt er den Kampfplatz ohne einen Schatten auf seiner Ehre. Man sieht Jocke an, dass er total verrückt ist. Und dabei ist er erst dreizehn. Noch immer ein kleiner Junge, der sich mit Bubenstreichen amüsiert. Wie bei der Sache mit dem Hund. Solche Bubenstreiche. Ein Nachbar lässt seinen Hund frei laufen. Alterchen hat sich schon oft darüber geärgert, dass der Hund aufs Grundstück pisst. Eines Tages fangen Jocke und seine Kumpels das Tier, übergießen es mit Petroleum und zünden es an. Sie lachen, als es als Fackel über die Wiese jagt. Sie wetteifern fast darum, wer am lautesten lacht und sich am köstlichsten amüsiert. Schielen herausfordernd zueinander herüber.

Von Jocke lernt Mauri, sich zu prügeln. In der ersten Zeit bei der Pflegefamilie braucht Mauri nicht in die Schule zu gehen, er wird im Herbst noch einmal mit der vierten Klasse beginnen. Er stromert durch den Ort. In Kaalasjärvi kann man nicht viel unternehmen, aber er langweilt sich nicht. Er ist mit Alterchen im Wagen unterwegs und macht Geschäfte. Ein schweigsamer kleiner Junge ist ein feines Zubehör. Alterchen verkauft alten Leuten Wasserfilter und zaust Mauri die Haare. Die alten Damen bieten Kaffee an.

Zu Hause wird nicht gezaust. Jocke beugt sich beim Essen über ihn und nennt ihn Blödmann, Widerling, Mongo. Er verschüttet Mauris Milch, sowie die Pflegemutter ihnen den Rücken kehrt. Mauri petzt nicht. Es ist ihm egal. Er wird doch immer schikaniert. Er konzentriert sich auf das Essen. Fischstäbchen. Pizza. Würstchen und Kartoffelbrei. Blutwurst mit süßem Preiselbeerkompott. Die Pflegemutter schaut fasziniert zu. »Wo lässt du das alles?«, fragt sie.

Der Sommer vergeht. Dann fängt die Schule an. Mauri versucht, sich aus allem herauszuhalten, aber manche Kinder haben eine Nase für ein fügsames Mobbingopfer.

Sie drücken seinen Kopf ins WC und spülen ab. Er sagt nichts, aber auf irgendeine Weise erfährt es die Pflegefamilie dann doch.

»Du musst dich wehren«, sagt Jocke.

Nicht, dass ihn Mauris Wohlergehen interessiert. Aber Jocke findet es einfach gut, wenn etwas passiert.

Jocke hat einen Plan. Mauri versucht zu sagen, dass er nicht will. Er hat keine Angst vor Prügeln. Prügel von Gleichaltrigen sind … nichts. Sie sind einfach nur unangenehm. Und Unannehmlichkeiten versucht er, so gut es geht, zu vermeiden. Aber diese Alternative gibt es hier nicht.

»Dann kriegst du Prügel von mir, ist das klar?«, sagt Jocke. »Ich werde eine solche Hölle veranstalten, dass sie dich zurück zu deiner Mutter schicken.«

Deshalb ist Mauri einverstanden.

Drei Jungen aus der Parallelklasse sind die schlimmsten Plagegeister. Sie finden Mauri in einem Gang in der Nähe des Schulfoyers und fangen an zu schubsen. Jocke hat sich in der Nähe versteckt, und jetzt kommt er mit zwei Kumpels und sagt, hier sei wohl eine Abrechnung fällig. Jocke und seine Kumpels gehen in die siebte Klasse, und Mauri findet seine drei Quälgeister zwar groß und beängstigend, aber neben Jocke und dessen Kumpels sind sie die puren Bubis.

Der Anführer der Mobber sagt:

»Aber klar doch. Okay.«

Er versucht, sich nichts anmerken zu lassen, aber alle drei haben jetzt etwas Flackerndes im Blick. Das ist ein uralter Reflex, die Augen suchen nach Fluchtwegen.

Jocke führt sie weg vom Foyer, wo Hausmeister und Lehrer sind, zu den Schränken bei den Werksälen. Er führt Mauri und den Anführer der Quälgeister in einen Flur, der eine Sackgasse bildet, auf beiden Seiten stehen Schränke.

Die beiden Kumpels des Anführers wollen hinterher, aber Jocke hält sie auf. Das hier ist eine Sache zwischen Mauri und dem Anführer.

Der Kampf beginnt. Der Anführer stößt Mauri vor die Brust, und der wird gegen einen Schrank geschleudert, schlägt mit Rücken und Kopf dagegen. Angst durchströmt ihn.

»Na los, Mauri«, rufen Jockes Kumpels.

Jocke ruft nicht. Sein Blick ist ausdruckslos, fast stumpf. Die Kumpels aus der Mobberbande wagen nicht zu johlen, sind aber jetzt kühner geworden. Sie glauben so langsam, dass Mauri hier als Einziger Prügel beziehen wird. Und dagegen haben sie nun wirklich nichts.

Dann passiert es: In Mauris Kopf springt ein anderes System an. Nicht das System, das zurückweichen und sich ducken und die Hände schützend um den Kopf legen kann. Es wird leer im Schädel, und der Körper bewegt sich von selbst, während Mauri zusieht.

Das alles hat Jocke ihm vorher beigebracht. Und noch etwas.

In einer Bewegung: Die Füße tanzen vorwärts, die Hand findet Halt an einem Kleiderschrank und trägt dazu bei, dem Bein Höhe und Kraft zu verleihen. Ein Pferdetritt trifft den Widersacher am Kopf. Gleich darauf folgen ein Tritt in den Bauch, eine Faust ins Gesicht.

Eine Erkenntnis: So muss er schlagen, Distanz, Treffer, Distanz. Man kann bei Leuten, die größer sind, nicht schubsen und ringen. Mauri ist jetzt in sich zurückgekehrt, er ist dabei, hält Ausschau nach einer Schlagwaffe. Er entdeckt eine lose Schranktür, die der Hausmeister in die Angeln setzen muss, irgendwann in den nächsten Jahren, er muss doch an seiner Ferienhütte herumbasteln und ist nur selten in der Schule.

Mauri packt die Schranktür mit beiden Händen, sie ist aus

orangefarbenem Metall, und schlägt drauflos. Peng, peng. Jetzt hebt der Anführer der Mobber die Hände. Jetzt ist er derjenige, der seinen Kopf schützt.

Jocke packt Mauris Arm und sagt, jetzt reiche es. Mauri hat seinen Widersacher in eine Ecke getrieben. Er liegt auf dem Boden. Mauri hat keine Angst, ihn getötet zu haben, er hofft, dass er ihn getötet hat, er will ihn töten. Widerwillig lässt er die Schranktür los.

Er geht weg. Jocke und seine Kumpels entfernen sich schon in eine andere Richtung. Seine Arme zittern von der physischen Anstrengung.

Die drei Jungs aus der Parallelklasse erzählen niemandem davon. Vielleicht würden sie sich rächen, wenn Jocke und dessen Kumpels nicht wären. Jocke wäre das vermutlich egal, aber sie glauben eben, dass Jocke zu Mauri hält.

Mauri wird nicht der Klassenheld. Er wird auch nicht respektiert. Er steigt auf der Statusleiter nicht eine einzige Sprosse höher. Aber er wird in Ruhe gelassen. Kann auf dem Schulhof sitzen und auf den Schulbus warten und sich in seine eigenen Gedanken vertiefen, ohne dauernd auf der Hut sein zu müssen, bereit, wegzuschlüpfen und sich zu verstecken.

Aber in der folgenden Nacht träumt er, dass er seine Mutter umbringt. Er erschlägt sie mit einem Eisenrohr. Er wacht auf und horcht, denn er glaubt, geschrien zu haben. Oder war sie das, in seinem Traum? Er setzt sich im Bett auf und versucht, wach zu bleiben, hat Angst davor, wieder einzuschlafen.

Diddi steht in Mauris Wohnheimzimmer. Seine Haare sind nass, er schreit und verlangt Geld. Sein Geld, behauptet er. Mauri sagt freundlich mit der Stimme seines Pflegevaters, es tue ihm leid, dass es zwischen ihnen so weit gekommen sei, aber sie hätten eine Abmachung, und die gelte weiterhin.

Diddi macht eine verächtliche Bemerkung, dann versetzt er Mauri einen Stoß vor die Brust.

»Hör auf damit«, warnt Mauri.

Diddi stößt noch einmal. Er will sicher, dass Mauri zurück-stößt und dass sie immer härter stoßen, bis es Zeit wird, auf-zuhören und nach Hause zu gehen und seinen Rausch auszu-schlafen.

Aber sofort knallt es. Es ist Pflegebruder Jocke, der keinen Anlauf zu nehmen braucht. Mitten auf die Nase. Diddi hat noch nie Prügel kassiert, er schafft es nicht, seine Hand an die Nase zu heben, das Blut strömt noch nicht, als schon der nächste Schlag fällt. Und dann wird ihm der Arm auf den Rücken ge-dreht und Mauri führt ihn durch den Gang und die Treppe hi-nunter und stößt ihn in den Schneematsch.

Auf dem Rückweg nimmt Mauri drei Treppenstufen auf ein-mal. Er denkt an sein Geld. Wenn er will, kann er morgen alles aus den Geschäften herausziehen. Es sind drei Millionen. Aber was soll er damit?

Er fühlt sich bemerkenswert frei. Jetzt braucht er nicht mehr darauf zu warten, dass Diddi von sich hören lässt.

Kommissar Tommy Rantakyrö schaute ins Besprechungszim-mer.

»Herr Kallis mit Begleitung ist eingetroffen«, sagte er.

Anna-Maria schaltete ihren Computer aus und ging zu-sammen mit den Kollegen Tommy Rantakyrö und Sven-Erik Stålnacke in die Rezeption.

Mauri Kallis war zusammen mit Diddi Wattrang und seinem Sicherheitschef Mikael Wiik gekommen. Drei Männer in langen schwarzen Mänteln. Schon allein dadurch fielen sie auf. Die Männer in Kiruna trugen keine Mäntel.

Diddi Wattrang trat die ganze Zeit von einem Fuß auf den anderen, sein Blick irrte umher. Als er Anna-Maria begrüßte, packte er ihre Hand.

»Ich bin so nervös«, sagte er. »In solchen Situationen bin ich der pure Waschlappen.«

Anna-Maria war von seiner Aufrichtigkeit entwaffnet. Sie war Männer, die ihre Schwächen zugaben, einfach nicht gewöhnt. Sie verspürte den Wunsch, das Richtige zu tun, konnte aber nur murmeln, sie könne verstehen, wenn es ihm schwerfalle.

Mauri Kallis war kleiner, als sie erwartet hatte. Nicht so klein wie sie selbst natürlich, aber trotzdem. Als sie ihn jetzt in Wirklichkeit sah, staunte sie über seine beherrschte Körpersprache. Das wurde neben dem rastlosen Diddi so deutlich. Mauri sprach mit ruhiger und ziemlich leiser Stimme. Von seinem Kiruna-Akzent war keine Spur mehr vorhanden.

»Ich will sie sehen«, sagte er.

»Ja, natürlich«, sagte Anna-Maria Mella. »Und danach würde ich gern ein paar Fragen stellen, wenn Ihnen das recht ist.«

»Wenn Ihnen das recht ist«, dachte sie. Hör auf, so zu kriechen.

Der Sicherheitschef begrüßte die Polizisten, und bald zeigte sich, dass er früher selber bei der Polizei gearbeitet hatte.

Er verteilte seine Visitenkarten. Tommy Rantakyrö steckte seine in die Brieftasche. Anna-Maria unterdrückte den Impuls, sie in den Papierkorb zu werfen.

Die Obduktionstechnikerin Anna Granlund hatte Inna Wattrang in die Kapelle gebracht, da Angehörige erwartet würden. Es gab hier keine religiösen Symbole. Es gab nur einige Stühle und einen leeren Altar.

Die Leiche war bedeckt mit einem weißen Tuch, man musste den Angehörigen die Stich- und Brandwunden nicht zeigen. Anna-Maria schlug das Tuch vom Gesicht zurück.

Diddi Wattrang nickte und schluckte. Anna-Maria sah, wie Sven-Erik fast unmerklich hinter ihn trat, um ihn bei einem eventuellen Zusammenbruch aufzufangen.

»Das ist sie«, sagte Mauri Kallis traurig und holte tief Luft.

Diddi Wattrang fischte eine Packung Zigaretten hervor und

zündete sich eine an. Niemand sagte etwas. Es war nicht ihre Aufgabe, hier das öffentliche Rauchverbot durchzusetzen.

Der Sicherheitschef ging um die Bahre herum und hob das Tuch an, musterte Inna Wattrangs Arme, ihre Füße, verweilte eine Sekunde bei der bandförmigen Verletzung um den Knöchel.

Mauri Kallis und Diddi Wattrang folgten seinem Beispiel, aber als der Sicherheitschef das Tuch in Höhe ihrer Hüften und ihres Geschlechts hob, wandten beide sich ab.

»Ich glaube nicht, dass die Gerichtsmedizin das zu schätzen weiß«, sagte Anna-Maria.

»Ich fasse sie nicht an«, sagte der Sicherheitschef und beugte sich über ihr Gesicht. »Ganz ruhig, wir sind auf derselben Seite.«

»Vielleicht könnten Sie draußen warten«, sagte Anna-Maria.

»Sicher«, sagte der Sicherheitschef. »Ich bin fertig.«

Er ging hinaus.

Auf einen Wink Anna-Marias ging Sven-Erik Stålnacke hinterher. Sie wollte verhindern, dass der Sicherheitschef in der Gerichtsmedizin herumstromerte.

Diddi Wattrang blies sich den Pony aus dem Gesicht und kratzte sich mit der Hand, die die Zigarette hielt, an der Nase. Anna-Maria fürchtete schon, er könnte sich die Haare versengen.

»Ich warte draußen«, sagte er zu Mauri Kallis. »Ich bring das hier nicht.«

Er ging hinaus. Anna-Maria wollte gerade Inna Wattrangs Gesicht wieder zudecken.

»Könnten Sie noch einen Moment warten«, bat Mauri Kallis. »Ihre Mutter möchte sie einäschern lassen, das ist also das letzte Mal…«

Anna-Maria trat einen Schritt zurück.

»Darf ich sie berühren?«

»Nein.«

Nur sie beide befanden sich noch im Raum,
Mauri Kallis lächelte. Und dann sah er aus, als ob er als Nächstes in Tränen ausbrechen würde.

Zwei Wochen vergehen. Mauri hat Diddi in den Schnee hinausgestoßen, und auf der Handelshochschule lässt Diddi sich nicht blicken. Mauri redet sich ein, dass ihm das egal ist.

»Woran denkst du?«, fragt seine Freundin. Sie ist so schlicht, dass es fast nicht zu ertragen ist. »Ich denke daran, wie wir uns kennengelernt haben«, antwortet er. Oder: »Daran, wie niedlich du bist, wenn du lachst. Du darfst nur über meine Witze lachen, weißt du.« Oder: »An deinen Hintern. Komm zu Papa!« Auf diese Weise bleibt ihnen ihr »Liebst du mich?« erspart. Da verläuft für ihn die Grenze zur Lüge. Ansonsten kann er lügen und sich verstellen. Aber es ist seltsam, dass es so schwer ist, diese Frage mit Ja zu beantworten und ihr in die Augen zu schauen und auszusehen, als meine er, was er da sagt.

Dann kommt eines Abends Inna Wattrang zu Besuch.

Sie sieht ihrem Bruder so ähnlich, hat die gleiche markante Nase, den gleichen blonden Pagenkopf. Er sieht fast aus wie ein Mädchen, sie sieht fast aus wie ein Junge. Ein Knabe in Rock und weißem Hemd.

Ihre Schuhe wirken teuer. Sie zieht sie nicht aus, als sie hereinkommt. Sie trägt schön gefasste Perlenohrringe.

Soeben hat sie ihr letztes Examen in Jura hinter sich gebracht, erzählt sie, als sie auf Mauris Bettkante sitzt. Er sitzt auf seinem Schreibtischstuhl und versucht, einen klaren Kopf zu behalten.

»Diddi«, sagt sie, »ist ein Idiot. Er hat die Frau getroffen, die das Schicksal jedem jungen Mann in den Weg schickt. Sie ist seine Entschuldigung dafür, dass er sich in alle Ewigkeit allen anderen Frauen gegenüber wie ein Schwein benehmen darf.«

Sie lächelt und fragt, ob sie rauchen darf. Mauri sieht, dass sie ein Lachgrübchen hat, aber nur auf der einen Seite.

»Ach, ich bin schrecklich«, sagt sie dann.

Sie klingt wie eine Filmdiva und qualmt wie ein kleiner Zug. Sie scheint aus einer anderen Zeit entsprungen. Mauri sieht sie vor sich, umgeben von Stubenmädchen in schwarzen Kleidern mit weißen Schürzen, oder wie sie mit Fahrhandschuhen ein Automobil lenkt und Absinth trinkt.

»Ich will seinen Schmerz bestimmt nicht kleinreden«, sagt sie. »Diese Sofia hat ihn wirklich zerbrochen. Ich weiß nicht, was zwischen euch passiert ist, aber er ist nicht mehr er selbst. Ich weiß nicht, was ich machen soll. Hab wirklich Angst, verstehst du? Ich weiß, dass er dich als seinen Freund betrachtet. Er hat so oft von dir erzählt.«

Mauri will das glauben. Das will er. Herr, ich glaube, hilf meinem Unglauben.

»Ich weiß, dass er sich mit dir versöhnen möchte. Komm doch mit, und rede mit ihm. Er hat das Bedürfnis, um Entschuldigung zu bitten. Das Letzte, was er braucht, ist, sich seine wenigen vernünftigen Freundschaften zu ruinieren.«

Das ist absolut nicht das, was Mauri sich gedacht hat. Aber sie nehmen den Bus 540 und dann die U-Bahn in die Stadt, und er trottet mit ihr durch den weichen fallenden Schnee zum Strix.

Sie geht dicht neben ihm, ab und zu streift ihr Oberarm den seinen. Er würde sich gern bei ihr einhaken, wie in einem alten Film. Es ist leicht, mit ihr zu sprechen, und sie lacht oft. Es ist ein ziemlich leises und weiches Lachen. Ehe Diddi kommt, trinken sie ein paar Gläser.

Inna besteht darauf, ihn einzuladen. Sie hat für einen Verwandten, der eine Immobilienfirma betreibt, einen Auftrag erledigt und ist soeben bezahlt worden. Mauri fragt interessiert nach diesem Auftrag, sie hat ihm schon so viele Fragen gestellt, aber sie weicht so geschickt aus, dass er das in diesem Moment nicht einmal bemerkt. Plötzlich sprechen sie einfach über etwas anderes. Er ist angenehm beschwipst und vergisst sich und redet ein wenig zu viel, und sein Blick wird ungehorsam und wandert zu den schweren Brüsten unter ihrem Herrenhemd.

Und als Diddi kommt, ist es wirklich wie in einem alten Film, wenn sich zerstrittene Busenfreunde endlich versöhnen. Draußen fällt der Schnee über dem dunklen Stockholm. Belanglose Menschen wandern als Statisten durch die Drottninggata oder prosten sich zu, reden, lachen an den Nachbartischen und sind allesamt gerade mal mittelmäßig.

Und Diddi, das schönste Gespenst und Wrack, das man sich denken kann, weint offen dort im Lokal, während die Geschichte von Sofia nur so aus ihm herausströmt. »Es hat ihr nichts ausgemacht, mein Geld zu verjubeln, solange ich welches hatte.«

Und Inna streichelt ganz schnell die Hand ihres Bruders, ihr Knie dagegen sucht die ganze Zeit Kontakt zu Mauri, was aber vielleicht keinerlei Bedeutung hat.

Und viel später, als sie unter der Straßenlaterne vor einem rund um die Uhr geöffneten Laden stehen und die Zeit zum Abschied gekommen ist, sagt Diddi, dass er weiterhin mit Mauri in Aktien spekulieren will.

Mauri sagt nicht, dass er und Diddi niemals zusammen spekuliert haben, dass Mauri diese Arbeit macht. Aber seine Härte erwacht, keine Inna und kein Diddi und keine Magie auf der Welt können die so ganz in den Schlaf wiegen.

»In Ordnung«, sagt er und deutet ein Lächeln an. »Besorge dir Geld, dann bist du wieder dabei. Aber jetzt nehme ich dreißig Prozent.«

Sofort ist die Stimmung weniger harmonisch. Mauri trinkt das knisternde Unbehagen in großen Schlucken. Denkt, daran muss ich mich gewöhnen. Wer große Geschäfte machen will, gute Geschäfte, muss wegstecken können. Unbehagen, Knistern, Weinen, Hass.

Und den herrenlosen Hund, der in seiner Brust wohnt, den muss er einfach an der Leine halten.

Dann bricht Inna in ihr gurrendes Lachen aus.

»Du bist wunderbar«, sagt sie. »Ich hoffe, wir sehen uns irgendwann.«

Kommissarin Anna-Maria Mella zog das Tuch über Inna Wattrangs Gesicht.

»Wir fahren auf die Wache«, sagte sie. »Und dort werden Sie uns ein wenig über Inna Wattrang erzählen.«

Was soll ich sagen, überlegte Mauri Kallis. Dass sie eine drogensüchtige Nutte war? Dass sie Gott so ähnlich war, wie das für einen Menschen überhaupt nur möglich ist?

Und er log nach besten Kräften. Und die waren ziemlich groß.

Um ein Uhr war Rebecka bei Gericht fertig. Sie schob einen tristen Imbiss in die Mikrowelle und machte sich an die Post dieses Morgens. Als sie sich gerade an den Schreibtisch gesetzt hatte, stieß ihr Computer einen Piepton aus. E-Mail von Måns Wenngren.

Seinen Namen auf dem Bildschirm zu sehen reichte aus, um ihr einen Schauer durch den Leib zu jagen. Sie klickte die E-Mail an, als ob es sich um einen Reaktionstest handelte.

»Jetzt ist bei euch oben der Bär los, nehme ich an. Hab heute früh das von Inna Wattrang gelesen. Übrigens fährt das ganze Büro jetzt am Wochenende zum Skilaufen nach Riksgränsen. Drei Tage, Fr–So. Komm doch auf ein Glas hoch.«

Mehr nicht. Sie las die Mitteilung mehrere Male. Drückte auf Senden/Empfangen, als ob das mehr hervorzaubern könnte, eine weitere Nachricht vielleicht.

Er hätte mich unglücklich gemacht, dachte sie. Das weiß ich doch.

Als enge Mitarbeiterin hatte sie im Nachbarzimmer gesessen und ihn telefonieren hören: »Du, ich bin gerade auf dem Weg zu einer Besprechung«, obwohl Rebecka ja wusste, dass das nicht der Fall war. »Ich ruf dich an ... doch, ganz bestimmt ... ich ruf dich heute Abend an.« Dann wurde das Gespräch beendet, oder vielleicht ließ die Person am anderen Ende der Leitung auch nicht locker, und dann hörte sie seine Bürotür ins Schloss fallen.

Er spricht nie über seine erwachsenen Kinder, vielleicht, weil er nicht viel Kontakt zu ihnen hat, vielleicht, um die anderen nicht daran zu erinnern, dass er doch schon über fünfzig ist.

Er trank zu viel.

Er schlief mit frisch eingestellten Juristinnen und ab und zu auch mit Mandantinnen.

Einmal hatte er sein Glück bei Rebecka versucht. Auf einer Weihnachtsfeier in der Kanzlei. Er war reichlich angetrunken gewesen, und alle anderen hatten ihn schon abgewiesen. Sein unbeholfenes Suffgefummel war nicht einmal ein Kompliment, es war eine Beleidigung gewesen.

Trotzdem dachte sie immer wieder an seine Hand, die um ihren Nacken gelegen hatte. An die vielen Male, wenn sie zusammen im Gericht gesessen, wenn sie zusammen zu Mittag gegessen hatten. Einander immer ein wenig zu nah, gerade so, dass man einander immer wieder aus Versehen berührte. Oder war das nur Einbildung?

Und damals, als sie schwer verletzt gewesen war. Da hatte er über sie gewacht.

Das ist es ja gerade, dachte sie. Genau das habe ich so satt. Dieses Hin und Her. Einerseits, andererseits. Einerseits weist alles darauf hin, dass ich ihm wichtig bin. Andererseits weist dies und jenes darauf hin, dass ich ihm eben nicht wichtig bin. Einerseits müsste ich ihn vergessen. Andererseits müsste ich wie eine Ertrinkende nach jeder einzelnen kleinen Liebe greifen, die ich nur finden kann. Einerseits wird das kompliziert. Andererseits ist es ja nie so einfach. Mit der Liebe.

Liebe ist, wie von einem Dämon besessen zu sein. Der Wille wird weich wie Butter. Das Gehirn von Löchern zerfressen. Wir haben keine Macht über uns selbst.

Sie hatte ihr Bestes gegeben, als sie für Måns gearbeitet hatte. Sie legte jeden Morgen Zwangsjacke, Maulkorb und Dressurhalsband an. Nahm sich gewaltig in Acht, um sich ja nicht zu verraten. Sie wappnete sich mit Steifheit und versteckte sich darin. Sie sprach gerade so viel wie notwendig mit ihm. Kommunizierte über gelbe Klebezettel und per E-Mail, obwohl sie doch im Nachbarzimmer saß. Schaute oft aus dem Fenster, wenn er mit ihr sprach.

Aber sie schuftete für ihn wie eine Närrin. Sie war die beste Assistentin, die er jemals gehabt hatte.

Wie ein jämmerlicher Hund, dachte sie jetzt.

Sie müsste die Mail sofort beantworten. Sie schrieb eine Antwort und löschte sie gleich wieder. Und dann war es plötzlich so schwer. Auch nur einen einzigen Buchstaben zu schreiben war, wie einen Gipfel zu bezwingen. Sie drehte und wendete die Wörter. Keins war gut genug.

Was hätte die Großmutter über ihn gesagt? Sie hätte ihn für einen Knaben gehalten. Und das wäre sicher richtig gewesen. Er war wie einer von Papas Jagdhunden, der nicht aufhören wollte zu spielen. Er wurde niemals richtig erwachsen, jagte durch den Wald und brachte für Papa Stöckchen zurück. Am Ende wurde er erschossen. Kein Platz für einen untauglichen Hund in diesem Haus.

Der Großmutter wären Måns' weiße, weiche Hände aufgefallen. Sie hätte nichts gesagt, hätte sich aber ihren Teil gedacht. Welpenspiel statt anständiger Arbeit. Segeln und Laufband im Fitness-Zentrum. Rebecka konnte sich noch immer an eine zweitägige Verhandlung erinnern, bei der er nur gestöhnt hatte, weil er draußen im Schärengürtel mit seinem Eissegler umgekippt war, er war am ganzen Leib mit blauen Flecken übersät gewesen.

Ganz anders als Papa und die anderen im Dorf.

Sie sah Papa und Onkel Affe in der Küche der Großmutter vor sich. Sie trinken Bier. Onkel Affe schneidet für seine Hündin Freja rohe Bockwurstscheiben ab. Er hält ihr eine Wurstscheibe vor die Nase und fragt: »Was machen die Mädchen in Stockholm?« Und Freja legt sich auf den Rücken und streckt die Beine in die Luft.

Rebecka gefallen die Hände dieser Männer. Sie taugen zu jeder Art Arbeit. Ihre Fingerspitzen sind immer ein wenig vernarbt und schwarz von der Art Schmutz, gegen die keine Seife etwas ausrichten kann, immer muss irgendeine Maschine geschmiert werden.

Immer darf sie in Papas Armen sitzen. Solange sie will. Bei Mama stehen die Chancen eins zu eins. »Ach, du bist so schwer«, sagt sie. Oder: »Lass mich meinen Kaffee in Ruhe trinken.«

Papa riecht nach Schweiß und warmer Baumwolle und ein wenig nach Motoröl. Sie bohrt die Nase in die Bartstoppeln an seinem Hals. Sein Gesicht, sein Hals und seine Hände sind immer braun gebrannt. Aber ansonsten ist er weiß wie Papier. Er sonnt sich nie. Das tut kein Mann im Dorf, nur die Frauen machen es. Die legen sich ab und zu in den Liegestuhl. Jäten im Bikini Unkraut.

Manchmal kann auch Papa sich ins Gras legen, den einen Arm unter den Kopf, die Schirmmütze übers Gesicht gelegt. Bauer Martinsson. Das war ab und zu das Recht und Privileg des Mannes, sich auf dem eigenen Grundstück ins Gras zu legen. Papa arbeitet hart. Fährt nachts die Forstmaschine, damit die teure Investition sich lohnt. Erledigt die Männerarbeit auf dem Hof. Macht Extraschichten für einen Rohrleger in der Stadt, wenn es im Wald nicht genug Arbeit gibt.

Aber ab und zu legt er sich ein Stündchen hin. Im Winter auf das Küchensofa. Im Sommer eben ins Gras. Der älteste Hund, Jussi, kommt oft und legt sich neben ihn, und bald hat er Rebecka im anderen Arm. Die Sonne wärmt. Die Katzenschwänze wachsen im kärglichen Sandboden und duften würzig. Ansonsten wächst hier nicht viel. Jedenfalls nichts, was duftet. Man muss immer ganz dicht herangehen, um etwas zu riechen.

Nie hat Rebecka ihre Großmutter so liegen sehen. Die ruhte sich nie aus. Und wenn sie das vor dem Haus gemacht hätte. Dann hätten die Leute geglaubt, sie habe den Verstand verloren. Oder sie ganz einfach für tot gehalten.

Nein. Måns hätte bei der Großmutter als fremder Vogel gegolten. Ein Stockholmer, der keinen Motor auseinandernehmen kann, der kein Fischnetz auslegen und nicht einmal Heu über die Reuter hängen kann. Und reich noch dazu. Onkel Affes Frau, Inga-Lill, wäre nervös geworden und hätte mit Servietten gedeckt. Und alle hätten über Rebecka gedacht: Zu wem gehört sie denn jetzt?

Das taten sie ja ohnehin schon. Immer musste sie beweisen, dass sie sich nicht verändert hatte. Immer sagten die Leute: Das ist doch nichts Besonderes... du bist sicher Besseres gewöhnt. Und dann musste sie das Essen ganz besonders loben, musste beteuern, dass sie schon lange keinen Barsch mehr gegessen habe, keinen so leckeren. Die anderen durften in Ruhe essen. Und dann wurde noch deutlicher, dass sie sich Stockholmer Manieren zugelegt hatte, diese übertriebenen Komplimente.

In Papa hatte es ein Gewicht gegeben, das Måns fehlte. Sie wollte nicht sagen, eine Tiefe, nicht, dass Måns oberflächlich wäre. Aber Måns hatte sich niemals um seinen Lebensunterhalt zu sorgen brauchen, Angst zu haben, es könnten nicht genügend Aufträge einlaufen, um die Raten für die Forstmaschine zu bezahlen. Und es gibt noch einen anderen Unterschied. Etwas, das nicht von den Sorgen kommt. Einen Hauch von Wehmut.

Diese Wehmut, dachte Rebecka. Hat sie Papa dazu gebracht, mit solcher Heftigkeit nach Mama zu greifen?

Ich glaube, sie ist mit ihrem Lachen und ihrer Leichtigkeit in sein Leben getreten, denn in ihren guten Zeiten war sie leicht wie der Wind. Und ich glaube, er packte ihre Oberarme mit beiden Händen. Hielt sie fest, hart und heftig. Und ich glaube, dass ihr das gefiel, aber nur für kurze Zeit. Ich glaube, sie dachte, dass sie das brauchte. Geborgenheit und Ruhe in seiner Umarmung. Und dann entglitt sie ihm wie eine ungeduldige Katze.

Und ich, fragte Rebecka sich, den Blick auf Måns' Nachricht gerichtet. Sollte ich mir nicht einen wie Papa suchen und ihn dann festhalten, anders als Mama?

Das verliebte Herz lässt sich nicht bezwingen. Wir können unsere Gefühle verbergen, aber das Herz übernimmt sämtliche Tätigkeiten in uns. Der Kopf wechselt den Beruf, hört auf, zu argumentieren oder vernünftige Entscheidungen zu treffen, und widmet sich der Malerei: pathetische Bilder, romantische, sentimentale, pornographische. Das gesamte verdammte Register.

Rebecka Martinsson spricht ein vergebliches Gebet: Gott bewahre mich vor der Leidenschaft.

Aber es ist schon zu spät. Sie schreibt:

»Nett für euch. Hoffentlich brechen sich nicht allzu viele bei der Abfahrt die Beine. Ich entscheide später, ob ich auf ein Glas hochkomme, erst mal Wetter und Job und überhaupt abwarten. Aber wir hören voneinander. R.«

Dann macht sie aus dem »R« ein »Rebecka«. Und dann macht sie das wieder rückgängig. Die Nachricht ist lächerlich kurz und schlicht, aber sie hat vierzig Minuten gebraucht, um sie zu schreiben. Dann schickt sie sie ab. Danach öffnet sie sie wieder und wieder, um sich anzusehen, was sie geschrieben hat. Später kann sie nichts Vernünftiges mehr tun. Schiebt Papierstapel hin und her.

»Ist es in Ordnung, wenn ich das Tonbandgerät einschalte?«, fragte Anna-Maria.

Sie saß zusammen mit Mauri Kallis in einem Vernehmungsraum.

Er hatte erklärt, dass er nicht sehr viel Zeit hatte, sie würden bald zurückfliegen. Deshalb hatten sie beschlossen, dass Sven-Erik mit Diddi Wattrang sprechen sollte und Anna-Maria mit Mauri Kallis.

Der Sicherheitschef lungerte draußen auf dem Gang herum, bei Fred Olsson und dem beeindruckten Tommy Rantakyrö.

»Natürlich«, antwortete Mauri Kallis. »Wie ist sie ums Leben gekommen?«

»Es ist ein wenig zu früh, um jetzt schon Details über den Mord zu nennen.«

»Aber sie wurde ermordet?«

»Ja, ob nun vorsätzlich oder nicht ... jedenfalls hat jemand ... sie hat als Informationschefin gearbeitet? Was ist das für ein Posten?«

»Das war nur ein Titel. Sie hatte alle möglichen Aufgaben in unserer Unternehmensgruppe. Aber sicher, sie hatte guten Kontakt zu den Medien und Geschick in Imagepflege. Sie konnte überhaupt gut mit Leuten umgehen, mit Behörden, Grundbesitzern, Investoren.«

»Wieso denn? Was konnte sie so gut?«

»Sie war so eine, von der die Leute gemocht werden wollen. Man wollte sie immer zufriedenstellen. Ihr Bruder ist genauso, auch wenn er ein wenig zu ...«

Mauri Kallis machte eine kurze, abwertende Handbewegung.

»Sie müssen ihr nahegestanden haben. Sie hat ja sozusagen bei Ihnen gewohnt.«

»Na ja, Regla ist ein großer Besitz mit mehreren Höfen und Häusern. Wir sind viele dort, ich und meine Familie, Diddi mit Frau und Kind, meine Halbschwester, einige Angestellte.«

»Aber sie hatte keine Kinder?«

»Nein.«

»Außer Ihnen, wer stand ihr sonst noch nahe?«

»Ich möchte darauf hinweisen, dass Sie es sind, die behauptet, sie habe mir nahegestanden. Aber ich würde sagen, ihr Bruder. Und ihre Eltern leben ja auch noch.«

»Noch andere?«

Mauri Kallis schüttelte den Kopf.

»Na los«, drängte Anna-Maria. »Freundinnen? Liebhaber?«

»Das ist nicht so einfach«, sagte Mauri Kallis. »Inna und ich haben zusammengearbeitet. Sie war eine gute ... Kameradin. Aber sie war keine, die sich Freunde fürs Leben zulegt. Dazu war sie zu unruhig. Sie hatte kein Bedürfnis danach, am Telefon mit Freundinnen alles Mögliche wiederzukäuen. Und um ehrlich zu sein, die Liebhaber kamen und gingen. Ich bin ihnen nie begegnet. Dieser Posten war perfekt für sie. Sie konnte zu einem Kongress oder einer internationalen Besprechung oder einer Cocktailparty fahren, und abends hatte sie dann zehn Investoren aufgetan.«

»Was hat sie in ihrer Freizeit gemacht? Mit wem war sie da zusammen?«

»Ich weiß nicht.«

»Was hat sie zum Beispiel in ihren letzten Ferien gemacht?«

»Das weiß ich nicht.«

»Das finde ich seltsam. Sie waren doch ihr Chef. Ich habe einen ziemlich guten Überblick darüber, was meine Jungs hier in der Freizeit so treiben.«

»Ach was.«

Anna-Maria schwieg und wartete. Manchmal half das. Hier aber nicht. Mauri Kallis schwieg und wartete ebenfalls, scheinbar gänzlich unberührt.

Am Ende ergriff Anna-Maria wieder das Wort. Die drei mussten ja bald los. Das Gespräch verlief ganz besonders wortkarg und unergiebig.

»Wissen Sie, ob sie sich auf irgendeine Weise bedroht fühlte?«

»Nicht, dass ich wüsste.«

»Drohbriefe? Anrufe? Irgendwas in dieser Art?«

Mauri Kallis schüttelte den Kopf.

»Hatte sie irgendwelche Feinde?«

»Glaub ich nicht.«

»Gibt es irgendjemanden, der gegen die Gesellschaft einen Groll hegte und dem diese Tat zuzutrauen wäre?«

»Wieso das?«

»Weiß nicht. Rache? Warnung?«

»Wer sollte das denn sein?«

»Das frage ich Sie doch gerade«, sagte Anna-Maria. »Sie beschäftigen sich mit riskanten Geschäften. Viele Leute müssen durch Sie Geld verloren haben. Jemand, der sich betrogen fühlt, vielleicht?«

»Wir haben niemanden betrogen.«

»Okay, lassen wir das erst mal.«

Mauri Kallis gab sich betont dankbar.

»Wer hat gewusst, dass sie sich im Haus der Gesellschaft in Abisko aufhielt?«

»Das weiß ich nicht.«

»Haben Sie es gewusst?«

»Nein. Sie hatte sich einige Tage freigenommen.«

»Also«, fasste Anna-Maria zusammen. »Sie wissen nicht, mit wem sie Umgang hatte, was sie in ihrer Freizeit gemacht hat, ob sie sich bedroht fühlte oder ob irgendwer einen Groll gegen Ihre Firma hegen könnte... gibt es irgendetwas, das Sie gern erzählen würden?«

»Sieht nicht so aus.«

Mauri Kallis schaute auf die Uhr.

Anna-Maria hätte ihn gern geschüttelt.

»Haben Sie jemals über Sex gesprochen? Wissen Sie, ob sie... ob sie in dieser Hinsicht besondere Gewohnheiten hatte?«

Mauri Kallis kniff die Augen zusammen.

»Wie meinen Sie das?«, fragte er. »Warum wollen Sie das wissen?«

»Haben Sie je darüber gesprochen?«

»Wieso das? Wurde sie... war da etwas... ist sie etwas Sexuellem ausgesetzt worden?«

»Wie gesagt, es ist zu früh...«

Mauri Kallis erhob sich.

»Entschuldigung«, sagte er. »Ich muss los.«

Und mit diesen Worten verließ er das Zimmer, nachdem er Anna-Maria kurz die Hand gereicht hatte. Sie konnte nicht einmal das Tonbandgerät ausschalten, ehe sich die Tür hinter ihm schloss.

Sie erhob sich und schaute hinaus auf den Parkplatz. Kiruna war jedenfalls gescheit genug, sich von seiner besten Seite zu zeigen. Dichter Schnee und strahlender Sonnenschein.

Mauri Kallis, Diddi Wattrang und ihr Sicherheitchef kamen aus der Wache und gingen auf ihren Mietwagen zu.

Mauri Kallis ging zwei Meter vor Diddi Wattrang, sie wechselten nicht ein Wort, wie es aussah. Der Sicherheitchef öffnete für Mauri Kallis die Hintertür, doch der ging um den Wagen herum und setzte sich vorn auf den Beifahrersitz. Diddi Wattrang musste allein hinten sitzen.

Ach was, ach was, dachte Anna-Maria. Und dabei haben sie im Fernsehen wie enge Freunde ausgesehen.

»Wie war es?«, fragte Sven-Erik fünf Minuten später.

Er, Anna-Maria und Tommy Rantakyrö saßen in Anna-Marias Arbeitszimmer und tranken Kaffee.

»Wie soll ich sagen«, sagte Anna-Maria zögernd. »Das war so ungefähr meine mieseste Vernehmung aller Zeiten.«

»Das doch sicher nicht«, sagte Sven-Erik tröstend.

»Es wäre besser gewesen, wenn sie gar nicht stattgefunden hätte, das kann ich dir sagen. Wie ist es mit Diddi Wattrang gelaufen?«

»Auch nicht besonders. Wir hätten vielleicht tauschen sollen. Er hätte wohl lieber mit dir gesprochen. Aber was er gesagt hat … dass sie seine beste Freundin war. Und dann hat er losgeheult. Er wusste nicht, dass sie in Abisko war, aber da war sie ja nun eben. Hat nicht viel darüber erzählt, was sie eigentlich gemacht hat. Hatte wohl irgendwelche Liebhaber, aber offenbar keine, von denen ihr Bruder gewusst hätte.«

»Der Sicherheitchef Mikael Wiik war in Ordnung«, sagte Tommy Rantakyrö. »Wir haben uns kurz unterhalten. Er war Fallschirmjäger beim Militär und danach auf der Offiziersschule.«

»Aber war er auch bei der Polizei?«, fragte Sven-Erik.

»Also, irgendwer verschweigt da etwas und hat Geheimnisse«, sagte Anna-Maria, die weiterhin an ihr Gespräch mit Mauri Kallis dachte. »Entweder sie oder die.«

»Doch, er war bei der Polizei«, sagte Tommy Rantakyrö. »Aber dann hat er sich beim Sonderkommando beworben. Man hätte sich in seiner Militärzeit ein wenig anstrengen sollen. Nicht seine Zeit als Bürogehilfe vergeuden. Man kann Jobs im Irak und bei privaten Leibwächterfirmen bekommen oder so. Als Mikke Wiik beim Sonderkommando aufgehört hat und zu den Privaten übergewechselt ist, hat er fünfzehntausend Euro im Monat verdient.«

»Bei Kallis?«, fragte Sven-Erik.

»Nein, das war im Irak. Aber danach wollte er in Schweden arbeiten und ein wenig ruhiger leben. Dieser Typ war wirklich überall… nicht gerade an Orten, wo man mit seinen Kindern in den Ferien hinfährt.«

Jetzt war Anna-Maria in das Gespräch der Kollegen eingestiegen. Sie glaubte zu hören, dass der letzte Satz ein direktes Zitat von Mikael Wiik war.

»Bleib lieber bei uns«, sagte sie, »fahr nicht weg und lass dir von Terroristen in den Kopf schießen«, sagte Sven-Erik zu Tommy Rantakyrö, dessen Augen vor Träumen von einem abenteuerlicheren Leben und viel Geld in der Tasche nur so überquollen.

Mikael Wiik bog von der E 10 in Richtung Flugplatz von Kiruna ab.

Mauri Kallis und Diddi Wattrang hatten die ganze Zeit geschwiegen. Keiner hatte Inna auch nur mit einem Wort erwähnt. Mikael Wiik hatte keinen von ihnen weinen sehen, seit sie allein waren, hatten die Herren einander nicht einmal angeblickt. Er registrierte, dass keiner ihn nach seinen Beobachtungen fragte. Danach, was er glaubte. Was er im Gespräch mit Tommy Rantakyrö erfahren hatte.

Das war der Anfang der Zeit nach Inna Wattrang. Das stand immerhin fest. Zu ihrer Zeit war alles witziger gewesen.

Nach seinem Dienst beim Sonderkommando hatte Mikael Wiik es in Schweden kaum aushalten können. In der Zeit seines Vorstellungsgesprächs bei Mauri Kallis war er ein Mann gewesen, der um drei Uhr nachts aufwachte und mit dem wachsenden Gefühl kämpfte, dass das Leben zu Hause absolut keinen Sinn hatte.

Inna hatte ihm durch das erste Jahr bei Kallis Mining hindurchgeholfen. Sie schien immer gespürt zu haben, wie ihm zumute war. Sie hatte immer die Zeit gefunden, mit ihm über Mauris Geschäfte zu plaudern, darüber, wen sie trafen und warum. Bald hatte er angefangen, sich als Teil von Kallis Mining zu betrachten. Wir gegen sie.

Er schlief noch immer schlecht, wachte früh auf. Aber nicht mehr ganz so früh. Und er musste nicht in den Kongo, den Irak oder nach Afghanistan zurück, nicht an solche Orte.

Plötzlich brach Mauri Kallis das Schweigen im Auto.

»Wenn das ein Sexualverbrechen war, dann wird das Schwein mit dem Leben büßen«, sagte er verbissen.

Mikael Wiik musterte im Rückspiegel verstohlen Diddi Wattrang. Er sah ebenso tot aus wie seine Schwester, schwarze Ringe unter den Augen, kreideweißes Gesicht, trockene Lippen und zerkratzte Nase. Die Hände hatte er in die Achselhöhlen geschoben. Vielleicht, weil er fror, vielleicht, um sie am Zittern zu hindern. Es war für ihn an der Zeit, sich zusammenzureißen.

»Wo landen wir?«, fragte Diddi. »Skavsta oder Arlanda?«

»Skavsta«, sagte Mikael nach einer Weile, als Mauri weiterhin schwieg.

»Willst du nach Hause?«, fragte Diddi Mikael.

Mikael Wiik nickte. Er wohnte mit seiner Freundin auf Kungsholmen. Auf Regla hatte er ein Zimmer mit Kochnische und Bad, benutzte es aber nur selten.

»Dann fahre ich mit dir nach Stockholm«, sagte Diddi, schloss die Augen und stellte sich schlafend.

Mikael Wiik nickte. Ihm kam es nicht zu, Diddi Wattrang zu sagen, dass er zu Ulrika und seinem sieben Monate alten Sohn nach Hause fahren müsse.

Ärger, dachte er. Besser, man ist darauf vorbereitet.

Mauri Kallis schaute aus dem Fenster.

Ich wollte sie berühren, dachte er.

Er versuchte, sich an die Gelegenheiten zu erinnern, da er es gemacht hatte. Richtig, eine richtige Berührung.

In diesem Moment konnte er sich nur an ein einziges Mal erinnern.

Es ist der Sommer 1994. Er ist seit drei Jahren verheiratet. Sein älterer Sohn ist zwei, der jüngere einige Monate alt. Mauri steht am Fenster in dem kleinen Salon und nippt an einem Whisky, schaut zu Innas Haus hinüber, der alten Wäscherei, die jetzt endlich fertig renoviert ist.

Er weiß, dass Inna gerade von einer Jodproduktionsanlage in der Atacamawüste in Chile zurückgekommen ist.

Er hat mit Ebba zusammen zu Abend gegessen. Das Kindermädchen bringt Magnus ins Bett, und Ebba legt ihm Carl in die Arme. Er hält das Baby, weiß nicht, was sie von ihm erwartet, deshalb starrt er das Kind an und sagt nichts. Ebba scheint damit zufrieden zu sein. Nach kurzer Zeit tun ihm Nacken und Schultern weh, er will, dass sie ihm den Kleinen abnimmt, hält aber durch. Nach einer Ewigkeit nimmt Ebba ihm das Kind aus den Armen. »Ich bring ihn jetzt ins Bett«, sagt sie. »Das dauert eine Stunde. Wartest du?« Er verspricht zu warten.

Danach steht er am Fenster und hat plötzlich schreckliche Sehnsucht nach Inna.

Ich bleibe nicht lange, belügt er sich. Ich will nur kurz hören, wie es in Chile war. Bis Ebba Carl ins Bett gebracht hat, bin ich längst wieder da.

Inna hat ausgepackt. Sie scheint sich ehrlich zu freuen, dass er kommt. Auch er freut sich. Freut sich, weil sie für ihn arbeitet. Freut sich, weil sie hier auf Regla wohnt. Sie hat ein hohes Gehalt und eine niedrige Miete. In schlechten Momenten macht ihn das wütend und unsicher. Dann quält ihn das Gefühl, sie zu kaufen.

Aber wenn er mit ihr zusammen ist, ist das nie so.

Sie fangen mit dem Whisky an, den er mitgebracht hat. Sie rauchen, sind albern und finden, dass sie unbedingt baden müssen. Aber dann vergessen sie es und liegen unten bei dem alten Anleger im Gras. Die Sonnenscheibe vibriert tief am Horizont, verschwindet. Der Himmel wird schwarz, schwaches Sternenlicht trifft ihre Augen, immer weckt es schwindelerregende Gedanken an die Unendlichkeit.

So müsste es immer sein, denkt Mauri. Immer, wenn ich freihabe. Warum muss man verheiratet sein? Wegen Gratissex jedenfalls nicht. Sex mit der eigenen Ehefrau ist der teuerste Sex, den man überhaupt haben kann. Wirklich. Man bezahlt mit seinem ganzen Leben.

Als er Ebba geheiratet hat, hat er Inna gegenüber Position bezogen. Eine Weile war Inna sogar nicht mehr so wichtig für ihn. Es war schwer, das genau zu definieren, aber das Kräfteverhältnis zwischen ihm und den Geschwistern Wattrang veränderte sich. Er war weniger abhängig. Musste nicht mehr betonen, dass er am Wochenende arbeiten wolle, damit sie sich nicht in den Kopf setzten, für ihn spiele es eine Rolle, wenn sie ihn nicht zu ihren Unternehmungen einluden.

Jetzt gibt er zurück, was er Inna damals weggenommen hat. In genau diesem Augenblick kommt es ihm wertlos vor.

Er dreht sich auf die Seite und sieht sie an.

»Weißt du, warum ich Ebba geheiratet habe?«, fragt er.

Inna hat den Mund voll Rauch und kann nicht antworten.

»Oder genauer gesagt, warum ich mich in sie verliebt habe«, redet Mauri weiter. »Weil sie als kleines Kind einen Kilometer zum Schulbus gehen musste.«

Inna kichert neben ihm.

»Wirklich. Sie wohnten doch auf Vikstaholm, wo sie aufgewachsen ist. Später mussten sie verkaufen, aber jedenfalls … für einen wie mich … jedenfalls … einen Emporkömmling … aber jedenfalls.«

Er kann dem Faden seiner eigenen Geschichte so wenig folgen, dass Inna neben ihm lacht. Er redet weiter:

»Sie fuhr mit dem Schulbus zur Schule, und einmal hat sie erzählt, wie sie immer diesen Kilometer vom Schloss zur Landstraße gegangen ist. Sie hat erzählt, dass sie noch weiß, wie die Waldtauben im Gebüsch gurrten und glucksten, wenn sie ganz allein am frühen Morgen über den Kiesweg ging. Die Morgenstille, die vom Gurren der Tauben unterbrochen wurde.«

Er ist ein Schwein, und er weiß das in dem Moment, in dem die Worte seinen Mund verlassen. Er schlägt Ebba den Kopf ab und serviert ihn Inna auf einem silbernen Tablett. Dieses Bild von Ebba war ein kleines Heiligtum. Jetzt hat er es zu Altpapier zerknüllt.

Aber Inna denkt nie so, wie er es erwartet. Sie hört auf zu kichern und zeigt auf einige Sternbilder, die sie erkennt und die jetzt immer deutlicher zu sehen sind.

Dann sagt sie:

»Ich finde, das klingt wirklich nach einem hervorragenden Heiratsgrund. Vielleicht ist es der beste, den ich je gehört habe.«

Sie dreht sich auf die Seite und sieht ihn an. Sie haben niemals Sex gehabt. Aber auf irgendeine Weise gibt sie ihm das Gefühl, dass das, was sie verbindet, größer ist. Sie sind Freunde. Innas Liebhaber, oder wie man die nennen soll, kommen und gehen. Mauri wird niemals zum Verflossenen werden.

Sie liegen dort und sehen einander an. Er nimmt ihre Hand.

Weil er das wagt, hat er plötzlich das Gefühl, dass Liebe nicht verletzlich macht. Es kostet nichts, zu lieben. Man wird zu Gandhi, Jesus und dem Sternenhimmel.

»Du …«, sagt er.

Und danach laufen seine Gedanken umher und suchen vergeblich nach Wörtern, die er nie benutzt.

»Ich freue mich, dass du hergezogen bist«, sagt er endlich.

Inna lächelt. Es gefällt ihm, dass sie lächelt und schweigt. Dass sie nicht sagt, »ich mich auch« oder »du bist herrlich«. Er hat gelernt, wie leicht ihr solche Worte fallen. Er lässt ihre Hand los, ehe sie etwas sagen kann.

ANNA-MARIA MELLA ließ sich in Rebeckas Besuchersessel sinken. Es war Viertel nach zwei am Nachmittag.

»Wie geht es?«, fragte sie.

»Nicht so gut«, antwortete Rebecka mit einem angedeuteten Lächeln. »Ich schaffe einfach nichts.«

Und ich höre nichts von Måns, dachte sie und schielte zu ihrem Computer hinüber.

»Aha, so ein Tag. Man sortiert einen Papierstapel und macht drei daraus. Aber du warst doch heute Vormittag im Gericht?«

»Sicher, das ist gut gelaufen. Es ist nur das hier ...«

Rebecka zeigte kurz auf Unterlagen und Papiere, die ihren Schreibtisch bedeckten.

Anna-Maria lächelte Rebecka schelmisch an.

»Verflixt«, sagte sie. »Jetzt nimmt dieses Gespräch einen ganz unerwarteten Verlauf. Ich wollte dich bitten, mir weiter bei Inna Wattrang zu helfen.«

Rebecka freute sich.

»Sehr gut«, sagte sie. »Bitte mich.«

»Bitte, sieh sie dir mal an. Ich meine, alles, was über sie registriert ist. Ich weiß nicht richtig, was ich suche ...«

»Etwas Außergewöhnliches«, meinte Rebecka. »Geldströme. Egal, in welche Richtung. Plötzlicher Verkauf von Grundstücken. Soll ich auch ihr finanzielles Engagement bei Kallis Mining überprüfen? Ob sie als private Investorin eingestiegen war? Ob sie etwas auf eine Weise gekauft oder verkauft hat, die unsere Aufmerksamkeit verdient? Womit sie Geld gemacht oder verloren hat?«

»Ja, bitte«, sagte Anna-Maria und erhob sich. »Und jetzt muss ich mich ranhalten. Ich wollte zu dem Haus fahren, wo sie ermordet worden ist, und ich muss das schaffen, ehe es dunkel wird.«

»Darf ich mitkommen?«, fragte Rebecka. »Das würde mich interessieren.«

Anna-Maria schwieg und traf eine rasche Entscheidung. Natürlich hätte sie Nein sagen müssen, Rebecka hatte am Tatort nichts zu suchen. Außerdem bestand ja die Gefahr eines Zusammenbruchs. Was konnte die Konfrontation mit einem Mord in einem Ferienhaus nicht alles mit ihr machen? Das ließ sich doch nicht vorhersagen. Anna-Maria war keine Psychologin. Andererseits half Rebecka ihr bei den Ermittlungen. Sie verfügte über ein Wissen um wirtschaftliche Angelegenheiten, mit dem sich niemand in Anna-Marias Gruppe auch nur im Entferntesten messen konnte. Anna-Maria konnte ja nur davon träumen, jemanden von der Wirtschaftsabteilung loszueisen, der ein wenig Zeit aufbringen konnte und aufs Geratewohl nach etwas suchen würde, das Anna-Maria nicht einmal zu umschreiben in der Lage war. Außerdem war Rebecka ein erwachsener Mensch, der allein die Verantwortung für seine Gesundheit trug.

»Volle Kraft voraus«, sagte sie.

Anna-Maria Mella genoss die Fahrt nach Abisko.

Schöner als jetzt kann es gar nicht werden, dachte sie. Mit Schnee und Sonne und all denen, die mit dem Schneemobil unterwegs sind oder draußen auf dem See Ski laufen.

Rebecka Martinsson saß neben ihr und blätterte in den Unterlagen der Voruntersuchung, sie las und unterhielt sich gleichzeitig mit Anna-Maria.

»Du hast vier Kinder?«

»Ja«, antwortete Anna-Maria und erzählte bereitwillig.

Sie hat mich ja gefragt, dachte sie. Und da antworte ich.

Sie erzählte von Marcus, der kurz vor dem Abitur stand. Der ließ sich nicht sehr oft blicken.

»Aber ab und zu braucht er Geld. Und dann kommt er nach Hause und zieht sich um. Ich finde ja seine Kleider überhaupt nicht schmutzig, aber jedesmal wird unendlich geduscht und umgezogen und gesprayt. Jenny ist dreizehn, sie ist genauso. Petter wird nächste Woche neun, er spielt Bionicle und ist wirklich Mamas Kleiner. Ganz anders als die Älteren. Er geht nie zu irgendwelchen Freunden, sondern sitzt die ganze Zeit allein zu Hause. Aber du weißt ja, das ist auch nicht gut. Da macht man sich deshalb Sorgen.«

»Und dann hast du Gustav.«

»Mmm«, sagte Anna-Maria und konnte sich gerade noch verkneifen zu erzählen, wie Robert neulich versucht hatte, Gustav in den Kindergarten zu bringen. Es musste schließlich Grenzen geben. Nur andere Mütter fanden solche Episoden witzig.

Es wurde still. In der Nacht von Gustavs Geburt hatte Rebecka in Notwehr in einer Hütte draußen in Jiekajärvi drei Männer umgebracht. Sie war durch Messerstiche lebensgefährlich verletzt worden, und wenn Anna-Marias Kollegen nicht rechtzeitig eingetroffen wären, wäre sie jetzt tot.

»Der so gern seine alte Mama küsst«, sagte Rebecka.

»Aber eigentlich ist er Papas größter Fan. Neulich war Robert pinkeln, und ich bin mit so einem verheiratet, der glaubt, man wird schwul, wenn man sich dabei hinsetzt, wer muss wohl saubermachen, wenn die Jungs diesem Beispiel folgen … jedenfalls, da stand er also, und Gustav stand mit total unverhohlener Begeisterung im Blick neben ihm. ›Papa‹, sagte er andächtig. ›Du hast ja einen RIESENschwanz. Der ist wie ein Elefantenschwanz!‹ Danach hättest du mal meinen Alten sehen sollen. Der war sozusagen …«

Sie beendete den Satz mit einer heftigen Armbewegung und einem lauten Hahnenschrei.

Rebecka lachte.

»Aber dein Liebling ist Marcus, oder?«

»Ach, man liebt sie eben auf unterschiedliche Weise«, sagte Anna-Maria und hielt ihren Blick auf die Straße gerichtet.

Wie in aller Welt hatte Rebecka das erraten können? Anna-Maria ging die letzten Sätze noch einmal durch. Es stimmte. Sie liebte Marcus auf eine ganz besondere Weise. Sie waren immer mehr gewesen als Mutter und Sohn. Sie waren auch Freunde. Obwohl das nichts war, das sie bewusst dachte, worüber sie sprach, sie gestand es sich ja selber kaum ein.

Als sie beim Ferienhaus von Kallis Mining aus dem Auto stiegen, dachte Anna-Maria, dass sie sich fast betrogen fühlte. Rebecka hatte sie dazu gebracht, während der ganzen Fahrt über sich zu sprechen. Über ihre Arbeit und ihre Familie. Rebecka hatte nicht ein einziges Wort über sich gesagt.

Anna-Maria schloss die Tür auf und zeigte Rebecka die Küche mit dem aufgerissenen Linoleumboden.

»Wir warten noch immer auf die Laborergebnisse, aber bis auf Weiteres gehen wir davon aus, dass wir in dieser kleinen Kerbe Inna Wattrangs Blut gefunden haben. Wir glauben also, dass sie genau hier ermordet worden ist. Wir haben an ihren Handgelenken und Knöcheln und an einem von diesen Stühlen Reste von Klebeband gefunden.«

Sie zeigte auf die Küchenstühle aus dunklem Eichenholz.

»Wir hoffen zu erfahren, was das für eine Sorte Klebeband war. Und dann will ich das Protokoll des Gerichtsmediziners. Vorläufig kann er nur sagen, dass sie jedenfalls nicht vergewaltigt worden ist … aber wir fragen uns natürlich, ob sie Geschlechtsverkehr hatte. Dann könnte es sich auch um eine Art Sexspiel gehandelt haben …«

Rebecka nickte, um zu bestätigen, dass sie zuhörte, und sah sich um.

Wenn ich auf jemanden warte, dachte Rebecka, und vor ihrem inneren Auge erschien das Bild von Måns. Dann ziehe ich schöne Unterwäsche an. Was mache ich sonst noch? Ich mache sauber, natürlich, räume auf, damit alles schön und gemütlich ist.

Sie sah sich in der Küche um. Musterte den leeren Milchkarton.

»Die Küche ist ziemlich chaotisch«, sagte sie zögernd zu Anna-Maria Mella.

»Du solltest mal erleben, wie es manchmal bei mir aussieht«, brummte Anna-Maria.

Und ich kaufe etwas Leckeres zu essen, setzte Rebecka ihre Überlegungen fort. Und etwas zu trinken.

Sie öffnete den Kühlschrank. Einige Mikrowellenmahlzeiten.

»War im Kühlschrank nicht mehr?«

»Nein.«

Dann war es jedenfalls keine neue Bekanntschaft, dachte Rebecka. Sie brauchte sich keine Mühe zu geben. Aber wieso der Trainingsanzug?

Sie konnte darin keinen Sinn erkennen. Sie schloss die Augen und fing wieder von vorne an.

Er ist unterwegs, dachte sie. Aus irgendeinem Grund muss ich nicht aufräumen und sauber machen. Er ruft mich von Arlanda aus an.

Sie dachte an Måns' schleppende Stimme am Telefon.

»Das Telefon«, sagte sie zu Anna-Maria, ohne die Augen zu öffnen. »Habt ihr das Mobiltelefon?«

»Nein, wir haben keins gefunden. Aber wir überprüfen natürlich ihre Gespräche.«

»Computer?«

»Nein.«

Rebecka öffnete die Augen und schaute durch das Küchenfenster hinüber nach Torneträsk.

»Eine solche Frau mit einem solchen Job«, sagte sie. »Natürlich hatte sie Notebook und Telefon. Sie wurde hier draußen in einer Arche gefunden. Meinst du nicht, ihr solltet einen Eistaucher holen und überprüfen, ob der, der sie zur Arche getragen hat, ihr Telefon ins Angelloch geworfen hat?«

»Ja, das meine ich«, antwortete Anna-Maria ohne zu zögern. Sie müsste natürlich dankbar sein. Oder Rebecka ein paar lobende Worte sagen. Aber das ging einfach nicht. Sie war nur noch sauer. Weil sie nicht sofort daran gedacht hatte. Und wozu hatte sie eigentlich Kollegen?

Anna-Maria schaute auf die Uhr. Die Taucher könnten es vor der Dunkelheit schaffen, wenn sie sofort kämen.

Um Viertel nach vier am Montagnachmittag waren das dreiköpfige Taucherteam und Sven-Erik Stålnacke eingetroffen. Sie hatten ein Loch ins Eis gesägt. Es hatte einen Durchmesser von einem Meter. Sie hatten mit elektrischen Bohrern und Motorsägen gearbeitet und danach mit großer Mühe die schwere Eisscheibe aus dem Loch gehievt. Anna-Maria Mella und Sven-Erik Stålnacke sowie die stellvertretende Staatsanwältin Rebecka Martinsson hatten den Tauchern beim Zerren und Tragen geholfen. Die Sonne hatte gestochen, und unter ihren nassen Pullovern schmerzten ihre Rückenmuskeln vor Anstrengung.

Jetzt war die Sonne auf dem Rückzug, die Temperatur sank, und sie fingen an zu frieren.

»Wir müssen absperren und alles genau kennzeichnen, damit uns niemand reinfällt«, sagte Sven-Erik Stålnacke.

»Es ist wirklich ein Glück, dass es gerade hier war«, sagte der eine Taucher zu Anna-Maria und Sven-Erik Stålnacke. »Hier dürfte es eigentlich nicht so tief sein, aber das werden wir ja sehen.«

Der Reservetaucher saß auf seiner Sitzunterlage am Rand des Loches. Er hob die Hand zum Gruß, als sein Kollege mit der 75-Watt-Lampe unter dem Eis verschwand. Der dritte Kollege gab Leine, Luftblasen stiegen an die Oberfläche, der Taucher schwamm unter dem Eis auf die Arche zu, in der Inna Wattrang gefunden worden war.

Anna-Maria fröstelte. Die feuchte Kleidung zog ihr die

Wärme aus dem Leib. Sie hätte eine Runde laufen müssen, um warm zu bleiben, aber das brachte sie einfach nicht über sich.

Anders als Rebecka. Die lief in der Schneemobilspur los. Bald würde die Dämmerung einsetzen.

»Sie hält uns natürlich für eine Bande von Trotteln«, sagte Anna-Maria zu Sven-Erik Stålnacke. »Zuerst muss sie uns alles Mögliche über Fusionen und Ausbeute von Kapitalanlagen erklären, und jetzt bringt sie uns bei, wie wir unsere Arbeit zu tun haben.«

»Nicht doch«, sagte Sven-Erik, »ihr ist einfach dieser Gedanke schneller gekommen als dir, das wirst du doch wohl noch ertragen können?«

»Nein«, sagte Anna-Maria nur halbwegs ernst.

Nach zwölf Minuten kam der Taucher wieder an die Oberfläche. Er nahm den Regulator aus dem Mund.

»Auf dem Boden war nichts, soweit ich sehen konnte«, sagte er. »Aber ich habe das hier gefunden, keine Ahnung, ob euch das weiterhilft. Das schwamm fünfzehn Meter von der Arche entfernt unter dem Eis herum.«

Er warf ein Stoffbündel auf das Eis. Der Leinenmann und der Reservetaucher halfen ihrem Kollegen aus dem Loch, während Anna-Maria und Sven-Erik das Bündel auswickelten.

Es war ein beiger Herrenmantel aus Popeline. Winddicht, mit Gürtel und dünnem Futter.

»Muss ja nichts zu bedeuten haben«, sagte der Taucher.

Er hielt jetzt einen Becher mit heißem Kaffee in den Händen.

»Die Leute werfen doch allen möglichen Scheiß ins Wasser. Verdammt, da unten sieht das vielleicht aus. Alte Frikadellenpackungen, Plastiktüten …«

»Ich glaube, das hat etwas zu bedeuten«, sagte Anna-Maria Mella zögernd.

An der linken Schulter und auf dem Rücken des Mantels gab es schwache rosa Flecken.

»Blut?«, fragte Sven-Erik.

»Dein Wort in Gottes Ohr«, sagte Anna-Maria und hob die Hände in einem gespielten Gebet zu höheren Mächten empor. »Mach, dass es Blut ist!«

Dienstag, 18. März 2005

DIE LINDENALLEE ZU Mauri Kallis' Wohnsitz, dem Herrenhof Regla, streckte sich von der Landstraße aus über anderthalb Kilometer dahin. Die Bäume waren alte Damen von über zweihundert Jahren, trotzdem graziös, einige aber vollständig hohl. Sie standen adrett immer zwei und zwei da und belehrten Besucher darüber, dass hier eine viele hundert Jahre alte Ordnung herrschte. Hier saß man manierlich am Esstisch und pflegte einen gebildeten und kultivierten Umgangston.

Nach einem Kilometer wurde die Allee von einem Eisentor durchbrochen. Vierhundert Meter weiter folgte noch ein Eisentor in einer weiß gekalkten Mauer, die sich um das gesamte Hofgelände herumzog. Die Eisentore waren kunstreiche Schmiedearbeiten, zwei Meter hoch, und wurden per Fernsteuerung von den Autos der Bewohner aus geöffnet. Besucher mussten vor dem äußeren Tor anhalten und ein Tortelefon betätigen.

Das Hauptgebäude war ein weiß gekalktes Haus mit Schieferdach, Säulen zu beiden Seiten des Eingangs, Flügeln und Bleiglasfenstern. Die Einrichtung folgte dem Stil der zweiten Hälfte des 18. Jahrhunderts. Nur die Badezimmer waren hochmodern und von Philippe Starck entworfen.

Regla war so schön, dass Mauri es in den ersten Sommern kaum ertragen konnte. Im Winter war es leichter. Im Sommer überkam ihn oft ein Gefühl von Unwirklichkeit, wenn er durch die Allee fuhr oder spazierte. Das Licht, das durch die Lindenkronen sickerte und wie Melodien auf den Weg fiel. Fast konnte es ihm angesichts dieser ländlichen Idylle, in der er lebte, schlecht werden.

Mauri Kallis lag wach in seinem Schlafzimmer im ersten Stock. Er wollte nicht auf die Uhr schauen, denn wenn es Viertel vor sechs war, musste er in einer Viertelstunde aufstehen, und dann wäre es zu spät, um noch einmal einzuschlafen. Andererseits blieb ihm vielleicht noch eine Stunde, bis er aufstehen musste. Er sah auf die Uhr, das machte er am Ende immer. Viertel nach vier. Er hatte drei Stunden geschlafen.

Er musste mehr schlafen, sonst lag doch auf der Hand, dass alles bald zum Teufel gehen würde. Er versuchte, ruhig zu atmen und sich zu entspannen. Er drehte sein Kissen um.

Als er sich in eine Art Halbschlummer versetzt hatte, kehrte der Traum zurück.

Im Traum saß er auf seiner Bettkante. Das Zimmer sah genauso aus wie in Wirklichkeit. Spärlich möbliert, der kleine elegante Schreibtisch mit den Intarsien und der schön gealterte gustavianische Sessel mit den gepolsterten Armlehnen. Die begehbare Garderobe aus Walnussholz und mattem Glas, wo Anzüge und Hemden sorgfältig gebügelt in Reih und Glied hingen, die handgenähten Schuhe in einem eigenen Schrank, mit Schuhspannern aus Zedernholz. Die Wände waren mit Leinölfarben gestrichen, blassblau patiniert, er hatte sich Borten und Dekormalerei verbeten, als seine Frau die Renovierungsarbeiten geleitet hatte.

Aber im Traum sah er Innas Schatten an der Wand. Und als er den Kopf drehte, saß sie in der Fensternische. Hinter ihr glitzerte nicht der Mälar. Stattdessen sah er die Umrisse der Hochhaussiedlung »Terrassen«, in der er aufgewachsen war.

Immer wieder kratzte sie sich an der bandförmigen Wunde um ihren Knöchel. Das Fleisch blieb unter ihren Nägeln hängen.

Jetzt war er wieder hellwach. Er hörte seine eigenen Herzschläge. Ruhig, ruhig. Nein, das ging nicht, er hielt es nicht aus, er musste aufstehen.

Er schaltete das Licht ein und warf die Decke weg wie eine

Feindin, schwenkte die Beine über die Bettkante und stand auf.

Nicht an Inna denken. Sie ist nicht mehr da. Regla gibt es. Ebba und die Jungen. Kallis Mining.

Natürlich stimmte mit ihm etwas nicht. Er versuchte, an die Jungen zu denken, aber das gelang ihm nicht. Ihre Königsnamen kamen ihm albern und fremd vor, Carl und Magnus.

Als sie klein gewesen waren, hatten sie in ihren teuren Kinderwagen gelegen. Er war immer auf Reisen gewesen. Hatte sie nie vermisst. Konnte sich jedenfalls nicht daran erinnern.

Im selben Moment hörte er aus der Mansarde über seinem Zimmer einen lauten Knall. Und dann noch einen.

Ester, dachte er. Jetzt trainiert sie wieder mit ihren Gewichten.

Herrgott, man konnte glauben, dass ihm gleich das ganze Dach auf den Kopf fallen würde.

Inna hatte Ester in ihr Leben hineingezogen.

Du hast eine Schwester, sagt sie.

Sie sitzen in der SAS-Lounge auf dem Kopenhagener Flughafen und sind unterwegs nach Vancouver. Draußen sieht es aus wie Sommer, aber noch immer weht ein kalter Wind. In einem knappen Jahr wird sie tot sein.

»Ich habe drei«, antwortet Mauri mit kühler Stimme, die betonen soll, dass ihn dieses Thema nicht interessiert.

Er will nicht an sie denken. Die älteste Schwester wurde geboren, als er neun war. Mit einem Jahr wurde sie von der Fürsorge übernommen. Er wurde ein Jahr darauf geholt.

Er versuchte immer, alle Gedanken an seine Kindheit in Terrassen zu denken, die Blocks in Kiruna, wo das Sozialamt Wohnungen für Leute bereithielt, die selbst keine Mietverträge bekamen. Schrille Stimmen und Streitereien und Geschrei drangen immer wieder durch die Wände, und niemand rief jemals die Polizei. Die Schmierereien an den Wänden im Treppenhaus wurden nicht entfernt. Ein Gefühl von Hoffnungslosigkeit haftete an den Häusern.

Und es gibt Gedanken, die er niemals denkt. Die Erinnerung an ein weinendes Kinderstimmchen, sie steht im Gitterbett, Mauri, zehn Jahre alt, nimmt seine Jacke und knallt mit der Wohnungstür. Er bringt es einfach nicht über sich, das noch länger mit anzuhören. Ihre Stimme durchdringt die geschlossene Tür, folgt ihm die Treppe hinunter. Das Geräusch seiner Schritte schlägt gegen die Betonwände. Der Nachbar hört Rod Stewart. Ein süßlicher, Übelkeit erregender Geruch aus dem Müllschacht. Mama hat er seit zwei Tagen nicht mehr gesehen, aber jetzt will er sich einfach nicht länger um die Kleine kümmern müssen. Und Brei gibt es auch nicht mehr.

Die mittlere Schwester ist fünfzehn Jahre jünger als er. Sie wurde geboren, als Mauri schon bei der Pflegefamilie war. Die Mutter durfte diese Schwester anderthalb Jahre behalten und wurde dabei vom Sozialamt betreut. Dann ging es ihr so schlecht, dass sie in ein Krankenhaus eingewiesen werden musste, und da holte das Jugendamt auch dieses Kind.

Mauri ist den beiden Schwestern bei der Beerdigung der Mutter begegnet. Er flog zu diesem Anlass nach Kiruna, allein, die Jungen und Ebba durften nicht mitkommen. Inna und Diddi boten ihre Begleitung nicht an.

Anwesend waren er und die beiden Schwestern, ein Geistlicher und der Oberarzt vom Krankenhaus.

Ein überaus passendes Wetter, dachte Mauri am Sarg. Der Regen strömte wie kalte graue Ketten vom Himmel. Das Wasser grub Löcher in den Boden, schuf ein Delta aus Bächen, führte Lehm und Kies mit ins Grab. Als armselige braune Suppe unten in der Grube. Die Schwestern froren, sie standen durchnässt da in ihren notdürftig zusammengesuchten Beerdigungskleidern. Schwarzer Rock und Bluse, ein Mantel wäre eine zu große Investition gewesen, deshalb trug die eine einen dunkelblauen und die andere keinen. Mauri gab ihnen seinen Schirm, ließ den Regen seinen Zegna-Anzug ruinieren. Der Geistliche fror dermaßen, dass er zitterte, als er das Gesangbuch in der einen und den Regenschirm in der anderen Hand umklammerte. Aber er hielt eine richtig schöne Rede, überaus aufrichtig, darüber, wie schwer es ist, wenn ein Mensch die wichtigste Pflicht im Leben nicht erfüllen kann, nämlich sich um seine Kinder zu kümmern. Dann folgten Worte wie »der unabwendbare Schluss« und »der Weg zur Versöhnung«.

Die Schwestern weinten im Regen, Mauri fragte sich, was sie beweinten.

Auf dem Weg zu den Autos wurden sie von einem Hagelschauer überrascht. Der Geistliche presste das Gesangbuch an die Brust und nahm die Beine in die Hand. Die Schwestern schlangen die Arme umeinander, um beide Platz unter Mauris Schirm zu haben. Der Hagel zerfetzte die Blätter an den Bäumen.

Das ist Mama, dachte Mauri und unterdrückte ein pochendes Gefühl von Panik. Sie wird niemals sterben. Schlägt wild um sich. Was soll man machen? Dem Himmel mit der Faust drohen?

Nach der Beisetzung lud er zum Mittagessen ein. Die Schwestern zeigten Fotos ihrer Kinder, fanden die Blumen auf dem Sarg wunderschön. Er war schrecklich verlegen. Sie fragten nach seiner Familie, er antwortete kurz angebunden.

Die ganze Zeit quälte ihn, dass alles an ihrem Aussehen an ihre gemeinsame Mutter erinnerte. Sogar ihre Bewegungen erinnerten an sie. Eine Kopfbewegung. Die älteste Schwester kniff die Augen zusammen, wenn sie ihn ansah. Und es durchfuhr ihn unerklärliche Angst.

Am Ende kamen sie auf Ester zu sprechen.

»Du weißt, dass wir noch eine Schwester haben?«, fragte die mittlere Schwester.

Über die hatten sie allerhand zu berichten. Die Kleine war jetzt elf Jahre alt. Die Mutter war von einem Mitpatienten schwanger geworden und hatte Ester 1988 auf die Welt gebracht. Sofort hatte das Jugendamt Ester in seine Obhut genommen. Eine Familie in Rensjön hatte sich um sie gekümmert. Sie seufzten und sagten »die Arme«. Mauri ballte unter dem Tisch die Fäuste, während er freundlich fragte, ob sie zum Kaffee etwas Süßes wollten. Wieso Ester arm sei? Ihr sei doch viel erspart geblieben.

Sie wirkten erleichtert, als er aufbrach. Niemand machte eine dumme Bemerkung von der Art, dass sie in Kontakt bleiben müssten.

Inna mustert ihn. Die Flugzeuge sehen aus wie schönes Spielzeug, das abhebt und landet.

»Deine jüngste Schwester, Ester«, sagt sie. »Sie ist erst sechzehn. Und sie muss irgendwo wohnen. Ihre Pflegemutter ist gerade ...«

Mauri hebt die Hände ans Gesicht, wie um sich mit Wasser abzureiben, und stöhnt.

»Nein, nein.«

»Sie kann bei mir auf Regla wohnen. Das wäre nur vorübergehend. Im Herbst wird sie dann mit dem zweiten Jahr an Idun Lovéns Kunstschule beginnen ...«

Er fällt Inna sonst nie ins Wort. Aber jetzt sagt er »... unter gar keinen Umständen«. Er kann nicht, will keine lebende Reproduktion der Mutter auf dem Gut herumlaufen sehen. Er sagt, er könne für seine Schwester in Stockholm eine Wohnung kaufen, würde alles tun.

»Sie ist sechzehn!«, sagt Inna.

Und sie lächelt bittend. Dann wird sie ernst.

»Du bist der einzige Verwandte, der ...«

Er öffnet den Mund, um die anderen Schwestern zu erwähnen, aber Inna lässt sich nicht wieder von ihm unterbrechen.

»... der die Möglichkeit hat, sich um sie zu kümmern. Und gerade jetzt ist dein Name brandheiß ... ach, das habe ich ja noch gar nicht erwähnt, *Business Week* will einen großen Artikel über dich bringen ...«

»Keine Interviews!«

»... aber zu einer Fotosession musst du einfach gehen. Und egal, wenn es herauskommt, dass du eine Schwester hast, die nicht weiß, wohin ...«

Sie gewinnt. Und Mauri denkt, als sie an Bord der Maschine nach Vancouver gehen, dass es doch eigentlich keine Rolle spielt. Regla ist kein Zuhause, in das jemand eindringen kann. Auf Regla hat er Ebba und die Jungen und Diddi mit schwangerer Frau und Inna. Auf Regla dreht sich das Meiste um Repräsentation. Dort kann man jagen, mit dem Boot rausfahren und Gäste bewirten.

Er spürt, wie die Medienaufmerksamkeit der letzten Zeit und das soziale Leben, das damit einhergeht, an ihm zehren, viel mehr, als die Arbeit es jemals getan hat. Diese vielen Menschen, die ihm die Hand schütteln und plaudern wollen, woher kommen die? Er gibt sich die ganze Zeit ungeheure Mühe. Um ruhig und freundlich zu bleiben. Immer hat Inna neben ihm gestanden und ihm soufliert, wen er vor sich hatte und warum. Ohne sie wäre es niemals gegangen. Ruhe würde ihm guttun, merkt er. In letzter Zeit fühlt er sich immer wieder vollständig leer, als ob alle, die ihm begegnen, ein kleines Stück von ihm mitnähmen. Manchmal hat er Angst, plötzlich nicht mehr zu wissen, mit wem er in einer Besprechung sitzt und warum. Ab und zu ist er einfach nur wütend, wie ein Tier, das knurren möchte, angreifen und sich beschützen. Er ärgert sich. Darüber, dass jemand sein Sakko zugeknöpft lässt, um zu verbergen, dass er das Hemd von gestern trägt. Darüber, dass ein anderer sich nach dem Essen in den Zähnen herumstochert und den widerlichen, benutzten Zahnstocher deutlich sichtbar auf den Tellerrand legt. Darüber, dass jemand sich für ganz besonders toll hält, während ein anderer zu sehr kriecht.

Er freut sich auf die Flugreise über den Atlantik. Weil er irgendwohin unterwegs ist, wird er nicht ruhelos. Er sitzt still da, liest, schläft, sieht sich einen Film an, trinkt etwas. Er und Inna.

Mauri Kallis betrachtete sich im Spiegel. Der Lärm über seinem Kopf ging weiter.

Er hatte dieses Spiel immer geliebt. Große Geschäfte zu machen. Das war seine Art, sich mit anderen zu messen. Wer bei seinem Tod das meiste Geld hat, hat gewonnen.

Jetzt schien das alles keine Rolle mehr zu spielen. Etwas hatte ihn eingeholt. Etwas Gewichtiges. Es hatte sich immer in der Nähe gehalten, gleich hinter ihm. Ein Sog zurück zu den Plattenbauten und Terrassen.

Mir entgleitet alles, dachte er. Ich lasse los.

Inna hatte diese rückwärts ziehende Kraft auf Distanz gehalten.

Er wollte jetzt nicht allein sein. Sein Arbeitstag begann erst in zwei Stunden. Er schaute zur Decke hoch, hörte eine Hantel über den Boden rollen.

Er würde hochgehen und ein bisschen reden. Oder einfach eine Weile dort sein.

Er zog seinen Schlafrock an und ging zu seiner Schwester.

Ester Kallis entsteht auf einer geschlossenen Abteilung. Die Leiterin von Station P 12 im psychiatrischen Krankenhaus von Umeå berichtet davon bei der allgemeinen Besprechung. Britta Kallis ist in der fünfzehnten Woche.

Die anderen Stationsleiter erwachen zum Leben und schlürfen ein wenig Kaffee. Besser trinken, solange er so heiß ist, dass man den Geschmack nicht wahrnimmt. Das wird eine interessante Fortsetzungsgeschichte werden. Und Gott sei Dank ist es nicht ihr Problem.

Als die Stationsleiterin fertig ist, legt Oberarzt Nils Gunnarsson die Hände um den Kopf. Er zieht den Mund zu einer runzligen Hamstergrimasse zusammen.

»Ach was, so so, ach was«, sagt er nachdenklich.

Wie ein Küken in seiner Schale, denkt einer seiner Kollegen in einem plötzlichen Anflug von Zärtlichkeit.

Der Oberarzt ist eine Offenbarung. Seine weißen Haare sind viel zu lang. Seine unangenehm moderne Brille hat flaschenbodendicke Gläser, und er hat die schlechte Angewohnheit, die Finger auf die Gläser zu pressen, um die Brille hochzuschieben, wenn sie zu weit über seine Nase gerutscht ist. Es kommt vor, dass neue Angestellte des Krankenhauses ihn daran hindern wollen, seine Station zu verlassen, weil sie ihn für einen Patienten halten.

»Wer ist der Vater?«

»Britta sagt, Ajay Rani.«

Ein rascher Blickwechsel. Britta ist sechsundvierzig, sieht aber aus wie sechzig. Das kommt vom Rauchen, seit sie zwölf war, und den schweren Medikamenten. Ihr aufgedunsener Körper auf dem Sofa vor dem Fernseher. Ihr irritierend langsames Denken. Ihre unfreiwilligen Mundbewegungen, die Zunge, die aus dem Mund schießt, der Kiefer, der sich seitwärts bewegt.

Ajay Rani ist Anfang zwanzig. Er hat schmale Handgelenke und weiße Zähne. Für ihn besteht noch immer große Hoffnung. Er nimmt am Arbeitstraining teil und besucht einen Schwedischkurs für Zuwanderer.

Oberarzt Nils Gunnarsson möchte wissen, was Ajay zu der Sache zu sagen hat. Die Leiterin der Station schüttelt den Kopf und lächelt ein wenig bedauernd. Nein, natürlich, wer würde sich schon zu ihr bekennen. Britta nimmt bei den Patienten einen Platz ganz unten in der Hackordnung ein.

»Was sagt sie selbst? Will sie das Kind behalten?«

»Sie sagt, es sei ein Kind der Liebe.«

Worauf dem Oberarzt ein »Herrgott« herausrutscht und er in Brittas Krankenbericht blättert. Eine Zeit lang sagt niemand etwas. Ihre Gedanken streifen beschämt Abtreibungspillen und die Zwangssterilisationen früherer Zeiten.

»Wir müssen sie vom Lithium herunternehmen«, sagt er. »Wir müssen ja wohl versuchen, dieses kleine Leben in so gutem Zustand wie möglich herauszuholen.«

Wer weiß, denken sie, vielleicht wird Britta alles bereuen, wenn ihr Zustand sich verschlechtert, und dann will sie das Kind loswerden. Das wäre doch das Beste für alle Beteiligten.

Oberarzt Nils Gunnarsson versucht, den Krankenbericht zuzuklappen und die Besprechung zu beenden, aber die Stationsleiterin lässt ihn nicht so billig davonkommen. Sie ist schon in Rage, ehe sie auch nur angefangen hat zu sprechen.

»Ich habe nicht vor, Britta ohne Medikamente auf der Station zu behalten, wenn ich keine zusätzlichen Ressourcen bekomme«, sagt sie empört. »Sie wird da oben die Hölle veranstalten.«

Der Oberarzt verspricht, sein Bestes zu tun.

Die Stationsleiterin ist damit nicht zufrieden.

»Ich meine das ganz ernst, Nisse. Ich übernehme keine Verantwortung für die Station, wenn ich sie nur mit leichten Sedativen da oben habe. Dann höre ich auf.«

Der Oberarzt denkt, dass Britta sicher die Station in Brand setzen wird. Und die Stationsleiterin wird ihr erstes Opfer sein.

Sechs Monate später wird Britta in den Kreißsaal gefahren. Unter Flüchen und Verwünschungen. Hebammen, Geburtshelfer und Geburtsärztin stehen schockiert daneben. Soll sie so gebären? An Händen und Füßen gefesselt?

Anders wird es wohl nicht gehen, erwidert Oberarzt Nils Gunnarsson und schiebt sich gelassen einen Priem unter die Oberlippe.

Die Geburtshelfer sehen ihn verwundert an, wie er da vor dem Kreißsaal hin und her wandert, die reinste Parodie auf einen Familienvater aus den guten alten Zeiten, als der Mann bei der Geburt nicht zugegen sein durfte.

Zwei Pflegekräfte von der Station sind ebenfalls anwesend. Ein junger Mann und eine junge Frau, ruhig und entschieden, in T-Shirts, er mit Tätowierungen auf den Armen, sie hat einen Ring in der Augenbraue und einen Stift in der Zunge. Das hier überlassen sie nicht irgendwelchen hergelaufenen Unbekannten. Und damit ist das Personal des Kreißsaals zu hergelaufenen Unbekannten degradiert.

Britta ist außer sich. Während der Schwangerschaft hat ihr Zustand sich nach und nach verschlechtert, weil sie keine Medikamente bekommt, die dem Embryo schaden könnten. Ihre Zwangsvorstellungen haben zugenommen, ebenso ihre aggressiven Ausbrüche.

Jetzt wütet sie zwischen den Wehen wie ein Berserker. Sie beschwört Verdammnis, Satan und dessen behaarte Engel auf alle Anwesenden herab. Sie sind Nutten und ausgedörrte Fotzen und verdammte, verdammte… jetzt sucht sie nach dem nächsten Schimpfwort. Ab und zu verliert sie sich in unbegreifliche Meinungsverschiedenheiten mit Wesen, die nur sie sehen kann.

Aber da die nächste Wehe sie überkommt, schreit sie verängstigt »nein, nein«, und der Schweiß bricht ihr aus allen Poren. Und jetzt sehen sogar die Pfleger von ihrer eigenen Station hilflos aus. Einer versucht, mit ihr zu sprechen. Britta! Hallo! Hörst du mich! Und die Wehen werden stärker. Jetzt stirbt sie! Jetzt stirbt sie!

Alle wechseln Blicke. Stirbt sie? Kann sie einfach sterben?

Dann ebbt die Wehe ab, und die Wut stellt sich wieder ein.

Oberarzt Nils Gunnarsson hört sie durch die Tür. Er ist so stolz auf sie. Darauf, wie ihre Wut sie packt. Die ist alles, was sie jetzt hat. Ihre Verbündete gegen den Schmerz, gegen Ohnmacht, Krankheit, Angst. Sie hält sie fest. Und auf diese Weise übersteht sie alles, und sie schreit, dass es die Schuld der anderen ist. Die Schuld der Scheißärztin und der Frustfotzen. Sie hat gesehen, dass die eine Frustfotze gegrinst hat. Jawoll, das hat sie gesehen. Wieso grinst die alte Kuh, he? Heeeee?! Warum antwortet sie nicht, die eingebildete Sau, sie soll antworten, wenn sie gefragt wird, diese Scheiß-, Scheiß-… und die Frustfotze fühlt sich gezwungen, so ungefähr zu antworten, dass sie wirklich nicht gelächelt habe, und als Antwort darf sie sich anhören, sie solle einen Besenstil nehmen und sich den in den… Aber eine weitere Wehe lässt diesen Satz abreißen.

Dann kommen die Presswehen. Hebamme und Geburtsärztin rufen: Na los, Britta. Und Britta antwortet, sie sollen sich zum Teufel scheren. Sie rufen, dass es wunderbar geht, und Britta spuckt nur und versucht, so gut zu treffen, wie sie nur kann.

Am Ende kommt das Kind. Unter Verweis auf den zuständigen Paragraphen im Kinderschutzgesetz wird es sofort unter die

Obhut des Jugendamtes gestellt und weggebracht. Der Oberarzt sorgt dafür, dass Britta beruhigende und schmerzstillende Mittel bekommt. Sie war so tüchtig, hat sich durch die Geburt hindurchgekämpft, wie die Klinik sich durch ihre Schwangerschaft hindurchgekämpft hat.

Ihr scheint nicht klar zu sein, was hier passiert ist. Sie wird sofort ruhig und sehr müde.

An einem anderen Ort stehen die Hebammen und betrachten das Neugeborene. Das arme, arme kleine Wesen. Was für ein Anfang. Sie sind allesamt total erschöpft.

Sie sehen, dass der Vater Inder sein muss. Diese Kinder sind ja wirklich so viel niedlicher als die schwedischen. Die Kleine ist ganz einfach schön mit ihrer braunen Haut und den vielen Haaren und den dunklen, ernsten Augen. Sie könnten fast losweinen. Die Kleine scheint zu verstehen. Alles.

Und niemand rechnet damit, aber die, die bei der Geburt zugegen waren, werden in den folgenden Wochen auf irgendeine Weise vom Unglück getroffen. Britta hat mit Verwünschungen um sich geworfen, hat sie über ihren Häuptern ausgegossen. Das Meiste ist auf Steinboden gefallen, aber einiges hat doch in ihren Leben Wurzeln geschlagen.

Ein Pfleger bekommt eine Zahnwurzelentzündung. Die Geburtsärztin setzt auf dem Parkplatz zurück und zerbricht ihre Hecklampe. Außerdem wird in ihr Haus eingebrochen. Jemand anderer verliert seine Brieftasche. Der Pfleger mit den tätowierten Armen verliert bei einem Wohnungsbrand seine Lebensgefährtin.

So stark ist Britta Kallis' Begabung. Obwohl sie, die diese Gabe besitzt, fast nur ein Schatten dessen ist, was sie hätte sein können. Trotz ihres fehlenden Bewusstseins von dem, was sie tut, trotz alledem gewinnen ihre Worte große Kraft, wenn sie sich in einem Zustand befindet, der halbwegs außerhalb ihrer selbst liegt. Es gibt in der Familie ihrer Mutter allerlei ungewöhnliche Fähigkeiten, aber seit vielen Generationen ist sich niemand mehr darüber im Klaren.

Und die kleine Ester Kallis. Auch sie hat Gaben. Und Ester wird noch eine Mutter bekommen und auch von dieser mütterlichen Seite erben.

ICH HEISSE ESTER Kallis. Ich habe zwei Mütter und keine.

Die, die ich in Gedanken Mutter nenne, hat Vater 1981 geheiratet. Sie brachte fünfzig Rentiere mit in die Ehe. Vor allem Rentierkühe, sie hofften deshalb, von der Rentierzucht leben zu können, aber Vater musste immer auch andere Arbeiten annehmen. Er fuhr ab und zu den Postwagen, arbeitete bei der Eisenbahn. Aushilfsarbeiten. War niemals frei.

Sie kauften das alte Bahnhofsgebäude in Rensjön, und Mutter bekam ein Atelier, den alten Wartesaal. Das Haus lag eingeklemmt zwischen der Hauptstraße nach Norwegen und den Gleisen, die Fenster klirrten jedesmal, wenn ein Erzzug vorüberfuhr.

Das Atelier war eiskalt. Im Winter malte Mutter mit Pulswärmern und Mütze. Aber trotzdem. Sie genoss dieses vage Licht. Papa strich den ganzen Raum weiß an. Das war, ehe ich zu ihnen gekommen bin. Damals, als er noch etwas für sie tun wollte.

1984 wurde Antte geboren. Sie hätten eigentlich keine weiteren Kinder gebraucht. Antte hätte gereicht. Er konnte ein Schneemobil über eine Rinne im Eis fahren, ohne einzubrechen, er hatte die Hunde im Griff, besaß diese Mischung aus Zärtlichkeit und Kälte, die sie dazu brachte, sich anzustrengen und hart zu arbeiten, zwanzig Kilometer zu jagen, um ein auf Abwege geratenes Rentier zurückzubringen. Niemals quengelte er herum, weil er zu Hause bleiben und Computerspiele spielen wollte, wie so viele seiner Freunde.

Und während Papa und Antte in den Bergen waren, malte

Mutter, führte Bestellungen für Mattarahkka aus, Füchse, Schneehühner, Elche und Rentiere aus Keramik. Sie ging nicht ans Telefon. Vergaß das Essen.

Papa und Antte konnten in ein eiskaltes Haus mit leerem Kühlschrank zurückkehren. Das fanden sie natürlich nicht so hinreißend. Dass erschöpfte und verdreckte Leute sich gleich wieder ins Auto setzen und zum Einkaufen in die Stadt fahren mussten. In dieser Hinsicht war sie hoffnungslos. Als Antte und ich zur Schule gingen, zum Beispiel. Wir sagten ihr vorher, so früh wie möglich: Am Donnerstag machen wir einen Schulausflug da und da hin. Wir sollen Proviant mitbringen. Aber sie bereitete nichts vor. Am Donnerstagmorgen durchwühlte sie dann den Kühlschrank, während das Schultaxi wartete. Und sie gab uns irgendetwas mit. Zum Beispiel Brote mit in Scheiben geschnittenen Fischfrikadellen. In der Schule machten die anderen Kinder Kotzbewegungen, wenn wir unser Essen auspackten. Antte schämte sich. Ich sah das seinen Wangen an, sie wurden rot, karminrote Flecken auf der fast zinkweißen Haut, und Ohren, die im Gegenlicht glühten, die Adern wurden durchleuchtet, kleine kadmiumrote Fäden. Manchmal warf er seinen Proviant demonstrativ weg. War den ganzen Tag hungrig und wütend. Ich aß. In dieser Hinsicht war ich wie sie. Mir war es ziemlich egal, was ich in mich hineinstopfte. Die anderen in der Schule waren mir auch egal. Und die meisten ließen mich in Ruhe.

Der schlimmste Quälgeist war selber ein Außenseiter. Er hieß Bengt. Er hatte keine Freunde. Er war es, der schreien, mich auf den Hinterkopf schlagen und loslegen konnte:

»Weißt du, warum du so blöd bist? Weißt du das, Kallis? Weil deine Mutter in der Anstalt war; und jede Menge Psychomedizin gefressen hat, und die hat dir einen Gehirnschaden verpasst. Kapiert? Und außerdem hat ihr ein Currykocher einen dicken Bauch gemacht. Currykocher.«

Und so machte er weiter, während er zu den anderen Jungen

hinüberschielte. Mit seinen wässrig-blauen Augen. Es war ein gejagter Blick, die ganze Iris war zu sehen, Aquarell, vermischt mit Kobalt. Aber was half das schon. Er musste trotzdem zusammen mit mir ganz unten bleiben. Und für ihn war das schlimmer, er litt nämlich darunter.

Ich litt nicht. Ich war schon geworden wie sie. Wie sie, die ich auf Samisch »Eatnážan« nenne, meine kleine Mama.

Ich war total vertieft ins Sehen. Alles um mich herum, alle Menschen, die eigentlich leben und voller Blut sind, alle Tiere mit ihren kleinen Seelen, alle Dinge und Gewächse, alle Verbindungen zwischen ihnen, das alles sind Linien, Farben, Kontraste, Kompositionen. Alles landet im Rechteck. Es verliert: Geschmack, Geruch und eine Dimension. Aber wenn ich tüchtig bin, gewinne ich alles zurück und noch mehr dazu. Das Bild landet zwischen mir und dem, was ich sage. Sogar, wenn ich es selbst bin, die ich betrachte.

So war sie. Immer einen Schritt zurückgetreten, um zu betrachten. Aktiv. Aber mehr oder weniger in sich versunken. Ich kann mich an so manches Essen erinnern. Vater war bei der Arbeit. Sie hatte in aller Eile irgendetwas gekocht. Während der ganzen Mahlzeit blieb sie stumm. Aber Antte und ich waren Kinder, wir gerieten uns am Esstisch immer wieder in die Haare. Vielleicht stießen wir am Ende ein Glas Milch um oder so. Dann konnte sie plötzlich tief seufzen. Gleichsam traurig, denn wir hatten ihre Gedanken gestört, sie musste zurückkehren. Antte und ich verstummten dann und starrten sie an. Als ob eine Tote sich plötzlich bewegt hätte. Sie wischte die Milch auf. Missmutig und aus ihren Gedanken gerissen. Manchmal hatte sie auch keine Lust, sie rief einen der Hunde, und der durfte auflecken.

Sie tat alles, was sie zu tun hatte, machte sauber, kochte, wusch. Aber nur ihre Hände waren dabei beschäftigt. Ihre Gedanken waren weit weg. Manchmal versuchte Vater, sich zu beschweren. »Die Suppe ist zu kalt«, konnte er sagen und seinen Teller wegschieben. Sie war dann nicht beleidigt. Es war so, als hätte eine andere das ungenießbare Essen gekocht. »Soll ich dir lieber ein Brot machen?«, fragte sie.

Wenn er sich über das Chaos im Haus beklagte, dann fing sie an aufzuräumen. Vielleicht hatte Vater deshalb beschlossen, mich aufzunehmen. Ihr hatte er sicher gesagt, sie brauchten das Geld. Vielleicht glaubte er das auch selbst. Aber wenn ich mir das jetzt überlege, dann denke ich, dass er unbewusst hoffte, ein Kleinkind werde sie in diese Welt zurückholen. Wie früher, als Antte noch ganz klein gewesen war. Da war sie da gewesen. Vielleicht würde ein Kind eine richtige Ehefrau aus ihr machen.

Er wollte Türen in ihr öffnen. Aber er wusste nicht, wie. Und er dachte, ich solle die Brücke sein, die Mutter zu ihm und Antte zurückführte, doch dann passierte das Gegenteil. Sie malte. Ich lag auf dem Bauch im Atelier und zeichnete. »Was zum Teufel ist denn los mit dir? Mach, dass du an die frische Luft kommst!«, sagte Vater zu mir und knallte mit der Tür. Ich begriff nicht, warum er so wütend war, ich hatte doch nichts angestellt.

Jetzt kann ich seine Wut verstehen. Ich verstand sie schon damals, mir fehlten nur die Worte. Aber ich malte es. In meinem Zimmer in der Mansarde in Mauris Haus habe ich fast alle meine Bilder und Zeichnungen. Darunter gibt es ein Elsa-Beskow-Pastiche. Als ich es gemalt habe, wusste ich nicht einmal, was »Pastiche« bedeutet.

Das Bild zeigt eine Mutter und ein kleines Mädchen beim Blaubeerpflücken. Ein Stück entfernt zwischen einigen knorrigen Bergbirken steht ein Bär und beobachtet sie. Er steht auf zwei Beinen und lässt den Kopf schwer und träge hängen. Sein Blick ist schwer zu deuten. Wenn ich je eine Hälfte des Bärengesichts mit der Hand verdecke, entstehen unterschiedliche Ausdrücke. Die eine Hälfte ist wütend. Die andere ist traurig.

Herrgott, der Bär hat solche Ähnlichkeit mit Vater, dass ich lächeln muss. Er ähnelt auch Antte. Jetzt, im Nachhinein, sehe ich das.

Ich kann Antte in der Türöffnung zu Mutters Atelier stehen sehen. Er ist elf Jahre alt. Ich bin sieben. Mutter sucht Bilder aus. Sie darf in einer Galerie in Umeå fünf Bilder aufhängen, und es fällt ihr schwer, sich zu entscheiden. Sie fragt mich nach meiner Meinung.

Ich überlege und zeige auf ein Bild. Mutter nickt und grübelt.

»Ich finde, du solltest die da nehmen«, sagt Antte von der Tür her.

Er zeigt auf ganz andere Bilder, als ich mir ausgesucht habe, schaut herausfordernd und trotzig abwechselnd Mutter und mich an.

Mutter entscheidet sich am Ende für die, auf die ich gezeigt habe. Und da steht Antte in der Türöffnung und lässt seinen Bärenschädel hängen.

Der arme Antte. Er glaubte, Mutter habe sich zwischen ihm und mir entschieden. In Wirklichkeit entschied sie sich für die Kunst. Sie hätte niemals etwas weniger Gutes ausgesucht, nur um ihm eine Freude zu machen. So einfach war das. Und so schwer.

Genauso war es bei Vater. Im tiefsten Herzen wusste er es wohl. Er fühlte sich einsam in der Wirklichkeit, in der es um Haus und Kinder ging, um Bett, Nachbarn, Rentiere, das samische Parlament.

Ich weiß noch, ehe ich in die Schule kam, wie es war, wenn Vater und Antte morgens losgezogen waren. Wie ich ihr half, in dem großen Bett ihren Trauring zu suchen. Sie zog ihn abends immer vom Finger.

Jetzt ist sie nicht mehr da. Als ihr Körper ihr nicht mehr gehorchen wollte. Das muss die schlimmste Zeit gewesen sein.

Ehe diese Zeit kam, stand sie bis tief in die Nacht hinein im Atelier und malte. Das war wenig einträglich im Vergleich zu den Auftragsarbeiten für Mattarahkka und einen Laden in Luleå, wo Silberschmuck und ihre Keramik verkauft wurden.

Ich versuchte, mich unsichtbar zu machen. Saß auf der Treppe zu unseren zwei Zimmern mit Küche im ersten Stock und schaute in den alten Wartesaal. Unser Zuhause war von Gerüchen erfüllt. Von alten und neuen. Man lüftet nicht im Winter, bei dreißig Grad unter null. Es roch nach stickigem Haus und feuchten Hunden. Es roch nach gekochtem Fleisch und dem scharfen Geruch alter Rentierfelle, so, wie die riechen, wenn das Fett im Fell ein wenig ranzig geworden ist. Sie hatte immer schon so viele Dinge aus Rentierfell gehabt. Wiegen und Schalen, Rucksäcke und Felle. Und abends, in der Stille, gab es den Geruch von Terpentin und Ölfarben oder Duftschwaden von Ton, wenn sie sich mit Keramik beschäftigte. Ich kannte die Treppe in- und auswendig, schlich mich unhörbar Stufe um Stufe nach unten, wich allen knackenden Stellen aus. Ich drückte ganz vorsichtig die Klinke hinunter. Saß draußen auf dem Gang und beobachtete sie durch den Türspalt. Und dabei betrachtete ich ihre Hand. Wie die sich über die Leinwand bewegte. Fegende, lange Striche mit dem breiten Bürstenpinsel. Das typische Klopfen mit dem Palettenmesser. Der Tanz des feinen Pinsels aus Marderhaaren, wenn sie sich kurzsichtig vorbeugte und kleine Details anbrachte, einen Grashalm, der aus der Schneedecke ragte, oder die Wimpern über dem Rentierauge.

In der Regel bemerkte sie mich nicht oder gab vor, mich nicht zu bemerken. Einige Male sagte sie:

»Schon lange Schlafenszeit.«

Und ich sagte, ich könne nicht schlafen.

»Dann leg dich doch hier hin«, sagte sie dann.

Im Atelier stand ein altes Sofa. Es hatte einen Rahmen aus Kiefernholz und war mit rosa gesprenkeltem Stoff überzogen. Etliche Wolldecken sollten es vor den Hunden schützen. Ich zog eine dieser haarigen Decken über mich.

Musta und Sampa bewegten zum Gruß ihre Schwänze. Ich schob die Beine zwischen sie, damit sie mir keinen Platz zu machen brauchten.

In einem Pappkarton in der Ecke lagen alle meine Zeichnungen, hergestellt mit Bleistift, Filzstift und Kreide.

Ich sehnte mich danach, mit Ölfarben zu malen. Aber das war zu teuer. »Wenn du im Sommer arbeiten und dein eigenes Geld verdienen kannst«, sagte sie.

Ich wollte eine Schicht über die andere malen. Es war eine richtig physische Sehnsucht. Wenn ich mir ein Brot schmierte, konnte das eine Ewigkeit dauern, ich trug die Butter auf wie mit dem Spachtel, ich gab mir alle Mühe, damit sie so glatt wurde wie frisch gefallener Schnee oder in Schichten dalag wie Schneewehen.

Ab und zu bettelte ich, aber sie ließ sich nicht erweichen.

Sie malte eine weiße Landschaft. Ich sagte:

»Lass mich doch was da unten in die Ecke malen. Du kannst es nachher ja übermalen. Dann kann man es nicht mehr sehen.«

Jetzt war ihr Interesse geweckt.

»Warum willst du das?«

»Das ist wie ein Geheimnis. Deins, meins und das des Bildes.«

»Nein, es wird doch zu sehen sein, dass die Farbschicht an dieser Stelle dicker ist und eine andere Struktur hat.«

Ich ließ nicht locker.

»Noch besser«, sagte ich. »Dann wird jemand, der das Bild sieht, neugierig.«

Jetzt lächelte sie.

»Das ist eine gute Idee, da muss ich dir zustimmen. Vielleicht können wir das auf eine andere Weise machen.«

Sie reichte mir mehrere weiße Bögen.

»Mal deine Geheimnisse«, sagte sie. »Und kleb ein Stück weißes Papier darüber und mal etwas anderes darauf.«

Das tat ich. Dieses Bild liegt noch immer in einem Karton, hier in diesem Zimmer im Haus meines biologischen Halbbruders.

Mauri. Er blättert in meinen Zeichnungen und Gemälden.

Jetzt, da Inna tot ist, scheint er heimatlos zu sein. Ihm gehört ganz Regla und noch viel mehr, aber das ist keine große Hilfe. Er kommt zu mir nach oben und sieht sich meine Bilder an. Stellt eine Menge Fragen.

Ich gebe vor, dass ich nichts fühle, und erzähle. Hebe die ganze Zeit meine Gewichte. Wenn ich einen Kloß im Hals habe, wechsle ich die Gewichte oder stelle die Trainingsbank neu ein.

Ich malte das Bild auf die Weise, wie Mutter es vorgeschlagen hatte. Es war natürlich kein großes Kunstwerk, ich war doch noch ein Kind. Man sieht eine Winterbirke und einen Berg. Die Eisenbahn, die sich durch die Landschaft nach Narvik schlängelt. Das Bild ist auf einem anderen Blatt Papier festgeklebt. Aber die rechte untere Ecke ist lose und umgeknickt. Ich hatte die Ecke des Papiers um einen Bleistift gewickelt, damit es nicht platt auf dem Motiv darunter lag. Den Betrachter sollte die Lust überkommen, die Blätter voneinander zu reißen, um das versteckte Bild zu sehen. Davon erahnt man nur ein Stück von einer Hundepfote und einen Schatten von etwas oder jemandem. Ich weiß, dass es eine Frau mit einem Hund ist, die die Sonne im Rücken haben.

Sie fand dieses Bild richtig gut. Zeigte es Papa und Antte.

»Die hat ja vielleicht Ideen«, sagte sie und spielte an der aufgerollten Ecke herum.

Ich wurde von einem ungeheuren Gefühl erfüllt. Wenn ich ein Haus gewesen wäre, dann hätte das Dach abgehoben.

Morgenbesprechung bei der Polizei von Kiruna. Es war sieben Uhr, aber niemand wirkte müde oder widerwillig. Noch waren die Spuren heiß, und sie waren nicht stecken geblieben.

Anna-Maria Mella fasste den Stand der Dinge zusammen und zeigte auf an der Wand befestigte Bilder:

»Inna Wattrang. Vierundvierzig. Sie kommt zu Kallis' Skihütte heraus ...«

»Am Donnerstagnachmittag, laut SAS«, steuerte Fred Olsson bei. »Dann ist sie mit dem Taxi nach Abisko gefahren. Teure Tour. Ich habe mit dem Fahrer gesprochen. Sie war allein. Ich wollte wissen, worüber sie gesprochen hatten, aber er sagte, dass sie schweigsam war und deprimiert wirkte.«

Tommy Rantakyrö machte eine leichte Handbewegung.

»Ich habe die Frau gefunden, die dort sauber macht«, sagte er. »Und sie hat erzählt, dass sie immer ziemlich weit im Voraus erfährt, wenn jemand die Hütte benutzen will. Dann dreht sie vorher die Heizung an und macht sauber, während der Besuch da ist, und danach putzt sie und stellt die Heizung wieder ab. Sie wusste nicht, dass jemand im Haus war.«

»Offenbar hat niemand gewusst, dass sie hinwollte«, sagte Anna-Maria. »Der Täter hat sie mit Klebeband an einen Küchenstuhl gefesselt und dann Strom durch ihren Körper gejagt. Das hat sie in eine Art epileptischen Zustand versetzt, sie hat sich die Zunge zerbissen, hatte Krämpfe ...«

Anna-Maria wies auf die Bilder aus dem Obduktionsprotokoll, die die Handflächen zeigten, die rotblauen Nagelspuren.

»Aber«, sagte sie dann, »Todesursache ist vermutlich ein Stich ins Herz mit einem langen, spitzen Gegenstand. Der Stich ist quer durch den Körper gegangen. Es war kein Messer, sagt Pohjanen. Und dann – aber das wissen wir auch noch nicht – hat sie nicht auf dem Stuhl gesessen, sondern auf dem Boden gelegen. Dabei hat sich auf dem Boden unter dem Linoleum eine Kerbe gebildet, die Tintin gefunden hat. Das Labor sagt, dass das Blut in der Kerbe von Inna Wattrang stammt.«

»Vielleicht ist der Stuhl umgekippt«, schlug Fred Olsson vor.

»Vielleicht. Vielleicht hat jemand sie losgebunden und auf den Boden gelegt.«

»Um Sex mit ihr zu haben?«, schlug Tommy Rantakyrö vor.

»Vielleicht. Allerdings hatte sie keine Spermien im Körper … aber wir können Sex trotzdem nicht ausschließen, ob nun freiwillig oder unfreiwillig. Danach hat der Täter sie in die Arche gebracht.«

»Und die Arche war abgeschlossen, oder nicht?«, fragte Kommissar Fred Olsson.

Anna-Maria nickte.

»Aber es war kein kompliziertes Schloss«, sagte Sven-Erik. »Das hätte auch jeder von unseren kleinen Gaunern geschafft.«

»Ihre Handtasche stand im Waschbecken im Badezimmer«, sagte jetzt Anna-Maria. »Telefon und Notebook fehlen, sie waren auch nicht in ihrer Wohnung auf Regla, wir haben die Kollegen in Strangnäs gebeten, das zu überprüfen.«

»Das ist alles so seltsam«, rief Tommy Rantakyrö.

Sie schwiegen eine Weile. Tommy Rantakyrö hatte recht. Sie konnten sich einfach kein Bild vom Handlungsverlauf machen. Was war in dieser Hütte nur geschehen?

»Ja«, sagte Anna-Maria. »Wir müssen alle Möglichkeiten bedenken. Hassausbruch, Sexualverbrechen, ein Verrückter, Erpressung, eine fehlgeschlagene Entführung. Mauri Kallis und Diddi Wattrang verschweigen uns, was sie über sie wissen, das steht immerhin fest. Wenn es eine Entführung war, dann sind sie die Art von Mensch, die keine Polizei mit einbezieht.

Wir haben doch auch keine Waffe gefunden. Wir haben die Hütte durchsucht und Tintin eingesetzt, da ist nichts. Ich will auf jeden Fall eine Liste ihrer Telefongespräche. Außerdem wäre es ja ganz großartig, ihr Adressbuch zu haben, aber das befindet sich sicher in den verschwundenen Teilen, Notebook und Telefon. Aber her mit der Liste der Telefonate. Besorgst du die, Tommy?«

Tommy Rantakyrö nickte.

»Und gestern«, sagte Anna-Maria, »haben die Taucher unter dem Eis diesen Mantel gefunden.«

Sie zeigte auf ein Foto von dem hellen Popelinemantel.

»Das ist ja nicht gerade gut zu sehen«, sagte sie. »Aber hier ist ein Fleck, gleich über der Schulter. Ich glaube, es ist Blut, Inna Wattrangs Blut. Wir haben es zur Kriminaltechnik nach Linköping geschickt, also werden wir es ja erfahren. Ich hoffe, sie können Haare oder Schweiß oder so im Kragen finden. Dann haben wir vielleicht die DNA des Mörders.«

»Glaubst du wirklich, dass der Mantel dem Mörder gehört?«, fragte Tommy Rantakyrö. »Das ist ein Sommermantel.«

Anna-Maria drückte den Finger an den Kopf, zum Zeichen dafür, dass sie nachdachte.

»Natürlich«, rief sie. »Es ist ein Sommermantel. Und wenn der Mantel dem Täter gehört, dann ist der aus dem Sommer gekommen.«

Die anderen sahen sie an. Was mochte sie meinen?

»Hier ist Winter«, sagte Anna-Maria. »Aber in Schonen und weiter südlich in Europa ist Frühling. Es war warm und wunderbar. Roberts Kusine und ihr Freund waren voriges Wochenende in Paris. Sie haben in einem Straßencafé gesessen. Ich sehe das so: Wenn er aus der Wärme gekommen ist, war er nicht von hier, sondern von weit weg. Und dann muss er mit dem Flugzeug gekommen sein, nicht wahr? Und hat vielleicht ein Auto gemietet? Es lohnt sich sicher, das zu überprüfen. Sven-Erik und ich fahren zum Flughafen und erkundigen uns, ob jemand sich an einen Mann in einem solchen Mantel erinnern kann.«

MAURI KALLIS HOCKTE oben in Esters Mansarde. Er blätterte in ihren Gemälden und Zeichnungen, die auf zwei Umzugskartons lagen. Inna hatte Farben, Leinwand, Staffelei, Pinsel, Aquarellblöcke besorgt. Alles von erlesener Qualität. »Möchtest du sonst noch etwas«, hatte sie die junge Ester gefragt, die mit ihren Koffern am Fenster stand. »Gewichte«, hatte Ester gesagt. »Gewichte und Scheibenhanteln.«

Jetzt lag Ester auf dem Rücken und stemmte Eisen, während Mauri die Kartons durchwühlte.

An dem Tag, an dem sie gekommen ist, war ich außer mir vor Angst, dachte er.

Inna hatte angerufen und berichtet, dass sie und Ester und Esters Tante unterwegs seien. Mauri war in seinem Arbeitszimmer hin und her gewandert und hatte daran gedacht, wie ihm bei der Beerdigung seiner Mutter zumute gewesen war. Die Schwestern hatten ihr geähnelt. Und von jetzt an riskierte er, immer wieder auf seine Mutter zu stoßen. Es würde ihm vorkommen wie russisches Roulette, wann immer er den Kopf aus der Schlafzimmertür schob. »Ich habe zu tun«, hatte er zu Inna gesagt. »Führ sie rum. Ich rufe an, wenn ihr kommen könnt.«

Am Ende hatte er sich zusammengerissen und angerufen.

Und jede Faser seines Wesens hatte erleichtert aufgeatmet, als sie zur Tür hereingekommen war. Sie war indisch. Sie sah indisch aus. Keine Spur von der Mutter.

Die Tante hatte sich gewunden. »Danke, dass ihr euch um sie kümmert, ich wünschte, ich könnte das tun, aber …«

Und Mauri hatte wie benommen Esters Handgelenk gefasst. »Natürlich«, hatte er gesagt. »Natürlich.«

Ester schielte zu Mauri hinüber. Er ging noch einmal ihre Bilder durch. Wenn sie noch immer zeichnen würde, würde sie jetzt zeichnen, wie sie da unter den Gewichten lag, und darüber Mauri mit dem Karton in der Hand. Sie stemmte ihn und seine Neugier. Trug alles, ohne dass es zu sehen gewesen wäre. Verlagerte den Schmerz zum Pectoralis major, zum Triceps bracchi. Heben, neun… zehn… elf… zwölf.

Trotzdem will ich ihn hierhaben, dachte sie. Er soll bei mir einen Ruheplatz haben. Darum geht es.

Es war ein anderes Leben, in das Mauri Einblick bekam, wenn er Esters Zeichnungen durchsah. Er fragte sich, was aus ihm geworden wäre, wenn er als ganz kleines Kind dort oben gelandet wäre. Ein Ausflug in ein alternatives Leben.

Die Motive stammten fast alle aus ihrem früheren Zuhause, dem alten Bahnhof in Rensjön. Er zog Bleistiftzeichnungen von der Pflegefamilie hervor. Da war die Mutter, beschäftigt mit Hausarbeit oder ihrer Keramik. Da war der Bruder, der mitten im Sommer an seinem Schneemobil herumbastelte, eine Menge flaumleichter Wiesenblumen rahmten ihn und sein Fahrzeug ein, er trug einen blauen Overall und eine Schirmmütze mit Reklameaufdruck, da war der Pflegevater, der den Rentierzaun auf der anderen Seite der Gleise, hin zum Binnensee, wo die Herde stand, reparierte. Und überall, auf fast jedem Bild, die muskulösen kleinen Lappenhunde mit blankem Fell und geschwungenem Schwanz.

Ester kämpfte damit, die Scheibenhanteln zurück ins Gestell zu wuchten, mit den Armen war sie fertig. Sie würdigte ihn keiner Aufmerksamkeit, schien vergessen zu haben, dass er dort war. Es war schön, eine Weile hier in Ruhe sitzen zu dürfen.

Er blätterte zu den Skizzen von Nasti im Käfig weiter.

»Dieser Hamster gefällt mir«, sagte er.

»Das ist ein Lemming«, korrigierte Ester, ohne hinzusehen.

Mauri betrachtete den Lemming. Den breiten Kopf mit den schwarzen Knopfaugen. Die kleinen Pfoten. Bewusst oder unbewusst hatte Ester sie menschlich gemacht. Es waren kleine runde Hände.

Nasti auf den Hinterbeinen, die Hände um die Gitterstangen gelegt. Nastis Hinterteil, wenn er sich über seinen Fressnapf beugt. Nasti auf dem Rücken im Sägemehl, die Beine in die Luft gestreckt. Kalt und tot. Wie so oft auf Esters Bildern waren jene, die sich außerhalb des Motivs befanden, auch dabei. Ein Schatten. Ein Stück Zeitung vor dem Käfig.

Ester drehte sich auf den Bauch und begann mit dem Rückentraining. Der Vater hatte Nasti mitgebracht. Er hatte ihn im Moor gefunden. Durchnässt und halb tot. Der Vater hatte ihn in die Tasche gesteckt und dieses kleine Leben gerettet. Acht Monate hatte er bei ihnen gelebt. Man kann in sehr viel kürzerer Zeit das Lieben lernen.

Damals habe ich geweint, dachte Ester. Aber sie hat mich gelehrt, wozu man Bilder benutzen kann.

»Mal ihn«, sagt Mutter.

Vater und Antte sind noch nicht nach Hause gekommen. Ganz schnell hole ich Papier und Bleistift. Und schon nach den ersten Strichen findet das heftige Gefühl Ruhe. Die Trauer wird dumpf und stumm in meiner Brust. Meine Hand beansprucht mein Gehirn, und die Gefühle, das Weinen, müssen Platz machen.

Als Vater nach Hause kommt, weine ich noch ein bisschen, vor allem, weil es eine Möglichkeit ist, Aufmerksamkeit zu erregen. Die Zeichnung des toten Nasti liegt schon in meiner Schachtel im Atelier. Vater tröstet. Ich darf auf seinem Schoß sitzen. Antte ist alles egal. Ein so großer Junge trauert nicht um einen Lemming.

»Weißt du«, sagt Vater. »Die sind so empfindlich. Die können unsere vielen Bazillereien nicht vertragen. Wir legen ihn in den Holzschuppen und begraben ihn im Sommer.«

In den folgenden Wochen mache ich drei Zeichnungen vom Holzschuppen. Mit dicker Schneedecke auf dem Dach. Mit schwarzer Finsternis hinter den kleinen Fenstern mit den Eisblumen. Nur Mutter und ich begreifen, dass es eigentlich Bilder von Nasti sind. Er liegt dort in einer Schachtel.

»Du solltest wieder malen«, sagte Mauri.

Ester wechselte die Gewichte an der Stange. Sie sah ihre Beine an. Ihre Oberschenkel wurden jetzt sichtlich dicker. Quadriceps femoris. Sie müsste mehr Proteine zu sich nehmen.

Mauri suchte sich einige Zeichnungen von Esters Tante heraus. Der Schwester der Pflegemutter. Auf einer saß sie am Küchentisch und starrte mit resignierter Miene das Telefon an. Auf einer anderen lag sie auf dem Rücken und las mit zufriedenem Gesichtsausdruck einen Roman. In der einen Hand hielt sie ein Messer, auf das sie ein Stück Dörrfleisch gespießt hatte.

Er wollte Ester schon fragen, ob sie von der Tante etwas gehört hatte, tat es dann aber doch nicht. Was waren das für schreckliche Menschen, die Tante und der Pflegevater!

Ester bog unter der Stange die Knie. Sie sah Mauri an. Sah, wie er ganz schnell die Stirn runzelte. Er durfte der Tante nicht böse sein. Wo sollte sie sich denn jetzt in den Kampfpausen verkriechen? Sie war ebenso heimatlos wie Ester.

In regelmäßigen Abständen kam die Tante nach Rensjön zu Besuch. Meistens rief sie vorher die Mutter an.

Es klingelt schon die ganze Woche. Mutter hat den Hörer zwischen Schulter und Ohr eingeklemmt und zieht an der Schnur, so weit wie möglich.

»Mmm«, sagt sie und versucht, Spülbecken und Mülleimer und Hundenapf zu erreichen, sie kann nicht tatenlos herumsitzen und reden, das ist unmöglich.

Ab und zu sagt sie: »Er ist ein Idiot!«

Aber meistens bleibt sie stumm. Lange Zeit hört sie zu. Ich

höre, dass die Tante am anderen Ende der Leitung verzweifelt weint. Manchmal flucht sie.

Ich hole für Mutter eine Verlängerungsschnur. Vater ärgert sich. Er fühlt sich durch diese endlosen Telefongespräche vereinnahmt. Wenn es klingelt, erhebt er sich und geht in die Küche.

Dann sagt Mutter eines Tages:

»Marit kommt.«

»Ach, ist es mal wieder so weit«, sagt Vater.

Er zieht seinen Schneemobilanzug an und verschwindet, ohne zu sagen, wohin er will. Kommt lange nach dem Abendessen nach Hause. Mutter macht sein Essen in der Mikrowelle heiß. Beide schweigen. Wenn es im restlichen Haus nicht so kalt wäre, wären Antte und ich ins Atelier oder auf den leer stehenden Dachboden geflohen, wo steif gefroren die Wäsche hängt und der Reif wie Farn auf dem Tisch liegt.

Aber so sitzen wir in der Küche. Ich sehe ihren Rücken und die Wanduhr an. Schließlich steht Antte auf und schaltet das Radio ein. Dann geht er ins Wohnzimmer, dreht den Fernseher an und spielt ein Fußballcomputerspiel. Trotzdem übertönt die Stille alle anderen Geräusche. Vater glotzt das Telefon an.

Ich freue mich trotzdem. Meine Tante ist ein schöner Vogel. Sie hat eine ganze Tasche voller Schminke und Parfüms, die ich ausprobieren kann, wenn ich vorsichtig bin. Mutter ist anders, wenn die Tante da ist. Lacht häufiger. Über allen möglichen Unsinn.

Wenn ich noch zeichnen könnte, würde ich alle Bilder von ihr neu zeichnen. Sie dürfte dann genauso aussehen, wie sie das möchte. Im Gesicht wie ein kleines Mädchen. Mit weicherem Mund. Weniger Striche zwischen den Augenbrauen und zwischen Nasenflügeln und Mundwinkeln. Und ich würde mir nicht die Mühe geben, das fächerförmige Netz aus feinen Runzeln zu zeichnen, das vom äußeren Augenwinkel bis zu dem hohen Wangenknochen reicht. Das Delta der Tränen.

Sie kommt mit dem Zug aus Stockholm. Die Fahrt dauert einen Nachmittag, einen Abend, eine Nacht und einen halben Tag.

Ich stehe im Wohnzimmer im ersten Stock, wo Mutter und Vater nachts auf dem Schlafsofa schlafen. Antte hat seinen Schlafplatz auf dem Küchensofa. Nur ich habe ein eigenes Zimmer. Einen Verschlag mit Platz für ein Bett und einen Stuhl. Es gibt ein kleines Fenster, so hoch oben, dass ich auf den Stuhl klettern muss, um hinaussehen zu können. Dort stehe ich ab und zu und sehe mir die Bahnarbeiter an, die in ihren gelben Overalls an den Weichen arbeiten. Weil ich ein Pflegekind bin, habe ich mein eigenes Zimmer.

Aber jetzt stehe ich im Wohnzimmer und presse die Nase an die Fensterscheibe. Ich kann die Tante sehen, wenn ich die Augen zukneife.

Es ist mitten im Winter. Stockholm ist Sepia und Ocker auf regenfeuchtem Aquarellpapier. Schwarze, nasse Baumstämme, dünne Tintenstriche.

Ich sehe sie im Zug. Manchmal raucht sie heimlich auf der Toilette. Ansonsten schaut sie aus dem Fenster. Haus um Haus um Haus. Wald um Wald um Wald. Die Seele in Heimkehrstimmung.

Ab und zu schaut sie ihr Mobiltelefon an. Kein Netz. Vielleicht hat er trotzdem versucht anzurufen. Das Klingeln der Bahnübergänge, wo die Autos Schlange stehen und warten.

Sie kann sich nur einen Sitzplatz leisten. Zieht den Mantel wie eine Decke über sich und schläft ans Fenster gelehnt. Die Heizung läuft auf Hochtouren. Es riecht nach verbranntem Staub. Ihre Füße und die schmalen Knöchel in der Nylonstrumpfhose ragen unter dem Mantel hervor, ruhen auf dem Sitz gegenüber und erzählen von Verletzlichkeit und Zerbrechlichkeit. Der Zug schlingert und braust und dröhnt. Es hat große Ähnlichkeit mit dem Leben vor der Geburt.

Mutter und ich holen sie auf dem Bahnsteig in Rensjön ab. Die Tante steigt als Einzige aus. Hier ist kein Schnee geräumt worden. Wir stapfen durch den Schnee. Dunkelblaue Nachmittagsdämmerung. Der Schnee klebt am Koffer.

Sie ist zu stark geschminkt, und ihre Stimme ist ein wenig zu munter, sie plappert und versinkt im tiefen Schnee. In ihrem Stockholmer Mantel und den feinen Schuhen wird ihr eiskalt. Eine Mütze hat sie auch nicht. Ich schleppe den Koffer. Er hinterlässt tiefe Spuren im Schnee.

Die Tante lacht glücklich, als sie das Haus sieht. An der einen Querwand ist der Schnee bis zum Fenster im ersten Stock hochgeweht. Mutter erzählt, dass Vater hinausklettern musste, durch das Fenster im ersten Stock, vor zwei Wochen, und dass er und Antte vier Stunden brauchten, um die Haustür freizulegen.

Die Tante hat Geschenke mitgebracht. Einen teuren Aquarellblock für mich, mit geleimtem Papier.

Mutter ermahnt mich und sagt, ich dürfe nicht alles auf einmal benutzen, dann tadelt sie die Tante, es sei zu teuer.

Anfangs will die Tante solches Essen, wie sie und Mutter als kleine Kinder bekommen haben. Mutter kocht geräuchertes Rentierfleisch und Blutklöße und Blutpfannkuchen und Elchragout, und abends schneidet die Tante Dörrfleisch in dünne Scheiben und isst es, während sie redet. Und dann trinken sie Wein und Schnaps, die die Tante als Geschenk mitgebracht hat.

Vater dreht die Heizung im Wohnzimmer an und hängt abends vor dem Fernseher, Mutter und die Tante sitzen in der Küche und reden. Oft weint die Tante, aber in unserer Familie tun wir so, als ob wir das nicht sähen.

»Du ziehst ja so oft um«, sagt Vater, als er in die Küche kommt, um sich mehr vom Whisky der Tante zu holen. »Vielleicht solltest du dir einen Wohnwagen zulegen.«

Die Tante verzieht keine Miene, aber ich kann sehen, dass die Iris in ihren Augen zum Nadelstich wird.

»Ich schaffe es eben nicht, mir gute Mannsbilder zu suchen«, sagt sie mit trügerisch leichter Stimme. »Ich glaube, das ist eine Schwäche der Familie unserer Mutter.«

Jeden Abend lädt sie ihr Telefon neu auf. Sie wagt kaum, aus dem Haus zu gehen, denn dann wird das Telefon kalt, und der Akku funktioniert nicht mehr.

Eines Abends klingelt es, und es ist der Idiot. Die Tante telefoniert leise in der Küche. Lange. Mutter schickt uns zum Spielen nach draußen. Wir spielen fast zwei Stunden im Dunkeln. Graben uns eine Höhle in der Schneewehe. Auch die Hunde buddeln wie besessen.

Als wir wieder hereindürfen, hat die Tante fertig telefoniert. Ich lausche, während ich Overall und Stiefel ausziehe.

»Ich verstehe das nicht«, sagt Mutter. »Dass du es über dich bringst, ihm immer wieder zu verzeihen. Was für eine Vergeudung von Frauenkraft.«

»›Vergeudung von Frauenkraft‹«, sagt die Tante. »Worein sollten wir unsere Kraft denn sonst investieren, wenn nicht, um ein wenig Liebe zu erbeuten, ehe dieses Leben vorüber ist?«

Das ist ja gerade so schwer, dachte Ester und zog weitere Gewichte auf die Stange. Wenn Mauri zu mir nach oben kommt und sich die Bilder ansieht. Jetzt, wo ich angefangen habe, an die Tante zu denken, kommen auch die anderen Erinnerungen. Zuerst denkt man an etwas Harmloses, dahinter aber drängen sich dann alle Schwierigkeiten auf.

Das Schwierige: Tante und ich fahren über die Landstraße zum Krankenhaus in Kiruna. Dunkelheit und Schnee. Die Tante umklammert das Lenkrad. Sie hat einen Führerschein, fährt aber so gut wie nie.

Das Ende ist nahe. Komisch, dass ich nicht mehr weiß, wo Vater und Antte waren.

»Kannst du dich an die Fliege erinnern?«, fragt die Tante dort im Auto.

Ich gebe keine Antwort. Ein Lkw kommt uns entgegen. Die Tante bremst unmittelbar vor der Begegnung. Das ist das Letzte, was man tun darf, so viel weiß ich immerhin. Da gerät man leicht ins Schleudern, und dann wird man zerquetscht. Aber sie hat Angst und macht Fehler. Ich habe keine Angst. Jedenfalls nicht hiervor.

Ich kann mich an die Fliege nicht erinnern, aber die Tante hat schon einmal über sie erzählt.

Ich bin zwei Jahre alt. Sitze am Küchentisch auf dem Schoß der Tante. Die Zeitung liegt aufgeschlagen vor uns auf dem Tisch. Ein Bild von einer Fliege. Ich versuche, die Fliege von der Zeitungsseite zu heben.

Mutter lacht über mich.

»Das geht nicht«, sagt sie.

»Red ihr das bloß nicht ein«, sagt die Tante wütend.

Die Tante hat eine Schwäche für diese Fähigkeit der Familie ihrer Mutter. Blutungen zum Stillstand zu bringen und Dinge zu sehen. Sie ist sicher ein bisschen böse auf Mutter, weil sie ahnt, dass die Schwester mehr von dieser Fähigkeit besitzt, als sie zeigt. Sie will nicht, dass Mutter mich davon fernhält. Schon als ich noch ein Baby war, blickte sie mir in die Augen und sagte zu Mutter: »Siehst du, sie ist ganz áhkkú, Großmutter.« Einmal hörte Vater das zufällig.

»Blödes Gerede«, sagte er zu den beiden. »Sie ist mit uns doch nicht einmal verwandt. Das ist nicht eure Großmutter.«

»Er hat keine Ahnung«, sagte die Tante zu mir. Ihre Stimme war trügerisch scherzhaft, aber ich war ja ein Baby, und wer sie hören sollte, das war Vater. »Er glaubt, dass Verwandtschaft nur etwas mit Biologie zu tun hat.«

Ich versuche, die Fliege vom Zeitungsbild zu nehmen. Und plötzlich klappt es. Sie surrt um unsere Köpfe, stößt gegen die Brillengläser der Tante, fällt zu Boden und krabbelt umher, hebt mühsam ab und landet auf meiner Hand.

Und ich schreie. Herzzerreißend und wie wahnsinnig. Die Tante versucht, mich zu beruhigen, aber das geht nicht. Mutter jagt die Fliege aus dem Fenster, und sofort wird sie von der Kälte getötet. Die Fliege auf dem Bild ist noch immer da, aber die Tante stopft die Zeitung dennoch in den Ofen, und mit einem Fauchen wird sie im Feuer zerstört.

»Das war sicher eine Winterfliege, die aufgewacht ist«, sagt Mutter und entscheidet sich dafür, die Realistin zu sein.

Die Tante sagt nichts. Jetzt im Auto, vierzehn Jahre später, fragt sie:

»Warum hast du so geschrien? Wir glaubten schon, du würdest dich nie wieder beruhigen.«

Ich sage, dass ich mich nicht daran erinnern kann. Und das stimmt. Aber das bedeutet nicht, dass ich es nicht weiß. Ich weiß genau, warum ich geschrien habe. Das Gefühl ist dasselbe, wenn es geschieht, und es ist auch später im Leben mit mir passiert.

Ich verschmelze mit allem. Werde aber zugleich weggetrieben. Es ist ein Gefühl der Auflösung. Als führe Wind in eine Talsenke und zerpflückte den Nebel. Ungeheuer beängstigend. Vor allem, wenn man klein ist und nicht weiß, dass es vorübergeht.

Ich merke, wenn es unterwegs ist. Meine Fußsohlen scheinen einzuschlafen. Tausend Nadeln. Dann gibt es zwischen Füßen und Boden ein Kissen aus Luft. Wir sind mehr eins mit unserem Körper, als wir glauben, und es ist schrecklich, von ihm getrennt zu werden.

Ich hätte zur Tante sagen können: Stell es dir so vor, dass die Schwerkraft plötzlich nicht mehr da war. Aber ich will nicht darüber reden.

Ich weiß, warum die Tante mich hier im Auto an die Fliege erinnert. Auf diese Weise will sie mir sagen, dass ich mit Mutter verwandt bin. Dass ich ihre Großmutter in mir habe.

Eigentlich will niemand das wissen. Die Tante auch nicht.

Ich bin drei Jahre alt. Ich sitze auf dem Schoß der Tante am Küchentisch. Die Tante und Vater gehen einander seit fast zwei Wochen schrecklich auf die Nerven, und Vater und Antte sind in die Berge gefahren. Die Tante hat ein Zugticket bestellt und ihren Koffer gepackt. Jetzt zeigt sie mir Bilder. Dieser Mann hat ein großes Segelboot. Sie zeigt Bilder vom Boot.

»Es liegt im Mittelmeer«, erzählt sie.

Sie wollen zu den Kanarischen Inseln fahren.

»Das weiß ich noch«, sage ich. »Hier hast du gesessen und geweint.«

Ich zeige auf den Vordersteven.

Die Tante lacht. Das will sie nicht hören. Jetzt hat Ester keine Begabung.

»Daran kannst du dich nicht erinnern, Kleine. Ich habe noch nie einen Fuß in dieses Boot gesetzt. Das ist das erste Mal.«

Mutter wirft mir einen kurzen, mahnenden Blick zu. Sie wollen es nicht wissen, soll das heißen. Dass man sich vorwärts- und rückwärtserinnern kann. Die Zeit geht in beide Richtungen.

Mauri will es auch nicht wissen, dachte Ester und legte sich die Stange auf die Schultern. Er schwebt in Gefahr, aber es hätte keinen Sinn, ihm das zu erzählen.

»Du könntest mich malen«, sagte er lächelnd.

Das stimmt, dachte Ester. Ich könnte ihn malen. Das ist das einzige Bild, das ich in mir habe. Ansonsten ist Schluss mit den Bildern. Aber dieses Bild will er nicht sehen. Es liegt seit unserer ersten Begegnung in mir.

Inna erwartet mich und die Tante auf Regla in der Tür. Umarmt die Tante, als ob sie Schwestern wären. Die Tante wirkt gleich weniger verkrampft. Ihr schlechtes Gewissen mir gegenüber lockert sich, nehme ich an.

Ich fühle mich dort gar nicht wohl in meiner Haut. Bin für alle eine Last. Ich kann nicht malen. Kann mich nicht selbst ernähren. Weiß nicht, wohin sonst. Und da ich nicht dort sein will, verschwinde ich die ganze Zeit. Das lässt sich nicht vermeiden. Als meine Füße auf dem Weg zu Inna über zwei Teppiche gehen, bin ich zwei Weber, ein Mann, der immer wieder die Zunge durch eine Zahnlücke schiebt, und ein Junge. Ich streife eine Wandtäfelung, ich bin der Schreiner mit der schmerzenden Hüfte, der das Holz zurechthobelt. All diese Hände, die gedrechselt, gewebt, genäht, geschnitzt haben. Ich werde so müde, und ich kann mich nicht zusammenhalten. Ich zwinge mich dazu, Inna die Hand zu reichen. Und ich sehe sie. Sie ist dreizehn und schmiegt ihre Wange an die ihres Vaters. Alle sagen, dass sie ihn um den kleinen Finger wickelt, aber ihre Augen sind so durstig.

Inna führt uns umher. Es ist fast unmöglich, die vielen Zimmer zu zählen. Die Tante schaut sich beeindruckt um. Die vielen alten Möbel aus altem Holz mit verschnörkelten Beinen. Die blauen, chinesisch gemusterten Krüge auf dem Boden.

»Was für ein Haus«, flüstert sie mir zu.

Das Einzige, was der Tante Probleme macht, ist, dass die Hunde von Mauris Frau überall frei herumlaufen und auf die Möbel springen dürfen. Sie muss sich schrecklich zusammenreißen, um sie nicht am Nacken zu packen und aus der Tür zu werfen.

Ich gebe keine Antwort. Sie will, dass ich mich darüber freue, dass ich herkommen darf. Aber ich kenne diese Menschen nicht. Sie sind nicht meine Familie. Ich bin hierher verfrachtet worden.

Plötzlich klingelt Innas Telefon. Als sie auflegt, sagt sie, dass ich jetzt meinen Bruder kennenlernen muss.

Wir gehen zu seinem kombinierten Schlaf- und Arbeitszimmer. Er trägt einen Anzug, obwohl er doch hier zu Hause ist.

Die Tante reicht ihm die Hand und dankt ihm, weil er sich um mich kümmert.

Und er lächelt mich an. Und sagt »selbstverständlich«. Zweimal sagt er das und schaut mir in die Augen.

Und ich muss zu Boden starren, weil ich mich so freue. Und ich denke, dass er mein Bruder ist. Und dass ich jetzt bei ihm einen Platz habe.

Und dann nimmt er mein Handgelenk, und da…

Da gibt der Fußboden nach. Die dicken Teppiche wölben sich wie eine Seeschlange, um mich loszuwerden. Sie stechen unter meinen Füßen. Ich brauche einen Halt, ein schweres Möbelstück. Aber ich schwebe schon unter der Decke.

Das Fensterglas prasselt ins Zimmer wie schwerer Regen. Ein schwarzer Wind saugt die Vorhänge an und reißt sie in Fetzen.

Ich habe mich selbst verloren.

Das Zimmer wird fast stockdunkel und schrumpft. Es ist ein anderes Schlafzimmer, vor langer Zeit. Ein dicker Mann liegt in einem Bett auf einer Frau. Die Matratze ist nicht bezogen, sie ist nur gelbes, verdrecktes Schaumgummi. Sein Rücken ist breit und schweißnass, er sieht aus wie ein großer glatter Stein am Ufer.

Später begreife ich, dass diese Frau meine und Mauris gemeinsame Mutter ist. Die andere. Die, die mich geboren hat. Aber das hier war vor meiner Zeit.

Mauri ist so klein, zwei, drei Jahre. Er hängt auf dem Rücken des Mannes, um dessen Hals, und ruft Mama, Mama. Die beiden beachten ihn nicht mehr als eine Mücke.

Das ist mein Porträt von Mauri.

Ein blasser kleiner Rücken, wie der einer Krabbe, auf dem riesigen Fels von Mann in diesem dunklen, stickigen Zimmer.

Und dann lässt er meine Hand los und ich bin wieder da.

Und da weiß ich, dass ich ihn tragen muss. Für uns beide gibt es hier auf Regla keinen Platz. Und uns bleibt nur noch wenig Zeit.

Ester bewegte sich mit der Stange über den Schultern. Trat einen großen Schritt vorwärts. Mauri lächelte sie an und machte noch einen Versuch:

»Ich bezahle es auch. In der Porträtbranche ist viel Geld zu verdienen. Die Egos der Wirtschaftsbosse sind groß wie Zeppeline.«

»Es würde dir nicht gefallen«, antwortete sie einfach.

Sie lugte verstohlen zu ihm hinüber. Sah, wie er versuchte, sich dafür zu entscheiden, dass er nicht verletzt war. Aber was hätte sie sagen sollen?

Auf jeden Fall konnte sie es nicht mehr ertragen, dass er in ihren Bildern herumwühlte. Sie zog die Knie unter der Stange an, und er verschwand im Treppenhaus.

»Ja, ICH KANN mich an einen Kunden mit einem solchen Mantel erinnern.«

Anna-Maria Mella und Sven-Erik Stålnacke standen auf dem Flughafen von Kiruna und sprachen mit einem Angestellten eines Mietwagenunternehmens. Er war um die zwanzig und kaute energisch auf einem Kaugummi herum, während er in seiner Erinnerung kramte. Seine Wangen und sein Hals waren von ziemlich kräftiger Akne bedeckt. Anna-Maria versuchte, ihren Blick von einem überreifen Pickel fernzuhalten, wie eine weiße Larve schien der aus einem rot geränderten Krater zu kriechen. Sie hielt ihm ihr Mobiltelefon hin. Die eingebaute Digitalkamera zeigte ein Bild von dem Mantel, den die Taucher in Torneträsk unter dem Eis gefunden hatten.

»Ich weiß noch, dass ich dachte, dass er bestimmt frieren würde.«

Er lachte. »Ausländer!«

Anna-Maria und Sven-Erik hielten den Mund. Warteten, ohne Fragen zu stellen. Es war besser, wenn er seiner Erinnerung freien Lauf ließ, ohne gestört zu werden. Anna-Maria nickte aufmunternd und merkte sich »Ausländer«.

»Vorige Woche kann das nicht gewesen sein, da hatte ich Grippe und war zu Hause. Momentchen...«

Er klapperte ein wenig auf seinem Computer herum und holte dann ein Formular.

»Das ist der Vertrag.«

Das ist doch der pure Wahnsinn, dachte Anna-Maria. Wir kriegen ihn!

Sie konnte es kaum erwarten, den Namen zu sehen.

Sven-Erik zog Handschuhe an und bat um das Formular.

»Ausländer«, sagte Anna-Maria. »Welche Sprache hat er gesprochen?«

»Englisch. Ich kann das nur so einigermaßen …«

»Hatte er einen Akzent?«

»Na ja …«

Der Junge schob das Kaugummi in seinem Mund herum. Legte es zwischen den Vorderzähnen ab, so dass die Hälfte aus seinem Mund ragte, und steigerte danach seine Kaugeschwindigkeit. Anna-Maria musste an eine Nähmaschine denken, die auf einem kleinen weißen Stoffstück herumhackt.

»Britisch, würde ich sagen. Aber nicht so versnobt, das war eher …. working class, irgendwie. Dohoch«, fügte er dann hinzu und nickte, als ob er mit sich selbst konferierte. »Ja, denn das passte irgendwie nicht zu dem langen Mantel und den Schuhen. Er sah ein bisschen mitgenommen aus, fand ich. Obwohl er so braun war.«

»Wir bleiben in Kontakt«, sagte Sven-Erik. »Sie bekommen eine Kopie unseres Protokolls, aber bitte sprechen Sie darüber nicht mit Presseleuten. Und wir brauchen alle Informationen, die Sie in Ihrem Computer haben, wie er bezahlt hat, egal was.«

»Und wir wollen den Wagen«, sagte Anna-Maria. »Wenn der vermietet ist, müssen Sie ihn sofort zurückrufen. Und dem Kunden einen anderen geben.«

»Es geht um Inna Wattrang, nicht wahr?«

»Als er das Auto zurückgebracht hat, trug er da diesen Mantel?«

»Weiß nicht. Ich glaube, er hat einfach den Schlüssel in den Briefkasten geworfen.«

Er schaute im Computer nach.

»Treffer, vermutlich hat er am Freitag die Abendmaschine genommen. Oder am frühen Samstag.«

Dann hat vielleicht eine Flugbegleiterin ihn ohne Mantel gesehen, dachte Anna-Maria.

»Wir suchen also den Mann, der diesen Vertrag abgeschlossen hat«, sagte Anna-Maria zu Sven-Erik, als sie wieder im Auto saßen. »John McNamara. Interpol muss uns den Kontakt zu den Briten herstellen. Wenn das Labor außerdem nachweisen kann, dass das Blut auf dem Mantel von Inna Wattrang stammt, und wenn sie eine DNA-Analyse vornehmen können …«

»Das steht ja noch nicht fest, schließlich hat er im Wasser gelegen.«

»Dann muss das Rudbeck-Labor in Uppsala die Sache übernehmen. Es muss möglich sein, den Mann mit dem Mantel in Verbindung zu bringen, es reicht nicht, dass er kurz vor dem Zeitpunkt des Mordes ein Auto gemietet hat.«

»Falls sie im Auto nichts finden.«

»Die Techniker müssen das durchkämmen.«

Sie drehte sich mit breitem Lächeln zu Sven-Erik um. Sven-Erik presste automatisch die Füße auf den Boden, er wünschte, sie würde auf die Straße sehen, wenn sie fuhr.

»Verdammt, wir haben ja vielleicht schnell gearbeitet«, sagte Anna-Maria und trat aus purer Freude aufs Gaspedal. »Und das haben wir allein geschafft, ohne die zentrale Kriminalpolizei, das ist saugut.«

AN DIESEM ABEND aß Rebecka bei Sivving. Sie saßen in seinem Heizungskeller. Rebecka sah von dem kleinen Resopaltisch aus zu, wie Sivving das Essen auf der kleinen Kochplatte zubereitete. Es gab in Scheiben geschnittene Fischpastete in einen Aluminiumtopf und wärmte sie vorsichtig mit einem Schuss Milch an. In einem weiteren Topf daneben kochte er Mandelkartoffeln. Auf dem Tisch standen ein Spankorb mit Knäckebrot und besonders salzige Margarine. Der Kochgeruch vermischte sich mit dem von frisch gewaschenen Wollsocken, die an der Wäscheleine hingen.

»Tolles Festmahl«, sagte Rebecka. »Oder was sagst du, Bella?«

»Denk lieber gar nicht erst daran«, sagte Sivving dumpf zu der Vorsteherhündin, die in ihren Korb neben Sivvings Bett verbannt worden war.

Der Speichel hing wie zwei Bindfäden aus ihrem Maul. Die braunen Augen schilderten einen Hunger an der Grenze zum Tod.

»Du kriegst nachher meine Reste«, versprach Rebecka.

»Sprich nicht mit ihr. Sie deutet alles als Erlaubnis, den Korb zu verlassen.«

Rebecka lächelte. Sie betrachtete Sivvings Rücken. Der Mann war eine herrliche Erscheinung. Seine Haare waren nicht schütter geworden, sondern nur seidenweiß und gewissermaßen leichter, sie umgaben seinen Kopf wie ein luftiger Fuchsschwanz. Die Militärhose war in dicke Wollsocken gestopft. Maj-Lis hatte vor ihrem Tod offenbar einen riesigen Vorrat für ihn gestrickt. Ein Flanellhemd über dem umfangreichen Bauch. Eine Schürze von Maj-Lis, die ihm nicht um den ganzen Leib reichte, stattdessen hatte er die Bänder in die Hintertaschen seiner Hose gestopft, damit die Schürze hielt.

Oben im restlichen Haus hatte Sivving im Dezember pflichtbewusst saubergemacht, hatte die Weihnachtssterne in die üblichen Fenster gehängt, den orangefarbene Pappstern aus dem Supermarkt ins Küchenfenster, die Strohsterne aus dem Kunstgewerbeladen ins Wohnzimmer. Er hatte Weihnachtswichtel, Adventsleuchter und Maj-Lis' bestickte Decken hervorgeholt. Nach Dreikönig war alles wieder in Kartons verpackt und auf den Dachboden gebracht worden. Die Decken brauchten nicht gewaschen zu werden. Er aß ja nie davon. Nichts oben im Haus wurde schmutzig.

Unten im Heizungskeller, in dem er jetzt hauste, war alles wie sonst gewesen. Keine Decken. Keine Wichtel auf der Kommode.

Das gefällt mir, dachte Rebecka. Alles darf sein wie immer. Dieselben Töpfe und Teller im Regal an der Wand. Alles hat seine Funktion. Die Bettdecke schützt die Bettwäsche vor Hundehaaren, wenn Bella verbotenerweise im Bett liegt. Der Flickenteppich liegt da, weil der Boden kalt ist, nicht zur Zierde. Sie hatte sich daran gewöhnt, das war ihr klar. Fand es nicht mehr seltsam, dass er in den Keller gezogen war.

»Was für eine Geschichte, das mit Inna Wattrang«, sagte Sivving. »Die ist ja die ganze Zeit in den Schlagzeilen.«

Ehe Rebecka antworten konnte, klingelte ihr Telefon. Eine 08-Nummer. Und das Display meldete die Telefonzentrale der Kanzlei.

Måns, dachte Rebecka und war plötzlich so nervös, dass sie aufsprang.

Bella nutzte die Gelegenheit und sprang ebenfalls auf. Innerhalb einer halben Sekunde stand sie neben dem Herd.

»Weg mit dir«, schimpfte Sivving.

Zu Rebecka sagte er:

»In fünf Minuten sind die Kartoffeln fertig.«

»Eine Minute«, sagte Rebecka und lief die Treppe hoch. Sie hörte Sivving, »in den Korb mit dir«, ehe sie die Kellertür hinter sich zuzog und sich meldete.

Es war nicht Måns. Es war Maria Taube.

Maria Taube arbeitete noch immer für Måns. In einem anderen Leben waren sie und Rebecka Kolleginnen gewesen.

»Wie geht es?«, fragte Rebecka.

»Katastrophe. Wir wollen doch mit dem ganzen Büro zum Skilaufen nach Riksgränsen. Aber hallo. Was ist das denn für ein Einfall? Was spricht gegen einen Ausflug an einen warmen Ort, wo man sich sonnen und Cocktails trinken kann? Ich hab doch gar keine Kondition. Nun, ich kann mir ja immerhin von meiner Schwester einen Skianzug leihen, aber darin sehe ich aus wie Mama Scans neue Wurst: jetzt noch dicker, sozusagen. Und weißt du, zu Weihnachten habe ich gedacht, dass ich nach Weihnachten abnehmen will, und ich dachte, ich könnte jede Woche ein Pfund schaffen. Und wo ich ohnehin abnehmen und klapperdürr werden wollte, habe ich mir zu Weihnachten noch mal richtig was gegönnt. Und dann war plötzlich Neujahr, und ich dachte, im Februar fange ich wirklich an, und wenn ich jede Woche ein Kilo abnehme …«

Rebecka lachte.

»Und jetzt bleibt mir nur noch eine halbe Woche«, sagte Maria Taube. »Was glaubst du, kann ich noch zehn Kilo abnehmen, oder was?«

»Boxer sitzen dazu in der Sauna.«

»Mmm, danke für den Tipp. Wirklich. ›Starb in der Sauna. Konnte das Guinness-Buch der Rekorde nicht mehr verständigen.‹ Was machst du denn so?«

»Im Moment oder bei der Arbeit?«

»Im Moment und bei der Arbeit.«

»Im Moment gibt es gleich Abendessen bei meinem Nachbarn, und bei der Arbeit sammle ich für die Polizei Informationen über Kallis Mining.«

»Inna Wattrang?«

»Ja.«

Rebecka holte tief Luft.

»Übrigens«, sagte sie. »Måns hat mir eine E-Mail geschickt, er meint, ich solle nach Riksgränsen kommen und mit euch einen trinken, wo ihr schon da seid.«

»Ach, das finde ich auch. Bitte, mach das.«

»Mmm…«

Und was soll ich jetzt sagen, überlegte Rebecka. Glaubst du, ich kann bei ihm landen, oder was?

»Wie geht's ihm denn so?«

»Ganz gut, nehme ich an. Sie hatten doch in der vorigen Woche die große Hauptverhandlung wegen dieser Stromgesellschaftsaffäre. Und das ist gut gegangen, also ist er gerade ziemlich menschlich. Vorher war er… da haben sich alle an seiner Tür vorbeigeschlichen.«

»Und sonst, die anderen?«

»Keine Ahnung. Hier passiert ja nichts. Doch, Sonja Berg hat sich am vorigen Samstag mit ihrem Handelsreisenden verlobt.«

Sonja Berg war die Sekretärin, die schon am längsten bei Meijer & Ditzinger arbeitete. Sie war geschieden und hatte erwachsene Kinder, und die Firma hatte im vergangenen Jahr zur allgemeinen Freude zusehen können, wie ein Mann mit einem überaus schönen Auto und einer ebenso teuren Uhr, wie die Partner in der Kanzlei sie besaßen, sie gründlich umworben hatte. Der Bewerber reiste in Kalendern und Papier. Sonja bezeichnete ihn als ihren »Reisenden in Sachen Liebeshändel«.

»Oh, erzähl«, sagte Rebecka andächtig.

»Was soll ich sagen? Essen im französischen Restaurant des Grand. Und der Stein, ja, du weißt schon, der war überaus gefasst, wenn du verstehst, was ich meine. Also kommst du nun nach Riksgränsen?«

»Vielleicht.«

Maria Taube war in Ordnung. Sie wusste, dass nicht sie das Problem war. Sondern Rebecka. Sie hatten sich nach Rebeckas Entlassung aus dem Krankenhaus zweimal getroffen. Als Rebecka nach Stockholm gekommen war, um ihre Wohnung zu verkaufen. Maria hatte sie zum Essen zu sich nach Hause eingeladen. »Es gibt etwas ganz Einfaches«, sagte sie. »Und wenn du keine Leute oder mich treffen kannst oder wenn du das Gefühl hast, dass du lieber zu Hause bleiben und dich mit Kippen verbrennen willst, dann ruf einfach an und sag Bescheid. Das ist ganz in Ordnung.«

Rebecka hatte gelacht. »Du spinnst, solche Witze darfst du dir mit mir nicht erlauben, ich balanciere doch an der Grenze, und das weißt du auch. Du musst ganz besonders lieb und rücksichtsvoll mit mir umgehen.«

Sie hatten gegessen. Und am Abend vor Rebeckas Rückkehr nach Kiruna hatten sie im Sturehof einen getrunken. »Du hast nicht Lust, kurz in der Kanzlei Hallo zu sagen?«, hatte Maria gefragt. Rebecka hatte den Kopf geschüttelt. Mit Maria Taube hatte sie keine Probleme. Mit ihr hatte sie nie Probleme. Aber die Vorstellung, sich der gesamten Kanzlei auszusetzen, war einfach unmöglich. Und Måns wollte sie in diesem Zustand auch nicht begegnen. Die Narbe zwischen Lippe und Nase war noch immer so deutlich. Rot und blank. Ihre Oberlippe war ein wenig hochgezogen, es sah aus, als ob sie einen Priem einlegen wollte oder eine Andeutung von einer Hasenscharte hätte. Vielleicht war eine Operation vonnöten, das stand noch nicht fest. Und sie hatte sehr viele Haare verloren.

»Versprich mir, dass wir in Kontakt bleiben«, hatte Maria Taube gesagt und Rebeckas beide Hände genommen.

Und das hatten sie gemacht. Maria Taube rief ab und zu an. Rebecka freute sich dann, meldete sich aber niemals von sich aus. Und das schien in Ordnung zu sein. Maria meldete sich auch, wenn eigentlich Rebecka an der Reihe gewesen wäre.

Rebecka beendete ihr Gespräch mit Maria Taube und lief hinunter in den Heizungskeller. Sivving hatte soeben das Essen auf den Tisch gestellt.

Sie aßen und ließen es sich schmecken, ohne dabei etwas zu sagen.

Rebecka dachte an Måns Wenngren. An den Klang seines Lachens. An seine schmalen Hüften. An seine dunklen Locken. An seine blauen Augen.

Wenn sie selbst eine strahlende Schönheit wäre und nicht sozial gestört und verrückt, hätte sie ihn schon vor langer Zeit im Sturm erobert.

Ich hätte mir niemals einen anderen ausgesucht, dachte sie.

Sie würde nach Riksgränsen fahren und ihn treffen. Aber was sollte sie dazu anziehen? Ihr Schrank hing voll von eleganten Kostümen und Hosenanzügen fürs Büro. Jetzt brauchte sie etwas anderes. Jeans natürlich. Musste sich neue kaufen. Und was sollte sie dazu tragen? Und die Haare würde sie sich auch schneiden lassen müssen.

Sie dachte noch immer daran, als sie an diesem Abend im Bett lag.

Es darf nicht so aussehen, als ob ich mir Mühe gegeben hätte, dachte sie. Aber schön muss es sein. Er soll das, was er sieht, gern sehen.

Mittwoch, 19. März 2005

WIE ÜBLICH WURDE Anna-Maria Mella davon geweckt, dass Gustav ihr in den Rücken trat.

Sie schaute auf die Uhr. Zehn vor sechs. Ohnehin höchste Zeit zum Aufstehen. Sie zog ihn an sich, schnupperte an seinen Haaren. Gustav drehte sich zu ihr um. Er war wach.

»Hallo, Mama«, sagte er.

Auf der anderen Seite des Jungen grunzte Robert und zog sich die Decke über den Kopf, in dem vergeblichen Versuch, sich noch einige Minuten Schlaf zu erschleichen.

»Hallo, Lieber«, sagte Anna-Maria hingerissen.

Wie konnte jemand so niedlich sein? Sie streichelte die dunklen Kinderhaare. Sie küsste ihn auf Stirn und Mund.

»Ich hab dich lieb«, sagte sie. »Du bist der Feinste auf der Welt.«

Er streichelte ihr nun seinerseits die Haare. Dann sah er plötzlich tiefernst aus, betastete vorsichtig die Umgebung ihrer Augen und sagte besorgt:

»Mama, du hast aber viele Risse.«

Unter der Decke auf der anderen Seite war ein halb ersticktes Lachen zu hören, Roberts Körper wogte auf und ab.

Anna-Maria versuchte, ihrem Mann einen Tritt zu versetzen, was aber schwer war, denn Gustav lag wie eine schützende Mauer dazwischen.

In diesem Moment klingelte das Telefon.

Es war Kommissar Fred Olsson.

»Habe ich dich geweckt?«, fragte er.

»Nein, ich hatte schon einen richtigen Weckruf«, lachte Anna-

Maria und versuchte weiter, Robert zu treten, während Gustav versuchte, unter Roberts Decke zu kriechen.

Robert schob die Decke unter seinen Rücken und widersetzte sich mit aller Kraft.

»Du hast doch gesagt, dass du schlechte Nachrichten sofort hören willst.«

»Nein, nein«, lachte Anna-Maria und sprang aus dem Bett. »Das habe ich nie gesagt, und ich habe heute schon die schlechteste Nachricht des Jahres gehört.«

»Was ist eigentlich los bei euch?«, fragte Fred Olsson. »Feiert ihr oder was? Hör jetzt mal zu: Der Typ mit dem hellen Mantel…«

»John McNamara.«

»John McNamara. Den gibt es nicht.«

»Wie meinst du das, es gibt ihn nicht?«

»Hier liegt ein Fax von der britischen Polizei für dich. Der John McNamara, der am Flughafen von Kiruna einen Wagen gemietet hat, ist vor anderthalb Jahren im Irak ums Leben gekommen.«

»Ich komme«, sagte Anna-Maria. »O verdammt.«

Sie zog ihre Kleider an und streichelte die lebende Decke zum Abschied.

Um Viertel vor sieben fuhr Mauri Kallis' Sicherheitschef Mikael Wiik durch die Lindenallee auf Regla zu. Er brauchte für die Fahrt von Kungsholmen nach Regla eine Stunde. An diesem Morgen war er um halb fünf aufgestanden, um rechtzeitig zur Frühstücksbesprechung bei Mauri Kallis einzutreffen. Aber er beklagte sich nicht. Früh aufzustehen war wirklich nicht so schlimm. Und überhaupt: Der Mercedes, den er fuhr, war neu. Und über Neujahr hatte er seine Freundin auf die Malediven eingeladen.

Zweihundert Meter vor dem ersten Eisentor passierte er Mauris Frau Ebba auf einem schwarzen Pferd. Er verlangsamte rechtzeitig sein Tempo und winkte freundlich. Ebba winkte zurück. Im Rückspiegel sah Mikael das Pferd einige Tanzschritte machen, als die Eisentore geöffnet wurden, der Wagen hatte ihm keine Angst eingejagt.

Scheißgäule, dachte Mikael, als er durch das andere Eisentor fuhr. Die kapieren einfach nicht, was wirklich gefährlich ist. Bäumen sich auf, bloß weil auf dem Weg ein Stöckchen liegt, das gestern noch nicht da war.

Mauri Kallis saß schon im Esszimmer. Einen Stapel Zeitungen, zwei schwedische, die restlichen aus dem Ausland, neben seiner Kaffeetasse.

Mikael Wiik sagte Guten Morgen und nahm sich Kaffee und ein Croissant. Er hatte schon richtig gefrühstückt, ehe er zu Hause weggefahren war. Er war keiner, der vor den Augen seines Arbeitgebers Haferbrei spachtelte.

Niemand kennt einen Mann so gut wie sein Leibwächter,

dachte er und setzte sich. Er wusste, dass Mauri Kallis seiner Frau treu war, außer wenn ein Geschäftspartner zum Dessert Mädels anbot. Oder wenn Kallis selbst einlud und wusste, dass der Fisch das brauchte, wenn er anbeißen sollte. Aber dann gehörte es zur Arbeit und zählte nicht.

Kallis trank auch nicht viel. Mikael Wiik hatte den Verdacht, dass Kallis und Inna und Diddi Wattrang das früher anders gehandhabt hatten. Und sicher hatte Kallis in den beiden Jahren, in denen Michael Wiik nun schon für ihn arbeitete, mit Inna das eine oder andere Glas und noch mehr konsumiert. Aber bei der Arbeit – nein. Vor Geschäftsessen und Restaurantrunden gehörte es zu Mikael Wiiks Aufgaben, mit Bar- und Servierpersonal zu sprechen und dafür zu sorgen, dass Mauri Kallis unbemerkt alkoholfreie Getränke und Apfelsaft anstelle von Whisky serviert wurden.

Mauri Kallis wohnte in Hotels mit guten Sportanlagen, wenn er unterwegs war, und trainierte morgens früh im Fitnessraum. Er aß lieber Fisch als Fleisch. Er las Biografien und Sachbücher, keine Romane.

»Innas Beerdigung«, sagte Mauri Kallis zu Mikael Wiik. »Ich wollte Ebba bitten, sich darum zu kümmern, also sprich du mit ihr darüber. Die Besprechung mit Gerhart Sneyers können wir nicht absagen, er kommt übermorgen mit dem Flugzeug aus Belgien oder Indonesien, also werden wir hier zu Abend essen, und dann fahren wir zur Besprechung am Samstagmorgen. Es kommen mehrere vom African Mining Trust, spätestens morgen Nachmittag bekommst du eine vollständige Liste. Sie haben natürlich ihre eigenen Sicherheitsleute, aber ja, du weißt schon …«

Ich weiß, dachte Mikael Wiik. Die Herren, die nach Regla unterwegs waren, waren gut bewacht und paranoid, und vereinzelt hatten sie auch ihre Gründe dafür.

Gerhart Sneyers zum Beispiel. Besitzer von Bergwerken und Ölgesellschaften. Aufsichtsratsvorsitzender des African

Mining Trust, eines Zusammenschlusses von ausländischen Gesellschaftseignern in Afrika.

Mikael Wiik konnte sich an die erste Begegnung von Mauri und Gerhart Sneyers erinnern. Mauri und Inna waren nach Miami geflogen, nur um ihn zu treffen. Mauri war nervös gewesen, Mikael Wiik hatte ihn noch nie so erlebt.

»Wie sehe ich aus?«, hatte Mauri Inna gefragt. »Ich nehme einen anderen Schlips. Oder lieber doch nicht?«

Inna hatte ihn daran gehindert, zurück auf sein Zimmer zu gehen.

»So bist du perfekt«, hatte sie ihm versichert. »Und vergiss nicht, Sneyers hat um dieses Treffen gebeten. Also muss er es sein, der nervös ist und dir um den Bart streicht. Du kannst einfach…«

»Mich zurücklehnen und zuhören«, hatte Mauri gesagt wie auswendig gelernt.

Sie hatten sich im Foyer des Avalon getroffen. Gerhart Sneyers war ein gepflegter Mann um die fünfzig. Einige graue Einsprengsel im üppigen roten Schopf. Hübsches Gesicht, auf eine maskuline, kantige Weise. Weiße Haut voller Sommersprossen. Er begrüßte zuerst Inna, wie ein Mann von Welt, danach Mauri Kallis. Die Leibwächter wurden übersehen, sie nickten einander kaum merklich zu, immerhin waren sie Arbeitskollegen.

Sneyers hatte zwei Männer, die ihn bewachten. Sie trugen Sonnenbrillen und Anzüge, sahen aus wie Mafiosi. Mikael Wiik kam sich vor wie ein Bauerntrottel in seiner minzgrünen Jacke und der Schirmmütze. Seine innere Abwehr lief vor abschätzigen Gedanken heiß.

Fettsack, dachte er über den einen Leibwächter. Würde nie mehr als zweihundert Meter schaffen. Und das nicht mal in einer guten Zeit.

Rotzbengel, dachte er über den anderen.

Sie gingen den Ocean Drive entlang, die ganze Gesellschaft,

zu einem von Gerhart Sneyers gemieteten Boot. Der Wind ließ die Palmen rauschen, trotzdem war es so heiß, dass ihnen der Schweiß ausbrach. Der Rotzbengel wurde immer wieder aus seiner Konzentration gerissen, grinste vielsagend hinter Bodybuildern her, die über den Strand joggten, um Fett zu verbrennen, und sich die Shorts in die Arschfalte geklemmt hatten, um braun zu werden.

Das Boot war ein Fairline Squadron, 74 Fuß, Doppelbett an Deck, doppelte Caterpillarmotoren und eine Spitzengeschwindigkeit von 33 Knoten.

»It's what the celebrities want«, sagte der Rotzbengel in seinem gebrochenen Englisch und schaute vielsagend zu dem Doppelbett hinüber.

»Nicht gerade zum Sonnenbaden gedacht«, fügte er dann hinzu.

Mauri, Inna und Gerhart Sneyers waren unter Deck verschwunden. Mikael Wiik bat um Entschuldigung und lief hinterher.

Als er den Salon erreicht hatte, stellte er sich in die Türöffnung.

Gerhart Sneyers wollte gerade etwas sagen, legte aber eine kurze Pause ein, als Mikael Wiik hereinglitt. Die Pause war gerade so lang, dass Mauri ihn wegschicken könnte. Aber Mauri sagte nichts, er warf Gerhart nur einen Blick zu, der ihn bat weiterzusprechen.

Eine Demonstration der Stärke, dachte Mikael Wiik. Mauri entscheidet, wer dabei sein darf und wer nicht. Gerhart ist allein. Mauri hat mich und Inna.

Und Inna bedachte Mikael mit dem kürzesten Blick aller Zeiten. Du gehörst zu uns. Unserem Team. Den Gewinnern. Den Spitzenleuten, die Gerhart Sneyers um ein Treffen bittet.

»Wie gesagt«, sagte Gerhart Sneyers zu Mauri. »Wir haben dich schon lange im Auge. Aber ich wollte erst sehen, worauf ihr in Bezug auf Uganda hinauswollt. Wir wussten nicht, ob du verkaufen willst, wenn die Probebohrungen beendet sind. Ich wollte sehen, ob du aus dem richtigen Stoff bist. Und das bist du einwandfrei. Feiglinge trauen sich nicht, in diesen Gegenden zu investieren, das ist viel zu unsicher. Aber glory to the brave, nicht wahr? Herrgott, was für Funde. Kleine Kinder mit einem Brett und einem Lappen können Gold gewinnen, überleg doch mal, was uns da möglich ist ...«

Er legte eine Pause ein, um Mauri die Möglichkeit zu einer Bemerkung zu geben, aber Mauri sagte nichts.

»Jetzt besitzt du große Gruben in Afrika«, fuhr Sneyers fort. »Und deshalb würden wir uns geehrt fühlen, wenn du in unseren kleinen ... Club der Abenteurer einträtest.«

Er redete vom African Mining Trust. Einem Zusammenschluss ausländischer Grubengesellschaften in Afrika. Mikael Wiik weiß von ihnen. Er hat Inna und Mauri darüber sprechen hören. Er hat sie auch über Gerhart Sneyers sprechen hören.

Gerhart Sneyers steht auf der schwarzen Liste der Human Rights Watch; Gesellschaften, die mit schmutzigem Gold aus dem Kongo handeln.

»Seine Grube im westlichen Uganda dient vor allem der Geldwäsche«, hat Mauri gesagt. »Milizen plündern die Gruben im Kongo, Sneyers kauft dort und in Somalia Gold und verkauft es weiter als Produkt seiner Gruben in Uganda.«

»Wie haben viele gemeinsame Interessen«, sagte Gerhart Sneyers jetzt. »Infrastruktur aufbauen. Sicherheitsvorkehrungen. Die Mitglieder unserer Gruppe können in weniger als vierundzwanzig Stunden aus einem bedrohten Gebiet ausgeflogen werden. Von überall. Glaub mir, wenn du solche Probleme bisher noch nicht gehabt hast, dann wird dir das früher oder später passieren. – Außerdem arbeiten wir auf lange Sicht«, fügte er hinzu und füllte die Gläser von Mauri und Inna ein weiteres Mal.

Inna hatte ihr Glas geleert, es unbemerkt mit dem von Mauri vertauscht und auch seins getrunken. Gerhart Sneyers sagte jetzt:

»Unser Ziel ist es, europäische, amerikanische und kanadische Politiker in unseren Vorstand zu holen, mehrere Muttergesellschaften der Gruppe haben Kontakt zu früheren Staatschefs. Auch das ist ein Druckmittel. Einflussreiche Personen in den Ländern, aus denen Entwicklungshilfe fließt, weißt du. Nur, damit die Neger uns nicht austricksen.«

Inna bat um Entschuldigung und fragte nach der Toilette. Als sie verschwunden war, sagte Sneyers:

»Wir werden in Uganda Probleme bekommen. Die Weltbank droht damit, die Entwicklungshilfe einzufrieren, um demokratische Wahlen zu erzwingen. Aber Museveni hat keine Lust, auf die Macht zu verzichten. Und wenn er die Entwicklungshilfe verliert, haben wir ein neues Simbabwe. Kein Grund mehr, sich beim Westen lieb Kind zu machen, die ausländischen Investoren werden hinausgeworfen. Und dann verlieren wir alles. Er wird alles an sich reißen. Aber ich habe einen Plan. Obwohl der nicht billig ist.«

»Ach?«, fragte Mauri.

»Sein Vetter Kadaga ist General der Armee. Und sie sind aneinandergeraten. Museveni bildet sich neuerdings ein, sein Vetter sei nicht loyal. Womit er im Grunde recht hat. Museveni reduziert Kadagas Macht, indem er dessen Soldaten nicht bezahlt. Sie werden auch nicht mehr verpflegt. Museveni hat andere Generäle, die er unterstützt. Es ist so weit gekommen, dass der Vetter sich nicht mehr nach Kampala traut. Er hat Angst, ins Gefängnis gesteckt oder irgendeines Verbrechens angeklagt zu werden. Er hat da oben im Norden gerade die Hölle. Die LRA und andere Gruppen kämpfen mit den Regierungstruppen um die Kontrolle über die Gruben im Kongo. Bald werden wir aus Nord-Uganda gedrängt, und dann werden sie sich auch dort um die Gruben schlagen. Um ihre Kriege zu finanzieren, brauchen sie Gold. Wenn General Kadaga seine Soldaten nicht bezahlen kann, hauen die ab. Zu dem, der besser zahlt, anderen Regierungstruppen oder Milizen. Er ist verhandlungsbereit.«

»Worüber denn?«

»Über finanzielle Mittel, um seine Truppen wieder aufzubauen. Und nach Kampala zu marschieren.«

Mauri blickte Gerhart Sneyers misstrauisch an.

»Ein Staatsstreich?«

»Vielleicht nicht, ein legales Regime wäre besser für die internationalen Verbindungen. Aber wenn Museveni… eliminiert würde. Dann könnten wir bei einer Wahl einen neuen Kandidaten ins Spiel bringen. Und dieser Kandidat müsste das Militär hinter sich haben.«

»Was wäre das denn für ein Kandidat? Woher sollen wir wissen, dass die Lage mit einem neuen Präsidenten besser wird?«

Gerhart Sneyers lächelte.

»Ich kann dir natürlich nicht sagen, wer es ist. Aber unser Mann wird gescheit genug sein, sich an uns zu halten. Er wird wissen, dass wir Musevenis Schicksal entschieden haben und dass wir auch seins entscheiden können. Und General Kadaga wird ihn unterstützen. Und wenn Museveni nicht mehr da ist, werden sich auch die anderen Generäle anschließen, die meisten jedenfalls. Museveni is a dead end. Also… bist du dabei?«

Mauri Kallis versuchte, das Gehörte zu verarbeiten.

»Ich muss es mir überlegen«, sagte er.

»Überleg nicht zu lange. Und wenn du schon dabei bist: Verschieb dein Geld an einen Ort, wo du es ausbezahlen kannst, ohne dass es zu dir zurückverfolgt werden kann. Ich werde dir den Namen einer überaus diskreten Bank nennen.«

Inna kehrte von der Toilette zurück. Gerhart Sneyers füllte abermals die Gläser und gab eine letzte Salve ab:

»Sieh dir China an. Denen ist es doch total schnurr, dass die Weltbank kein Geld mehr an undemokratische Staaten verleiht. China unterstützt Industrieprojekte in Entwicklungsländern mit Milliarden. Und damit besitzen sie enorme Anteile an der wachsenden Wirtschaft von morgen. Ich habe nicht vor, dabei tatenlos zuzusehen. Und gerade jetzt haben wir im Kongo und in Uganda unsere Chance.«

Mikael Wiik wurde aus seinen Gedanken gerissen, als Ebba Kallis in die Küche kam. Sie trug noch immer Reitkleidung und leerte im Stehen ein Glas Saft.

Mauri blickte von der Zeitung auf.

»Ebba«, sagte er. »Das Essen morgen Abend, ist alles dafür bereit?«

Sie nickte.

»Und dann wollte ich dich bitten, dich um Innas Beerdigung zu kümmern«, fügte er hinzu. »Ihre Mutter, du weißt... Es würde ein Jahr dauern, bis sie die perfekte Gästeliste zusammengestellt hätte. Außerdem gehe ich davon aus, dass ich die Rechnung bezahlen muss, und da bin ich doch froh, wenn du einkaufst und nicht sie.«

Wieder nickte Ebba. Sie wollte nicht, aber was blieb ihr schon für eine Wahl? Er weiß, dass ich mich nicht um ihre Beerdigung kümmern will, dachte sie. Und er verachtet mich, weil ich es trotzdem tue. Ich bin seine billigste Angestellte. Und ich bin es, die sich zusammenreißen muss, wenn ihre Mutter mit all ihren unmöglichen Wünschen kommt.

Ich will keine Beerdigung arrangieren, dachte Ebba Kallis. Können wir nicht einfach... eine Grube ausheben oder so?

Sie hatte nicht immer so empfunden. Inna hatte sie anfangs verführt. Anfangs war Ebba einfach bezaubert gewesen.

Es ist eine Nacht Anfang August. Mauri und Ebba sind frisch verheiratet und eben nach Regla gezogen. Inna und Diddi wohnen noch nicht hier.

Ebba wird davon geweckt, dass jemand sie anstarrt. Als sie die Augen öffnet, beugt Inna sich über ihr Bett. Sie legt sich den Finger an die Lippen, ihre Augen leuchten in der Dunkelheit unternehmungslustig.

Der Regen prasselt gegen das Fenster, und Inna ist durchnässt. Mauri murmelt im Schlaf ein wenig und dreht sich auf die andere Seite. Ebba und Inna sehen einander an und halten die Luft an. Als sein Atem wieder ruhig und regelmäßig ist, steht Ebba vorsichtig auf und schleicht hinter Inna her in die Küche.

Sie sitzen in der Küche. Ebba holt ein Handtuch. Inna trocknet sich damit die Haare, will aber keine trockene Kleidung. Sie öffnen eine Flasche Wein.

»Aber wie bist du reingekommen?«, fragt Ebba.

»Ich bin durch euer Schlafzimmerfenster geklettert. Das stand als einziges offen.«

»Du bist verrückt. Du hättest dir den Hals brechen können. Und was ist mit dem Tor? Dem Wächter?«

Ein Schmied aus der Umgebung hat soeben die ferngesteuerten Eisentore angebracht. Inna hat im Auto keine Fernbedienung. Die Mauer um den Herrensitz ist zwei Meter hoch.

»Ich habe den Wagen draußen stehen lassen und bin hinübergeklettert. Mauri sollte sich vielleicht überlegen, ob er nicht die Wachgesellschaft wechseln will.«

Jetzt jagt ein Blitz über den Himmel. Nur zwei Sekunden darauf bricht der Donner los.

»Komm, wir gehen baden«, sagt Inna.

»Ist das nicht gefährlich?«

Inna lächelt und zieht die Schultern bis zu den Ohren hoch. »Doch.«

Sie laufen zum Steg hinunter. Auf dem Grundstück gibt es zwei Stege. Der alte liegt ein Stück entfernt, hinter einem dichten Wald. Ebba möchte sich irgendwann einmal dort ein Badehaus bauen. Sie hat viele Pläne für Regla.

Der Regen strömt hernieder. Ebbas Nachthemd wird triefnass und klebt an ihren Oberschenkeln. Sie ziehen sich auf dem Steg aus. Ebba ist schmächtig und flachbrüstig. Inna hat Kurven wie ein Filmstar aus den Fünfzigerjahren. Der Himmel funkelt.

Innas Zähne leuchten weiß in Dunkelheit und Regen. Sie springt vom Steg. Ebba bleibt zögernd und fröstelnd dort stehen. Der Regen peitscht das Wasser so auf, dass es zu kochen scheint.

»Spring rein, es ist warm«, ruft Inna und tritt Wasser.

Und Ebba springt.

Das Wasser kommt ihr wirklich warm vor, und sie hört sofort auf zu frieren.

Es ist ein magisches Gefühl. Sie schwimmen hin und her wie zwei Kinder, einfach hin und her. Tauchen unter, kommen prustend wieder an die Wasseroberfläche. Der Regen trommelt auf ihre Köpfe, die Nachtluft ist kühl, aber unter der Wasseroberfläche ist es warm und behaglich wie in einer Badewanne. Das Gewitter zieht über sie hinweg, ab und zu kann Ebba den Abstand zwischen Blitz und Donner schon gar nicht mehr zählen.

Vielleicht sterbe ich hier, denkt sie.

Und gerade in diesem Moment wäre das nicht so schlimm.

Ebba nahm sich eine Tasse Kaffee und einen großen Teller Obstsalat. Mauri und Mikael Wiik redeten über die Sicherheitsvorkehrungen vor dem Essen am Freitag. Es wurden ausländische Gäste erwartet. Ebba hörte nicht zu und ließ ihren Gedanken an Inna noch einmal ihren Lauf.

Anfangs waren sie Freundinnen gewesen. Inna hatte Ebba dazu gebracht, sich als etwas Besonderes zu empfinden.

Nichts bringt zwei Frauen enger zusammen, als Erfahrungen mit ihren verrückten Müttern auszutauschen. Ihre Mütter waren besessen von der Sippe und sammelten Schrott. Inna erzählte vom Küchenschrank ihrer Mutter. Voll gestopft mit altem ostindischem Porzellan, repariert mit Leim und Metallklammern. Und von den vielen Scherben, die um keinen Preis weggeworfen werden durften. Ebba hatte die Bibliothek auf Vikstaholm dagegen angeführt, die kaum noch zu betreten war. Überall standen Stahlregale voller alter Bücher und Handschriften, um die niemand sich kümmern konnte und die allen ein schlechtes Gewissen bereiteten, weil die Bücher ohne Handschuhe angefasst worden waren und weil Wespen an der Zellulose nagten und weil sie jedes Jahr mehr zerfielen.

»Und ich will ihren alten Schrott nicht haben«, hatte Ebba lachend gesagt.

Inna hatte ihr geholfen, der Mutter zu trotzen, die gern gegen eine gewisse finanzielle Entschädigung einen Teil des Kulturerbes losgeworden wäre, der neue Schwiegersohn hatte doch Geld.

Sie war wie eine Schwester und eine beste Freundin, dachte Ebba.

Danach wurde es anders. Als Ebba und Mauri ihr erstes Kind bekamen. Er reiste mehr als früher. Wenn er zu Hause war, saß er die ganze Zeit am Telefon. Oder hing seinen Gedanken nach.

Sie konnte das nicht verstehen. Dass sein eigener Sohn ihm egal zu sein schien.

»Diese Zeit kommt niemals wieder«, sagte sie zu ihm. »Verstehst du das nicht?«

Sie erinnerte sich an die frustrierenden Versuche, ein Gespräch in die Wege zu leiten. Manchmal war sie wütend und vorwurfsvoll. Andere Male ruhig und pädagogisch. Das änderte absolut nichts.

Die Häuser für Inna und Diddi wurden renoviert, und auch sie zogen nach Regla.

Inna verlor gleichzeitig mit Mauri das Interesse an Ebba.

Sie sind auf einer Cocktailparty in der Botschaft der USA. Inna steht auf der Terrasse und unterhält sich mit einer Schar Männer, die ihre Lebensmitte schon hinter sich haben. Sie trägt ein tief ausgeschnittenes Kleid. An ihrem einen Bein ist der schwarze Strumpf zerrissen. Ebba geht zu der Gruppe hinüber, lacht über einen Scherz und flüstert Inna diskret ins Ohr.

»Du hast eine Riesenlaufmasche. Ich hab ein Reservepaar in

der Tasche, komm mit auf die Toilette, dann kannst du sie wechseln.«

Inna wirft ihr einen raschen Blick zu. Der ist ungeduldig und gereizt.

»Sei nicht so unsicher«, zischt sie.

Dann wendet sie ihre Aufmerksamkeit wieder ihren Gesprächspartnern zu und bewegt unmerklich die Schulter, sodass Ebba fast hinter ihrem Rücken landet.

Damit wird sie aus dem Gespräch ausgeschlossen und macht sich auf die Suche nach Mauri. Sie möchte nach Hause zu ihrem Baby. Sie hätte nicht mitkommen dürfen.

Sie hat das seltsame Gefühl, dass Inna sich auf der Damentoilette die Laufmasche ganz bewusst beigebracht hat. Dieser Riss lässt die Damen vor Entsetzen aufkeuchen. Aber den Herren ist es egal. Und Inna ist wie immer offen und zwanglos.

Es ist ein Signal, denkt Ebba. Diese riesige Laufmasche ist ein Signal.

Ebba begreift nur nicht, was für eine Sorte Signal. Und an wen.

Ebba erhob sich, um sich noch eine Tasse Kaffee einzuschenken. In diesem Moment hörten sie den Türklopfer, und Diddis Frau Ulrika sagte in der Diele »hallo«.

Eine Sekunde darauf erschien sie in der Tür. Sie hatte das Baby auf der Hüfte sitzen. Ihre Haare waren zu einem Pferdeschwanz gebunden, damit man nicht sehen konnte, wie ungewaschen sie waren. Ihre Augen waren rot gerändert.

»Habt ihr etwas von Diddi gehört«, fragte sie mit ersterbender Stimme. »Er ist am Montag doch nicht nach Hause gekommen, als ihr in Kiruna wart. Er war seither überhaupt nicht mehr da. Ich habe versucht, ihn anzurufen, aber …«

Sie schüttelte den Kopf.

»Vielleicht sollte ich zur Polizei gehen«, sagte sie.

»Das nun wirklich nicht«, sagte Mauri Kallis, ohne den Blick von der Zeitung abzuwenden. »Das Letzte, was ich brauche, ist diese Art von Aufmerksamkeit. Am Freitagabend kommen die Vertreter vom African Mining Trust…«

»Du bist doch nicht mehr richtig im Kopf«, schrie Ulrika.

Das Kind in ihrem Arm brach in Tränen aus, aber sie schien das nicht zu bemerken.

»Ich habe nichts von ihm gehört, verstehst du? Und Inna ist ermordet worden. Ich weiß, dass ihm etwas passiert ist, das spüre ich. Und du denkst an dein Geschäftsessen!«

»Diese ›Geschäftsessen‹ stellen das Essen auf deinen Tisch und bezahlen das Haus, in dem du wohnst, und den Wagen, den du fährst. Ich weiß, dass Inna tot ist. Werde ich ein besserer Mensch, wenn ich alles fallen lasse und zusehe, wie wir untergehen? Ich tue einfach, was ich kann, um mich und diese Gesellschaft auf den Beinen zu halten. Anders als Diddi. Oder?«

Mikael Wiik starrte in sein Saftglas und stellte sich tot. Ebba Kallis erhob sich.

»Aber, aber«, sagte sie und hörte sich überaus mütterlich an.

Sie ging zu Ulrika und nahm ihr das weinende Kind aus den Armen.

»Er wird bald kommen, da bin ich sicher. Vielleicht muss er eine Weile allein sein. Es war doch ein Schock. Für uns alle.«

Das Letzte sagte sie mit einem Blick auf Mauri, der in seine Zeitung starrte, aber offenbar keine Zeile las.

Wenn ich die Wahl zwischen Pferden und Menschen hätte, dachte Ebba Kallis, dann würde ich keine Sekunde überlegen.

ANNA-MARIA MELLA sah sich in Rebecka Martinssons Büro nach einer Sitzgelegenheit um.

»Schmeiß die auf den Boden«, sagte Rebecka und nickte zu den Unterlagen hinüber, die im Besuchersessel lagen und Platz wegnahmen.

»Zu viel Arbeit«, sagte Anna-Maria resigniert und setzte sich auf die Dokumente. »Es gibt ihn nicht.«

»Den Weihnachtsmann?«

Trotz ihrer Enttäuschung konnte Anna-Maria ein Lächeln nicht unterdrücken.

»Den Typen, der das Auto gemietet hat. Den mit dem hellen Mantel, den die Taucher an der Fundstätte heraufgeholt haben. John McNamara. Den gibt es nicht.«

»In welcher Hinsicht gibt es ihn nicht? Ist er eine pure Erfindung oder ist er tot?«

»Tot. Seit anderthalb Jahren. Und wer immer den Wagen gemietet hat, ist in seine Identität geschlüpft.«

Anna-Maria Mella rieb sich mit der ganzen Hand das Gesicht, auf und ab. Das machte sie ab und zu. Rebecka war fasziniert von dieser Bewegung, bei Frauen kam sie ungeheuer selten vor.

»Dann können wir wohl ein ausgeufertes Sexspiel mit einem Bekannten abschreiben«, sagte Anna-Maria. »Er ist hergekommen, um sie zu töten. Nicht wahr? Warum hätte er sonst eine falsche Identität angeben sollen?«

»Er hieß also nicht John McNamara«, sagte Rebecka. »Aber er war Ausländer?«

»Hat britisches Englisch gesprochen, glaubt der Mann bei

Avis. Und er muss es gewesen sein. Trug einen hellen Mantel wie den, den die Taucher im Wasser gefunden haben.«

Anna-Maria schüttelte den Kopf.

»Das an dem Mantel muss ihr Blut sein. Es kann sich unmöglich um einen Zufall handeln. Wie viele tragen im Winter so einen hellen Sommermantel? Keiner!«

Sie starrte Rebecka an.

»Gut, dass du auf die Idee gekommen bist, unter der Arche Taucher einzusetzen«, sagte sie.

»Die sollten doch das Mobiltelefon suchen«, sagte Rebecka und zuckte bescheiden mit den Schultern. »Und das lag ja nicht da unten.«

Anna-Maria verschränkte die Hände im Nacken, ließ sich im Besuchersessel zurücksinken und schloss die Augen.

»Er hat sie nicht sofort getötet«, sagte sie fast verträumt. »Zuerst hat er sie gefoltert. Hat sie mit Klebeband an einen Küchenstuhl gefesselt und Strom durch ihren Körper gejagt.«

Sie hat sich die Zunge zerbissen, dachte Rebecka.

Anna-Maria öffnete wieder die Augen und beugte sich vor.

»Wir müssen uns entscheiden, welcher Spur wir nachgehen wollen«, sagte sie. »Wir haben nicht die Mittel, um jeder zu folgen.«

»Glaubst du, dass es ein Profi war?«

»Ja, was sollte man sonst glauben?«

»Warum foltert man einen anderen Menschen?«, fragte Rebecka.

»Um ihn zu quälen, weil man ihn hasst«, sagte Anna-Maria.

»Weil man Informationen haben will«, widersprach Rebecka.

»Weil man … warnen will.«

»Mauri Kallis?«

»Warum nicht?«, fragte Anna-Maria. »Erpressung. Tu dies oder das nicht, sonst geht es deiner ganzen Familie so.«

»Entführung«, schlug Rebecka vor. »Und dann haben sie nicht bezahlt?«

Anna-Maria nickte.

»Ich muss noch einmal mit Kallis und seinem Bruder sprechen. Aber wenn es etwas mit der Gesellschaft zu tun hat, werden sie mir ja doch nichts verraten.«

Sie unterbrach sich, lächelte und schüttelte den Kopf.

»Was ist los?«, fragte Rebecka.

»Dieser Typ Mensch. Du weißt, in unserem Beruf stoßen wir doch auf den Jedermann, dem jegliche Begegnung mit der Polizei unheimlich ist. Alle sind irgendwann mal zu schnell gefahren, deshalb gibt es immer diesen mit einer Prise Furcht gewürzten Respekt.«

»Ja?«

»Ja. Oder es sind Gauner, die die Bullen hassen, aber auch bei denen gibt es eine Art Respekt. Dieser Typ Mensch aber. Sie sehen uns anscheinend einfach als primitives Gewürm, das die Straßen sauber zu halten hat, statt sich in ihre Geschäfte einzumischen.«

Anna-Maria schaute auf ihr Telefon, um die Uhrzeit festzustellen.

»Hast du Lust, mit mir Mittag zu essen? Ich wollte ein Wokgericht im alten Tempohaus zu mir nehmen.«

Auf dem Weg zum Ausgang klopfte Anna-Maria Mella an Sven-Erik Stålnackes Bürotür.

»Kommst du mit zum Mittagessen?«

»Warum nicht«, erwiderte Sven-Erik und versuchte zu verbergen, wie sehr er sich freute.

Herrgott, dachte Anna-Maria. Wie einsam mag der wohl wirklich sein? Seit sein Kater verschwunden ist, kommt er mir vor wie eine verwelkte Pflanze.

Morgens hatte sie aus Versehen im Autoradio die Morgenandacht gehört. Jemand hatte über den Wert des Stillseins gesprochen. Über den Wert der Stille.

So eine Andacht muss für viele Menschen doch einen Schlag

ins Gesicht bedeuten, überlegte Anna-Maria. Bei Sven-Erik muss es doch schrecklich still sein, wenn er freihat.

Sie versprach sich selbst, mit der ganzen Gruppe etwas Lustiges zu unternehmen, sowie diese Ermittlung abgeschlossen sein würde. Nicht, dass sie besonders viel Geld für Vergnügen übrig hätte. Aber einen Abend mit Bowling und Pizza müsste sie sich doch leisten können.

Dann dachte sie, dass Sven-Erik schließlich auch selbst vorschlagen könnte, etwas zu unternehmen.

Sie gingen durch den Hjalmar Lundbohmsväg, bogen in die Geologgata ab und betraten dann das alte Tempohaus. Niemand brachte ein Thema auf, über das sie sich unterhalten könnten.

Rebecka ist doch auch ein einsamer Mensch, dachte Anna-Maria weiter. Nein, lieber das Haus voller Teufelsbälger, die ihre Kleider auf dem Boden herumliegen lassen, und einen Mann mit dem Systemfehler, dass er keine Arbeit beenden kann. Wenn er kocht, räumt er danach nichts weg. Räumt er nach dem Essen ab, dann wischt er niemals Tisch oder Spülstein ab.

Aber niemals würde ich mit ihr tauschen, dachte Anna-Maria, als sie ihre Mäntel über die Stuhlrücken im Restaurant hängten und das Tagesgericht bezahlen gingen. Auch wenn sie einen superflachen Bauch hat und all ihre Zeit und Kraft der Arbeit widmen kann. Um das mit der Arbeit könnte ich sie ja doch ab und zu beneiden.

Als Rebecka bei der Staatsanwaltschaft angefangen hatte, waren allerlei Gerüchte aufgekommen. Dass sie Fälle, die sozusagen schon in Gärung übergegangen waren, im Handumdrehen aus der Welt schaffte. Dass sie selber Anklage erhob und alle Vorladungen selber schrieb, um den Damen aus dem Sekretariat in Gällivare die Fahrt nach Kiruna zu ersparen.

Wartet nur, bis die Kinder aus dem Haus sind, dachte Anna-Maria Mella und belud ihren Teller mit Geflügel und Gemüse aus dem Wok und Reis. Dann werde ich ihr gelöste Fälle auf den Schreibtisch kippen.

Ihre Gedanken landeten schuldbewust bei allerlei Fällen, die wegen des Mordes liegen geblieben waren.

Dann riss sie sich zusammen und konzentrierte sich auf Rebecka und Sven-Erik.

Die tauschten Katzengeschichten aus. Sven-Erik hatte gerade von Manne erzählt, jetzt war Rebecka an der Reihe.

»Ja, Himmel, was sind das für Persönlichkeiten«, sagte sie und goss sich Sojasoße über den Reis. »Bei meiner Großmutter hießen sie alle nur ›Miez‹. Aber ich kann mich so gut an sie erinnern. Einmal hatte meine Großmutter zwei Hunde, und mein Vater hatte einen, also hatten wir drei Hunde im Haus. Und wir legten uns eine neue Katze zu, eine ganz junge. Immer, wenn wir Katzenjunge hatten, bekamen sie ihr Futter auf dem Küchentisch. Anfangs hatten sie solche Angst vor den Hunden, dass sie sich nicht auf den Boden trauten. Aber dieser Kleine! Zuerst verzehrte er sein eigenes Futter. Dann sprang er auf den Boden und fraß die Fressnäpfe der Hunde leer.«

Sven-Erik lachte und schaufelte das schärfste Gericht, das auf der Speisekarte gestanden hatte, in sich hinein.

»Das hättest du mal sehen sollen«, sagte Rebecka jetzt. »Wenn er ein Hund gewesen wäre, hätte es einen Kampf gegeben, aber sie wussten einfach nicht, wie sie sich diesem kleinen Wicht gegenüber verhalten sollten. Sie sahen uns an, als ob sie fragen wollten: ›Was macht der denn da? Könnt ihr ihn nicht wegnehmen?‹ Am zweiten Tag griff er den Leithund an. Warf sich mit Todesverachtung auf ihn und blieb an Jussis Halsfell hängen. Und Jussi! Der war einfach so lieb. Und es war unter seiner Würde, diese Mücke auch nur zu bemerken. Er saß da, und der Kater hing an seinem Hals. Der Kater kämpfte wie besessen und strampelte mit den Hinterbeinen. Und Jussi versuchte, seine Würde zu bewahren. Total verzweifelt.«

»›Was macht der denn da? Könnt ihr ihn nicht wegnehmen?‹«, wiederholte Sven-Erik.

Rebecka lachte.

»Genau. Natürlich hat er sich schrecklich den Magen mit diesem Hundefutter verdorben, das er verschlungen hatte, nur um Zoff zu machen. Aber er war doch so klein und konnte noch nicht ins Katzenklo klettern, sondern hat sich total voll gekackt. Mein Vater hat ihn unter dem Wasserhahn abgespült, aber es war wohl noch genug übrig, um *apina-poika* zu stinken. Danach hat der Kleine sich in den größten Hundekorb gelegt, und keiner von den Hunden hat sich getraut, sich zu beschweren, aber neben diesem Stinkstiefel wollten sie auch nicht liegen. Wir hatten zwei Hundekörbe auf dem Gang stehen. Der Kater schlief allein im größeren und schnarchte und war total zufrieden. Die drei großen Hunde quetschten sich in den kleinen Korb und starrten uns verzweifelt an, wenn wir vorübergingen. Dieser Kater hat bis zu seinem Tod über alles geherrscht.«

»Wie ist er gestorben?«, fragte Sven-Erik.

»Weiß nicht, er ist einfach verschwunden.«

»Das ist das Schlimmste«, sagte Sven-Erik und tunkte mit einem Stück Brot die scharfe Soße auf seinem Teller auf. »Hier kommt jedenfalls ein Mensch, der keine Ahnung von Katzen hat.«

Anna-Maria und Rebecka folgten Sven-Eriks Blick und sahen Kommissar Tommy Rantakyrö, der sich ihrem Tisch näherte. Als Sven-Eriks Kater verschwunden war, hatte Tommy sich mit dem trauernden Sven-Erik blöde Witze erlaubt. Aber Tommy lebte in glücklicher Ahnungslosigkeit darüber, dass seine Sünden durchaus nicht verziehen waren.

»Ich wusste ja, dass ich euch hier finden würde«, sagte er.

Er reichte Anna-Maria einige Papiere.

»Inna Wattrangs Mobiltelefonliste«, sagte er.

»Aber«, fügte er hinzu und hob noch ein Papier hoch. »Das war ihr Diensttelefon. Sie hatte auch noch ein privates.«

»Wieso das?«, fragte Anna-Maria und nahm den letzten Ausdruck entgegen.

Tommy Rantakyrö zuckte mit den Schultern.

»Keine Ahnung. Vielleicht durfte sie auf dem Firmenteil keine Privatgespräche führen.«

Rebecka Martinsson lachte.

»Entschuldigt«, sagte sie. »Ich vergesse immer, dass ihr beim Staat angestellt seid. Das bin ich jetzt ja auch, und daran ist nichts auszusetzen. Aber ich meine, was hat sie im Monat verdient? Neunzigtausend, ohne Bonus oder so. Dann hast du einen Job, der dich vereinnahmt. Du musst immer zu erreichen sein, und dass du private Anrufe tätigen kannst, ist da noch das geringste der Privilegien.«

»Warum also?«, fragte Tommy Rantakyrö beleidigt.

»Das Diensttelefon kann von der Firma überprüft werden«, überlegte Anna-Maria. »Sie wollte vielleicht ein Telefon, das garantiert privat war. Ich will Namen, Adresse und Schuhgröße von allen, mit denen sie mit diesem Gerät telefoniert hat.«

Sie wedelte mit der Liste der Privatgespräche.

Tommy Rantakyrö hob Zeige- und Mittelfinger zu einem kleinen Salut, der versprach, dass er diesen Befehl ausführen würde.

Anna-Maria sah sich wieder die Listen an.

»Kein Gespräch am Tag vor dem Mord, wie schade.«

»Was war denn das für ein Anbieter?«, fragte Rebecka Martinsson.

»Comviq«, sagte Anna-Maria. »Dann gibt es da oben kein Netz.«

»Abisko ist doch klein«, sagte Rebecka. »Wenn sie angerufen hat, dann vom Fernsprecher in der Touristenstation. Es wäre vielleicht interessant, die von dort geführten Gespräche mit den beiden Listen zu vergleichen.«

Tommy Rantakyrö machte ein verzweifeltes Gesicht.

»Das können doch Hunderte von Gesprächen sein«, quengelte er.

»Das glaube ich eigentlich nicht«, sagte Rebecka. »Wenn sie am Donnerstag gekommen ist und irgendwann zwischen Donnerstagnachmittag und Samstagmorgen ermordet wurde, dann ist das weniger als zwei Tage, und dann kann es sich nicht um mehr als vielleicht zwei Dutzend Anrufe handeln. Die Leute da oben laufen Ski oder sitzen in der Kneipe, die sitzen nicht in der Telefonzelle, wenn das nicht unbedingt sein muss.«

»Also, stell das fest«, sagte Anna-Maria zu Tommy Ranta-kyrö.

»Aufpassen«, sagte Sven-Erik mit vollem Mund.

Per-Erik Seppälä, ein Mitarbeiter von SVT Norrbotten, kam auf ihren Tisch zu. Anna-Maria drehte die Telefonlisten mit dem Rücken nach oben.

Per-Erik begrüßte alle. Er gönnte sich zwei zusätzliche Sekunden, um Rebecka Martinsson anzusehen. So sah sie also in Wirklichkeit aus. Er wusste, dass sie jetzt wieder in der Gegend lebte und bei den Anklagebehörden arbeitete, aber er war ihr noch nie begegnet. Es fiel ihm schwer, nicht die rote Narbe anzustarren, die sich quer über den Amorbogen von der Lippe zur Nase zog. Damals, vor anderthalb Jahren, war ihr Gesicht ja gründlich zerschunden gewesen. Er hatte selbst eine Reportage gemacht und den Ereignisverlauf rekonstruiert. Der Beitrag war im Nachrichtenmagazin *Aktuell* gesendet worden.

Er ließ Rebecka mit Blicken los und wandte sich an Anna-Maria.

»Hast du eine Minute Zeit?«, fragte er.

»Hör mal, das geht nicht«, sagte Anna-Maria bedauernd. »Wir werden eine Pressekonferenz abhalten, sowie wir etwas wissen, das für die Allgemeinheit von Interesse ist.«

»Nein, nein. Oder ja, es geht um Inna Wattrang. Aber es gibt etwas, das du wissen solltest.«

Anna-Maria nickte zum Zeichen dafür, dass sie zuhörte.

»Nicht hier, bitte«, sagte Per-Erik.

»Ich bin fertig«, sagte Anna-Maria zu den Kollegen und erhob sich.

Sie hatte immerhin die Hälfte verzehren können.

»Ich weiß nicht, ob das … eine Rolle spielt«, sagte Per-Erik Seppälä. »Aber ich muss es dir erzählen. Denn wenn ja, dann … ja, deshalb wollte ich es dir unter vier Augen sagen. Ich will nicht früher sterben als unbedingt nötig.«

Sie gingen durch den Gruvväg, vorbei an der alten Feuerwache. Anna-Maria schwieg.

»Du weißt doch, wer Örjan Bylund war«, sagte Per-Erik Seppälä jetzt.

»Mmm«, sagte Anna-Maria.

Örjan Bylund hatte für die Zeitung *Norrländska Socialdemokraten* gearbeitet. Zwei Tage vor dem Heiligen Abend, seinem zweiundsechzigsten Geburtstag übrigens, war er gestorben.

»Herzinfarkt, nicht wahr?«, fragte Anna-Maria.

»Offiziell ja«, sagte Per-Erik Seppälä. »Aber Tatsache ist, dass er sich das Leben genommen hat. Hat sich in seinem Arbeitszimmer erhängt.«

»Oh«, sagte Anna-Maria.

Es überraschte sie, dass sie davon nichts gehört hatte. Die Kollegen wussten solche Dinge sonst immer.

»Also jedenfalls. Im November hat er erzählt, dass er eine große Sache über Kallis Mining am Laufen hat. Die haben hier in der Gegend doch Konzessionen. Bei Vittangi und in einigen Moorgebieten bei Svappavaara.«

»Weißt du, worum es ging?«

»Nein, aber ich dachte, dass … ich weiß nicht … dass ich es dir sagen sollte. Es ist doch vielleicht kein Zufall, meine ich. Zuerst er und dann Inna Wattrang.«

»Also, es ist schon seltsam, dass ich nichts von seinem Selbstmord wusste. Die Polizei muss doch immer gerufen werden, wenn jemand sich das Leben nimmt …«

»Das weiß ich. Seine Frau wird total außer sich gewesen sein. Sie hat ihn gefunden. Und ihn heruntergeschnitten und den Arzt angerufen. Du weißt schon. In der Stadt kannten ihn doch alle, und es gibt immer so schrecklich viel Gerede. Also rief sie einen befreundeten Arzt an, und der hat einen Totenschein ausgestellt, ohne die Polizei zu verständigen.«

»Aber verdammt noch mal!«, brüllte Anna-Maria Mella. »Dann ist ja auch keine Obduktion vorgenommen worden!«

»Ich wusste nicht, ob ich … aber ich musste es dir doch erzählen. Man denkt doch glatt schon, dass es vielleicht kein Selbstmord war. Wo er bei Kallis Mining herumgeschnüffelt hat und so. Aber ich will Airi keine Probleme machen.«

»Airi?«

»Seine Frau.«

»Klar«, versprach Anna-Maria. »Aber ich muss mit ihr reden.« Sie schüttelte den Kopf. Wie sollten sie das nur alles in den Griff bekommen? Alles zusammenfügen und sich einen Überblick verschaffen? Sie fühlte sich absolut überwältigt von der Menge an Aufgaben.

»Falls du noch mehr erfährst …«, sagte sie.

»Ja, natürlich. Ich habe Inna Wattrang bei einer Pressekonferenz gesehen, die Kallis Mining hier in der Stadt hatte, ehe sie mit einer ihrer hiesigen Gesellschaften an die Börse gegangen sind. Sie besaß eine magnetische Ausstrahlung, ich hoffe, ihr schnappt den Kerl. Aber du! Sei vorsichtig mit Airi!«

Rebecka Martinsson ging ins Büro. Sie fühlte sich so fröhlich. Es hatte gutgetan, nicht wie sonst allein zu Mittag zu essen. Sie schaltete ihren Computer ein. Ihr Herz machte einen Sprung.

E-Mail von Måns Wenngren.

»Wann kommst du?«, fragte er. Das war die ganze Mitteilung.

Zuerst war sie glücklich. Dann dachte sie, wenn sie ihm wirklich wichtig wäre, hätte er ja wohl mehr geschrieben. Dann dachte sie, wenn sie ihm gar nicht wichtig wäre, hätte er sicher überhaupt nicht geschrieben.

»Ein fröhlicher Mensch war er ja nicht. Das weiß ich doch. Er nahm solche Antidepressiva … und manchmal auch Beruhi-

gungsmittel. Aber trotzdem. Ich hätte doch nicht geglaubt…
möchtet ihr aufgebrühten oder Filterkaffee? Mir ist beides
recht.«

Örjan Bylunds Witwe Airi drehte Anna-Maria Mella und
Sven-Erik Stålnacke den Rücken zu und schob Rosinenbrötchen in die Mikrowelle.

Sven-Erik fühlte sich nicht wohl in seiner Haut, ihm gefiel
das gar nicht, an einer Wunde herumzukratzen, die gerade erst
notdürftig verheilt war.

»Hast du den Arzt überredet, nicht die Polizei zu informieren?«, fragte Anna-Maria Mella.

Airi Bylund nickte und kehrte ihnen noch immer den Rücken
zu.

»Du weißt doch, wie hier geredet wird. Ihr dürft Dr. Ernan-
der da keinen Vorwurf machen. Die Verantwortung trage ich
ganz allein.«

»So einfach ist das leider nicht«, sagte Anna-Maria. »Aber wir
wollen wirklich niemandem Probleme machen.«

Sven-Erik sah, wie Airi Bylunds Hand zu ihrer Wange husch-
te und eine Träne wegwischte, die die Gäste nicht sehen sollten. Ihn überkam die Lust, sie in die Arme zu nehmen und zu
trösten. Dann entdeckte er, dass seine Hand Lust verspürte, sich
um diesen schönen breiten Hintern zu legen. Er schämte sich
und verdrängte diese Gedanken, Herrgott, die arme Frau, da
stand sie und beweinte ihren Mann, der sich erhängt hatte.

Sven-Erik fand ihre Küche gemütlich. Auf dem Vinylboden
mit den imitierten Terrakottafliesen lagen mehrere selbstge-
webte Flickenteppiche. An der Wand stand ein Küchensofa, das
ein wenig zu breit und zu weich zum Sitzen war, das aber zu
einem kleinen Nickerchen nach dem Essen einlud. Viele schöne
Kissen lagen darauf, keine kleinen harten Zierkissen.

Ein wenig zu viel Zierkram überall, aber bei Frauen war das
ja oft so, kein freier Fleck. Allerdings sah er auch keine kuriose
Sammlung von Gartenzwergen, Nilpferden oder kleinen Glas-

flaschen. Einmal hatte er mit einer Zeugin gesprochen, deren ganze Wohnung von Streichhölzern aus allen Ecken der Welt geradezu übergequollen war.

In Airi Bylunds Küchenfenster wimmelte es nur so von Topfblumen und Ampeln. Auf der Anrichte standen der Mikrowellenherd und ein Gestell aus Bambuskörben, in denen Pilze und Kräuter getrocknet wurden. An einem Haken hingen winzig kleine Topflappen, die vermutlich ein Enkelkind gehäkelt hatte. Vor der Wand gab es eine Reihe von alten Porzellankrügen mit Deckeln und verschnörkelten Aufschriften: »Mehl«, »Zucker«, »Dörrobst«. Einem fehlte der Deckel, er enthielt Airi Bylunds Quirle und Holzlöffel.

Solche Porzellankrüge mussten etwas an sich haben. Auch Hjördis war verrückt danach gewesen und hatte sie mitgenommen, als sie ihn verlassen hatte. Seine Schwester besaß ebenfalls etliche.

»Hatte er ein Arbeitszimmer?«, fragte Anna-Maria. »Dürfen wir das mal sehen?«

Wenn Airi Bylunds Küche voll gestopft war, dann immerhin auf ordentliche, hübsche Weise. Im Arbeitszimmer ihres verstorbenen Ehemanns lagen herausgerissene Zeitungsartikel und Sachbücher in wackeligen Stapeln auf dem Boden. Auf einem Klapptisch lag ein Puzzlespiel mit tausend Teilen, die Teile waren nach der Farbe sortiert. An der Wand hingen mehrere vollendete Puzzles, die auf Spanplatten geklebt waren. Kleider und eine Wolldecke häuften sich auf einem alten Sofa.

»Ich bin noch nicht dazu gekommen ... oder hatte noch nicht die Kraft«, sagte Airi und zeigte auf das Chaos.

Was für ein Glück, dachte Anna-Maria Mella.

»Wir schicken jemanden her, der Unterlagen und Artikel und solche Dinge abholt«, sagte sie. »Du bekommst alles zurück. Hatte er keinen Computer?«

»Doch, aber den habe ich einem von den Enkeln gegeben.«

Airi sah die Gäste schuldbewusst an.

»Die Zeitung hat nicht gesagt, dass sie ihn zurückhaben wollen, und da…«

»Der Enkel, der den Computer bekommen hat…«

»Axel. Er ist dreizehn.«

Anna-Maria zog ihr Telefon hervor.

»Wie ist seine Nummer?«

Axel war zu Hause. Er erklärte, dass der Computer in gutem Zustand sei und in seinem Zimmer stehe.

»Hast du die Festplatte gelöscht?«, fragte Anna-Maria.

»Nein, die war schon gelöscht. Aber die hat nur zwanzig Gigabyte, und ich wollte so allerlei von Pirate Bay runterladen. Wenn ihr also Opas Rechner möchtet, dann will ich einen neuen, mit 2,1 Gigahertz.«

Anna-Maria musste lachen. Was für ein Krämer!

»Vergiss es«, sagte sie. »Aber wo du so lieb bist, kriegst du ihn zurück, wenn wir fertig sind.«

Als dieses Gespräch beendet war, fragte sie Airi:

»Hast du die Festplatte gelöscht?«

»Nein«, sagte Airi Bylund. »Ich kann nicht einmal das Videogerät programmieren.«

Sie schaute Anna-Maria an.

»Lass dir bloß erklären, wie all diese Geräte funktionieren. Plötzlich ist man allein.«

»Hat irgendwer von der Zeitung etwas an dem Computer gemacht?«

»Nein.«

Anna-Maria wählte Fred Olssons Nummer. Er meldete sich nach dem ersten Klingeln.

»Wenn jemand eine Festplatte gelöscht hat, kann man die Dateien und die Cookies doch wiederherstellen, oder?«

»Sicher«, sagte Fred Olsson. »Falls die nicht geEMPt wurden.«

»Was?«

»Mit elektromagnetischem Puls zerschossen, es gibt Firmen für so was. Bring das Teil her, ich habe einige Programme zur Wiederherstellung von Informationen auf einer Festplatte ...«

»Ich komme«, sagte Anna-Maria. »Bleib nur ja im Büro. Es kann eine Weile dauern.«

Als auch dieses Gespräch beendet war, sah Airi Bylund noch immer nachdenklich aus. Sie öffnete den Mund und machte ihn wieder zu.

»Was ist los?«, fragte Anna-Maria.

»Ach, eigentlich nichts ... Aber als ich ihn gefunden habe. Das war hier im Arbeitszimmer, und deshalb liegt die Deckenlampe da auf dem Bett.«

Anna-Maria und Sven-Erik sahen den Lampenhaken oben an der Decke an.

»Die Zimmertür war geschlossen«, sagte Airi Bylund jetzt. »Aber die Katze war im Zimmer.«

»Ja?«

»Das durfte sie nicht. Wir hatten vor zehn Jahren eine andere Katze, und die ist hier hereingeschlüpft und hat auf seine Papierstapel gepisst. Und auch in seine Lammfellpantoffeln. Seither war für Katzen das Betreten verboten.«

»Vielleicht fand er das nicht mehr so wichtig ...«

»Das dachte ich damals auch«, sagte Airi Bylund.

»Glaubst du, er wurde ermordet?«, fragte Anna-Maria ganz offen.

Airi Bylund schwieg eine Weile.

»Vielleicht hoffe ich das«, sagte sie dann. »Auf irgendeine seltsame Weise. Es ist so schwer zu verstehen.«

Ihre Hand hob sich und legte sich über ihren Mund.

»Aber er war kein fröhlicher Mann. Das war er nie.«

»Du hast also eine Katze«, fragte Sven-Erik, den Anna-Marias Offenheit verlegen machte.

»Sicher.« Airi Bylund lächelte ein wenig. »Sie liegt im Schlafzimmer. Komm mit, dann siehst du etwas Schönes.«

Auf der gehäkelten Tagesdecke des Doppelbettes schlief eine

Katzenmutter, und vier Junge lagen über- und untereinander neben ihr.

Sven-Erik fiel auf die Knie, wie vor einem Altar. Sofort wurde die Katze wach, blieb aber liegen. Ein Junges erwachte ebenfalls und stolperte auf Sven-Erik zu. Es war grau gestreift und hatte um das eine Auge einen fast schwarzen Ring.

»Nicht wahr, der sieht witzig aus«, sagte Airi. »Als ob er eine Schlägerei hinter sich hätte.«

»Hallo, Boxer«, sagte Sven-Erik zu dem Katzenbaby.

Das spazierte furchtlos seinen Arm hoch, nahm die spitzen kleinen Krallen zu Hilfe, um das Gleichgewicht zu bewahren, und wanderte von einer Schulter über den Nacken zur anderen.

»Hallo, Kleiner«, sagte Sven-Erik hingerissen.

»Möchtest du ihn haben?«, fragte Airi Bylund. »Es ist nicht leicht, sie unterzubringen.«

»Nein, nein«, wehrte Sven-Erik ab und spürte zugleich das weiche Fell an seiner Wange.

Das Katzenjunge sprang auf das Bett und weckte eines seiner Geschwister, indem es ihm in die Schwanzwurzel biss.

»Nimm das Tier, dann fahren wir«, sagte Anna-Maria.

Sven-Erik schüttelte energisch den Kopf.

»Nein«, sagte er. »Man ist dann so gebunden.«

Sie bedankten sich für den Kaffee. Airi Bylund brachte sie zur Tür. Ehe sie gingen, fragte Anna-Maria:

»Dein Mann. Ist er eingeäschert worden?«

»Nein, er wurde in einem Sarg begraben. Aber ich habe immer gesagt, dass ich in Taalojärvi verstreut werden möchte.«

»Taalojärvi«, sagte Sven-Erik. »Was war dein Mädchenname?«

»Naka, Tieva.«

»Ach«, sagte Sven-Erik. »Vor ungefähr zwanzig Jahren bin ich mit dem Schneemobil nach Salmi hochgefahren. Ich war unterwegs nach Kattuvuoma. Und kurz vor dem Ort, am Ostufer des Sundes bei Taalojärvi, stand ein kleines Haus. Ich habe angeklopft und nach dem Weg nach Kattuvuoma gefragt, und die Frau, die da wohnte, hat gesagt, ›man fährt direkt über den See und dann über die Moore und dann links, dann ist man in Kattuvuoma.‹ Und wir haben ein bisschen geplaudert, und ich fand sie irgendwie reserviert, aber dann habe ich mich zusammengerissen und Finnisch gesprochen, und schon taute sie auf.«

Airi Bylund lachte.

»Natürlich, bestimmt hat sie dich für einen Rousku gehalten, einen Schweden.«

»Genau. Als ich mich dann auf das Schneemobil setzte und losfahren wollte, fragte sie: ›Aber wo kommst du denn her, und wer bist du, dass du Finnisch sprechen kannst?‹ Also erzählte ich, dass ich Valfrid Stålnackes Sohn aus Laukkuluspa bin. ›Voi hyvänen aika‹, sagte sie und schlug die Hände zusammen. Du liebe Zeit. ›Dann sind wir doch verwandt, Junge. Da darfst du aber nicht über den See fahren. Da steht zu viel Wasser drauf, das ist gefährlich. Fahr am Ufer entlang.‹

Sven-Erik lachte.

»Sie hieß Tieva. War das deine Großmutter?«

»Was für ein Unfug«, sagte Airi Bylund und errötete. »Das war meine Mutter.«

Als sie aus dem Haus kamen, marschierte Anna-Maria los wie ein Soldat. Sven-Erik lief hinter ihr her.

»Holen wir den Computer?«, fragte er.

»Ich lass ihn ausgraben«, sagte Anna-Maria.

»Es ist doch mitten im Winter. Der Boden ist hart gefroren.«

»Das ist mir scheißegal. Ich will, dass du Örjan Bylunds Leiche raufholst. Pohjanen muss obduzieren. Wo willst du hin?«

Sven-Erik hatte auf dem Absatz kehrtgemacht und war unterwegs zurück zu Airi Bylunds Haus.

»Ich werde Airi Bylund informieren«, sagte er. »Das ist doch selbstverständlich. Fahr du schon mal. Wir sehen uns auf der Wache.«

Rebecka Martinsson kam gegen sechs Uhr abends nach Hause. Der Himmel hatte sich bewölkt, und die Dämmerung setzte ein. Als sie auf dem Hofplatz vor ihrem grauen Eternithaus aus dem Auto stieg, fing es an zu schneien. Flaumleichte Sterne, die glitzerten, als sie im Schein der Lampen an Stallwand und Haustür nach unten rieselten.

Rebecka blieb stehen, streckte die Zunge heraus, breitete die Arme aus, kehrte ihr Gesicht nach oben, schloss die Augen, sie spürte, wie die weichen Flocken auf ihren Wimpern und auf ihrer Zunge landeten. Aber es fühlte sich anders an als früher, als sie klein war. Das war, wie Engel in den Schnee zu malen, auch das war phantastisch, wenn man Kind war. Wenn man es später noch einmal versuchte, bekam man nur Schnee in den Kragen.

Er ist nichts für mich, dachte sie, öffnete die Augen wieder und schaute hinunter zum Fluss, der sich jetzt in Dunkelheit hüllte, in einigen Häusern auf der anderen Seite der Bucht brannte Licht.

Er denkt nicht an mich, dass er E-Mails schreibt, hat nichts zu bedeuten.

Im Laufe des Nachmittags hatte sie sicher zwanzig Mails an Måns Wenngren geschrieben und sie dann allesamt gelöscht. Sie wollte nicht zu eifrig wirken.

Vergiss es, versuchte sie sich zu ermahnen. Er hat kein Interesse.

Aber ihr Herz setzte sich trotzig zur Wehr.

Doch, sagte es und legte ihr Bilder vor, die sie sich ansehen sollte. Måns und Rebecka im Ruderboot. Sie rudert. Er lässt eine

Hand ins Wasser hängen. Er hat die Ärmel seines weißen Bürohemdes aufgekrempelt. Sein Gesicht ist weich und entspannt. Danach: Rebecka auf dem Boden, in der Kammer vor dem Kamin. Måns zwischen ihren Beinen.

Als sie sich auszog, um das Bürokostüm durch Jeans und Pullover zu ersetzen, musterte sie sich im Spiegel. Blass und dünn. Die Brüste waren zu klein. Und hatten sie nicht eine reichlich seltsame Form? Nicht wie zwei kleine Hügel, sondern eher wie zwei umgedrehte Eistüten. Sie fühlte sich plötzlich schrecklich verlegen und fremd diesem Körper gegenüber, den keiner wollte und in dem kein Kind hatte heranwachsen dürfen. Sie zog sich ganz schnell wieder an.

Sie goss sich einen Whisky ein, setzte sich an den alten Klapptisch ihrer Großmutter in der Küche, trank größere Schlucke als sonst. Der Whisky landete warm in ihrem Magen, und die Gedanken hörten auf, in ihrem Kopf so entsetzlich zu bohren.

Zuletzt richtig verliebt gewesen war sie… in Thomas Söderberg, und das müsste doch einiges über ihre Fähigkeit bei der Auswahl von Männern verraten. Daran wollte sie also lieber nicht denken.

Seither hatte sie durchaus den einen oder anderen Liebhaber gehabt, allesamt Kommilitonen. Keinen, den sie sich selbst ausgesucht hatte. Sie hatte sich zum Essen einladen und küssen lassen und war dann im Bett gelandet. Trist und vorhersagbar schon von Anfang an. Sie hatte sie alle verachtet, weil sie solche Milchbubis waren, die Knaben aus der Mittelklasse, allesamt überzeugt davon, dass sie bessere Noten bekommen würden als Rebecka, wenn sie sich nur Mühe gäben. Sie verachtete ihren lächerlichen Aufruhr gegen ihre Eltern, der in mäßigem Drogenkonsum und etwas weniger mäßigem Konsum von Alkohol bestand. Sie verachtete ihre Illusion, anders zu sein. Sie verachtete sogar ihre Verachtung des Spießertums, ehe sie selbst anfingen zu arbeiten und heirateten und selbst Spießer wurden.

Und jetzt Måns. Man nehme vornehmes Internat, erlesene

Kunst, Arroganz, Alkohol und juristische Schärfe, gieße alles in einen Männerkörper und rühre sorgfältig um.

Papa konnte sein Glück sicher nicht glauben, als Mama sich für ihn entschied. So stellte sie sich vor, wie es gewesen sein musste. Mama entschied sich für Papa, wie man eine Frucht von einem Baum pflückt.

Rebecka überkam die plötzliche Lust, sich Bilder von der Mutter anzusehen. Nach Großmutters Tod hatte sie alle Bilder der Mutter aus dem Fotoalbum der Großmutter gerissen.

Sie stieg in ihre Stiefel und lief hinüber zu Sivving.

Unten in Sivvings Heizungskeller hing noch der schwere Geruch von Würstchen. Im Regal an der Wand standen ein frisch gespülter Teller, ein Glas und ein Aluminiumtopf umgedreht auf einem rot karierten Küchenhandtuch. Sivving lag auf dem aufgeschlagenen Bett und schlief mit der Zeitung über dem Gesicht. In seiner einen Wollsocke klaffte ein großes Loch. Rebecka fühlte sich seltsam gerührt, als sie ihn sah.

Bella sprang auf und hätte vor Glück über diesen Besuch fast den Stuhl umgestoßen. Rebecka kraulte sie, und das rhythmische Klopfen von Bellas Schwanz gegen den Küchentisch und ihr entzücktes Fiepen weckten Sivving auf.

»Rebecka«, sagte er erfreut. »Hast du schon Kaffee getrunken?«

Sie nahm dankend an, und während er Kaffee in den Kessel gab, brachte sie ihren Wunsch vor.

Sivving ging die Treppe hoch und kehrte nach einer Weile mit zwei Alben unter dem Arm zurück.

»Sicher gibt es Bilder von deiner Mutter«, sagte er. »Aber die meisten sind natürlich von Maj-Lis und den Kindern.«

Rebecka sah sich die Bilder von der Mutter an. Auf einem saßen Maj-Lis und die Mutter im Spätwinterschnee auf einem Rentierfell, sie hatten die Augen zusammengekniffen und lächelten in die Kamera.

»Wir sehen uns ähnlich«, sagte Rebecka.

»Ja«, gab Sivving zu.

»Wie haben sie und Papa sich kennengelernt?«

»Das weiß ich nicht. Aber bestimmt war es beim Tanz. Er war wirklich ein guter Tänzer, dein Vater. Wenn er sich nur getraut hat.«

Rebecka versuchte, dieses Bild vor sich zu sehen. Mama in Papas Armen auf dem Tanzboden. Papa, mit Selbstvertrauen, das er aus einer Flasche geholt hatte, ließ die Hand über ihren Rücken wandern.

Ein altbekanntes Gefühl erfüllte sie, als sie sich die Bilder ansah. Eine seltsame Mischung aus Schuldgefühlen und Zorn. Zorn als Gegengift gegen das herablassende Mitleid der Leute aus dem Dorf.

Sie nannten Rebecka über ihren Kopf hinweg das »arme Mädchen«. *Piika riepu.* Ein Segen, dass sie immerhin die Großmutter habe, hieß es. Aber wie lange werde Theresa Martinsson noch durchhalten? Das sei doch die Frage. Fehler und Mängel hätten ja alle. Aber sich nicht um das eigene Kind kümmern zu können…

Sivving musterte sie von der Seite.

»Maj-Lis hatte deine Mutter sehr gern«, sagte er.

»Wirklich?«

Rebecka hörte, dass ihre Stimme nur noch ein Flüstern war.

»Sie hatten immer viel zu bereden, saßen hier am Küchentisch und lachten.«

Sicher, dachte Rebecka. Ich kann mich auch an diese Mama erinnern. Sie suchte nach einem Foto, auf dem die Mutter nicht posierte. Auf dem sie nicht ihre vorteilhaftere Seite zur Kamera drehte und lächelte.

Der pure Filmstar, nach den Maßstäben von Kurravaara.

Zwei Erinnerungen:

Erste Erinnerung; Rebecka erwacht am Morgen in der Zweizimmerwohnung in der Stadt. Sie wohnen nicht mehr in Kurravaara. Papa haust noch immer im Erdgeschoss im Haus der

Großmutter. Es ist praktischer, wenn Rebecka mit Mama in der Stadt wohnt, ist ihr gesagt worden. Näher bei der Schule und überhaupt. Sie erwacht, und alles riecht frisch geputzt. Strahlend sauber. Außerdem hat Mama die ganze Wohnung ummöbliert. Das einzige Möbelstück, das noch an seinem alten Platz steht, ist Rebeckas Bett. Auf dem Tisch steht das Frühstück. Frischgebackene Scones. Mama steht auf dem Balkon, raucht und sieht froh aus.

Sie muss die ganze Nacht Möbel herumgeschleppt und geputzt haben. Was werden die Nachbarn denken?

Rebecka schlüpft wie eine Katze die Treppe hinunter und hält den Blick gesenkt. Wenn Laila im Erdgeschoss die Tür öffnet, wird Rebecka vor Scham sterben.

Zweite Erinnerung. Die Lehrerin sagt: Setzt euch zu zweit zusammen.

Petra: Ich will nicht neben Rebecka sitzen.

Lehrerin: Was ist das für eine Frechheit?

Die Klasse spitzt die Ohren. Rebecka starrt ihre Tischplatte an.

Petra: Die stinkt nach Pipi.

Das liegt daran, dass sie in der Wohnung keinen Strom haben. Der ist abgesperrt worden. Es ist September, deshalb brauchen sie nicht zu frieren, aber die Waschmaschine lässt sich eben nicht benutzen.

Als Rebecka nach Hause kommt und weint, wird Mama böse. Sie schleift Rebecka zur Post und staucht dort das Personal zusammen. Es hilft nichts, dass die Angestellten ihr klarzumachen versuchen, dass sie sich an die Stromgesellschaft wenden muss, dass sie mit der Sache nichts zu tun haben.

Rebecka sah sich die Bilder von der Mutter an. Ihr ging auf, dass die Mutter damals ungefähr so alt war wie Rebecka jetzt.

Sie hat sicher ihr Bestes getan, dachte sie.

Sie betrachtete die lächelnde Frau auf dem Rentierfell und fühlte sich plötzlich versöhnlich. Etwas in ihr schien zur Ruhe zu kommen. Vielleicht war es die Erkenntnis, dass ihre Mutter gar nicht so alt war.

Was wäre ich denn für eine Mutter geworden, wenn ich mich dafür entschieden hätte, mein Kind zur Welt zu bringen, überlegte Rebecka. Großer Gott!

Und danach hat Mama mich in den Phasen, wenn sie nichts schaffte, bei Oma abgeladen. Auch in den Sommerferien war ich hier in Kurra.

Und hier waren doch alle Kinder dreckig, dachte sie. Bestimmt stanken wir allesamt nach Pipi.

Sivving riss sie aus ihren Gedanken.

»Hör mal, du kannst mir vielleicht helfen …«, begann er.

Er sorgte immer dafür, dass sie beschäftigt war. Rebecka hatte den Verdacht, dass er ihre Hilfe gar nicht so sehr brauchte, sondern eher glaubte, ihr helfe es. Und dass ein bisschen körperliche Arbeit sie vor ihren Grübeleien retten könne.

Jetzt sollte sie aufs Dach klettern, um auf einem Vorsprung Schnee zu räumen.

»Weißt du, der kann doch jederzeit herunterbrechen, und dann steht Bella vielleicht gerade darunter. Oder ich, wenn ich nicht aufpasse.«

In der abendlichen Dunkelheit kletterte sie auf Sivvings Dach. Die Lampen auf Sivvings Hofplatz waren keine große Hilfe. Es schneite. Und der alte Schnee darunter war hart und glatt. Seil um den Leib und Spaten in der Hand. Sivving hatte auch einen Spaten, aber nur, um sich darauf zu stützen. Er zeigte und rief gute Ratschläge und Befehle. Rebecka machte alles auf ihre Weise und ärgerte sich, weil seine Vorschläge doch besser waren. Alles war so zwischen ihnen, wie es sein sollte. Sie war in Schweiß gebadet, als sie wieder nach unten kletterte.

Aber es half nichts. Als sie zu Hause unter die Dusche ging, waren die Gedanken an Måns wieder da. Sie schaute auf die Uhr. Es war erst neun.

Sie brauchte mehr Arbeit für ihren Kopf. Also konnte sie sich auch gleich an den Computer setzen und weitere Informationen über Inna Wattrang einholen.

Um Viertel vor zehn wurde an Rebeckas Haustür geklopft. Von draußen war Anna-Maria Mellas Stimme zu hören.

»Hallo? Jemand zu Hause?«

Rebecka öffnete die Tür zum oberen Gang und rief:

»Hier oben!«

»Es gibt den Weihnachtsmann!«, keuchte Anna-Maria, als sie die Treppe hochstieg.

Sie trug einen Bananenkarton. Rebecka dachte an den Witz vom Morgen und lachte.

»Ich war auch ganz brav«, beteuerte sie.

Anna-Maria lachte ebenfalls. Sie kam mit Rebecka wirklich gut zurecht, jetzt, da sie zusammen am Mordfall Inna Wattrang arbeiteten.

»Das hier sind Papiere und alles Mögliche aus Örjan Bylunds Computer«, sagte Anna-Maria ein wenig später und nickte zu dem Bananenkarton hinüber.

Sie setzte sich an den Küchentisch und erzählte von dem toten Journalisten, während Rebecka Kaffee kochte.

»Er hat einem Kollegen gesagt, dass er an einer Sache über Kallis Mining arbeitete. Anderthalb Monate darauf ist er dann gestorben.«

Rebecka drehte sich um.

»Und wie?«

»Hat sich zu Hause in seinem Arbeitszimmer aufgehängt. Wobei ich mir da nicht so verdammt sicher bin. Ich habe die Erlaubnis beantragt, ihn auszugraben und zu obduzieren. Ich hoffe nur, die Erlaubnis trifft bald ein. Hier.«

Sie legte einen Memorystick auf den Tisch.

»Der Inhalt von Örjan Bylunds Computer. Die Festplatte war gelöscht, aber Fred Olsson hat das in Ordnung gebracht.«

Anna-Maria Mella sah sich um. Es war eine sehr gemütliche Küche. Schlichte Bauernmöbel, einige Teile aus den Vierziger- und Fünfzigerjahren. Eine Menge Brettchen in bestickten Behältern. Hübsch und ein wenig altmodisch. Anna-Maria musste an ihre Großmutter denken, daran, wie es bei der zu Hause ausgesehen hatte.

»Du hast es aber schön hier«, sagte sie.

Rebecka schenkte sich Kaffee ein.

»Danke. Den musst du schwarz trinken.«

Rebecka sah sich in ihrer eigenen Küche um. Sie gefiel ihr auch. Es war kein Mausoleum für die Großmutter, aber Rebecka hatte doch fast alles behalten. Als sie hierhergezogen war, hatte sie ganz deutlich gespürt, dass es ihr so am liebsten war. Sie hatte in ihrer Wohnung in Stockholm gestanden, als sie aus der Psychiatrie entlassen worden war, und sich umgesehen. Hatte ihre Ameisenstühle von Jacobsen und ihre PH-Lampen betrachtet. Das italienische Sofa von Asplund, das sie sich anlässlich ihrer Aufnahme in die Anwaltskammer geschenkt hatte. Das bin ich nicht, hatte sie gedacht. Und dann hatte sie alles zusammen mit der Wohnung verkauft.

»Es gibt eine Überweisung an Inna Wattrang, die ich gern überprüfen möchte«, sagte Rebecka zu Anna-Maria. »Jemand hat zweihunderttausend auf ihr Privatkonto eingezahlt.«

»Ja, bitte«, sagte Anna-Maria. »Morgen?«

Rebecka nickte.

Es war einfach wunderbar, fand Anna-Maria. Es gab doch alle diese Dinge, die man nicht schaffte. Vielleicht sollte sie auch Rebecka zu dem Bowlingabend einladen. Dann könnte sie mit Sven-Erik über Katzen reden.

»Eigentlich bin ich dafür zu alt«, sagte Anna-Maria mit einem Blick auf ihre Kaffeetasse. »Wenn ich jetzt abends Kaffee trinke, werde ich nachts wach, und meine Gedanken…«

Sie machte mit der Hand eine wirbelnde Kreisbewegung, um zu zeigen, wie die Gedanken ihr durch den Kopf jagten.

»Geht mir auch so«, gab Rebecka zu.

Sie lachten, weil sie trotzdem Kaffee tranken, einfach, um sich einander anzunähern.

Draußen fiel weiterhin der Schnee.

Donnerstag, 20. März 2005

Es schneite die ganze Nacht zum Donnerstag. Aber gegen Morgen hörte es dann auf, es wurde klar und sonnig. Nur drei Grad unter null. Um Viertel nach neun Uhr morgens wurde Örjan Bylunds Sarg ausgegraben. Schon am Vorabend hatten die Friedhofsarbeiter den Schnee entfernt und ein Wärmeaggregat auf das Grab gestellt.

Anna-Maria hatte sich deshalb mit ihnen gestritten.

»Das muss der Regierungsdirektor entscheiden«, hatte es geheißen.

»Der entscheidet, ob der Leichnam ausgegraben wird, ja«, hatte Anna-Maria geantwortet. »Ich will ja auch nur, dass ihr jetzt das Wärmeaggregat aufstellt, damit ihr ihn ganz schnell rausholen könnt, wenn die Erlaubnis dazu erteilt wird.«

Jetzt hatten sie den Bodenfrost aufgelöst und gruben den Sarg mit dem kleinen Bagger des Friedhofs aus.

Ein knappes Dutzend Fotografen hatte sich eingestellt. Anna-Maria sah sie an, und schuldbewusst gingen ihre Gedanken zu Airi Bylund.

Aber ich bin ja schließlich mit einer Mordermittlung beschäftigt, dachte sie. Und die da wollen nur Schlagzeilen.

Und die bekamen sie auch. Das Loch mit den Erdklumpen, die traurigen Reste der Rosen, der schwarze Sarg. Und über allem der leuchtende Spätwinter, der Neuschnee und der Sonnenschein.

Gerichtsmediziner Lars Pohjanen und seine Obduktionstechnikerin Anna Granlund warteten im Krankenhaus, um den Leichnam in Empfang zu nehmen.

Anna-Maria Mella schaute auf die Uhr.

»Eine halbe Stunde«, sagte sie zu Sven-Erik. »Dann rufen wir an und fragen, wie weit er gekommen ist.«

In diesem Moment brummte das Mobiltelefon in ihrer Tasche. Es war Rebecka Martinsson.

»Ich habe die Überweisung auf Inna Wattrangs Konto überprüft«, sagte sie. »Und die scheint interessant zu sein. Am 15. Januar ist jemand in eine kleine Enskilda-Filiale in der Hantverkargata in Stockholm gegangen und hat zweihunderttausend Kronen eingezahlt. Auf den Überweisungsschein hat dieser Jemand geschrieben: Nicht für dein Schweigen.«

»Nicht für dein Schweigen«, wiederholte Anna-Maria. »Diese Überweisung möchte ich sehen.«

»Ich habe sie gebeten, sie einzuscannen und dir zu schicken, also, ruf deine Mails ab, wenn du ins Büro kommst«, sagte Rebecka.

»Kündige bei der Staatsanwaltschaft, und komm lieber zu uns«, rief Anna-Maria. »Geld ist nicht alles.«

Rebecka lachte am anderen Ende der Leitung.

»Ich muss los«, sagte sie. »Ich muss ins Gericht.«

»Schon wieder? Warst du nicht Montag und Dienstag schon da?«

»Mmm ... das liegt an Gudrun Haapalahti im Sekretariat. Die schickt die anderen nicht mehr hin.«

»Du musst dich wehren«, sagte Anna-Maria in dem Versuch, sich nützlich zu machen.

»Lieber sterbe ich«, sagte Rebecka lachend. »Bis dann.«

Anna-Maria sah Sven-Erik an.

»Jetzt pass mal auf«, sagte sie.

Sie rief Tommy Rantakyrö an.

»Kannst du etwas für mich überprüfen?«, fragte sie, und ohne auf eine Antwort zu warten, fügte sie dann hinzu:

»Stell fest, ob irgendeine der Personen, mit denen Inna Wattrang mit ihren zwei Mobiltelefonen gesprochen hat, in der Nähe der Enskilda-Filiale in der Hantverkargata in Stockholm wohnt oder arbeitet.«

»Wie bin ich nur in diese Telefonhölle geraten«, jammerte Tommy Rantakyrö. »Wie weit zurück soll ich das überprüfen?«

»Ein halbes Jahr?«

Vom anderen Ende der Leitung her war ein Stöhnen zu hören.

»Sieh dir zuerst den November an. Die Überweisung auf ihr Konto wurde am 15. Januar getätigt.«

»Übrigens wollte ich dich gerade anrufen«, sagte Tommy Rantakyrö, ehe Anna-Maria auflegen konnte.

»Ja?«

»Irgendwer, und ich meine, das muss sie gewesen sein, hat am späten Donnerstagabend zu Hause bei Diddi Wattrang angerufen, also bei ihrem Bruder.«

»Mir hat er gesagt, dass er nicht wusste, wo sie war«, sagte Anna-Maria.

»Das Gespräch hat genau vier Minuten und dreiundzwanzig Sekunden gedauert. Ich glaube, er lügt, was glaubst du?«

Mauri Kallis stand oben in seinem Arbeitszimmer und schaute auf den Hofplatz hinunter.

Seine Frau Ebba ging über den weißen Kies. Die Kappe unter dem Arm und den neuen Araberhengst in festem Griff. Der Rappe glänzte vor Schweiß. Er hatte den Kopf müde und zufrieden gesenkt.

Ulrika Wattrang kam aus der anderen Richtung. Sie hatte ihren kleinen Sohn nicht bei sich. Der war sicher mit dem Kindermädchen zu Hause.

Fraglich, ob Diddi inzwischen nach Hause gekommen war. Für Mauri spielte das keine Rolle. Er würde die Besprechung mit dem African Mining Trust ohne Diddi genauso gut schaffen. Besser. Im Moment war auf Diddi kein Verlass. Außerdem hätte Mauri Diddis Posten jetzt auch einem Affen übertragen können. Es waren keine Anstrengungen mehr vonnöten, um Investoren für Mauris Projekte zu besorgen. Jetzt, da sie den Glauben an IT-Aktien verloren hatten und Chinas Appetit unersättlich schien, standen die Interessenten Schlange.

Er würde sich Diddis entledigen. Es war nur eine Frage der Zeit, dann würden Diddi, seine Frau und der kleine Prinz ihre Habseligkeiten einpacken und sich dahin scheren können, wo der Pfeffer wächst.

Jetzt blieb Ulrika stehen und sprach mit Ebba.

Ebba schaute kurz zu Mauris Fenster hoch, und er wich rasch hinter den Vorhang zurück. Der bewegte sich ein wenig, aber das war von unten sicher nicht zu sehen.

Sie ist mir egal, dachte er hasserfüllt über Ebba.

Als sie getrennte Schlafzimmer vorgeschlagen hatte, hatte er das ohne weitere Diskussionen akzeptiert. Es war wohl ein letzter Versuch gewesen, einen Konflikt zu provozieren, aber Mauri hatte sich nur erleichtert gefühlt. Jetzt brauchte er nicht mehr so zu tun, als hörte er ihr Weinen nicht, wenn sie ihm im Bett den Rücken zukehrte.

Und Diddi ist mir auch egal, dachte er. Ich kann mich nicht einmal daran erinnern, was ich an ihm so phantastisch gefunden habe.

Inna war mir nicht egal, dachte er dann.

Es schneit. Noch zwei Wochen bis zum Heiligen Abend. Mauri und Diddi besuchen nun seit drei Jahren die Handelshochschule. Mauri arbeitet schon in Teilzeit in einer Maklerfirma. Er verfolgt als kleines Spezialinteresse den Rohstoffhandel. Es werden noch siebzehn Jahre vergehen, ehe er auf der Titelseite von *Business Week* landet.

Die Gegend um den Stureplan sieht aus wie ein Werbefilm. Oder wie ein Spielzeug, eine mit Wasser gefüllte Plastikhalbkugel, in der es schneit, wenn man sie schüttelt.

Schöne Frauen trinken in den Arkaden Café au lait und Espresso, auf dem Boden neben ihnen stehen mit Paketen gefüllte Tüten von NK. Draußen rieselt der Schnee.

Kleine Mädchen und Jungen in Mänteln und Dufflecoats, Miniaturerwachsene, halten ihre gut angezogenen Eltern an den Händen und gehen fast rückwärts, um die Weihnachtsdekoration in allen Fenstern zu sehen. Diddi macht sich über die Weihnachtsausstellung auf Östermalm lustig.

»Die haben einen Londonkomplex«, sagt er.

Sie sind auf dem Weg ins Riche. Mit angenehmer Festpromille, obwohl es erst Viertel nach sechs Uhr abends ist. Aber jetzt kommt ihre Weihnachtsfeier, das haben sie so entschieden.

An der Kreuzung Birger Jarlsgata und Grev Turegata stoßen sie auf Inna.

Sie kommt Arm in Arm mit einem älteren Mann auf sie zu. Einem viel älteren. Er ist auf Altmännerweise knochig. Der Tod verschafft sich in seinem Aussehen Geltung, durch das Skelett, das von innen her durch die Haut dringt und sagt: Bald bin nur noch ich da. Seine Haut kann nicht mehr viel Widerstand leisten. Unelastisch spannt sie sich über seine Stirn, wo der Schädel sich vorwölbt. Die Wangenknochen ragen über die eingefallenen Wangen. An den Handgelenken sitzen deutliche Knoten.

Erst nachher fällt Mauri ein, dass Diddi natürlich grußlos vorübergegangen wäre, aber Mauri bleibt stehen, und das macht eine Vorstellung notwendig.

Inna zeigt nicht die geringste Verlegenheit. Ihr Lächeln und ihre Augen sehen immer aus, als ob sie eine freudige Überraschung auf Lager hätte.

»Das ist Ecke«, sagt sie und drückt sich zärtlich an ihn.

All diese Kosenamen in Oberklasse und Adel. Mauri staunt immer von Neuem darüber. Es gibt Noppe und Boppe und Guggu. Inna heißt eigentlich Honorine. Und William wird niemals Wille, während aus Walter immer Walle wird.

Aus einem teuren, aber leicht verschlissenen Wollmantel streckt ihnen der Mann eine knochige Hand voller brauner Altersflecken entgegen. Mauri ekelt sich bei dieser Berührung. Er unterdrückt den Impuls, an der Hand zu schnuppern, um festzustellen, ob sie schmutzig riecht.

»Ich versteh das nicht«, sagt er zu Diddi, als sie sich von Inna und ihrem Begleiter verabschiedet haben. »Ist das wirklich Ecke?«

Inna hatte ihn einige Male erwähnt. Sie kann nicht mitkommen, weil sie mit Ecke aufs Land fährt, sie und Ecke haben diesen oder jenen Film gesehen. Mauri hat sich einen Mann aus der Oberklasse mit nach hinten gegelten blonden Haaren vorgestellt. Ab und zu hat er gedacht, dass Ecke vielleicht verheiratet ist, weil sie ihn niemals treffen und weil Inna so schweigsam ist. Aber sie ist immer schweigsam, wenn es um ihre Liebhaber geht.

Mauri hat sich schon gedacht, dass diese Liebhaber vermutlich älter sind und Inna mit ihrem Bruder und Mauri keine Gemeinsamkeiten zu haben scheint, mit kleinen Jungs, die noch zur Schule gehen. Aber gleich so viel älter!

Als Diddi keine Antwort gibt, fügt Mauri hinzu:

»Das ist doch ein Greis! Was findet sie denn bloß an dem?«

Und dann sagt Diddi, leichthin, aber Mauri kann hören, wie er sich an seine Sorglosigkeit klammert, wie die ihm zu entgleiten droht, auch wenn er sich daran festhält, weil sie das Einzige ist, woran er sich festhalten kann:

»Du bist wirklich naiv.«

Sie bleiben vor dem Riche auf der Straße stehen, in dieser Weihnachtskarte. Diddi schnippt seine Zigarette in den Schnee und starrt Mauri an.

Jetzt küsst er mich, denkt Mauri und kann gar nicht schnell genug herausfinden, ob ihm das Angst macht oder nicht, da ist der Augenblick auch schon verflogen.

Ein andermal. Ebenfalls Winter. Ebenfalls Schnee. Und Inna hat einen guten Bekannten, wie sie das nennt. Aber es ist ein anderer. Mit Ecke ist schon lange Schluss. Sie wird diesen Mann zum Nobelbankett begleiten, und Diddi beschließt, dass er und Mauri mit einer Flasche Champagner in Innas Einzimmerwohnung in der Linnégata gehen müssen, um ihr beim Reißverschluss an ihrem Kleid zu helfen.

Sie sieht einfach phantastisch aus, als sie aufmacht. Mohnrotes Kleid und feuchte Lippen in derselben Farbe.

»Okay?«, fragt sie.

Aber Mauri bringt einfach keine Antwort heraus. Er lernt, was das Wort »atemlos« bedeutet. Er schwenkt die Champagnerflasche und verschwindet in der Kochnische, um seine Gefühle zu verbergen und Gläser zu holen.

Als er zurückkommt, sitzt sie an dem kleinen Tisch und trägt noch mehr Wimperntusche auf. Diddi steht hinter ihr. Er beugt sich über sie, stützt sich mit einer Hand auf die Tischplatte. Die andere Hand ist unter ihr Kleid geglitten und liebkost ihre Brüste.

Beide sehen Mauri an und warten auf seine Reaktion. Diddi hebt unmerklich eine Augenbraue, lässt seine Hand aber liegen.

Inna lächelt, als wäre das alles ein Scherz.

Mauri verzieht keine Miene. Drei Sekunden lang steht er ausdruckslos da, hat das feinmaschige Netz der Muskelfasern in seinem Gesicht total unter Kontrolle. Als die drei Sekunden verstrichen sind, hebt er leicht die Augenbraue zu einer unbeschreiblich dekadenten Miene, ein zweiter Oscar Wilde, und sagt: »Mein Junge, wenn du eine Hand frei hast, dann habe ich ein Glas für dich. Prost!«

Sie lächeln. Er gehört wirklich zu ihnen.

Und sie trinken aus ihren geerbten Champagnergläsern.

Ebba Kallis und Ulrika Wattrang trafen sich auf dem Hofplatz vor dem Herrenhaus. Ebba schaute zu Mauris Fenster hoch. Der Vorhang bewegte sich.

»Hast du etwas von Diddi gehört?«, fragte Ebba.

Ulrika Wattrang schüttelte den Kopf.

»Ich mach mir solche Sorgen«, sagte sie. »Ich kann nicht schlafen. Gestern habe ich eine Schlaftablette genommen, und das will ich doch nicht, solange ich stille.«

Echnaton zog ungeduldig an den Zügeln. Er wollte in den Stall, vom Sattel befreit und versorgt werden.

»Er meldet sich bald«, sagte Ebba mechanisch.

Eine Träne drängte sich durch Ulrikas dichte Wimpern. Sie schüttelte hoffnungslos den Kopf.

Ich hab das ja so satt, dachte Ebba. Ich habe ihre Flennerei so satt.

»Vergiss nicht, dass er eine harte Zeit durchmacht«, sagte sie mit einfühlsamer Stimme.

Wie wir alle, dachte sie wütend.

Im vergangenen halben Jahr war Ulrika mehrmals zu ihr gekommen und hatte geweint. »Er weist mich einfach ab, ist weit weg, ich weiß nicht einmal, was er genommen hat, ich dringe in ihn, ob ihm nicht einmal Philip wichtig ist, aber er ...« Und sie hatte das Baby so fest an sich gedrückt, dass es aufgewacht war und untröstlich geweint hatte, und dann hatte Ebba es hin und her tragen müssen.

Echnaton stupste ihren Kopf mit dem Maul an und prustete, dass ihre Haare nur so flogen. Ulrika lachte durch ihre Tränen.

»Der scheint ja total verliebt in dich zu sein«, sagte sie.

Ja, das ist er, dachte Ebba und schielte zu Mauris Fenster hoch. Die Pferde lieben mich.

Gerade diesen Hengst hatte sie für ein Butterbrot und ein Ei bekommen, bedachte man seinen Stammbaum. Nur, weil es teuflisch schwer war, ihn zu reiten. Sie erinnerte sich an ihre Erwartungen, als man ihn aus dem Transporter bugsiert hatte. Geblähte Nüstern und verdrehte Augen in diesem göttlichen schwarzen Kopf. Ein Tritt, vor dem man sich hüten musste. Drei Männer hatten ihn damals festhalten müssen.

»Viel Glück«, hatten die Männer lachend gewünscht, als sie ihn endlich in die Box geschafft hatten und nach Hause fahren konnten, um Weihnachten zu feiern. Der Hengst hatte mit rollenden Augen in der Box gestanden.

Ebba hatte ihn nicht mit Peitsche und straffen Zügeln traktiert. Gemeinsam – als Verbündete – hatten sie ihm selbst den Teufel ausgetrieben. Sie hatte ihn laufen und springen lassen, weit und hoch. Sie hatte ihre Schutzweste angezogen und ihn zur Geschwindigkeit angetrieben, statt ihn zurückzuhalten. Sie waren von Kopf bis Fuß mit Schlamm bedeckt gewesen, als sie zurückgekehrt waren. Eines der Stallmädchen, die Ebba halfen, hatte sie gesehen und gelacht. Echnaton hatte auf vor Müdigkeit zitternden Beinen im Stallgang gestanden. Ebba hatte ihn mit lauwarmem Wasser abgewaschen. Er hatte zufrieden gewiehert und plötzlich die Stirn an sie geschmiegt.

Derzeit hatte sie zwölf Pferde. Sie kaufte Jungtiere und hoffnungslose Fälle und ritt sie zu. Später wollte sie mit ihrer eigenen Zucht anfangen. Mauri lachte immer und sagte, sie kaufe mehr als sie verkaufe. Und sie spielte höflich ihre Rolle als Gattin mit zwei teuren Hobbys. Rassepferde und Hunde.

»Regla gehört dir«, hatte Mauri bei ihrer Hochzeit gesagt.

Als Ausgleich und zur finanziellen Absicherung, weil Kallis Mining nur ihm gehörte.

Aber er kaufte und renovierte Regla mit geliehenem Geld und zahlte diese Darlehen nie zurück.

Wenn sie Mauri verlassen wollte, würde sie auch Regla verlassen müssen. Die Pferde, die Hunde, das Personal, die Nachbarn, ihr ganzes Leben hatte sie hier.

Sie hatte ihre Entscheidung getroffen. Sie lächelte zum Empfang, wenn er seine Familie besuchte. Sie hielt ihn auf dem Laufenden, was Schulbesuch und Interessen der Söhne anging. Sie arrangierte, ohne zu murren, Innas Beerdigung.

Ich bin wie er, dachte Ebba und sah ihr Pferd an. Wir sind Sklaven, es gibt keine Freiheit. Und wenn man immer erschöpft ist, wird man nicht verrückt.

Als sie gerade diesen Gedanken gedacht hatte, kam Ester in großen Sprüngen über den Hofplatz gelaufen.

ANNA-MARIA MELLA schloss am Donnerstag gegen Mittag ihre Haustür auf und sagte, hallo, Haus. Ihr Herz freute sich, als sie sah, dass der Frühstückstisch abgeräumt und sauber war.

Sie füllte einen Teller mit Milch und Cornflakes, schmierte sich ein Leberwurstbrot und wählte danach die Nummer des Gerichtsmediziners Lars Pohjanen.

»Na?«, fragte sie nur, ohne ihren Namen zu nennen, als er sich meldete.

Am anderen Ende der Leitung schien eine Krähe in einem Schornstein festzustecken. Man musste Oberarzt Lars Pohjanen kennen, um zu wissen, dass er lachte.

»Hätähousu.«

»Gib der Hätähousu, was sie will. Woran ist Örjan Bylund gestorben? Hat er sich aufgehängt oder was?«

»Nimmersatt«, Pohjanens Stimme klang plötzlich unzufrieden. »Was ist eigentlich los mit deinen Kollegen? Ihr hättet ihn zur Obduktion herschicken müssen, als ihr ihn damals gefunden habt. Schon komisch, dass die Polizei sich einfach nicht an die Regeln hält. Nur alle anderen sollen das tun.«

Anna-Maria verkniff sich den gereizten Kommentar, dass die Polizei ja niemals gerufen worden war, weil ein Arzt, also ein Kollege von Pohjanen, auf die Vorschriften und Regeln gepfiffen und Herzinfarkt auf den Totenschein geschrieben und die Leiche dem Bestattungsunternehmen überlassen hatte. Es war wichtiger, dass Pohjanen guter Laune war, als dass sie recht behielt.

Sie murmelte etwas, das als Entschuldigung gedeutet werden konnte, und ließ Pohjanen weiterreden.

»Na gut«, sagte der Gerichtsmediziner in freundlicherem Tonfall. »Immerhin gut, dass er im Winter begraben worden ist, das ergibt nicht so große Veränderungen im Weichgewebe. Aber es geht doch schnell, jetzt, wo er aufgetaut ist.«

»Mmm«, antwortete Anna-Maria und biss in ihr Leberwurstbrot.

»Ich kann verstehen, dass es als Selbstmord verbucht worden ist, die äußeren Verletzungen deuten darauf hin. Die Seilspuren um den Hals ... und er war schon heruntergenommen worden, als der Bezirksarzt ihn gesehen hat, nicht wahr?«

»Ja, seine Frau hatte ihn abgeschnitten. Sie wollte Gerede vermeiden, Örjan Bylund war doch in Kiruna bekannt. Hatte über dreißig Jahre bei der Zeitung gearbeitet.«

»Es ist schwer zu sehen, ob die Verletzungen mit der ... hrrr .... hrrr ... Erhängungsweise übereinstimmen .... hrrr ....«

Pohjanen verstummte und räusperte sich.

Anna-Maria hielt das Telefon ein Stück von ihrem Ohr weg. Sie hatte nichts dagegen, beim Essen über Leichen zu sprechen, aber wenn sie das hier hörte, verging ihr der Appetit. Sollte er doch über Polizisten reden, die sich nicht an die Vorschriften hielten. Er als Arzt rauchte wie eine Dampflokomotive. Trotz der vor einigen Jahren durchgeführten Kehlkopfkrebsoperation.

Jetzt sagte Pohjanen:

»Ich wurde schon bei der äußerlichen Untersuchung ein wenig misstrauisch. In den Bindehäuten der Augen gab es einige kleine Blutungen, eigentlich kaum der Rede wert, eher wie Nadelstiche. Und dann haben wir die inneren Verletzungen, Blutungen auf unterschiedlichem Niveau in der Umgebung des Kehlkopfes und der Muskulatur.«

»Ja?«

»Ja, und bei Erhängen hast du vor allem Blutungen unter und bei den Seilspuren, nicht wahr?«

»Schon.«

»Aber das hier sind zu große und verstreute Blutungen. Außerdem sind Schilddrüsenhorn und Zungenknochen gebrochen.«

Pohjanen hörte sich an, als wäre er fertig und wollte auflegen.

»Moment mal«, sagte Anna-Maria. »Und was schließt du daraus?«

»Dass er erwürgt wurde, natürlich. Diese inneren Verletzungen im Hals, die kannst du bei Erhängen nicht erwarten. Ich tippe auf Erwürgen. Mit der Hand. Und getrunken hatte er auch. Ziemlich viel. Also würde ich mir mal seine Frau vorknöpfen, wenn ich du wäre. Die suchen sich manchmal den Moment aus, wenn der Alte einen in der Krone hat.«

»Es war nicht die Frau«, sagte Anna-Maria. »Das ist eine größere Sache. Eine viel größere.«

MAURI KALLIS SAH Ester über den Hofplatz laufen. Sie nickte Ebba und Ulrika kurz zu und lief dann weiter in Richtung des zwischen dem alten und dem neuen Steg gelegenen Wäldchens. Sie nahm immer diesen Weg, folgte einem kleinen Pfad, der am alten Steg vorbeiführte, wo Mauris Jägermeister sein Motorboot liegen hatte.

Es war seltsam, dass diese Fixierung auf das Training die Malerei ersetzt zu haben schien. Ester las über Proteine und Muskelaufbau, hob Gewichte und drehte ihre Runden.

Und sie schien beim Laufen die Augen zu schließen. Auch das war eine ihrer Macken. Zu laufen, ohne gegen die Bäume zu stoßen. Die Füße den Weg finden zu lassen, den sie nicht sah.

Er dachte an ein Essen vor nicht allzu langer Zeit. Ebbas Vettern und Kusinen aus Schonen, Inna, Diddi mit Frau und Söhnchen. Ester war eben erst in die Mansarde gezogen, und Inna hatte sie dazu überredet, mit ihnen zusammen zu essen. Ester hatte nicht gewollt.

»Ich muss trainieren«, hatte sie gesagt und den Boden angestarrt.

»Wenn du nicht isst, hilft auch das viele Training nichts«, hatte Inna erwidert. »Lauf deine Runde, und dann kommst du essen, wenn du fertig bist. Du kannst gehen, wenn du gegessen hast. Niemandem wird es auffallen, wenn du dich ein wenig früher verdrückst.«

Mitten beim Essen, mit weißer Leinendecke und Leuchtern und Silberbesteck und allem, kam Ester zu Tisch. Ihre Haare waren nass, ihr ganzes Gesicht zerkratzt, an zwei Stellen blutete sie.

Ebba stellte sie vor. Weiß und verlegen hinter dem Lächeln und bei Wörtern wie »Kunstschule« und »aufsehenerregende Ausstellung in der Galerie Lars Zanton«.

Inna konnte sich das Lachen nur mit Mühe verkneifen.

Ester aß, konzentriert und stumm, mit Blut im Gesicht, nahm zu große Bissen und rührte die Serviette neben ihrem Teller nicht an.

Als sie nach dem Essen zum Rauchen auf die Veranda gingen, sagte Diddi:

»Ich habe gesehen, dass sie mit verbundenen Augen durch das Wäldchen zum alten Steg läuft. Und das kommt dann dabei raus…«

Er hielt seine Hand wie Krallen vor sein Gesicht, um Schrammen und Kratzer anzudeuten, und ließ den Satz unvollendet.

»Warum denn?«, fragte einer von Ebbas Vettern.

»Weil sie verrückt ist?«, schlug Diddi vor.

»Ja«, stimmte Inna glücklich zu. »Ihr versteht sicher, dass wir sie dazu bringen müssen, bald wieder zu malen.«

Ester nahm den direkten Weg über den Rasen und lief Ulrika, Ebba und dem Rappen fast in die Arme. Früher hätte sie den eleganten Kopf gesehen, die Linien und die schönen großen Augen. Linien über Linien. Den geschwungenen Rücken, wenn Ebba auf der Koppel mit ihm Volten ritt. Alle Krümmungen des Körpers: Hals, Rücken, Hufe. Und Ebbas eigene Linie, gerader Rücken, gerade Nase, gerade Züge, straffe Hand.

Aber darauf achtete Ester jetzt nicht mehr. Sie sah die Muskeln des Pferdes.

Sie nickte Ulrika und Ebba zu und dachte: Araberhengst.

Leicht ist meine Bürde, dachte sie dann auf dem Weg zum Wäldchen, das zwischen dem Gut und dem Mälar lag. Sie kannte die Strecke jetzt ziemlich gut. Bald würde sie diese mit verbundenen Augen laufen können, ohne irgendwo gegenzustoßen.

Es waren die Hunde, die als Erste entdeckten, dass Mutter krank war. Sie verbarg es vor Ester und Antte und dem Vater.

Ich habe nichts begriffen, dachte Ester und lief mit geschlossenen Augen durch das dichte Unterholz auf den alten Steg zu. Das ist wirklich seltsam. Oft sind Zeit und Raum keine undurchdringlichen Wände, sondern aus Glas, ich kann durch sie hindurchsehen. Man kann alles Mögliche über die Menschen wissen. Großes und Kleines. Aber bei ihr habe ich nichts gesehen. Ich war so ins Malen vertieft. So froh darüber, endlich in Öl malen zu dürfen, dass ich nichts begriff. Wollte nicht verstehen, warum sie mich plötzlich den Pinsel halten ließ.

Sie lief schneller. Ab und zu zerkratzten Zweige ihr Gesicht. Das machte nichts, es war fast eine Erleichterung.

»Also«, sagt Mutter. »Du hast doch immer schon mit Öl malen wollen, möchtest du es jetzt lernen?«

Sie lässt mich die Leinwand aufspannen. Ich gebe mir solche Mühe dabei, dass ich Kopfschmerzen bekomme. Ich will doch unbedingt alles richtig machen. Ich ziehe und knicke um und schieße mit der Heftpistole. Vater hat den Rahmen gezimmert. Er will nicht, dass Mutter billige Rahmen aus schlecht getrocknetem Holz kauft, das sich dann verzieht.

Mutter sagt nichts, und daher weiß ich, dass ich alles perfekt gemacht habe. Sie spart Geld und kauft billige Leinwand, die muss dann aber mit Tempera grundiert werden. Das ist meine Aufgabe. Danach zieht sie mit Kohle Hilfslinien. Dabei muss ich neben ihr stehen und zusehen. Ich denke rebellisch, wenn ich erst selbst malen darf, meine eigenen Bilder, dann werde ich keine Kohlestriche ziehen. Ich werde sofort mit dem Pinsel loslegen. Im Kopf entwickle ich Strukturen mit gebranntem Umbra oder Caput mortuum.

Mutter gibt Anweisungen, und ich fülle die großen Farbfelder. Den Schnee in gebrochenem Weiß und Kadmiumgelb. Den

Schatten des Berges in Ceruleanblau. Und den Felsen in Dunkellila.

Es ist schwer für Mutter, den Pinsel nicht selbst zu halten. Mehrmals reißt sie ihn mir aus der Hand.

»Große Striche mit dem Pinsel, nicht zögern und zittern wie ein Kalb. Mehr Farbe, sei nicht so feige. Mehr Gelb, mehr Gelb. Halt den Pinsel nicht so, das ist kein Bleistift.«

Zuerst widersetze ich mich. Sie weiß es doch. Wenn die Farben so grell und unruhig werden, wie sie das immer will, dann sind die Bilder nur schwer verkäuflich. Das haben wir schon erlebt. Vater sieht sich abends das fertige Gemälde an und sagt: »Das geht nicht.« Und dann muss sie es ändern. Die Kontraste dürfen nicht so unruhig sein. Einmal habe ich gesagt, um sie zu trösten:

»Das richtige Bild ist doch darunter. Wir haben es ja gesehen.«

Mutter malte geduldig weiter, presste aber den Pinsel gegen die Leinwand.

»Das hilft nichts«, sagte sie. »Das sind einfach alles Idioten!«

Sie wurde immer ungeduldiger, dachte Ester und lief zwischen den Bäumen weiter. Die Hunde hatten es begriffen.

Mutter hat dicke Fleischsuppe gekocht. Sie stellt den großen Topf zum Abkühlen auf den Küchentisch. Später wird sie die Suppe in Kartons füllen und einfrieren. Während sie kalt wird, setzt sie sich ins Atelier und gießt Schneehühner aus Ton.

Ein Geräusch aus der Küche veranlasst sie, sich den Ton von den Fingern zu wischen und in die Küche zu laufen. Auf dem Tisch steht Musta. Sie hat den Deckel vom Topf geschoben und fischt nach den Knochen in der Suppe. Verbrennt sich die Schnauze an der heißen Suppe, muss es aber immer wieder probieren. Verbrennt sich und ist wütend, als hätte die Suppe sie ganz bewusst verbrannt und müsste bestraft werden.

»Zum Teufel«, sagt Mutter und hebt den Arm, um Musta vom Tisch zu jagen oder sie vielleicht zu schlagen.

Blitzschnell greift Musta an. Schnappt nach Mutters Hand und bleckt die Zähne. Knurrt drohend tief unten in der Kehle.

Mutter zieht geschockt die Hand zurück. Noch nie hat ein Hund das bei ihr gewagt. Sie greift zum Besen, der in der Ecke steht, und versucht, Musta vom Tisch zu jagen.

Aber jetzt beißt Musta wirklich zu. Die Fleischsuppe gehört ihr, niemand darf sie ihr wegnehmen.

Mutter geht rückwärts aus der Küche. In diesem Moment komme ich aus der Schule nach Hause, steige die Treppe hoch und stoße oben fast mit Mutter zusammen. Mutter dreht sich um, weiß im Gesicht, und presst die blutende Faust an ihre Brust. Hinter ihr, durch die Tür, sehe ich Musta auf dem Küchentisch. Wie einen schwarzen kleinen Dämon, mit gebleckten Zähnen und gesträubtem Fell. Die Ohren an den Kopf gelegt. Ich starre zuerst den Hund und dann Mutter an. Was um alles in der Welt ist hier passiert?

Eine Viertelstunde darauf fährt Vater mit dem Volvo auf den Hofplatz. Er sagt nicht viel. Holt sein Gewehr und wirft es auf die Ladefläche. Dann holt er Musta. Sie kann nicht mehr vom Küchentisch springen, als sie ihn sieht, sie wimmert vor Schmerz und als Zeichen der Unterwerfung, als er sie an Nacken und Schwanz packt, sie zum Auto trägt und hineinfallen lässt. Sie legt sich auf das Gewehrfutteral.

Auto bedeutet wunderbare Arbeit an der frischen Luft, sie begreift nicht, was auf sie wartet. Das ist das Letzte, was wir von ihr sehen. Vater kommt abends ohne Hund nach Hause, und wir reden nicht mehr darüber.

Musta war eine ausgeprägte Leithündin. Vater hat sicher bedauert, eine so tüchtige Gebirgskameradin verloren zu haben. Sie konnte hinter einem verirrten Rentier hersetzen und es zwei Stunden darauf zurückbringen.

Sie hatte gesehen, was mit Mutter passierte. Dass sie schwächer geworden war. Natürlich versuchte Musta, Mutters Platz als Anführerin zu übernehmen.

An diesem Nachmittag saß Mutter allein in der Küche. Fauchte mich an, ich solle sie allein lassen. Ich wusste, dass sie sich schämte. Sie schämte sich, weil sie sich vor dem Hund gefürchtet hatte. Wegen Mutters Angst und Schwäche war Musta jetzt tot.

Sven-Erik Stålnacke fuhr in der Mittagspause zu Airi Bylund. Er hatte sich angeboten, und Anna-Maria war erleichtert gewesen, dass ihr diese Fahrt erspart blieb. Er saß an Airis Küchentisch und berichtete, dass Airis Mann sich nicht umgebracht hatte, sondern ermordet worden war.

Airi Bylunds Hände jagten umher und wussten nicht, wohin. Sie strich in einer Tischdecke eine Falte glatt, die es gar nicht gab.

»Er hat sich also nicht umgebracht«, sagte sie nach langem Schweigen.

Sven-Erik Stålnacke öffnete den Reißverschluss seiner Jacke. Es war warm. Sie hatte gerade gebacken. Die Katze mit ihren Jungen war nicht zu sehen.

»Nein«, sagte er.

Airi Bylunds Mund zuckte. Sie erhob sich eilig und setzte Kaffeewasser auf.

»Ich habe so oft darüber nachgedacht«, sagte sie mit dem Rücken zu Sven-Erik. »Habe mich gefragt, warum. Er war von der grüblerischen Sorte, aber mich so zu verlassen... ohne ein Wort. Und die Jungen. Sie sind zwar erwachsen, aber trotzdem... dass er uns einfach losgelassen hat.«

Sie legte Rosinenbrötchen auf einen Teller und stellte ihn auf den Tisch.

»Ich war auch wütend. Herrgott, was war ich wütend auf ihn.«

»Er hat es nicht getan«, sagte Sven-Erik und schaute ihr in die Augen.

Sie starrte zurück. Und in ihren Augen lagen die Wut, Trauer und Qual der vergangenen Monate. Eine gen Himmel geballte Faust, die ohnmächtige Verzweiflung eines unbeantworteten Warum, die Suche nach der eigenen Schuld.

Sie hat schöne Augen, dachte er. Eine schwarze Sonne mit blauen Strahlen unter grauem Himmel. Schöne Augen und einen schönen Hintern.

Und nun fing sie an zu weinen. Starrte Sven-Erik an, während die Tränen über ihr Gesicht strömten.

Sven-Erik stand auf und nahm sie in die Arme. Legte eine Hand um ihren Hinterkopf, spürte die weichen Haare in seiner Handfläche. Die Katzenmutter kam aus dem Schlafzimmer, die Jungen folgten und legten sich Sven-Erik und Airi Bylund um die Füße.

»Herrgott«, sagte Airi schließlich, zog die Nase hoch und wischte sich die Augen mit dem Pulloverärmel. »Der Kaffee wird kalt.«

»Das macht nichts«, sagte Sven-Erik und wiegte sie langsam hin und her. »Den machen wir nachher in der Mikrowelle wieder heiß.«

Anna-Maria Mella betrat um Viertel nach zwei das Büro von Oberstaatsanwalt Alf Björnfot.

»Hallo, Anna-Maria«, sagte der munter. »Schön, dass du kommen konntest. Wie geht's denn?«

»Gut, glaube ich«, sagte Anna-Maria.

Sie fragte sich, was er wollte, und wünschte, er wäre direkt zur Sache gekommen.

Rebecka Martinsson war ebenfalls anwesend. Sie stand am Fenster und begrüßte Anna-Maria mit einem kurzen Nicken.

»Und Sven-Erik«, fragte der Oberstaatsanwalt. »Wo hast du den gelassen?«

»Ich habe angerufen und ihm Bescheid gesagt. Der wird schon noch kommen. Darf ich fragen, was …«

Der Oberstaatsanwalt erhob sich und schwenkte ein Fax.

»Die Kriminaltechnik ist fertig mit der Analyse des Mantels, den die Taucher in Tornetäsk gefunden haben«, sagte er. »Das Blut auf der rechten Schulter stammt von Inna Wattrang. Von der Innenseite des Kragens haben sie DNA. Und ...« Er reichte Anna-Maria Mella das Fax.

» ... die Polizei in England hatte dieses DNA-Profil in ihrem Vorstrafenregister.«

»Douglas Morgan«, las Anna-Maria.

»Fallschirmjäger in der britischen Armee. Mitte der Neunzigerjahre griff er einen Offizier an, wurde wegen schwerer Körperverletzung verurteilt und gefeuert. Arbeitete dann für Blackwater, eine Firma, die Personen- und Objektschutz in allerlei Krisenherden in aller Welt anbietet. Er war in Zentralafrika und früh im Irak. Dort wurde einer seiner engsten Kollegen von einer islamistischen Widerstandsgruppe gefangen genommen und ermordet, vor etwas über einem Jahr. Rat mal, wie dieser Kollege hieß.«

»John McNamara vielleicht«, schlug Anna-Maria Mella vor.

»Genau. Er ist mit dem Pass seines toten Kameraden nach Schweden eingereist und hat damit am Flughafen von Kiruna den Wagen gemietet.«

»Und jetzt? Wo steckt er?«

»Das weiß die britische Polizei nicht«, sagte Rebecka Martinsson. »Er hat bei Blackwater aufgehört, das steht fest, aber sie wollen nicht sagen, warum, angeblich auf eigenen Wunsch. Es ist schwer, solche Wachgesellschaften dazu zu bringen, Fragen zu beantworten und mit der Polizei zusammenzuarbeiten. Die wollen sich nicht in die Karten blicken lassen. Aber Douglas Morgans früherer Chef bei Blackwater glaubt, dass er einen Job bei einer anderen Firma der Branche angenommen und sich nach Afrika abgesetzt hat.«

»Wir lassen nach ihm fahnden, das ist klar«, sagte Alf Björnfot. »Aber es ist alles andere als sicher, ob wir ihn erwischen werden. Falls er nicht zurück nach England kommt und …«

»Was machen wir also jetzt«, fiel Anna-Maria ihm ins Wort. »Uns geschlagen geben?«

»Das wohl nicht«, sagte Alf Björnfot. »So ein Typ, der mit einem fremden Pass verreist und Autos mietet …«

» … wurde für den Mord an Inna Wattrang bezahlt«, sagte Anna-Maria. »Und da ist die Frage, von wem.«

Alf Björnfot nickte.

»Ein Mensch wusste, wo sie war«, sagte Anna-Maria. »Und hat auf diese Frage gelogen. Ihr Bruder. Sie hat ihn vom Telefon in der Touristenstation aus angerufen.«

»Du musst morgen mit dem ersten Flugzeug hin«, sagte Alf Björnfot und schaute auf die Uhr.

Es wurde kurz an die Tür geklopft, und Sven-Erik kam herein.

»Du musst nach Hause und packen«, sagte Anna-Maria. »Oder nein, bestimmt kriegen wir morgen noch die Abendmaschine, sonst kaufen wir uns Zahnbürsten und … Himmel, was hast du denn da?«

»Ja, jetzt bin ich Papa geworden«, sagte Sven-Erik.

Seine Wangen glühten. Aus der Öffnung in seiner Jacke lugte ein Katzenjunges.

»Ist das von Airi Bylund?«, fragte Anna-Maria. »Ja, jetzt erkenn ich ihn. Hallo, Boxer.«

»Ja, sieh an«, sagte Rebecka, die näher getreten war, um Sven-Erik zu begrüßen. »Du hast ja ein feines Veilchen, du kleiner Rowdy.«

Sie streichelte den schwarzen Flecken um das Auge des kleinen Katers. Der ließ sich nicht zu einem Gruß herab, er wollte aus Sven-Eriks Jacke heraus und die neue Umgebung erforschen, er kletterte auf Sven-Eriks Schulter und balancierte dort übermütig. Als Sven-Erik versuchte, ihn herunterzunehmen, krallte er sich fest.

»Ich passe auf ihn auf, wenn ihr wegfahrt«, sagte Rebecka.

Alf Björnfot, Anna-Maria und Rebecka strahlten, als ob sie den Messias in seiner Krippe vor sich hätten.

Und Sven-Erik lachte. Über den Kater, der sich an der Jacke festhielt und dann weiterkletterte, sodass Sven-Erik sich bücken musste, damit der Kleine nicht herunterfiel. Die anderen mussten die kleinen Krallen aus der Jacke lösen.

Sie nannten ihn Boxer, Rowdy, Winzling und Schläger.

EBBA KALLIS WURDE davon geweckt, dass jemand um halb zwei Uhr nachts an der Tür klingelte. Draußen stand Ulrika Wattrang. Sie fröstelte in Schlafanzug und Morgenrock.

»Verzeihung«, sagte sie mit verzweifelter Stimme, »aber hast du dreitausend Kronen? Diddi ist aus Stockholm gekommen, und der Fahrer ist außer sich vor Wut, weil Diddi seine Brieftasche verloren hat, und ich habe nicht so viel Geld auf dem Konto.«

Mauri tauchte auf der Treppe auf.

»Diddi ist gekommen«, sagte Ebba, ohne ihn anzusehen. »Mit dem Taxi. Und er kann nicht bezahlen.«

Mauri seufzte resigniert und ging in sein Zimmer, um seine Brieftasche zu holen.

Alle drei liefen über den Hofplatz zum Haus von Diddi und Ulrika. Vor dem Taxi standen Diddi und der Fahrer.

»Nein«, sagte der Fahrer. »Sie fährt nicht mit mir zurück. Ihr steigt beide aus. Und bezahlt für die Fahrt.«

»Aber ich weiß nicht, wer sie ist«, beteuerte Diddi. »Ich will jetzt ins Haus und schlafen.«

»Du bleibst hier«, sagte der Fahrer und packte Diddi am Arm. »Zuerst wird bezahlt.«

»Jetzt mal ganz ruhig«, sagte Mauri und ging auf ihn zu. »Dreitausend? Sind Sie sicher, dass Sie richtig gesehen haben?«

Er reichte dem Fahrer seine American-Express-Karte.

»Hören Sie, ich bin durch halb Stockholm gefahren, um Leute abzusetzen. Das war ein verdammter Nervkram. Ich kann Ihnen gern die Strecke zeigen.«

Mauri schüttelte den Kopf, und der Fahrer zog die Karte durch das Lesegerät. Diddi schlief derweil, an das Auto gelehnt, ein.

»Und die da?«, fragte der Fahrer, als Mauri die Quittung unterschrieb.

Er nickte zum Rücksitz hinüber.

Mauri, Ulrika und Ebba schauten ins Auto.

Da schlief eine Frau von Mitte zwanzig. Ihre Haare waren lang und gebleicht. Obwohl es im Wagen ziemlich dunkel war, konnten sie sehen, dass die Frau kräftig geschminkt war, sie hatte künstliche Wimpern und babyrosa Lippenstift. Sie trug gemusterte dünne Strümpfe und weiße hochhackige Schuhe. Ihr Rock war minimal.

Ulrika schlug die Hände vors Gesicht.

»Ich halt das nicht aus«, jammerte sie.

»Die wohnt nicht hier«, sagte Mauri kalt.

»Wenn ich sie mit zurücknehmen soll, dann kostet das«, sagte der Fahrer. »Das Gleiche noch mal. Eigentlich habe ich jetzt Feierabend.«

Mauri reichte ihm wortlos die Karte.

Der Fahrer setzte sich ins Auto und druckte eine weitere Quittung aus. Stieg wieder aus und ließ auch die unterschreiben. Niemand sagte etwas.

»Machen Sie das Tor auf?«, fragte der Fahrer und stieg wieder ein.

Als er den Motor anließ und losfuhr, fiel Diddi, der noch immer am Auto gelehnt hatte, der Länge nach auf den Boden.

Ulrika schrie auf.

Mauri ging zu ihm und zog ihn auf die Beine. Sie drehten ihn mit dem Rücken zur Hoflampe und musterten seinen Hinterkopf.

»Er blutet ein bisschen«, sagte Ebba. »Aber das ist sicher nicht gefährlich.«

»Das Tor!«, rief Ulrika und stürzte ins Haus, um es mit der Fernbedienung zu öffnen.

Diddi packte Mauris Arme.

»Ich glaube, ich hab eine große Dummheit gemacht«, sagte er.

»Hör mal, geh lieber anderswo beichten«, sagte Mauri hart und riss sich los. »Eine verdammte Kokainnutte hier anzuschleppen. Hast du die zur Beerdigung eingeladen?«

Diddi schwankte.

»Scheiß drauf«, sagte er. »Der Teufel soll dich holen, Mauri.«

Mauri machte auf dem Absatz kehrt und ging mit raschen Schritten zum Haus. Ebba lief hinterher.

Diddi öffnete den Mund, um etwas hinter ihnen herzuschreien, aber plötzlich stand Ulrika neben ihm.

»Komm«, sagte sie und legte den Arm um ihn. »Das reicht jetzt.«

Freitag, 21. März 2005

ANNA-MARIA MELLA und Sven-Erik Stålnacke hielten mit dem gemieteten Passat vor dem ersten Tor nach Regla. Es war zehn Uhr morgens. Sie hatten die erste Maschine von Kiruna genommen und dann in Arlanda einen Wagen gemietet.

»Was für eine Festung«, sagte Anna-Maria und schaute durch die Gitterstäbe zu dem nächsten Tor und der Mauer hinüber, die sich um das Gut zog. »Wie funktioniert das denn?«

Sie betrachtete für einen Moment die Gegensprechanlage und drückte dann auf einen Knopf mit einem Telefonzeichen. Nach einem Augenblick fragte eine Stimme, wer sie seien und mit wem sie sprechen wollten.

Anna-Maria Mella stellte sich und Sven-Erik vor und nannte den Grund ihres Kommens. Sie wollten mit Diddi Wattrang oder Mauri Kallis sprechen.

Die Stimme bat sie, einen Moment zu warten. Es dauerte eine Viertelstunde.

»Was machen die da eigentlich?«, fauchte Anna-Maria und drückte wie wahnsinnig auf den Knopf. Jetzt meldete sich niemand mehr.

Sven-Erik ging ein Stück weiter zwischen die Bäume und schlug sein Wasser ab.

Wie schön es hier ist, dachte er.

Knotige Eichen und Laubbäume, deren Namen er nicht wusste. Kein Schnee. Buschwindröschen und blaue Sternchen lugten durch den braunen Teppich aus altem Laub. Es duftete nach Frühling. Die Sonne schien. Er dachte an seinen Kater. An den Kater und an Airi. Airi hatte angeboten, bei Bedarf auf

Boxer aufzupassen, aber dann hatte Rebecka Martinsson sich ja so schnell dazu bereit erklärt. Und das war auch gut so. Was sollte Airi glauben, wenn er den Kleinen nahm und ihn noch am selben Tag zum Hüten zurückbrachte?

Anna-Maria rief vom Eisentor her.

»Da kommt endlich jemand!«

Ein Mercedes kam auf das Tor zugefahren. Mikael Wiik, Mauri Kallis' Sicherheitschef, stieg aus.

Neben dem großen Tor befand sich ein kleineres für Fußgänger.

Mikael Wiik begrüßte Anna-Maria und Sven-Erik freundlich, öffnete jedoch keins der beiden Tore.

»Wir müssten mit Diddi Wattrang sprechen«, sagte Anna-Maria.

»Das geht leider nicht«, sagte Mikael Wiik. »Er ist in Toronto.«

»Und was ist mit Mauri Kallis?«

»Tut mir leid. Der ist in den nächsten Tagen zu sehr beschäftigt. Kann ich Ihnen irgendwie behilflich sein?«

»Ja«, sagte Anna-Maria ungeduldig. »Sie können uns zu einem Gespräch mit Diddi Wattrang oder Mauri Kallis verhelfen.«

»Ich gebe Ihnen die Nummer von Herrn Kallis' Sekretärin. Mit der können Sie einen Termin abmachen.«

»Jetzt machen Sie aber mal einen Punkt«, sagte Anna-Maria. »Lassen Sie uns rein. Wir ermitteln in einem Mordfall, zum Henker!«

Mikael Wiiks Gesichtsausdruck verhärtete sich ein wenig.

»Sie haben doch schon mit den Herren gesprochen. Sie müssen verstehen, dass beide ungeheuer viel zu tun haben. Ich versuche, dafür zu sorgen, dass Sie Herrn Kallis am Montag treffen können, an sich ist auch das schon ein Ding der Unmöglichkeit. Wann Herr Wattrang zurückkommt, weiß ich leider nicht.«

Er reichte Anna-Maria durch das Tor eine Visitenkarte.

»Das ist die Durchwahl von Herrn Kallis' Sekretärin. Kann ich sonst noch etwas für Sie tun? Sonst muss ich…«

Weiter kam er nicht. Ein Wagen kam durch die Allee gefahren. Es war ein Chevrolet Van mit getönten Scheiben. Er hielt hinter dem Mietwagen von Anna-Maria und Sven-Erik. Ein Mann sprang heraus. Er trug einen dunklen Anzug und ein schwarzes Polohemd.

Anna-Maria musterte seine Fußbekleidung. Kräftige, aber leichte Goretex-Stiefel.

Ein Mann saß auf dem Beifahrersitz. Seine Haare waren kurzgeschoren, und er trug eine dunkle Jacke. Anna-Maria ahnte mindestens zwei Männer auf dem Rücksitz, dann wurde die Wagentür wieder geschlossen. Was mochten das für Leute sein?

Der Mann, der ausgestiegen war, sagte nichts, sondern nickte Mikael Wiik nur kurz zu. Mikael Wiik nickte fast unmerklich zurück.

»Wenn das alles war…«, sagte Mikael Wiik zu Anna-Maria und Sven-Erik.

Anna-Maria kämpfte mit ihrer Enttäuschung, konnte ihn ja nicht zwingen, sie einzulassen.

Sven-Erik warf ihr einen Blick zu. Hat keinen Zweck, sollte der sagen.

»Und wer sind Sie?«, fragte Anna-Maria den soeben Eingetroffenen.

»Ich setze zurück, damit Sie wegfahren können«, sagte der nur und ging zurück zum Chevrolet.

Der Besuch auf Regla war vorüber, bevor er überhaupt angefangen hatte. Ehe Anna-Maria sich ins Auto setzte, registrierte sie eine junge Frau auf der anderen Seite der Mauer. Die Frau trug einen Trainingsanzug und stand mitten auf einer Wiese voller Buschwindröschen.

»Was macht sie da?«, fragte Sven-Erik, aber die Frau wirkte ziemlich desorientiert. Oh, oh, Mädel, pass auf die Baumwurzel auf!

Letzteres war an die junge Frau im Trainingsanzug gerichtet, die, ohne sich umzusehen, einige Schritte rückwärts ging.

Ester Kallis sah zu Boden. Plötzlich blühte alles. Das war ihr noch gar nicht aufgefallen. Hatten all diese Blumen auch gestern schon hier gestanden? Sie wusste es nicht. Sie schaute sich für einige Sekunden um, bemerkte die Autos und die Menschen am Tor nicht.

Dann blickte sie in den Eichenwald.

Und spürte seine Nähe. Sie wusste, dass er da war. Vielleicht einen Kilometer entfernt. Ein Wolf, der auf eine Eiche gestiegen war.

Er betrachtete sie alle durch ein Fernglas. Merkte sich, wie viele Menschen auf dem Gut aus- und einfuhren. In diesem Moment sah er genau in ihre Richtung.

Sie trat einen Schritt zurück und wäre fast über eine Baumwurzel gestolpert.

Dann lief sie los. Galoppierte davon, fort von Wald und Blumen. Jetzt würde alles bald ein Ende nehmen.

Es ist Frühsommer. Ester ist fünfzehn Jahre alt und hat nach der neunten Klasse die Schule verlassen. Als Examensgeschenk bekommt sie einen Aquarellblock und Farben. Jetzt blüht es in den Bergen, und sie liegt auf dem Bauch im Heidekraut und zeichnet mit einem Bleistift. Abends kommt sie nach Hause, von Mücken zerstochen und glücklich, und leistet der Mutter im Atelier Gesellschaft, koloriert die Zeichnungen des Tages. Es ist herrlich, echtes Papier zu haben, das die Farbe aufnimmt und sich nicht wölbt. Mutter nimmt sich Zeit und sieht: eine Hundsrose, die Königskerze, die sie bei Njuotjanjohka gefunden hat, dünnblättrige Molteblüten, mollige kleine Trollblumen. Ester hat Gewicht auf die Details gelegt. Mutter lobt das feine Adernetz der Blütenblätter.

»Die sind reizend«, sagt sie.

Dann fordert sie Ester auf, die lateinischen Namen der Blumen neben die samischen zu schreiben.

»So was mögen sie«, sagt sie.

»Sie.« Das sind die Touristen in der Gebirgsstation. Mutter findet, Ester solle die Bilder mit Passepartouts rahmen, »das ist billig und hübsch«, und in Abisko verkaufen. Ester zögert.

»Für das Geld kannst du dir Ölfarben kaufen«, sagt Mutter, und damit ist der Fall entschieden.

Ester sitzt in der Rezeption der Touristenstation. Ein Erzzug nach Narvik fährt vorüber, und sie schaut aus dem Fenster. Es ist zehn Uhr morgens. Draußen in der Sonne steht eine Gruppe von Bergwanderern und reguliert die Riemen der Rucksäcke. Ein munterer Hund wuselt um sie herum. Er erinnert sie an Musta.

Plötzlich spürt sie die Nähe von jemandem, der ihre Bilder betrachtet. Sie schaut sich um und sieht eine Frau mittleren Alters. Die Frau trägt einen roten Anorak und eine kittfarbene Hose von Fjällräven, beides sieht gänzlich neu aus. »Sie« kaufen für ihre Tagesausflüge Kleider für Tausende von Kronen.

Die Frau beugt sich über die Zeichnungen.

»Sind das etwa deine?«

Ester nickt. Sie müsste natürlich etwas sagen, aber ihr Mund ist wie erstarrt, sie kann weder Gedanken noch Wörter herausbringen.

Die Frau macht sich nichts aus Esters Schweigen. Jetzt hebt sie die Zeichnungen hoch und mustert sie ausführlich. Danach betrachtet sie Ester aus zusammengekniffenen Augen.

»Wie alt bist du?«

»Fünfzehn«, presst Ester aus sich heraus und starrt zu Boden.

Die Frau bewegt kurz die Hand, und neben ihr taucht ein Mann im gleichen Alter auf. Er zieht eine Brieftasche heraus, die Frau kauft drei Bilder.

»Malst du noch andere Dinge als Blumen?«, fragt sie.

Ester nickt, und auf irgendeine Weise verabreden sie einen Besuch im Atelier der Mutter.

Abends tauchen die beiden in einem gemieteten Audi auf. Jetzt trägt die Frau Jeans und eine Wolljacke, die in all ihrer Schlichtheit teuer aussehen. Der Mann hat noch immer makellos saubere Hosen von Fjällräven an, dazu ein Hemd und eine Art Cowboyhut aus Leder. Er geht ein wenig hinter der Frau. Sie reicht zuerst die Hand. Stellt sich vor als Gunilla Petrini, erzählt der Mutter, sie sei Kuratorin des Ausstellungszentrums Färgfabrikken und Mitglied im Staatlichen Kunstrat.

Mutter schaut Ester lange an.

»Was ist los«, flüstert Ester ihr in der Küche zu, während Gunilla Petrini die Schachtel mit Esters Bildern durchsieht.

»Du hast gesagt, dass eine Touristin sich hier umsehen will.«

Ester nickt. Die Frau ist doch Touristin.

Mutter wühlt in der Speisekammer und findet eine halbe Packung Butterkekse, die sie anbieten könnten. Ester sieht überrascht zu, wie die Mutter die Kekse sorgfältig auf einer Platte arrangiert.

Gunilla Petrini und ihr Mann betrachten mit höflichem Interesse auch Mutters Bilder, in Esters Schachtel aber wühlt sie wie ein Hase auf einem Acker.

Der Mann findet die Bilder schön, die Ester gezeichnet hat, nachdem sie und Mutter das Badehaus in Kiruna besucht hatten. Da steht Siiri Aidanpää mit geschlossenen Augen unter dem Fön. Sie hat Lockenwickler in den Haaren und trägt Ohrgehänge mit samischen Symbolen, obwohl sie gar keine Samin ist. Ihre üppigen Brüste sind in einen großen, prachtvollen BH ohne jeden Spitzenbesatz gestopft, Bauch und Hintern strotzen nur so vor Kraft.

»Die ist aber schön«, sagt er über die siebzigjährige Frau.

Ester hat die riesige Unterhose lachsrosa gemalt. Das ist die einzige Farbe auf dem Bild. Sie hat alte handkolorierte Fotos gesehen und strebt die gleiche farbliche Milde an.

Auf anderen Bildern aus dem Badehaus sind Männer mittleren Alters zu sehen, die in Reih und Glied im Becken schwimmen, und die alten Umkleidekabinen aus dunklem Holz vom Anfang der Sechzigerjahre, mit Ruhebett und einem kleinen Schrank, dann das Schild zum Raum hinter den Duschen mit der Aufschrift »Höhensonne«, die Buchstaben in der Type Futura. Alle anderen Bilder stammen aus Rensjön und Abisko.

Was für eine kleine Welt, denken Gunilla Petrini und ihr Mann.

»Ich bin also Kuratorin bei Färgfabrikken«, sagt Gunilla Petrini zur Mutter.

Sie reden unter vier Augen miteinander. Ester und Gunillas Mann gehen nach draußen und sehen sich die Rentiere an, die auf der anderen Seite der Gleise in ihrem Gehege stehen.

»Ich sitze in der Leitung des staatlichen Kunstrats und bin Einkäuferin für viele große Betriebe. Ich habe Einfluss in der Kunstszene von Schweden.«

Die Mutter nickt. Sie hat schon verstanden.

»Ich bin beeindruckt von Ester. Und ich lasse mich nicht so leicht beeindrucken. Sie hat die Grundschule hinter sich, aber was will sie jetzt machen?«

»Ester ist nicht gerade eine Leuchte in der Schule. Aber sie kann den Gesundheits- und Sozialzweig einschlagen.«

Gunilla Petrini reißt sich zusammen. Sie kommt sich vor wie ein Ritter, der in letzter Sekunde heranprescht, um die Jungfer in Nöten zu retten. Gesundheits- und Sozialzweig!

»Ihr habt nicht zufällig vor, sie Kunst studieren zu lassen?«, fragt sie mit ihrer mildesten Stimme. »Sie ist vielleicht noch zu jung für die Akademie, aber es gibt doch vorbereitende Kurse. An Idun Lovéns Kunstschule, zum Beispiel. Die Leiterin ist eine alte Freundin von mir.«

»Stockholm«, sagt die Mutter.

»Es ist eine große Stadt, aber ich würde mich natürlich um sie kümmern.«

Gunilla Petrini irrt sich. Es ist nicht die Sorge, dass Ester zu jung für die Großstadt ist, was sie aus der Stimme der Mutter hört.

Es ist die Ruhelosigkeit. Dass sie selbst in diesem Leben mit Familie und Kindern festsitzt. Es sind die vielen ungemalten Bilder tief unten in ihrer Seele.

Später an diesem Abend sitzen sie mit Vater am Küchentisch.

»Die finden dich natürlich exotisch«, sagt Mutter und klappert mit den Tellern. »Ein indisches Mädchen in samischer Tracht, das Berge und Rentiere malt.«

»Ich will nicht weg«, sagt Ester in dem Versuch, die Mutter zu besänftigen, auch wenn sie nicht ganz begreift, warum die so aufgebracht ist.

»Das willst du wohl«, sagt die Mutter energisch.

Der Vater sagt nichts. Wenn es wirklich darauf ankommt, dann entscheidet die Mutter.

Anna-Maria Mella und Sven-Erik Stålnacke fuhren von Regla weg. Im Rückspiegel sah Anna-Maria, dass Mikael Wiik für den Chevrolet mit den getönten Scheiben das Tor öffnete.

»Wer waren die denn bloß?«, fragte sie.

Kaum hatte sie es gesagt, da begriff sie auch schon. Die praktischen Stiefel, das kollegiale Nicken, das Mikael Wiik und der Fahrer des Chevrolet gewechselt hatten.

»Sicherheitsleute«, sagte sie zu Sven-Erik. »Was mag da wohl los sein?«

»Die haben sicher auch ihre Gipfeltreffen«, sagte Sven-Erik. »Aber anders als schwedische Politiker lassen sie sich dabei bewachen.«

Anna-Maria Mellas Mobiltelefon klingelte, und Sven-Erik griff nach dem Lenkrad, während sie in ihrer Tasche wühlte. Es war Tommy Rantakyrö.

»Hier ist die Telefonsektion«, sagte er mit aufgesetzt beleidigter Stimme.

Anna-Maria lachte.

»Diese Einzahlung auf Inna Wattrangs Konto«, sagte er dann. »Die wurde doch in der Enskilda-Filiale in der Hantverkargata getätigt. Es gibt einen Typen, der von einer Adresse in der Nähe aus so ungefähr pausenlos Inna Wattrangs privates Mobiltelefon angerufen hat.«

»Schick bitte eine SMS von dieser Adresse, Sven-Erik wird so nervös, wenn ich telefoniere und Adressen notiere und gleichzeitig fahre.«

Sie grinste Sven-Erik an.

»Wird erledigt«, sagte Tommy Rantakyrö. »Hände ans Rad.«

Anna-Maria reichte Sven-Erik das Telefon. Eine halbe Minute darauf kamen Namen und Adresse.

»Malte Gabrielsson, Norr Mälarstrand 34.«

»Da fahren wir hin«, sagte Anna-Maria. »Wir haben ja doch nichts Besseres zu tun.«

Eine Stunde und zehn Minuten später standen sie vor der Haustür von Norr Mälarstrand 34 und warteten. Sie schlüpften hinein, als eine Dame mit Hund herauskam.

Sven-Erik suchte auf der Tafel mit den Namen der Hausbewohner nach einem Malte Gabrielsson. Anna-Maria sah sich um. Auf der einen Seite war die Haustür, auf der anderen der Hinterhof.

»Sieh mal«, sagte sie und nickte zum Hinterhof hinüber.

Sven-Erik schaute hinaus, begriff aber nicht, was sie meinte.

»Da draußen ist Altpapiersammlung. Komm.«

Anna-Maria ging in den Hinterhof und fing an, in den Papiersäcken zu wühlen.

»Volltreffer«, sagte sie nach einer Weile und hielt eine Golfzeitschrift hoch, die an Malte Gabrielsson adressiert war. »Dieser Sack gehört Herrn Gabrielsson.«

Sie grub weiter im Sack, und nach einer Weile reichte sie Sven-Erik einen Briefumschlag. Auf die Rückseite hatte jemand mit Tinte eine Einkaufsliste geschrieben.

»Milch, Senf, Crème fraîche, Minze ...«, las Sven-Erik.

»Nein, sieh dir die Handschrift an, das ist dieselbe. Dieselbe wie auf der Überweisung. ›Nicht für dein Schweigen.‹«

Malte Gabrielsson wohnte im dritten Stock. Sie klingelten. Nach einer Weile wurde die Tür einen Spaltbreit geöffnet. Ein Mann von etwa sechzig schaute sie über die Sicherheitskette hinweg an. Er trug einen Schlafrock.

»Malte Gabrielsson?«, fragte Anna-Maria.

»Ja?«

»Anna-Maria Mella und Sven-Erik Stålnacke. Polizei. Wir würden Ihnen gerne ein paar Fragen über Inna Wattrang stellen.«

»Verzeihung, aber wie sind Sie ins Haus gelangt? Wir haben doch einen Türcode.«

»Dürfen wir hereinkommen?«

»Stehe ich unter irgendeinem Verdacht?«

»Durchaus nicht, wir möchten nur …«

»Also, ich bin schrecklich erkältet und … ja, es geht mir einfach nicht gut. Wenn Sie also Fragen haben, dann müssen die warten.«

»Es dauert nicht sehr lange«, setzte Anna-Maria an, doch ehe sie den Satz beenden konnte, hatte Malte Gabrielsson die Tür schon geschlossen.

Anna-Maria lehnte die Stirn an den Türrahmen.

»Gib mir Kraft«, sagte sie. »Jetzt hab ich es langsam verdammt satt, von diesen Leuten wie die polnische Putzfrau behandelt zu werden.«

Wütend hämmerte sie gegen die Tür.

»Aufmachen, zum Teufel«, brüllte sie.

Sie öffnete den Briefschlitz und rief in die Wohnung:

»Wir arbeiten an einer Mordermittlung. Wenn ich an Ihrer Stelle wäre, würde ich jetzt mit uns reden. Sonst schicke ich uniformierte Kollegen an Ihre Arbeitsstelle und lasse Sie zur Vernehmung holen. Ich werde bei Ihren Nachbarn klopfen und mich nach Ihnen erkundigen. Ich weiß, dass Sie Inna Wattrang vor ihrem Tod zweihunderttausend bezahlt haben. Das kann ich beweisen. Auf der Überweisung ist Ihre Handschrift. Ich werde nicht lockerlassen!«

Die Tür wurde geöffnet, und Malte Gabrielsson nahm die Sicherheitskette ab.

»Kommen Sie herein«, sagte er und schaute sich im Treppenhaus um.

Jetzt war er plötzlich die Freundlichkeit selber. Stand da im

Schlafrock und hängte ihre Jacken in die Diele. So, als hätte er sie niemals abgewiesen.

»Darf ich Ihnen etwas anbieten«, fragte er, als sie dann im Wohnzimmer saßen. »Wegen meiner Erkältung konnte ich nicht einkaufen, aber darf es vielleicht Tee oder Kaffee sein?«

Die Sofas waren weiß, der Teppich weiß, die Wände weiß. Große abstrakte Ölgemälde und Kunstgegenstände lieferten die Farben. Es war eine sehr helle Wohnung. Hohe Decken und große Fenster. Nichts stand am falschen Ort. Das Namensschild an der Tür zeigte nur seinen Namen. Er lebte also allein in dieser unberührten Wohnung.

»Danke, es geht auch ohne«, sagte Anna-Maria Mella.

Dann kam sie gleich zur Sache.

»›Nicht für dein Schweigen‹, was war das für Geld?«

Malte Gabrielsson fischte ein Stofftaschentuch aus der Schlafrocktasche, er hatte es zu einem kleinen Klumpen zerknüllt, mit dem er jetzt vorsichtig seine wunde Nase betupfte. Anna-Maria schauderte es bei der Vorstellung, dieses von Rotz durchtränkte Taschentuch anfassen und in die Waschmaschine stecken zu müssen.

»Das war ein Geschenk«, sagte er.

»Also wirklich«, sagte Anna-Maria freundlich. »Ich habe doch gesagt, dass ich nicht lockerlasse.«

»Na gut«, sagte er. »Es wird ja wohl doch herauskommen. Inna und ich waren eine Zeit lang zusammen. Und dann haben wir uns gestritten, und ich habe ihr eine oder zwei Ohrfeigen verpasst.«

»Ach?«

Malte Gabrielsson sah plötzlich traurig aus, er wirkte in seinem Schlafrock elend und ein wenig verletzlich.

»Ich glaube, es war, weil ich wusste, dass sie keine Lust mehr hatte. Sie hätte mich auf jeden Fall verlassen. Und das konnte ich nicht ertragen. Und deshalb habe ich mir erlaubt… die Kontrolle zu verlieren, oder wie man das nun nennen soll. Ich konnte mir einreden, es sei deshalb gewesen. Aber sie hätte mich auf jeden Fall verlassen. Irgendwie wusste ich das. Ich habe danach sehr viel darüber nachgedacht.«

»Warum haben Sie ihr das Geld gegeben?«

»Das war einfach nur so ein Einfall. Ich habe auf ihrem Anrufbeantworter eine Nachricht hinterlassen: ›Das ist nicht für dein Schweigen. Ich bin ein Schwein. Wenn du zur Polizei gehen willst, dann von mir aus. Kauf dir was Schönes. Ein Gemälde oder ein Schmuckstück. Danke für die schöne Zeit, Inna.‹ Ich wollte doch gern, dass es so war. Dass ich das Schwein war. Und dass unsere Beziehung unmöglich geworden war, weil ich sie misshandelt hatte.«

»Zweihunderttausend ist ganz schön viel für eine oder zwei Ohrfeigen«, sagte Anna-Maria.

»Die juristische Bezeichnung wäre trotzdem Körperverletzung. Ich bin Jurist. Wenn sie mich angezeigt hätte, wäre ich aus der Anwaltskammer ausgeschlossen worden.«

Er sah Anna-Maria plötzlich an und sagte energisch:

»Ich habe sie nicht umgebracht.«

»Aber Sie haben sie gekannt. Gibt es wirklich jemanden, der ihr den Tod gewünscht haben kann?«

»Weiß nicht.«

»Was für eine Beziehung hatte sie zu ihrem Bruder?«

»Sie hat nicht sehr viel über ihn gesprochen. Ich hatte den Eindruck, dass sie ihn ziemlich satt hatte. Ich glaube, sie hatte keine Lust mehr, seine vielen Patzer zu decken. Warum fragen Sie nicht ihn nach seiner Beziehung zu ihr?«

»Das würde ich ja gern, aber er ist auf Geschäftsreise in Kanada.«

»Ach, Mauri und Diddi sind in Kanada.«

Malte Gabrielsson tupfte sich abermals die Nase ab.

»Die gönnen sich ja wirklich keine lange Trauerzeit.«

»Mauri Kallis ist nicht in Kanada, nur Diddi Wattrang«, sagte Anna-Maria.

Malte Gabrielsson brach seine Tupfarbeit ab.

»Nur Diddi? Nein, das kann ja wohl nicht sein.«

»Wie meinen Sie das?«

»Nach allem, was Inna erzählt hat, lässt Mauri Diddi schon lange nicht mehr allein losfahren. Diddi hat kein Urteilsvermögen. Hat einige richtig dumme Entscheidungen getroffen, quick and dirty. Nein, wenn er verreist, dann zusammen mit Inna, jetzt nicht mehr, natürlich, aber bisher, oder zusammen mit Mauri. Aber nie allein. Er blamiert sich. Und ich glaube nicht, dass Mauri Vertrauen zu ihm hat.«

Unten auf der Straße seufzte Sven-Erik:

»Die Leute können einem leidtun.«

»Der tut dir leid?«, rief Anna-Maria. »Jetzt hör aber auf!«

»Er ist doch eigentlich ein sehr einsamer Mensch. Anwalt, verdient sicher jede Menge, aber wenn er krank ist, geht niemand für ihn einkaufen. Diese Wohnung, ist die ein Zuhause? Der sollte sich eine Katze zulegen.«

»Damit er die in die Waschmaschine stecken kann, oder was? Misshandelt Frauen und tut sich dann leid, weil sie ihn verlassen. Eine oder zwei Ohrfeigen, das glaubst du doch selbst nicht. Nein, also echt! Aber was meinst du, sollen wir einen Bissen essen?«

Inna Wattrang fährt durch das Tor auf den Herrensitz Regla zu. Es ist der 2. Dezember. Sie hält vor der alten Wäscherei, in der sie wohnt, und bereitet sich darauf vor, aus dem Auto zu steigen. Das ist nicht so leicht.

Sie ist von Stockholm gefahren, und jetzt, da sie ihr Ziel erreicht hat, sind ihre Arme plötzlich ganz schwach. Sie kann kaum den Rückwärtsgang einlegen, um den Zündschlüssel herauszuziehen.

Dass sie überhaupt zu Hause angekommen ist. Herrgott, sie ist durch die Dunkelheit gefahren und hat sich an den roten

Hecklichtern anderer Autos orientiert. Ihr eines Auge ist geschwollen und verklebt, und sie musste die ganze Zeit das Gesicht nach oben drehen, damit ihre Nase nicht wieder blutete.

Sie will den Sicherheitsgurt öffnen, aber dann entdeckt sie, dass sie sich gar nicht angeschnallt hatte. Sie hatte nicht einmal den Piepton gehört, der auf dieses Versäumnis aufmerksam macht.

Sie ist steif geworden. Als sie die Autotür öffnet, um auszusteigen, nimmt sie über der Brust einen intensiven stechenden Schmerz wahr. Und als sie nach Luft schnappt, weil es so wehtut, sticht es wieder. Er hat ihr mehrere Rippen gebrochen.

Jetzt muss sie fast lachen, weil es ihr so jämmerlich schlecht geht. Mühselig zieht sie sich aus dem Auto. Hält sich mit der einen Hand an der Tür fest, kann sich nicht aufrichten, steht zusammengekrümmt da und atmet flach und stoßweise, wegen der gebrochenen Rippen. Sie sucht nach dem Hausschlüssel und hofft, dass sich kein weiterer Sturzbach aus ihrer Nase ergießt, ihre Louis-Vuitton-Handtasche gefällt ihr nämlich.

Aber es ist verdammt noch mal unmöglich, den Schlüssel zu finden. Sie kann ja nichts sehen. Sie steuert die schwarze schmiedeeiserne Laterne hinten an der Querwand an. Und da, gerade als sie richtig gut sichtbar unter der Laterne steht, hört sie Stimmen. Es sind Ebba und Ulrika, die Frauen von Mauri und Diddi. Ab und zu fahren sie mit dem Boot nach Hedlandet und treffen sich mit anderen jungen Gattinnen, zu Weinproben und Essen mit Freundinnen, Qualitätszeit ohne Kinder. Wenn sie dann mit dem Boot zurückkommen, gehen sie immer über Innas Hofplatz. Das ist der kürzeste Weg. Sie hört sie kichern und plaudern.

Ihnen hat der Abend auch viel gebracht, denkt Inna und grinst.

Für einen Moment fragt sie sich, ob sie noch fliehen kann, aber das wäre ja ein schöner Anblick. Wie sie, hinkend wie der Glöckner von Notre-Dame, in den Schatten verschwindet.

Ulrika sieht sie als Erste.

»Inna«, ruft sie ein wenig fragend, denn was ist eigentlich los mit Inna, ist sie besoffen, warum steht sie so seltsam gebückt da?

Jetzt hört sie auch Ebba.

»Inna? Inna!«

Ihre schnellen Schritte im Kies.

Jede Menge Fragen. Sie hat das Gefühl, mit einem Bienenschwarm in einen Schrank gesperrt worden zu sein.

Sie lügt, natürlich. Das macht sie meistens ziemlich gut, aber jetzt ist sie zu erschöpft und zerschunden.

Sie rührt schnell eine Suppe zusammen, sie sei in Humlegården von irgendwelchen Bengels überfallen worden… doch, die hätten ihr die Brieftasche weggenommen… nein, Ulrika und Ebba dürften keinesfalls die Polizei anrufen… warum nicht? Weil sie das nicht will, verdammt noch mal.

»Ich muss mich nur ein bisschen hinlegen«, sagt sie flehend. »Kann nicht eine von euch meinen Schlüssel aus meiner verdammten Tasche fischen?«

Sie flucht, statt in Tränen auszubrechen.

»Es kann gefährlich sein, wenn du dich jetzt hinlegst«, sagt Ulrika, während Ebba in der Tasche nach Innas Hausschlüssel sucht. »Haben sie dich getreten? Du kannst doch innere Blutungen haben. Wir sollten auf jeden Fall einen Arzt holen.«

Inna stöhnt in Gedanken. Wenn sie eine Pistole hätte, würde sie die beiden erschießen, um sich ein wenig Ruhe und Frieden zu verschaffen.

»Ich habe keine inneren Blutungen«, faucht sie.

Ebba findet den Schlüssel. Sie schließt auf und knipst das Licht in der Diele an.

»Aber da liegt doch deine Brieftasche«, sagt sie und zieht sie mit einer seltsamen Miene aus der Tasche. Im Dielenlicht sehen die beiden jetzt ganz deutlich, wie übel Inna zugerichtet ist. Und sie wissen nicht, was sie glauben sollen.

Inna ringt sich ein Lächeln ab.

»Danke. Ihr seid wirklich ... schrecklich lieb, alle beide ...«

Verdammt, bei ihr hört sich das an, als ob sie es mit zwei Teddybären zu tun hätte, sie kann den richtigen Tonfall nicht finden, sie will die beiden nur los sein.

» ... wir können morgen darüber reden, jetzt muss ich einfach meine Ruhe haben ... bitte. Sagt Diddi und Mauri nichts, ja? Wir reden morgen weiter.«

Sie schließt die Tür vor den schockierten kleinen Rehgesichtern der beiden.

Sie streift die Schuhe ab und wankt Stufe für Stufe die Treppe hinauf. Durchwühlt ihren Medizinschrank, nimmt Xanor, formt die Hand unter dem Hahn zur Kelle, um Wasser zum Schlucken zu haben, dann nimmt sie Imovan, die verschluckt sie nicht ganz, sondern lutscht geduldig die Hülle ab, um die Wirkung zu beschleunigen.

Sie überlegt, ob sie sich in die Küche schleppen kann, um eine Flasche Whisky zu holen.

Sie setzt sich auf die Bettkante und lässt sich rückwärts sinken, nimmt den bitteren Geschmack im Mund wahr, als das Imovan zu wirken beginnt. Es ist stark. Jetzt ist alles gut.

Die Tür unten wird geöffnet und geschlossen, rasche Schritte auf der Treppe, dann Diddis Stimme:

»Ich bin's nur.«

Seine übliche Begrüßungsformel. Immer reißt er die Tür auf und kommt mit genau diesen Worten herein. Und seit seiner Hochzeit kommt Inna sich dabei wie eine zusätzliche Ehefrau vor, die allein wohnt.

»Wer?«, fragt er nur, als er sie sieht. Das Blut auf ihrem Hemd, die geschwollene Nase, die gesprungene Lippe, das verklebte Auge.

»Es war Malte«, sagt sie. »Er wurde ein wenig ... er hat die Kontrolle verloren.«

Sie lächelt ihn so schelmisch an, wie sie nur kann. An Lachen ist mit diesen Rippen nicht zu denken, die tun trotz der Medikamente immer noch weh.

»Wenn du findest, dass ich nicht ganz so toll aussehe, dann hättest du mal den sahneweißen Teppichboden in seinem Schlafzimmer sehen sollen«, scherzt sie.

Diddi versucht, ihr Lächeln zu erwidern.

Gott, was ist der langweilig geworden, denkt sie. Am liebsten würde sie ihn anspucken.

»Wie schlimm ist es?«, fragt er.

»Es wird jetzt besser.«

»Sollen wir dich ein bisschen verhätscheln?«, fragt Diddi. »Möchtest du etwas Bestimmtes?«

»Eis, ich sehe morgen bestimmt beschissen aus. Und eine Linie.«

Er holt das Gewünschte. Sie bekommt einen Whisky und fühlt sich ziemlich gut unter diesen Umständen. Es tut nicht mehr so verdammt weh, und der Whisky macht sie warm und entspannt, während das Kokain ihren Kopf klar bleiben lässt.

Diddi knöpft ihr Hemd auf und zieht es ihr vorsichtig aus. Er tunkt ein Frotteehandtuch in warmes Wasser und wäscht ihr das Blut aus Gesicht und Haaren.

Inna hält sich ein mit Eis gefülltes Küchenhandtuch auf das Auge und gibt Rocky-Balboa-Sprüche von sich.

»I can't see nothing, you got to open my eye... cut me. Mick... you stop this fight and I'll kill you...«

Diddi setzt sich zwischen ihre Oberschenkel und schiebt die Hand unter ihren Rock. Löst die Strümpfe von den Strapsen, küsst ihre Kniekehlen, während er ihr die Strümpfe abstreift.

Seine Finger wandern liebkosend an ihren Oberschenkeln aufwärts. Sie zittern vor Begehren. In ihrem Höschen ist sie klebrig vom Sperma eines anderen. Das ist ungeheuer sexy.

Sie lachen immer über Innas Liebhaber, er und Mauri. Sie lernt wirklich die unwahrscheinlichsten Männer kennen. Woher nimmt sie die nur? Das fragen er und Mauri sich immer wieder.

Wenn man Inna nackt auf eine Schäre im Meer setzte, dann würde bald ein Fiesling mit Perücke und Kleidern angesegelt kommen, und Inna könnte seine finsteren Begierden befriedigen.

Manchmal erzählt sie. Um die beiden zu unterhalten. Wie im vergangenen Jahr, als sie aus einem Luxushotel in Buenos Aires eine SMS schickte. »Hab seit einer Woche das Hotelzimmer nicht verlassen«, schrieb sie.

Als sie nach Hause kam, standen Mauri und Diddi da wie zwei erwartungsvolle Labradore, denen sie einen Knochen zuwerfen sollte. »Erzähl, erzähl!«

Inna hatte herzlich gelacht.

Der neue Freund war ein Schiffebeobachter gewesen.

»Er fährt in die großen Hafenstädte der Welt«, erzählte sie. »Quartiert sich in Luxushotels mit Seeblick ein und sitzt eine Woche da und führt Buch über Schiffe. Ihr könnt gern den Mund zumachen, während ich rede.«

Diddi und Mauri machten den Mund zu.

»Er filmt auch«, sagte Inna dann. »Und als im vorigen Jahr seine Tochter geheiratet hat, hat er Filme davon gezeigt, wie in aller Welt Schiffe in Häfen aus- und einfuhren. Zwanzig Minuten hat er damit verbracht. Die Gäste haben sich nicht übermäßig amüsiert.«

Sie machte eine zögernde Handbewegung, um das Interesse der Hochzeitsgäste zu illustrieren.

»Was hast du gemacht?«, fragte Mauri. »Während er nach Booten ausgespäht hat?«

»Tja«, antwortete sie. »Verdammt viele Bücher gelesen. Er wollte ja eigentlich, dass ich dalag und mir alles anhörte, was er zu erzählen hatte. Fragt mich also nach Tankern. Ich weiß alles.«

Sie hatten gelacht. Aber Diddi hatte liebevoll gedacht: Das ist meine Schwester. Sie war mit allem zufrieden. Sie fand seltsame Spielkameraden. Sie liebte sie, fand sie interessant, half ihnen, ihre Träume wahr werden zu lassen. Und manchmal waren die eben so harmlos.

Eigentlich war alles harmlos, von ihrem Standpunkt aus gesehen.

Wir haben immer unsichtbare Spiele gespielt, denkt Diddi jetzt und sucht mit den Fingern nach Innas Geschlecht. Alles ist in Ordnung, wenn nur niemand verletzt wird, der das nicht will.

Er sehnt sich nach dem Gefühl, in dem er früher gelebt hat. Dem Gefühl, dass das Leben flüchtig wie Äther ist. Jeder Augenblick existiert nur gerade jetzt, dann ist er verschwunden. Das Gefühl, allem mit den großen Augen eines Kindes gegenüberzustehen.

Er verliert dieses Gefühl durch Ulrika und das Baby. Er kann nicht ganz begreifen, wie das passiert ist. Dass er so einfach geheiratet hat.

Er will, dass Inna ihm Leichtsinn und Sorglosigkeit zurückgibt. Er will schwerelos im Leben treiben wie im Meer. Man wird an einen Strand gespült. Wandert eine Weile darauf umher. Findet ein schönes Schneckenhaus. Verliert es. Wird von der Flut wieder weggeschwemmt. So, genau so, soll das Leben sein.

»Hör auf«, sagt Inna gereizt und schiebt seine Hand weg.

Aber Diddi will nicht hören.

»Ich liebe dich«, murmelt er gegen ihr Knie. »Du bist wunderbar.«

»Ich will nicht«, sagt sie. »Hör auf.«

Und als er nicht aufhört, sagt sie:

»Denk an Ulrika und dein Prinzlein.«

Diddi hört sofort auf. Weicht ein Stück zurück und legt die Hände auf die Knie wie Porzellangegenstände auf ihren Sockel. Er wartet darauf, dass sie ihn besänftigt, Öl auf die Wogen gießt.

Aber das tut sie nicht. Sie zieht ihre Zigaretten hervor und steckt sich eine an.

Er ist sauer. Fühlt sich abgewiesen und beleidigt. Möchte sie verletzen.

»Was ist los mit dir«, fragt er und lässt aus seiner Stimme heraushören, dass er zum Heuchler geworden ist.

Seine Frauen und einige wenige Männer hat er immer auf seine sanfte Art geliebt. Er hat die Sache mit Gewalt und hartem Zupacken nie begriffen. Aber er hat nie das Gefühl gehabt, sich verteidigen zu müssen. Wenn er mit Leuten zusammen war, die das wollten, hat er immer höflich abgelehnt und viel Vergnügen gewünscht. Einmal hat er sogar zugesehen. Aus purer Höflichkeit. Und vielleicht, weil er keine Lust hatte, hinaus in die Nacht zu wandern.

Aber Inna. Sie hat fast alles gemacht. Und seht sie euch jetzt an. Was ist eigentlich mit ihr los?

Das fragt er.

»Was ist eigentlich mit dir los?«, fragt er. »Fährst du im Moment nur auf richtig perversen Kram ab? Brauchst du als Drogennutte Prügel?«

»Hör auf«, sagt sie mit etwas Müdem und Bittendem in der Stimme.

Aber jetzt ist Diddi fast verzweifelt. Er spürt, dass er wirklich dabei ist, sie zu verlieren. Dass er sie vielleicht schon verloren hat. Sie ist in einer Welt verschwunden, die von alten, übel riechenden Männern mit seltsamen Gelüsten bevölkert wird, er sieht Bilder vor sich, von großen scheußlichen Wohnungen in teuren Vierteln in Europas Hauptstädten. Wo die stickige Luft von Ablagerungen und Dreck in den Abflüssen der großen Badezimmer gesättigt ist. Wohnungen, in denen die schweren Portieren immer zugezogen sind, um das Sonnenlicht auszusperren.

»Was findest du bloß an den alten Widerlingen?«, fragt er und lässt seine Stimme ganz bewusst vor Abscheu triefen.

»Hör doch auf.«

»Ich weiß noch, wie du zwölf Jahre alt warst und …«

»Hör auf! Hör auf! Hör auf!«

Inna springt auf. Jetzt haben die Medikamente sie von den Schmerzen befreit. Sie fällt vor ihm auf die Knie, nimmt sein Kinn zwischen die Finger und mustert ihn mitleidig. Fährt ihm über die Haare. Tröstet ihn. Während sie mit sanfter Stimme das Allerentsetzlichste sagt:

»Du hast es verloren. Du bist kein Junge mehr. Und das ist so traurig. Frau, Kind, Haus, Essen mit anderen Ehepaaren, Feste, Einladungen auf Landgüter, das steht dir tatsächlich. Und deine Haare werden dünn. Dieser strähnige lange Pony, der ist wirklich jämmerlich. Bald musst du dir die Haare über den Schädel kämmen. Deshalb brauchst du die ganze Zeit Geld. Siehst du das nicht selbst? Früher hast du alles gratis bekommen. Partnerinnen, Kokain. Jetzt bist zu zum Käufer geworden.«

Sie erhebt sich. Zieht an ihrer Zigarette.

»Woher nimmst du das Geld? Wie viel verbrauchst du? Achtzig im Monat? Ich weiß, dass du bei der Gesellschaft Geld abgezweigt hast. Als Quebec Invest verkauft hat und der Wert von Northern Explore sank. Ich weiß, dass du dafür gesorgt hast. Ein Journalist von *Norrländska Socialdemokraten* hat mich angerufen und jede Menge Fragen gestellt. Mauri würde ausrasten, wenn er davon erführe. Das wird er tun!«

Diddi ringt mit den Tränen. Wie konnte es nur so weit kommen? Wann ist es so zwischen ihm und Inna geworden?

Er möchte hinausstürzen und sie verlassen. Zugleich ist es das Letzte, was er will. Wenn er jetzt geht, kann er nie mehr zurückkommen, so empfindet er das.

Sie waren immer treulos, er und Inna. Oder nicht treulos, aber sie haben sich niemals von anderen einengen lassen. Menschen kommen und gehen im Leben. Man öffnet sich ganz und lässt wieder los, wenn es an der Zeit ist. Und es ist immer an der Zeit. Früher oder später. Aber Diddi hatte immer das Gefühl, dass er und Inna füreinander die Ausnahme bilden. Während Mama eine Pappkulisse war, der es nur um Geld und gesellschaftliche Stellung ging, war Inna Fleisch, Blut, Leben.

Er ist nicht Innas Ausnahme. Er hat sich von ihr gelöst. Sie hat es zugelassen.

»Geh jetzt«, sagt sie mit ihrer freundlichen Stimme, der Stimme, die sie für alle Welt hat.

Sie ist überaus sanft und umgänglich.

»Wir reden morgen darüber.«

Er schüttelt den blonden Schopf, spürt, wie die Haare über seine Stirn streichen. Sie werden morgen nicht darüber reden. Alles ist gesagt, und alles ist vorbei.

Er schüttelt unentwegt den Kopf, auf dem ganzen Weg die Treppe hinunter, über den Hofplatz und durch die Dunkelheit nach Hause zu seiner Frau und seinem kleinen Sohn.

Ulrika wartet in der Tür auf ihn.

»Wie geht es ihr?«, fragt sie.

Das Prinzlein schläft, und sie schmiegt sich an ihn. Er zwingt sich dazu, die Arme um sie zu legen. Über ihrem Kopf begegnet ihm sein eigenes Gesicht in dem vergoldeten Dielenspiegel.

Er erkennt diese Person nicht, die ihn von dort ansieht. Die Haut ist wie eine Maske, die sich gelöst hat.

Und Inna weiß von der Sache mit Quebec Invest, das ist schlimm, sehr schlimm. Was hat sie noch gesagt? Dass ein Journalist von *Norrländska Socialdemokraten* Fragen gestellt hat.

Inna liegt auf dem Bett und hält sich das feuchte Handtuch auf die Nase, die jetzt wieder blutet. Sie hört, wie abermals unten die Tür geöffnet und geschlossen wird. Diesmal ist es Mauris Stimme:

»Hallo.«

Sie stöhnt ganz leise. Will nichts erklären. Hat auch nicht vor, das zu tun. Bringt es nicht über sich, ihnen zu verbieten, Polizei und Arzt anzurufen.

Mauri klopft immerhin an. Er klopft zuerst an die Haustür,

dann unten an den Türrahmen, und ruft in den ersten Stock hoch. Fast würde er noch ans Treppengeländer klopfen, während er ruft, dass er nach oben kommt. Und er klopft an die offene Schlafzimmertür, schaut vorsichtig herein.

Er sieht ihr geschwollenes Gesicht, die zerbissenen Lippen, die blauen Oberarme und fragt:

»Kannst du das wohl überpudern? Du musst morgen mit mir nach Kampala fliegen und mit der Wirtschaftsministerin sprechen.«

Und jetzt muss Inna lachen. Sie findet es wunderbar, dass Mauri den Kalten spielt und die Maske aufbehält.

ALS INNA UND Mauri in Kampala das Flugzeug verlassen, explodieren Hitze und Feuchtigkeit in ihren Gesichtern wie ein Airbag. Der Schweiß fließt in Strömen. Das Taxi hat keine Klimaanlage, und die Sitze sind aus Kunstleder, bald sind sie an Rücken und Hintern triefnass, sie versuchen, nur auf einer Hinterbacke zu sitzen, um den Sitz nicht zu berühren. Der Fahrer fächelt sich mit einem riesigen Fächer Luft zu und singt hemmungslos die Lieder aus dem Autoradio mit. Der Verkehr ist chaotisch, ab und zu steht er einfach still, und der Fahrer hängt aus dem Seitenfenster und diskutiert mit anderen Taxifahrern oder ruft und gestikuliert in Richtung der Kinder, die wie Springteufelchen auftauchen und alles Mögliche verkaufen wollen oder einfach nur die Hand aufhalten. »Miss«, sagen sie und klopfen flehend an Innas Wagenfenster. Inna und Mauri sitzen auf dem Rücksitz wie in einem Glaskasten und haben die Fenster geschlossen und schwitzen wie in der Sauna.

Mauri ist wütend, es war abgemacht, dass sie am Flughafen abgeholt werden, aber da war niemand, und sie mussten ein Taxi nehmen. Bei seinem letzten Besuch in Kampala hat er die schönen grünen Parks gesehen, die Anhöhen um die Stadt. Jetzt sieht er nur die Marabus, die sich in Scharen auf den Dächern sammeln, mit ihren widerlichen roten Hängehälsen.

Im Regierungsgebäude läuft die Klimaanlage, dort sind es nur zweiundzwanzig Grad, und Inna und Mauri frieren in ihren nassen Kleidern. Eine Sekretärin lotst sie ins Gebäude, und die Wirtschaftsministerin kommt ihnen entgegen, sowie sie die breite Marmortreppe mit dem roten Teppich und dem Ebenholzgeländer erklommen haben. Sie ist eine Frau von Mitte sechzig mit üppigen Hüften. Sie trägt ein dunkelblaues Kostüm und hat sich die Haare mit einer Zange geglättet und mit einem Kamm hochgesteckt. Ihre schwarzen Pumps sind abgenutzt, man sieht, wie die kleinen Zehen das Leder ausbeulen. Sie reicht den Gästen lächelnd die Hand und plaudert und legt ihre linke Hand auf deren rechte. Erkundigt sich nach der Reise, nach dem Wetter in Schweden, führt sie in ihr Büro. Bittet sie, Platz zu nehmen, und schenkt ihnen Eistee ein.

Sie schlägt die Hände zusammen und fragt voller Entsetzen, was Inna widerfahren sei.

»Girl, you look like someone who's tried to cross Luwum Street during rush-hour.«

Inna serviert die Geschichte von den jugendlichen Schlägern in Humlegården.

»Ich garantiere Ihnen«, sagt sie abschließend, »der Jüngste kann nicht älter als zwölf gewesen sein.«

Details machen eine Lüge besonders glaubwürdig, denkt Mauri. Inna lügt mit wahrhaft beneidenswerter Leichtigkeit.

»Was ist nur los mit der Welt?«, fragt die Wirtschaftsministerin und schenkt Eistee nach.

Eine Sekunde Schweigen. Alle denken dasselbe, aber niemand lässt sich etwas anmerken. Dass eine Bande von Jungs eine Frau angreift und sie zusammenschlägt und ihr Geld stiehlt, ist ein Zuckerschlecken gegen die Probleme in Nord-Uganda. In den nördlichen Landesteilen verbreiten militärische Sicherheitstruppen und die LRA Entsetzen unter der Zivilbevölkerung. Hinrichtungen, Folter, Vergewaltigungen gehören zum Alltag. Und die LRA zwangsrekrutiert Kindersoldaten, kommt in der Nacht, zielt auf die Köpfe der Eltern, zwingt die Kinder, die Nachbarsfamilie zu töten, »or your mother will die«, nimmt sie mit. Es besteht keine Gefahr, dass sie weglaufen. Wohin sollten sie auch zurückkehren?

Aus Angst vor Entführung wandern jeden Abend zwanzigtausend Kinder in die Stadt Gulu und schlafen in der Nähe von Kirchen, Krankenhäusern und Busstationen, um am Morgen dann wieder nach Hause zu wandern.

Aber Kampala ist eine Stadt, in der Ordnung herrscht, in der man in Cafés sitzen und Geschäfte machen kann. Hier wollen sie die Probleme in den nördlichen Landesteilen nicht wahrhaben. Deshalb verlieren weder Inna noch Mauri, noch die Wirtschaftsministerin auch nur ein Wort über Kinder und Gewalt.

Stattdessen nähern sie sich dem Grund ihres heutigen Treffens. Auch das ist vermintes Gelände. Sie möchten gern zu einer Einigung kommen. Aber nicht zu den Bedingungen der Gegenseite.

Kallis Mining hat den Grubenbetrieb in Kilembe geschlossen. Fünf Monate zuvor wurden drei belgische Bergwerksingenieure getötet, als die Hemamiliz einen Bus nach Gulu überfiel. Die Infrastruktur ist fast vollständig zerfallen. Kallis Mining hat zusammen mit zwei anderen Grubengesellschaften eine Straße von Nordwest-Uganda nach Kampala gebaut. Drei Jahre zuvor war diese Straße neu. Jetzt ist sie auf gewissen Strecken so gut wie unpassierbar. Allerlei militärische Gruppen haben sie vermint und gesprengt. Nach Einbruch der Dunkelheit kommt es vor, dass Straßensperren errichtet werden, und dann ist alles möglich. Berauschte und abgestumpfte Elfjährige mit Waffen in den Händen. Und ein Stück dahinter ihre älteren Waffenbrüder.

»Ich habe die Grube nicht gebaut, damit sie Milizen in die Hände fällt«, sagt Mauri.

Seine Wachtruppen auf dem Bergwerksgelände haben schon längst die Flucht ergriffen. Jetzt werden seine Gruben illegal ausgebeutet. Es ist unklar, wer dort wütet, die Geräte benutzt, die die Gesellschaft nicht mehr fortschaffen konnte, den ganzen Maschinenpark zu Schrott fährt. Mauri hat Gerüchte gehört, dass es sich um Gruppen handelt, die mit den Regierungstruppen verbündet sind. Es ist also sehr wahrscheinlich, dass Museveni ihn bestiehlt.

»Das ist ein Problem für die Nation«, sagt die Wirtschaftsministerin. »Aber was sollen wir machen? Unsere Truppen können nicht überall sein. Wir versuchen, Schulen und Krankenhäuser zu schützen.«

Bullshit, denkt Mauri. Wenn sie nicht mich bestehlen, dann sind die Regierungstruppen damit beschäftigt, die Kontrolle über Gruben im nordöstlichen Kongo an sich zu reißen und das Gold über die Grenze zu schaffen.

Die offizielle Erklärung lautet natürlich, dass alles Gold, das ins Ausland verkauft wird, aus Gruben in ugandischem Staatsbesitz stammt, aber alle wissen, was wirklich Sache ist.

»Ihr werdet Probleme bekommen, ausländische Investoren ins Land zu locken«, sagt Mauri. »Sie werden abwinken, wenn ihr in den nördlichen Regionen nicht Ruhe und Ordnung aufrechterhalten könnt.«

»Wir haben sehr großes Interesse an ausländischen Investoren, aber was soll ich machen? Wir haben angeboten, eure Gruben zu kaufen …«

»Für nichts!«

»Für das, was ihr damals bezahlt habt.«

»Aber seither habe ich über zehn Millionen Dollar in Infrastruktur und Ausrüstung investiert!«

»Aber das hat jetzt für niemanden irgendeinen Wert. Auch nicht für uns. In dieser Region gibt es so viele Probleme!«

»Ja, das kann man wohl sagen. Und ihr scheint nicht begreifen zu wollen, dass aus diesen Problemen nur ein Weg hinausführt: die Investoren zu beschützen. Ich könntet reich werden!«

»Wirklich? Wie denn?«

»Infrastruktur. Schulen. Aufbau der Gesellschaft. Arbeitsplätze. Steuereinnahmen.«

»Wirklich? In den drei Jahren, in denen ihr dort tätig wart, hat die Gesellschaft keinerlei Gewinne verzeichnet. Also gab es auch keine Steuereinnahmen.«

»Diese Diskussion haben wir auch damals schon geführt. Anfangs muss man investieren. Natürlich kann man in den ersten fünf Jahren nicht mit Gewinn rechnen.«

»Wir bekommen also nichts. Ihr bekommt alles. Und jetzt, wo ihr Probleme habt, kommt ihr zu uns und wollt militärische Hilfe, um eure Unternehmungen zu beschützen. Und ich sage: Macht den Staat zum Teilhaber. Es ist leichter für mich, Mittel zum Schutz einer Gesellschaft freizustellen, an der wir Anteile besitzen.«

Mauri nickt und scheint zu überlegen.

»Dann können wir vielleicht auch bei anderen Problemen Hilfe bekommen. Plötzlich war doch unsere Aufenthaltsgenehmigung ungültig. Und wir hatten am Ende großen Ärger mit der Gewerkschaft. Vielleicht könnte sich der Präsident auch an das halten, wozu er sich in unserer früheren Abmachung verpflichtet hat. Als wir die Grube erworben haben, hat er versprochen, am Albert-Nil ein Kraftwerk zu bauen.«

»Überlegen Sie sich mein Angebot.«

»Und das wäre?«

»Der Staat kauft fünfzig Prozent der Aktien von Kilembe Gold.«

»Preis?«

»Ach, da werden wir uns sicher einig. Im Moment setzt der Präsident auf Gesundheitsvorsorge und Aids-Aufklärung. Wir sind ein Vorbild für unsere Nachbarländer. Wir könnten auf zukünftige Gewinne verzichten, bis die Bezahlung erfolgt ist.«

Die Wirtschaftsministerin spricht so leicht und locker die ganze Zeit, wie unter alten Freunden.

Trotz der scharfen Worte liegt Mauris Tonfall wie üblich auf der Grenze zwischen ausdruckslos und freundlich.

Inna lockert sonst immer die Stimmung auf, aber jetzt bringt sie das nicht über sich. Hinter den freundlichen Worten und den leichten Stimmen hört sie das Dröhnen von Waffen.

Mauri und Inna trinken in der Hotelbar ein paar Whiskys. Es gibt einen Ventilator unter der Decke und einen richtig schlechten Klavierspieler. Zu viel Personal und zu wenige Gäste. Westlinge, die wissen, dass die Preise hier dreimal so hoch sind wie in anderen Bars der Stadt, die sich aber sagen, dass ihnen das egal ist. Es kostet ohnehin nur einen Bruchteil dessen, was sie zu Hause zahlen müssten.

Zugleich eine Wut. Ein Gefühl, immer wieder an der Nase herumgeführt zu werden. Immer zu viel zu bezahlen. Nur, weil man weiß ist. Dauernde Preisverhandlungen, wenn man das über sich bringt. Und trotzdem wird man betrogen.

Und die Gäste wissen kaum, wie sehr sie sich darüber ärgern, dass ein Kellner mit einer Barfrau herumjuxt. Wer ist eigentlich hier, um sich zu amüsieren? Die oder die Gäste? Wer bezahlt und wer wird bezahlt?

Mauri trinkt, damit der Wirbel in seinem Inneren sich legt. Er hat die ganze Zeit das Gefühl, trübes Wasser in sich zu haben. Etwas Schwarzes, Flatterndes, das die ganze Zeit an die Oberfläche drängt. Er will das nicht akzeptieren. Er will, dass es sich beruhigt. Er will schlafen und erst morgen an alles denken.

Wenn Inna nur nicht gerade jetzt zusammengeschlagen worden wäre. Dann wäre vielleicht alles anders gekommen. Dann hätten sie vielleicht darüber gesprochen. Sie hätte ihn dazu bringen können, alles ein wenig leichter zu nehmen. Vielleicht hätte sie ihn sogar zum Lachen gebracht und ihn denken lassen: So ist es eben, Wind und Gegenwind.

Aber jetzt bringt sie das nicht über sich. Sie trinkt, um den dumpfen Schmerz in ihrem Gesicht zu betäuben. Und sie fragt sich, ob die Wunden an Lippe und Auge schlimmer werden. Sie sind noch nicht verheilt und könnten leicht eine schlimme Entzündung entwickeln.

Nach diesem Erlebnis ist sie nicht auf der Höhe. Nicht ganz sie selbst. Bald wird sich herausstellen, dass das mehrere Gründe hat.

Und Mauri wird nachts von den Wirbeln geweckt, von den schwarzen Ablagerungen, die an den Kanten bröckeln.

Die Klimaanlage ist defekt. Er öffnet das Fenster zur schwarzen Nacht, aber es gibt keine Kühle, nur das unablässige Sirren der Heuschrecken und das Spiel der Geburtshelferkröten.

Wie soll er es irgendwem erklären können? Wie soll irgendjemand etwas verstehen?

Wie Inna mit seiner Sekretärin im Schlepp angelaufen kommt und ihm stolz die *Business Week* zeigt. Und wie er sein eigenes Gesicht sieht.

Er verspürt nicht ihre Freude. Stolz? Nichts liegt ihm ferner. Die Schande spießt seinen Körper auf einen Pfahl.

Er ist der Freudenknabe aller. Hätte auch ein Wanderpokal in einem Hochsicherheitsgefängnis sein können.

Wenn schwedische Wirtschaftsverbände und Arbeitgeberorganisationen ihn zu Vorträgen einladen und pro Teilnehmer dreißigtausend Unkostenbeitrag kassieren und er die Säle füllt. Dann ist er trotzdem nur ihre Hure.

Sie führen ihn vor zum Beweis, dass alle die gleichen Möglichkeiten haben. Alle können Erfolg haben. Alle können nach oben kommen, wenn sie wollen, seht euch doch nur Mauri Kallis an.

Mauri ist es zu verdanken, dass alle jungen Männer und Frauen in Tensta und Botkyrka, alle Tagediebe im Binnenland von Norrland sich selbst die Schuld geben können. Streicht ihnen das Arbeitslosengeld, Leistung muss sich wieder lohnen. Gebt den Leuten einen Anreiz, so zu werden wie Mauri Kallis.

Und sie klopfen ihm auf die Schulter und drücken seine Hand, und er wird niemals einer von ihnen sein. Sie haben vornehme Nachnamen, sie haben Verwandtschaft und altes Geld.

Mauri ist und bleibt ein Emporkömmling ohne Stil.

Er denkt an seine erste Begegnung mit Ebbas Mutter. Eingeladen auf das große Gut. Es war natürlich ungeheuer beeindruckend, bis zu dem Tag, an dem er Einblick in die Buchführung nahm und begriff, dass sie ihr Haus nicht als Tagungsstätte geöffnet hatten, weil die kulturellen Werte dort der Allgemeinheit gehörten, wie die Mutter in einem Zeitschrifteninterview gesagt hatte, sondern um das Gut halten zu können.

Mauri war jedenfalls bei seinem ersten Besuch mit einem Blumenstrauß und einer Schachtel Pralinen erschienen. Im Anzug, obwohl es Mitte Juli war. Er wäre nicht auf die Idee gekommen, sich anders zu kleiden, wenn er Menschen mit einem solchen Besitz besuchte. Es war wie ein Schloss.

Die Mutter hatte gelächelt, als er ihr Blumen und Pralinen überreicht hatte. Ein herablassendes und leicht belustigtes Lächeln. Die billigen Pralinen wurden zum Kaffee gereicht. Lagen halb geschmolzen in ihrer Schachtel. Niemand nahm auch nur eine einzige. Die Mutter hatte einen Garten voller Rosen und anderer Blumen. In den großen Vasen standen ihre prachtvollen Arrangements. Was aus seinem kleinen Strauß geworden war, ahnte er nicht einmal. Wahrscheinlich war er auf direktem Weg auf dem Komposthaufen gelandet.

Er und Ebba wanderten zum alten Badehaus, um den Vater zu begrüßen. Der Wimpel am Badehaus war gehisst. Das bedeutete, dass der Vater badete, dann störte man ihn nicht. Aber nun kam doch Ebbas Verlobter zum ersten Mal zu Besuch, deshalb hatte der Vater sie herbestellt. In der Hitze zog Mauri seine Jacke aus. Sie hing über seinem Arm. Der oberste Hemdenknopf war geöffnet, und der Schlips lag zusammengeknüllt in seiner Tasche. Die anderen trugen helle Sommerkleidung, die schlampig, aber teuer aussah.

Ebbas Vater saß in einem Liegestuhl auf dem Steg. Er erhob sich und begrüßte sie herzlich. Er war splitternackt. Und nicht im Geringsten verlegen. Sein Piepmatz baumelte da unten schlaff vor sich hin.

Mauri machte hier alles falsch.

Daran denkt Mauri, als er hier in der heißen afrikanischen Nacht steht und die Summe der Kränkungen und Erniedrigungen seines Lebens auf ihm lastet. Damals hat Ebbas Vater sich ihm zum letzten Mal nackt gezeigt. Wenn er später seine alten Kumpels anschleppte, deren Geld Mauri anlegen sollte, dann trugen sie Anzüge und spendierten Mittagessen im Riche.

Er denkt an das erste Mal, als er über Nord-Uganda geflogen ist.

Es war eine kleine Cessna, Inna und Diddi waren bei ihm. Mauri hatte mit der ugandischen Regierung Verhandlungen über den Kauf der Grube in Kilembe aufgenommen.

Sie hatten Blicke getauscht, als sie ins Flugzeug gestiegen waren. Der Pilot stand ganz offenbar unter Drogen.

»Manch einer ist schon high«, sagte Inna laut.

Denn außer ihnen verstand niemand Schwedisch.

Sie kicherten beim Einsteigen. Klammerten sich an ihren Leichtsinn. Über den Tod lachen wir doch.

Zu Beginn des Fluges kämpfte Mauri mit der Angst. Aber dann: wurde er verzaubert.

Dichter grüner Regenwald bedeckte sanfte Hügelkämme. In den Tälern zwischen den Bergen schlängelten sich Flüsse voller Süßwasser. In diesen Flüssen schwammen grün schimmernde Krokodile. Und die Berge waren voll von roter, fruchtbarer Erde und Gold, das alle ernähren konnte.

Es war ein geistiges Erlebnis. Mauri kam sich vor wie ein Prinz, der die Arme ausbreitete und über sein Reich flog.

Das Dröhnen des Flugzeugmotors beschützte ihn vor dem Gerede seiner Freunde. Es durchlief ihn, wogte, ein Gefühl, mit allem eins zu sein.

Wer hätte er in Kanada jemals werden können?

Von Kiruna gar nicht zu reden!

Die LKAB würde immer die größte Akteurin dort oben sein. Selbst wenn er sich einschaltete und eine Grube kaufte, würde er wohl kaum etwas verkaufen können. Die Infrastruktur war beschränkt. Die Erzbahn wurde von der LKAB vereinnahmt, und nicht einmal die konnte alles abtransportieren, was sie verkaufen könnte. Die ganze Zeit würde man mit der Mütze in der Hand dastehen und immer wieder übertölpelt werden.

Aber hier. Er würde reich werden. Richtig reich. Wer als Erster hier einstieg, würde ein Vermögen machen. Und Städte bauen, Straßen, Eisenbahnen, Kraftwerke.

Später sagte er zu Diddi und Inna:

»Die Grube ist eigentlich nur ein Schlammloch im Boden. Sie haben keine Ausrüstung, sie hacken und buddeln mit der Hand. Trotzdem finden sie eine Menge. Da unten liegt ein unvorstellbarer Reichtum.«

»Und jede Menge Ärger«, hatte Diddi eingewandt.

»Sicher«, sagte Mauri. »Aber wenn die Probleme nicht existierten, wären alle Furchtsamen schon hier. Ich will der Erste sein. Der Kongo ist übel, aber das hier! Uganda hat immerhin internationale Abkommen zum Schutz ausländischer Investoren unterzeichnet. MIGA, OPIC...«

»Wir können nur hoffen, dass sie um ihre Entwicklungshilfe fürchten.«

»Sie wollen doch einen richtigen Bergwerksbetrieb, sie sitzen auf einem Schatz, haben aber keinerlei Kompetenzen, um den zu heben. Vor fünf Jahren hat die Hemamiliz hier in dieser Grube Sprengungen vorgenommen. Sie hatten ein paar armselige Geologen, die davon abrieten, aber auf die hörte ja niemand. Und auf diese Weise sind über hundert Mann da unten wie Ratten krepiert.«

»Es wird Ärger geben«, sagte Diddi pessimistisch.

»Natürlich«, antwortete Mauri. »Davon gehe ich aus. Das ist doch genau unsere Schiene.«

»Du bist mein Herrchen«, sagte Inna. »Ich finde, du solltest kaufen.«

Inna schläft die Schmerzen in ihrem zerschundenen Gesicht weg. Mauri steht am Fenster im Hotelzimmer und hört den Kröten in der ugandischen Nacht zu.

Gerhart Sneyers hatte die ganze Zeit recht, denkt er.

»Die haben nicht die Kapazitäten, ihre Rohstoffe selber abzubauen«, sagt Sneyers in Mauris Erinnerung und schert so gut wie alle afrikanischen Länder über einen Kamm, »aber es passt ihnen auch nicht, dass wir das können, und deshalb meinen sie, dass die Rohstoffe in ihrem Land natürlich ihnen gehören. Mit denen kann man nicht diskutieren.«

Mauri war von Sneyers' Gerede angewidert gewesen, es verriet lauter Vorurteile, und Sneyers schien Afrikas Kolionalgeschichte total vergessen zu haben. Außerdem hatte Sneyers keinerlei Probleme mit Wörtern wie »Neger« und bezeichnete ihre Staaten als »zurückgeblieben«.

Aber schon im Juli, als die belgischen Ingenieure ermordet wurden, ging Mauri auf, dass es sich in Uganda nicht um vorübergehende Probleme handelte. Er legte das Kilembe-Projekt auf Eis, holte die westlichen Arbeitskräfte nach Hause und bildete hundert Männer und Frauen aus der Umgebung dazu aus, den Grubenbereich zu bewachen. Einen Monat später erfuhr er, dass sie die Grube ihrem Schicksal überlassen hatten.

Um Investoren zu gewinnen, hatte Kallis Mining einen Minimalertrag des Projektes garantiert. Die Investoren meldeten sich sofort und bestanden auf Zahlung.

Nach der Besprechung in Miami hatte Sneyers ihm ein Konto genannt und geraten, Geld für künftige Unternehmungen beiseitezulegen.

»Das Geld darf nicht ausfindig gemacht werden können«, sagte er.

Schon im Juli fing Mauri an, Geld auf dieses Konto zu überführen. Einige verstreute Verkäufe. Es kann durchaus passieren, dass er dieses Geld brauchen wird, um zukünftige Forderungen der Investoren in Kilembe zu bezahlen. Er kann sich jetzt keinen Panikverkauf leisten, um Kapitel freizusetzen, das würde dem guten Ruf der Kallis-Gruppe auf dem Markt gewaltig schaden. Und alle würden sich vorsehen. Er hat auch Geld für den

Aufbau von Kadagas Truppen im nördlichen Landesteil abgeführt. Kadaga hat die Umgebung von Kilembe und von anderen Gruben gesichert. Aber, hat Gerhart Sneyers zu Mauri Kallis gesagt, das ist auf lange Sicht keine Lösung. Kadaga kann die Gruben beschützen, aber nicht die Infrastruktur. Es ist also unmöglich, auf sichere Weise etwas aus den Gruben fortzuschaffen. Außerdem wäre es illegal für Mauri Kallis, in der jetzigen Situation die Gruben auszubeuten. Die notwendige Erlaubnis der Behörden gilt nicht mehr.

Die Besprechung mit der Wirtschaftsministerin entscheidet die Sache ein für alle Mal. Wenn Mauri bisher gezögert hat, dann ist jetzt Schluss damit. Er hat versucht, sich in einem durch und durch korrupten Land als Ehrenmann zu zeigen. Jetzt wird er nicht mehr so naiv sein.

Gerhart Sneyers hat recht. Museveni is a dead end.

Außerdem ist Museveni ein Diktator und Unterdrücker. Er gehört vor ein Kriegsgericht. Ihn aus dem Weg zu schaffen erscheint mehr und mehr als moralische Pflicht.

Mauri hat vor, seinen Besitz zu verteidigen. Er wird sich nicht beugen.

Rebecka Martinsson ging die Dateien durch, die im Computer des Journalisten Örjan Bylund gefunden worden waren. Sie saß mit dem Laptop auf dem Schoß auf ihrem Bett. Sie trug ihren Schlafanzug und hatte sich die Zähne geputzt, obwohl es erst sieben war. Boxer untersuchte alle Ecken und Winkel, und ab und zu kam er zurück zu Rebecka, um über die Tastatur zu spazieren.

»Hör mal«, sagte Rebecka und hob ihn herunter. »Wenn du dich nicht anständig benimmst, sag ich es Sven-Erik.«

Im Ofen brannte ein Feuer. Das Feuer hatte das Holz gepackt, und da Rebecka mit Tannenholz heizte, schienen lauter Explosionen stattzufinden. Boxer fuhr jedes Mal zusammen und sah neugierig und erschrocken zugleich aus.

Was für ein Ungeheuer, schien er zu denken. Durch den halb offenen Abzug leuchtete das Feuer wie ein rotes Auge.

Worauf mochte Örjan Bylund gestoßen sein? Als Rebecka nach Kallis Mining suchte, bekam sie über 280 000 Treffer. Sie ging Örjan Bylunds Cookies durch, um zu sehen, welche Websites über Kallis Mining er aufgesucht hatte.

Kallis Mining war Haupteigentümer der börsennotierten Bergbaugesellschaft Northern Explore AB. Im September waren die Aktien Achterbahn gefahren. Zuerst hatte die kanadische Investitionsgesellschaft Quebec Invest ihren gesamten Aktienposten abgestoßen. Das hatte für Unruhe gesorgt, und der Kurs war gefallen wie ein Stein. Dann kam die Nachricht von den positiven Ergebnissen der Bohrungen bei Svappavaara. Und sofort hatte der Kurs einen Freudensprung nach oben gemacht.

Wer verdient an der Achterbahn, überlegte Rebecka. Natürlich, wer kauft, wenn der Kurs unten ist, und verkauft, wenn er steigt. Follow the money.

Ein Artikel, den Örjan Bylund sich angesehen hatte, berichtete davon, dass bei einer außerplanmäßigen Vollversammlung, nachdem die kanadische Gesellschaft ihren Aktienposten verkauft hatte, ein neuer Vorstand gewählt worden war. Sie hatten einen Mann aus Kiruna in den Vorstand entsandt.

»Sven Israelsson im Vorstand von Northern Explore«, lautete die Überschrift.

Sie wurde von ihrem Telefon gestört, das seine kleine Melodie dudelte.

Måns Wenngrens Nummer im Display.

Rebeckas Herz zog in ihrer Brust ein olympisches Turnprogramm durch.

»Hallo, Martinsson«, sagte er auf seine schleppende Weise.

»Hallo«, sagte sie und versuchte, noch mehr zu sagen, aber ihr fiel einfach nichts ein.

Nachdem sie eine Ewigkeit überlegt hatte, brachte sie heraus:

»Wie geht es?«

»Gut, nur gut. Wir stehen in Arlanda, die ganze Bande, und wollen gerade einchecken.«

»Ja, ach so, ja … nett.«

Er lachte.

»Manchmal ist es ziemlich schwer, mit dir zu reden, Martinsson. Aber das wird sicher lustig. Obwohl die Natur natürlich im Fernsehen am besten ist. Kommst du?«

»Vielleicht, es ist ganz schön weit.«

Måns schwieg eine Weile. Dann sagte er:

»Komm. Ich will das so.«

»Warum?«

»Weil ich versuchen will, dich zur Rückkehr in die Kanzlei zu überreden.«

»Das schaffst du nicht.«

»Sagst du jetzt. Aber ich hab ja noch nicht mal angefangen mit dem Versuch. Wir haben für dich von Samstag auf Sonntag ein Zimmer bestellt. Du kannst also hochkommen und uns zeigen, wie man Ski läuft.«

Rebecka lachte.

»Dann werd ich das wohl tun«, sagte sie.

Sie merkte erleichtert, dass sie es nicht als Belastung empfand, die Leute aus der Kanzlei treffen zu müssen. Sie würde Måns sehen. Er wollte, dass sie kam. Natürlich konnte sie nicht Slalom fahren. Das hatten sie sich nicht leisten können, als sie klein gewesen war. Und wer hätte sie zur Slalompiste in der Stadt fahren sollen? Aber es spielte keine Rolle.

»Jetzt muss ich aufhören«, sagte Måns. »Versprichst du es?«

Sie versprach es. Und er sagte mit leiser, warmer Stimme:

»Mach's gut, Martinsson. Dann sehen wir uns bald.«

Und sie gurrte:

»Bis dann.«

Rebecka sah wieder auf den Bildschirm. International hatte der Absprung von Quebec Invest einen kleinen Artikel im englischen Branchenblatt *Prospecting and Mining* zur Folge. Die Überschrift der Notiz lautete »Chicken-race«. »Wir sind zu früh ausgestiegen«, sagte der geschäftsführende Direktor von Quebec Invest in einem Kommentar, als Northern Explore AB kurze Zeit nachdem die kanadische Gesellschaft ihre Anteile verkauft hatte, Gold und Kupfer fand. Er fügte hinzu, dass die Analysen der Probebohrungen zu fehlerhaft gewesen seien und dass die Besitzer von Northern Explore die Wahrscheinlichkeit ausreichend großer Funde nicht hätten belegen können. Dass es zu einer weiteren Zusammenarbeit zwischen Kallis Mining und Quebec Invest kommen könne, hielt der geschäftsführende Direktor von Quebec Invest für »unwahrscheinlich«.

Wieso das, überlegte Rebecka. Die müssten doch scharf auf

eine neue Chance sein, zumal Kallis Mining abermals einen Erfolg eingefahren hat.

Und wer war Sven Israelsson, das neue Vorstandsmitglied? Warum hatte Örjan Bylund so sorgfältig nach seinem Namen gesucht?

Sie gab den Namen Sven Israelsson ein. Und fand interessante Artikel. Sie las weiter.

Boxer konzentrierte sich auf einen losen Knopf an ihrem Schlafanzug. Schlug danach, ließ ihn wackeln, packte ihn mit beiden Pfoten und riss mit seinen scharfen Zähnen daran. Er war ein lebensgefährlicher Killerkater. Der Knopf war das Lämmchen des Todes.

Um halb acht rief Rebecka bei Oberstaatsanwalt Alf Björnfot an.

»Weißt du, was Sven Israelsson gemacht hat, ehe er in den Vorstand von Northern Explore gewählt wurde?«, fragte sie.

»Nein«, sagte Alf Björnfot und schaltete den Fernseher aus, er hatte ohnehin nur herumgezappt und etwas Erträgliches gesucht.

»Er war Chef der SGAB in Kiruna. Skandinavisk Grundämnesanalys AB. Diese Gesellschaft wäre vor zwei Jahren um ein Haar von einer Gesellschaft aus den USA aufgekauft worden. Aber Kallis Mining stieg mit fünfzig Prozent ein, und deshalb blieb sie hier in Kiruna. Das ist ziemlich interessant, wenn wir bedenken, dass eine kanadische Investitionsgesellschaft namens Quebec Invest im vorigen Jahr ihren gesamten Aktienposten von Northern Explore verkauft hat, unmittelbar bevor Northern Explore den Fund von ausreichenden Mengen an Kupfer und Gold in der Nähe von Svappavaara vermelden konnte.«

»Na gut … und die Verbindung zu Sven Israelsson ist welche?«

»Ich sehe das so: Sven Israelsson ist Chef der Gesellschaft, die für Northern Explorer die Proben der Bohrungen bei Svappavaara analysiert. Er bringt Kallis Mining vermutlich große Loyalität entgegen, da Kallis Mining durch den Einstieg bei der SGAB den Verkauf verhindert hat. Sie hätten alle ihre Jobs verloren oder in die USA übersiedeln müssen. Ich habe einen Artikel gefunden, in dem der geschäftsführende Direktor von Quebec Invest herumquengelt und die Analysen der Probebohrungen als unzureichend bezeichnet. Und er sagt, eine zukünftige Zusammenarbeit zwischen Quebec Invest und Kallis Mining sei ›unwahrscheinlich‹. Und da fragt man sich doch, warum er schmollt, nicht wahr?«

»Fragt man sich das?«, fragte Alf Björnfot. »Die haben doch sicher einen Haufen Geld verloren, weil sie so früh verkauft haben.«

»Sicher. Aber diese Investoren sind daran gewöhnt, Risiken einzugehen und auf die Nase zu fallen, ohne sauer zu werden, wenn dann die Presse anruft. Und Sven Israelsson wird in den Vorstand der Tochtergesellschaft Northern Explore gewählt. Es dauert ja eine Weile, bis man eine Schürfgenehmigung bekommt und mit der Ausbeutung anfangen kann, aber wenn es dann so weit ist, wird Nothern Explore zu einer Milliardengesellschaft. Sven Israelsson hat als Chemiker bei einer kleinen Analysegesellschaft gearbeitet. Wie hat er sich für einen Vorstandsposten bei Northern Explore qualifiziert? Das ergibt doch keinen Sinn. Ich stelle mir das so vor: Sven Israelsson hatte alle Möglichkeiten der Welt, um die Ergebnisse der Probebohrungen zu analysieren. Ich glaube, er hat geholfen, die positiven Ergebnisse zu vertuschen. Ich glaube, dass Sven Israelsson Kallis Mining dabei geholfen hat, den zweitgrößten Teilhaber der Gesellschaft auszutricksen. Vielleicht haben sie Quebec Invest gegenüber signalisiert, dass das Ergebnis negativ ausfallen würde. Worauf Quebec Invest in einem Anflug von Panik verkauft hat, aus Angst vor einem Riesenverlust, wenn der Markt erst reagieren würde. Nachdem Quebec Invest verkauft hatte, purzelten die Aktien in den Keller. Einen guten Monat darauf gab Northern Explore die positiven Ergebnisse bekannt. Vielleicht hat Quebec Invest deshalb öffentlich geschmollt und gesagt, sie könnten sich keine zukünftige Zusammenarbeit mit Kallis Mining vorstellen. Sie fühlen sich betrogen, können aber nichts beweisen. Wenn jemand in Kallis Mining oder Sven Israelsson Aktien gekauft hat, ehe die positiven Ergebnisse vorlagen, ist das Insiderhandel. Ich glaube, Sven Israelsson hat den Vorstandsposten mit allem, was das an Einkünften und Boni mit sich bringt, als eine Art Dank für seine Hilfe bekommen. Und außerdem …«

Rebecka legte eine Kunstpause ein.

» … im November hat er sich einen nagelneuen Audi gekauft. Inzwischen waren die Aktien von Northern Explore AB um über dreihundert Prozent gestiegen. Gemessen am Niveau vor dem Absturz.«

»Neues Auto«, sagte Alf Björnfot, stand vom Sofa auf und klemmte sich das schnurlose Telefon zwischen Ohr und Schulter, während er seine Schuhe anzog. »Die legen sich immer neue Autos zu.«

»Das weiß ich.«

»Dann sehen wir uns in einer Viertelstunde«, sagte Alf Björnfot und zog seine Jacke an.

»Wo denn?«

»Bei Israelsson natürlich. Hast du die Adresse?«

Sven Israelsson wohnte in einem roten Holzhaus in der Matojärvigata. In eine Schneewehe hatten Kinder eine Höhle gegraben. Auf dem Boden herumliegende Spaten verrieten, dass die Arbeit in aller Eile unterbrochen worden war, als Kinderfernsehen und Abendessen gerufen hatten.

Sven Israelsson war etwa vierzig. Rebecka staunte. Sie hatte einen älteren Mann erwartet. Er hatte dichte braune Haare mit markanten grauen Einsprengseln. Er sah auf sehnige Weise durchtrainiert aus, wie jemand, der schwimmt oder läuft.

Alf Björnfot stellte sich und Rebecka Martinsson mit Dienstrang und allem vor. Oberstaatsanwalt und stellvertretende Staatsanwältin, das reichte meistens, um den Leuten Angst einzujagen. Sven Israelsson wirkte nicht verängstigt. In seinem Blick funkelte eher etwas anderes. Etwas, das Ähnlichkeit mit Resignation hatte. Als hätte er schon darauf gewartet, dass das Gesetz bei ihm anklopfte. Dann riss er sich zusammen.

»Kommen Sie rein«, sagte er. »Sie können die Schuhe gern anbehalten. Auf dem Boden liegt ja nur sauberer Schnee.«

»Sie arbeiten bei Skandinavisk Grundämne Analys AB«, begann Alf Björnfot, als sie sich an den Küchentisch gesetzt hatten.

»Richtig.«

»Von der Kallis Mining fünfzig Prozent besitzt.«

»Ja.«

»Und im Winter wurden Sie in den Vorstand von Northern Explore AB gewählt, einer Tochtergesellschaft von Kallis Mining.«

Sven Israelsson nickte.

»Im Herbst hat die Investitionsgesellschaft Quebec Invest einen großen Aktienposten von Northern Explore verkauft, warum haben die das getan?«

»Das weiß ich nicht. Wahrscheinlich haben sie kalte Füße bekommen. Haben wohl nicht gewagt, auf die letzten Ergebnisse der Probebohrungen zu warten. Vielleicht dachten sie, die Aktien würden in den Keller fallen, wenn die Antwort negativ wäre.«

»Der geschäftsführende Direktor von Quebec Invest hat in einem Interview gesagt, dass er sich keine weitere Zusammenarbeit mit Kallis Mining vorstellen kann. Warum hat er das gesagt, was meinen Sie?«

»Das weiß ich nicht.«

»Im November haben Sie sich einen neuen Audi gekauft«, sagte Alf Björnfot. »Woher hatten Sie das Geld?«

»Stehe ich unter irgendeinem Verdacht?«, fragte Sven Israelsson.

»Offiziell noch nicht«, sagte Alf Björnfot.

»Es gibt Umstände bei dieser Geschichte, die auf schwerwiegende Insidergeschäfte oder Mitwirkung an einem solchen Vergehen hinweisen«, sagte Rebecka.

Sie hielt Daumen und Zeigefinger etwa fünf Zentimeter auseinander.

»Ich bin so weit davon entfernt festzustellen, wer in der kurzen Zeit zwischen dem Verkauf durch Quebec Invest und der Bekanntgabe der positiven Probebohrungen Aktien gekauft hat«, sagte sie. »Insidergeschäfte werden ja oft häppchenweise über Strohmänner getätigt. Da fällt es nicht auf, wenn die Kreditüberwachung keine Stichproben vornimmt. Aber ich werde jeden einzelnen Verkauf in dieser Periode untersuchen. Und wenn ich Sie oder Kallis Mining unter den Käufern finde, dann können Sie mit einer Anklage rechnen.«

Sven Israelsson rutschte auf seinem Stuhl hin und her und schien nach Worten zu suchen.

»Leider ist das noch nicht alles«, sagte Alf Björnfot. »Jetzt muss ich Ihnen eine Frage stellen. Bitte, lügen Sie nicht, denken Sie daran, dass wir diese Auskünfte anderweitig überprüfen können. Hat der Journalist Örjan Bylund sich an Sie gewandt und Ihnen entsprechende Fragen gestellt?«

Sven Israelsson überlegte eine Weile.

»Ja«, sagte er dann.

»Und was haben Sie ihm erzählt?«

»Dass er mit seinen Fragen zu Kallis Mining gehen soll.«

Und Inna Wattrang war bei Kallis Mining Informationschefin, dachte Rebecka Martinsson.

»Örjan Bylund wurde ermordet«, sagte Alf Björnfot unvermittelt.

»Was zum Teufel sagen Sie da?«, fragte Sven Israelsson misstrauisch. »Der hatte doch einen Herzinfarkt.«

»Leider nicht«, sagte Alf Björnfot. »Er wurde ermordet, als er anfing, in dieser Geschichte zu graben.«

Sven Israelsson erbleichte. Er packte mit beiden Händen die Tischkante.

»Aber, aber«, sagte Alf Björnfot. »Ich glaube doch nicht, dass Sie damit etwas zu tun haben. Aber Sie begreifen sicher, dass die Sache ernst ist. Wollen Sie nicht alles erzählen? Dann werden Sie sehen, dass der Druck nachlässt.«

Sven Israelsson nickte.

»Wir hatten einen Typen im Labor«, sagte er nach einer Weile. »Und wir haben herausgefunden, dass er Informationen an Quebec Invest weiterreichte.«

»Wie haben Sie das herausgefunden?«, fragte Alf Björnfot.

Sven Israelsson grinste.

»Purer Zufall. Er saß zu Hause und telefonierte mit dem geschäftsführenden Direktor von Quebec Invest. Er hatte aber sein Mobiltelefon in der Tasche und hatte vergessen, die Tasten zu sperren, und es hat die letzte gewählte Nummer angerufen, die eines Kollegen. Der Kollege hörte genug von dem anderen Gespräch, um die Sache zu durchschauen.«

»Und was haben Sie gemacht?«

»Der Kollege hat mir davon erzählt. Und zum richtigen Zeitpunkt haben die den anderen mit falschen Informationen gefüttert.«

»Mit welchen denn?«

»Das mit den Probebohrungen bei Svappavaara sah kritisch aus. Es schien, als ob Northern Explore nicht fündig werden würde. Sie hatten viele Messungen auf über siebenhundert Meter Tiefe vorgenommen. Die Kosten summierten sich. Dann machten sie einige Probebohrungen auf fast tausend Metern. Das war die letzte Chance in dieser Umgebung. Von den Ergebnissen hing alles ab. Nur die größten Akteure können sich solche Bohrungen leisten, Himmel, es gibt jede Menge Gesellschaften, denen nur Untersuchungen aus der Luft möglich sind, und danach schicken sie Leute zu Fuß, die einige Bodenproben ausbuddeln.«

»Und dann haben sie Gold gefunden.«

»Mehr als fünf Gramm pro Tonne, das ist ungeheuer gut. Dazu zwei Prozent Kupfer. Aber ich habe einen Bericht verfasst, laut dem nichts gefunden worden sei, weshalb es jetzt als ausgeschlossen gelten müsse, dass es in der Gegend brauchbare Vorkommen gebe. Und ich habe dafür gesorgt, dass der Spion diesen Bericht sah. Eine Stunde darauf hat Quebec Invest seine Anteile an Northern Explore verkauft.«

»Was ist mit dem Kollegen passiert?«

»Ich habe mit ihm gesprochen, danach hat er seine Kündigung eingereicht, und das war's.«

Alf Björnfot schwieg einige Sekunden und dachte nach.

»Haben Sie mit irgendwem von Kallis Mining darüber gesprochen? Über das Leck? Und die Fehlinformationen?«

Sven Israelsson zögerte.

»Der Journalist Örjan Bylund wurde ermordet, Inna Wattrang ebenfalls«, sagte Alf Björnfot. »Wir können nicht ausschließen, dass es zwischen beiden Morden einen Zusammenhang gibt. Je eher die Wahrheit ans Licht kommt, desto größer ist unsere Chance, den Mörder zu finden.«

Alf Björnfot ließ sich auf dem Stuhl zurücksinken und wartete. Vor ihm saß ein Mann mit Gewissen. Der Arme.

»Ich bin wohl zusammen mit Diddi Wattrang auf die Idee gekommen«, sagte Sven Israelsson am Ende.

Er blickte die beiden flehend an.

»Bei ihm hörte sich alles so einfach an. Er bezeichnete die Leute von Quebec Invest als Betrüger. Und dann hat er das gesagt, was ich selbst auch oft über diese ausländischen Investoren gedacht habe. Dass sie kein Interesse daran haben, mit der Ausbeutung zu beginnen. Ihnen geht es nur um das schnelle Geld. Sie handeln mit Bevollmächtigungen und Konzessionen, aber sie sind keine Gründer. Selbst wenn sie abbaubare Mengen finden, passiert nichts. Die Rechte werden von einem an den anderen verkauft, aber niemand will einen Anfang machen. Entweder fehlt es an Geld, es kostet doch mindestens eine Viertelmilliarde, eine Grube zu eröffnen, oder es fehlt am Teufel und seiner Großmutter. Und all diese ausländischen Investoren, denen ist die Gegend hier doch egal. Was scheren sie Arbeitsplätze und die Menschen hier?«

Sven Israelsson lächelte leicht gequält.

»Er sagte dann, dass Mauri Kallis trotz allem von hier kommt. Und dass er Willen und Geld und Gründergeist besitzt. Und nachdem Quebec Invest aus dem Spiel war, wuchs die Chance, hier abzubauen, gleich um hundert Prozent. Ich habe darüber nachgedacht. Jeden einzelnen Tag. Aber es kam mir wirklich moralisch richtig vor, wie wir uns verhalten haben. Der Schurke war doch Quebec Invest. Die hatten bei uns einen Spion eingeschleust. Miese Ratten, dachte ich. Einen Dieb zu bestehlen. Einen Betrüger zu betrügen. Die hatten es doch nicht besser verdient. Und sie konnten uns nicht entlarven, denn dann hätten sie sich selbst bloßgestellt.«

Sven Israelsson verstummte. Rebecka Martinsson und Alf Björnfot musterten ihn, während ihm die Erkenntnis dämmerte, dass alles zu Ende war. Jetzt nahm das, was ihm bevorstand, in seinem Kopf Gestalt an. Seine Stelle zu verlieren. Angeklagt zu werden. Ins Gerede zu kommen.

»Als mir ein Vorstandsposten angeboten wurde«, sagte er und wischte sich rasch die Tränen ab, die ihm inzwischen in die Augen getreten waren, »da kam mir das nur als Beweis dafür vor, dass Kallis Mining hier oben investieren wollte. Sie wollten diese lokale Verankerung. Aber als ich dann das Geld bekam… in einem Briefumschlag, nicht aufs Konto… da war das kein besonders gutes Gefühl. Ich habe das Auto gekauft, und jeden Tag, wenn ich mich hineinsetze…«

Er beendete diesen Satz mit einem Kopfschütteln.

Ein Mann mit Gewissen, dachte Alf Björnfot noch einmal.

»Da sieht man es mal wieder«, sagte Alf Björnfot, als er und Rebecka Sven Israelssons Haus verließen.

»Wir müssen Sven-Erik und Anna-Maria Bescheid sagen«, sagte Rebecka. »Und dann müssen sie Diddi Wattrang doch zur Vernehmung antreten lassen, Verdacht auf schwerwiegenden Insiderhandel.«

»Anna-Maria hat eben angerufen. Diddi Wattrang ist in Kanada. Aber ich rede trotzdem mit ihr. Wenn wir uns weitere Informationen über diesen Aktienverkauf besorgt haben, können wir die kanadische Polizei um Hilfe bei der Festnahme bitten.«

»Was hast du jetzt vor?«, fragte Rebecka. »Kommst du mit nach Kurravaara? Ich habe meinem Nachbarn, Sivving Fjällborg, versprochen, für ihn einzukaufen. Und dann lädt er zum Kaffee. Über deinen Besuch würde er sich bestimmt freuen.«

Sivving freute sich wirklich. Er redete gern mit neuen Menschen. Er und der Oberstaatsanwalt stellten rasch fest, dass sie zwar nicht miteinander verwandt waren, dass sie aber mehrere gemeinsame Bekannte hatten.

»Hier wohnst du gut«, sagte Alf Björnfot und schaute sich im Heizungskeller um.

Bella lag traurig in ihrem Korb und sah zu, wie die anderen sich an Sivvings Resopaltisch setzten und sich an Polarbrot mit Butter und Käse gütlich taten.

»Ja, hier unten ist das Leben leicht«, sagte Sivving philosophisch und tunkte sein Brot in den Kaffee. »Was braucht man? Ein Bett und einen Tisch. Den Fernseher habe ich auch hier unten stehen, aber da gibt es ja nicht viel zu sehen. Und Kleider, ich habe von jeder Sorte zwei Stück. Es gibt Leute, die mit weniger zurechtkommen, aber man will ja nicht zu Hause festhängen, weil man waschen muss. Ja, Unterhosen habe ich sogar fünf Paar, und Socken auch.«

Rebecka lachte.

»Aber du brauchtest eigentlich weniger«, sagte sie und schaute vielsagend zu den löchrigen Hosen und Socken an der Wäscheleine hinüber.

»Ach, Frauen«, lachte Sivving und suchte mit dem Blick Unterstützung bei Alf Björnfot. »Wen interessiert es denn, was ich drunter anhabe? Maj-Lis fand es auch immer schrecklich wichtig, dass sie saubere Unterwäsche hatte. Nicht meinetwegen, aber was, wenn sie überfahren würde und im Krankenhaus landete!«

»Das ist richtig«, lachte Alf Björnfot. »Stellt euch vor, der Doktor müsste sich schmutzige Unterwäsche und ein Loch im Strumpf ansehen!«

»Hör mal«, sagte Sivving zu Rebecka. »Jetzt machst du den Computer aus. Wir wollen es doch gemütlich haben.«

»Gleich«, sagte Rebecka.

Sie saß vor ihrem Laptop und versuchte, sich ein Bild von Diddi Wattrangs Finanzlage zu machen.

»Maj-Lis«, fragte Alf Björnfot. »War das deine Frau?«

»Ja, sie ist vor fünf Jahren an Krebs gestorben.«

»Sieh mal«, sagte Rebecka und drehte den Laptop zu Alf Björnfot um. »Diddi Wattrang hat gegen Ende des Monats seinen Kredit immer voll ausgenutzt, minus fünfzig, minus fünfzig. Das war jahrelang so. Aber gleich, nachdem Northern Explore auf Gold gestoßen war, wurde seine Frau im Autoregister als Besitzerin eines Hummer eingetragen.«

»Die kaufen immer Autos«, sagte Alf Björnfot.

»So einen hätte ich auch gern«, sagte Sivving. »Was kosten die? Siebenhunderttausend?«

»Diddi Wattrang hat sich des Insiderhandels schuldig gemacht. Aber wir müssen uns doch fragen, ob es eine Verbindung zu Inna Wattrang gibt.«

»Vielleicht war sie ihm auf die Schliche gekommen und hat gedroht, ihn hochgehen zu lassen«, sagte Alf Björnfot.

Er wandte sich wieder Sivving zu.

»Du und deine Frau, ihr wart also die Nachbarn von Rebeckas Großmutter?«

»Ja, und Rebecka hat fast ihre ganze Kindheit hindurch hier gewohnt.«

»Ja, wieso eigentlich, Rebecka? Hast du als Kind schon deine Eltern verloren oder was?«, fragte Alf Björnfot schonungslos.

Sivving sprang auf.

»Möchte vielleicht jemand ein Ei aufs Brot? Ich habe gekochte Eier im Kühlschrank. Die sind von heute früh.«

»Papa ist gestorben, als ich noch nicht ganz acht war«, sagte Rebecka. »Er fuhr eine Forstmaschine. War im Winter im Wald unterwegs und hatte einen undichten Hydraulikschlauch. Wir wissen nicht genau, wie es passiert ist, er war doch allein da draußen. Aber vermutlich ist er heruntergeklettert und hat sich den Schlauch angesehen, und dabei hat der sich gelöst.«

»Ach, verdammt«, sagte Alf Björnfot. »Kochend heißes Hydrauliköl.«

»Ja, und so hoher Druck. Er wurde vom Öl bespritzt. Wahrscheinlich war er sofort tot.«

Rebecka zuckte mit den Schultern. Eine Geste, die besagte, dass es lange her war. Sehr weit weg für sie.

»Schlampig und ungeschickt«, sagte sie leichthin, »aber manchmal ist man das ja.«

Aber er hätte es nicht sein müssen, dachte sie und starrte den Bildschirm an. Ich brauchte ihn. Er hätte mich zu sehr lieben müssen, um schlampig und ungeschickt zu sein.

»Es hätte jedem passieren können«, wandte Sivving ein, der nicht zulassen wollte, dass Rebecka Fremden gegenüber ihren Vater in ein schlechtes Licht rückte. »Man ist müde, und dann steigt man von der Maschine, und es ist kalt, an dem Tag waren es fünfundzwanzig Grad unter null. Und er war bestimmt auch gestresst. Wenn die Maschine stehen bleibt, ja, dann gibt es kein Geld.«

»Und deine Mutter?«, fragte Alf Björnfot.

»Sie hatten sich im Jahr vor seinem Tod scheiden lassen. Aber ich war zwölf, als ich sie verlor. Sie wohnte auf Åland. Ich war hier bei Großmutter. Sie wurde von einem Lastwagen überfahren.«

Es ist Spätwinter. Bald wird Rebecka zwölf. Sie war mit anderen Kindern aus dem Dorf unterwegs und ist von einem Scheunendach gesprungen. In den Schnee. Jetzt ist ihr Rücken ganz nass, und ihre Samenstiefel sind voller Schnee. Sie muss nach Hause und sich umziehen.

Zu Hause, das ist jetzt bei Großmutter. Zu Anfang, nach dem Tod des Vaters, hat sie bei Mama gewohnt, das aber nur für ein Jahr. Mama arbeitet oft anderswo. Die erste Zeit war chaotisch. Mama lieferte Rebecka bei der Großmutter ab, manchmal, weil sie arbeiten musste, dann wieder, weil sie müde war. Und wenn sie sie wieder abholte, war sie oft sauer. Sauer auf die Großmutter, obwohl sie die doch gebeten hatte, sich um Rebecka zu kümmern.

Jetzt, als Rebecka in ihren nassen Kleidern in die Küche kommt, sitzt Mama am Küchentisch. Sie ist ungeheuer guter Laune. Rosen auf den Wangen, die Haare hat sie sich von einem Friseur färben lassen, nicht wie sonst von einer Freundin.

Sie hat einen neuen Mann kennengelernt, erzählt sie. Er wohnt auf Åland, und er will, dass Mama und Rebecka zu ihm ziehen.

Mama erzählt, dass er ein wunderschönes Haus hat. Und dass in der Nähe viele Kinder wohnen. Rebecka wird viele neue Freunde finden.

Rebecka merkt, wie sich ihr Zwerchfell zusammenzieht. Omas Haus ist auch wunderschön. Da will sie wohnen. Sie will nicht umziehen.

Sie sieht die Großmutter an. Die sagt nichts, hält aber Rebeckas Blick fest.

»Niemals«, sagt Rebecka.

Und kaum hat sie gewagt, dieses leise Wort über ihre Lippen zu lassen, da spürt sie, wie wahr es ist. Niemals wird sie umziehen, niemals mit Mama irgendwohin gehen. Sie wohnt hier in Kurravaara. Und auf Mama ist kein Verlass. Den einen Tag ist sie so wie jetzt. Und alle Freundinnen von Rebecka finden, dass sie so hübsch ist und so schöne Kleider hat, und sie spricht auf dem Schulhof mit den älteren Mädchen. Eine hat einmal so laut geseufzt, dass Rebecka es auch hören konnte: »So eine Mama müsste man haben, eine, die Durchblick hat.«

Aber Rebecka weiß mehr über ihre Mutter. Wenn sie im Bett liegt und nichts fertigbringt und Rebecka einkaufen gehen und von belegten Broten leben muss und sich nicht traut, irgendetwas zu machen, denn egal, was sie tut, es ist immer falsch.

Jetzt gibt Mama sich alle Mühe, um Rebecka zu überreden. Sie spricht mit ihrer schönsten Stimme. Versucht, sie an sich zu drücken, aber Rebecka weicht aus. Sie weigert sich. Schüttelt die ganze Zeit den Kopf. Sie sieht, wie Mama die Großmutter auffordernd anstarrt, die Großmutter soll zustimmen, als sie sagt: »Oma kann dich nicht die ganze Zeit hier bei sich haben, und ich bin doch deine Mama.« Aber die Großmutter schweigt. Und Rebecka weiß, das bedeutet, dass Oma auf ihrer Seite ist.

Als Mama lange genug reizend gewesen ist, kippt alles plötzlich um.

»Dann lass es eben«, faucht sie Rebecka an. »Ich kann dir ja scheißegal sein!«

Und dann erzählt sie, dass sie seit Papas Tod Überstunden gemacht hat, damit Rebecka neue Winterjacken bekommt, und sie hätte eine Ausbildung anfangen können, wenn nicht diese Verantwortung wäre. Rebecka und die Großmutter schweigen und schweigen.

Sie schweigen noch lange, nachdem die Mutter gefahren ist. Rebecka leistet der Großmutter im Stall Gesellschaft. Hält den Kuhschwanz, während die Großmutter melkt. So wie sie es als kleines Kind getan hat. Sie schweigen. Aber als Mansikka plötzlich rülpst, müssen sie lachen.

Und danach ist alles fast wie immer.

Mama zieht weg. Für Rebecka kommen Karten mit Berichten, wie phantastisch auf Åland alles ist. Rebecka liest, und ihr Herz krampft sich vor Sehnsucht zusammen. Es steht kein Wort davon da, dass Mama sie vermisst. Oder dass sie sie überhaupt lieb hat. Da steht, dass sie mit dem Boot unterwegs waren, oder dass auf dem Grundstück Apfel- und Birnbäume stehen, oder dass sie Ausflüge gemacht haben.

Aber mitten im Sommer kommt ein Brief. Du bekommst eine Schwester oder einen Bruder, steht dort. Die Großmutter liest es auch. Sie sitzt mit Papas alter, an der Tankstelle gekauften Brille am Küchentisch.

»Jesus siunakhoon ja Jumala varjelkhoon«, sagt sie nach dem Lesen. Jesus möge uns segnen und Gott uns schützen.

Wer hat mir gesagt, dass sie tot war, überlegt Rebecka. Ich kann mich nicht erinnern. Ich habe so wenige Erinnerungen an diesen Herbst. Aber an gewisse Dinge erinnere ich mich doch.

Rebecka liegt im Klappbett im Küchenalkoven. Jussi liegt nicht zu ihren Füßen, denn die Großmutter und Sivvings Frau Maj-Lis sitzen am Küchentisch, und dann lagert Jussi unter dem Tisch. Wenn die Großmutter im Stall ist oder im Bett liegt, dann schleicht Jussi sich in Rebeckas Bett.

Maj-Lis und die Großmutter glauben, dass Rebecka schläft, aber das stimmt nicht. Die Großmutter weint. Sie hält sich dabei ein Küchenhandtuch vors Gesicht. Rebecka weiß, dass sie das Geräusch dämpfen will, Rebecka soll nicht aufwachen.

Sie hat ihre Großmutter noch nie weinen gesehen oder gehört, nicht einmal, als Papa gestorben ist. Das Geräusch macht ihr große Angst und ist ihr unheimlich. Wenn Oma weint, bricht die Welt zusammen.

Maj-Lis sitzt auf der anderen Seite des Tisches und murmelt tröstend.

»Ich glaube nicht, dass es ein Unfall war«, sagt die Großmutter. »Der Fahrer sagt, dass sie ihn angesehen hat und dann auf die Straße gelaufen ist.«

»Es muss hart gewesen sein, schon so früh beide Eltern zu verlieren«, sagte Alf Björnfot.

Sivving stand noch immer am Kühlschrank. Hielt zweifelnd die Eier in der Hand.

Wenn ich an die Zeit danach denke, dann schäme ich mich, dachte Rebecka. Ich wünschte, ich hätte die richtigen Bilder im Kopf. Ein kleines Mädchen an einem Grab, mit Tränen auf der Wange und Blumen auf dem Sarg. Zeichnungen von Mama im Himmel oder was auch immer. Aber ich war ganz kalt.

Rebecka, sagt die Lehrerin.

Wie hieß sie doch gleich? Eila!

»Rebecka«, sagt Eila. »Du hast ja schon wieder keine Matheaufgaben gemacht. Weißt du nicht mehr, worüber wir gestern gesprochen haben? Weißt du nicht mehr, dass du versprochen hast, von jetzt an Aufgaben zu machen?«

Eila ist lieb. Sie hat Locken und ein hübsches Lächeln.

»Ich versuche es«, sagt Rebecka. »Aber dann denke ich nur daran, dass Mama tot ist. Und dann kann ich nicht.«

Sie starrt ihren Tisch an, und es soll so aussehen, als ob sie weint. Aber sie tut nur so.

Eila verstummt und fährt ihr über die Haare.

»Ja, ja«, sagt sie. »Den Unterrichtsstoff kannst du früher oder später bestimmt aufholen.«

Rebecka ist zufrieden. Sie hat keinen Bock auf Mathe. Und jetzt bleibt ihr das erspart.

Ein andermal: Sie hat sich in Omas Holzschuppen versteckt. Die Sonne sickert durch die Ritzen in der Wand. Dünne Vorhänge aus Staub, die so aussehen, als ob sie im Licht nach oben stiegen.

Sivvings Tochter Lena und Maj-Lis rufen: »Rebecka!« Sie gibt keine Antwort. Sie will richtig gesucht werden. Ist sauer und enttäuscht, als die Rufe verstummen.

Und ein weiteres Mal: Sie spielt am Flussufer. Gibt vor, am Anleger zu hämmern und zu nageln. Sie baut ein Floß. Sie fährt damit den Torneälv hinab. Sie weiß, dass dieser Fluss in die Ostsee mündet, sie segelt über das Meer und die finnische Küste hinab. Nach Åland. Dort geht sie an Land und fährt per Anhalter zu Mamas Stadt. Zu dem schönen Haus dieses Mannes. Sie klingelt an der Tür. Der Alte macht auf. Er kapiert nicht. »Wo ist Mama?«, fragt Rebecka. »Spazieren«, sagt er. Rebecka stürzt los. Jetzt eilt es. In letzter Sekunde kann sie Mama zurückreißen, als die gerade hinaus auf die Straße laufen will. Der Lastwagen jagt vorüber, hätte sie fast gestreift. Rebecka hat sie gerettet. »Ich hätte ums Leben kommen können«, sagt Mama. »Mein Mädel!«

»Ich kann mich nicht daran erinnern, dass ich traurig war«, sagt Rebecka zu Alf Björnfot. »Ich habe ja hier bei meiner Oma gewohnt. Und in meinem Leben hat es trotzdem so viele wunderbare Erwachsene gegeben. Leider glaube ich, dass ich das ausgenutzt habe. Ich habe gemerkt, dass ich den Erwachsenen leidtat und dass mir das ein bisschen zusätzliche Aufmerksamkeit einbrachte.«

Alf Björnfot macht ein skeptisches Gesicht.

»Kleines Mädchen«, sagt er. »Es war doch nur richtig, dass du ihnen leidgetan hast. Und ein bisschen zusätzliche Aufmerksamkeit hattest du sicher verdient.«

»Was du da redest«, sagt Sivving. »Natürlich hast du das nicht ausgenutzt. Versuch, nicht daran zu denken. Es ist doch so lange her!«

ESTER KALLIS SASS in ihrem Mansardenzimmer auf Regla. Sie saß auf dem Boden, hatte die Arme um die Knie gelegt und versuchte, Anlauf zu nehmen.

Sie musste in die Küche hinuntergehen und den Topf Makkaroni holen, der dort stand.

Aber das war schwer. Im Haus und auf dem Grundstück wimmelte es nur so von Menschen und Geschäftigkeit. Gemietetes Servierpersonal und ein Koch, der für das Essen verantwortlich war. Draußen auf dem Hofplatz standen Männer mit Kommunikationsgeräten und Waffen. Vor einer Weile hatte sie gehört, wie Sicherheitschef Mikael Wiik mit ihnen geredet hatte, genau unter ihrem halb offenen Fenster.

»Ich will bewaffnete Wachen am Tor, wenn sie kommen. Nicht, weil es nötig ist, sondern weil die Gäste des Kunden sich sicher und beruhigt fühlen sollen. Ihr versteht, ja? Sie sind oft in Krisengebieten unterwegs, aber auch zu Hause in Deutschland, Belgien, den USA sind sie daran gewöhnt, von vielen Sicherheitsleuten umgeben zu sein. Wenn sie kommen, will ich deshalb zwei Mann am Tor und zwei hier oben beim Haus haben. Wir beziehen wieder Posten, wenn die Gäste sicher im Haus sind.«

Sie musste nach unten gehen und diesen Topf Makkaroni holen, keine Frage.

Ester stieg die Treppe hinunter, kam an Mauris Schlafzimmertür vorbei und ging über die breite Eichentreppe hinab in die Diele.

Sie durchquerte die Diele über den breiten Perserteppich,

kam an ihrem Spiegelbild in dem schweren Spiegel aus dem 18. Jahrhundert vorbei, ohne sich anzusehen, und ging weiter in die Küche.

Ebba Kallis stand in der Küche und redete mit dem für diesen Tag angeheuerten Koch über Wein, während sie zugleich dem Servierpersonal Befehle erteilte. Ulrika Wattrang stand an der marmornen Anrichte und arrangierte in einer riesigen Vase Blumen. Beide Frauen wirkten in ihren schlicht geschnittenen Kleidern mit den schützenden Schürzen wie aus Hochglanzmagazinen ausgeschnitten.

Ebba kehrte Ester den Rücken zu, als diese die Küche betrat. Ulrika sah sie über Ebbas Schulter und signalisierte es Ebba mit gehobenen Augenbrauen. Ebba drehte sich um.

»Ach, hallo, Ester«, sagte sie freundlich und mit einem überaus verlegenen Lächeln. »Ich habe nicht für dich gedeckt, ich dachte, du hättest keine Lust, es gibt nur eine Menge Geschäftsgerede … todlangweilig. Ulrika und ich sind zum Einsatz befohlen worden.«

Ulrika verdrehte die Augen, um zu zeigen, wie überaus langweilig es war, zur Anwesenheit gezwungen zu sein.

»Ich wollte nur meine Makkaroni holen«, sagte Ester leise und starrte den Boden an.

Unter ihren Füßen stach es. Sie konnte Ulrika nicht ins Gesicht sehen.

»Aber du bekommst natürlich etwas zu essen«, sagte Ebba. »Wir schicken dir drei Gänge auf einem Tablett hoch.«

»Ach, wie wunderbar«, sagte Ulrika. »Könntet ihr das nicht auch für mich tun? Dann kann ich mir einfach einen Film ansehen und mich mit Leckerbissen voll stopfen.«

Sie lachten leicht verlegen.

»Ich möchte nur meine Makkaroni«, sagte Ester hartnäckig.

Sie öffnete die Kühlschranktür und nahm einen großen Topf kalter gekochter Makkaroni heraus. Jede Menge Kohlehydrate.

Und nun sah Ester Ulrika an. Das ließ sich nicht vermeiden. Sie stand da, als Ester die Kühlschranktür schloss und sich umdrehte. Ulrika weiß wie Papier. Ein rotes Loch mitten im Gesicht.

Eine Stimme. Ebbas oder Ulrikas.

»Was ist los mit dir? Geht es dir nicht gut?«

Doch, es ging ihr gut. Sie musste nur die Treppe zu ihrem Zimmer hinter sich bringen.

Sie brachte die Treppe hinter sich. Eine Weile darauf saß sie auf dem Bett. Sie aß die Makkaroni aus dem Topf, mit den Händen, hatte keine Gabel mitgebracht. Als sie die Augen schloss, sah sie Diddi im Bett des Ehepaares Wattrang tief schlafen. Vollständig angezogen, Ulrika hatte ihm nachts, als er nach Hause gekommen war, die Schuhe ausgezogen. Sie sah den Sicherheitschef Mikael Wiik, der seine Leute auf dem Gelände postierte. Er rechnete nicht mit Problemen, wollte, dass die Gäste die Bewachung sahen und sich sicher fühlten. Sie sah, dass der Wolf vom Baum gestiegen war.

Sie öffnete die Augen und betrachtete ihr Ölgemälde aus Torneträsk.

Ich habe sie verlassen, dachte sie. Ich bin nach Stockholm gegangen.

Ester fährt mit dem Zug nach Stockholm. Die Tante holt sie am Bahnhof ab. Sie sieht aus wie ein Filmstar. Die schwarzen, glatten Haare der Samin sind zu einer Rita-Hayworth-Frisur gesprayt und gelockt worden. Ihre Lippen sind rot, und ihr Rock ist eng. Ihr Parfüm ist süß und schwer.

Ester muss zum Bewerbungsgespräch an der Kunstschule. Sie trägt Anorak und Turnschuhe.

An Idun Lovéns Kunstschule haben sie ihre Bilder gesehen. Sie ist tüchtig, aber eigentlich zu jung. Deshalb will die Schulleitung mit ihr sprechen.

»Vergiss jetzt nicht zu reden«, mahnt die Tante. »Sitz nicht stumm herum. Antworte wenigstens, wenn sie fragen. Versprich mir das!«

Ester verspricht das aus in ihrem betäubten Zustand. Es ist so viel los in ihrer Umgebung: das heulende Knirschen der U-Bahn, mit der sie in die Station einfährt, überall Text, Reklame. Sie versucht, zu lesen und zu sehen, was ihr verkauft werden soll, aber das schafft sie nicht, die Absätze der Tante sind Trommelstöcke, die einen schnellen Takt schlagen zwischen den vielen Menschen, die Ester auch nicht richtig sehen kann.

Drei Männer und zwei Frauen werden mit ihr reden. Alle sind über die mittleren Jahre schon fast hinaus. Die Tante muss draußen auf dem Gang warten. Ester wird in ein Besprechungszimmer gerufen. An den Wänden hängen große Gemälde. Esters Bewerbungsarbeiten lehnen an der Wand.

»Wir würden gern ein bisschen über deine Bilder mit dir sprechen«, sagt eine Frau freundlich.

Sie ist die Rektorin. Sie haben Hände geschüttelt und ihre Namen genannt, aber Ester kann sich an nichts erinnern. Sie weiß nur noch, dass diese Frau, die jetzt spricht, sich als Rektorin vorgestellt hat.

Es gibt nur ein Ölgemälde. Es heißt »Mittsommerabend« und stellt Torneträsk und eine Familie dar, die am Ufer in ihr Boot steigen will. Ein Junge und ein Mann sitzen schon im Boot. Eine Frau zieht an einem Mädchen, das lieber an Land bleiben möchte. Das Mädchen weint. Schatten eines fliegenden Vogels huschen über ihr Gesicht. Im Hintergrund der Berg, noch immer mit Schneeflecken. Ester hat das Wasser schwarz gefärbt. Das Glitzern im Wasser ist stärker geworden, wenn man nur dieses Glitzern ansieht, hat man das Gefühl, dass der See dichter beim Betrachter liegt als bei der Familie. Aber in der Bildkomposition steht die Familie im Vordergrund. Dieser Trick mit den vergrößernden Spiegelungen macht sich gut. Er lässt das Wasser be-

drohlich und schwarz aussehen. Und unter der Wasseroberfläche ahnt man etwas Weißes. Es kann sich aber auch um das
Spiegelbild einer Wolke handeln.

»Du bist das Ölmalen nicht gewöhnt«, sagt einer der Herren.
Ester nickt. Denn er hat recht.

»Das ist ein interessantes Bild«, sagt die Rektorin freundlich.
»Warum will das Mädchen nicht ins Boot steigen?«

Ester zögert mit der Antwort.

»Hat sie Angst vor dem Wasser?«

Ester nickt. Warum soll sie etwas erzählen? Dann wird doch
alles ruiniert. Der weiße Schatten im Wasser ist der Nöck, der
in der Mittsommernacht erwacht ist. Als Ester klein war, hat
sie in einem schwedischen Buch aus der Schulbücherei über
den Nöck gelesen. Auf dem Bild schwimmt er dort unten und
wünscht sich ein Kind, das ins Wasser fällt und das er auf den
Boden ziehen und verschlingen kann. Das Mädchen weiß, dass
sie dieses Kind ist. Der Vogelschatten über ihrem Gesicht ist der
Vorspuk, der Guovsat, der Unglücksbote. Die Eltern sehen nur
die Wolken am Himmel. Dem Jungen im Boot haben sie versprochen, dass er lenken darf, er will los.

Sie nehmen sich andere Bilder vor. Da ist Nasti im Hamster-
käfig. Bleistiftzeichnungen vom Elternhaus in Rensjön, drinnen
und draußen.

Und sie stellen alle möglichen Fragen. Ester weiß nicht, was
sie hören wollen. Und was soll sie sagen? Sie haben die Bilder
doch vor der Nase, können also einfach hinschauen. Sie weigert
sich, zu erklären und zu rechtfertigen, und deshalb antwortet sie
nur noch einsilbig und wird immer langsamer.

Tante und Mutter stecken in ihrem Kopf und diskutieren.

Mutter: Natürlich will sie nicht über die Bilder reden. Man
weiß doch selbst nicht genau, woher sie kommen. Und vielleicht
will man das auch gar nicht wissen.

Tante: Weißt du, ab und zu muss man ein bisschen geben,
wenn man etwas haben will. Sag was, Ester, du willst doch auf

diese Schule. Sonst halten sie dich noch für irgendwie zurückgeblieben.

Sie schauen sich die vielen kackenden Hunde an. Kuratorin Gunilla Petrini hat ausgesucht, welche Bilder Ester einreichen sollte. Und ihr hatten die Hunde gefallen.

Da ist natürlich Musta, die übermütig mit den Hinterpfoten Schnee auf ihre Haufen scharrt

Herkules, der Vorstehhund der Nachbarn. Ein straffer und ziemlich zackiger Jagdhund. Mit breiter Brust und krummer Nase. Aber wenn er kacken wollte, musste er sich aus irgendeinem Grund immer eine kleine Kiefer suchen. Er musste beim Kacken den Hintern an einen kleinen Baum pressen. Ester ist zufrieden damit, wie sie seine Züge gezeichnet hat, Genuss und Anstrengung gleichermaßen, wie er mit krummem Rücken über dem Bäumchen steht.

Und dann ein Bild, das sie einmal in Kiruna gezeichnet hat. Eine Frau, die ihren Pekinesen an der Leine zieht. Man sieht nur ihre Beine von hinten, sie sind ziemlich dick und in hochhackige Pumps gequetscht. Der Pekinese hat sich zum Kacken hingesetzt. Aber Frauchen scheint nicht mehr warten zu wollen, und jetzt zieht sie ihn weiter. Man sieht auch ihn von hinten, noch immer zum Kacken hingehockt, die Hinterpfoten hinterlassen Schleifspuren im Schnee.

Jetzt stellen sie eine Frage. In ihrem Kopf stupst die Tante sie ungeduldig an.

Aber Ester kneift die Lippen zusammen. Was soll sie sagen? Dass sie sich für Kacke interessiert?

Die Tante will wissen, wie es gelaufen ist. Woher soll Ester das wissen? Das ganze Gerede gefällt ihr nicht. Aber sie hat es versucht. Die Bilder von Nasti. Sie hat schon begriffen, dass sie darin eine tiefere Bedeutung sehen. Gefangenschaft. Der kleine Leichnam. Vaters Worte fallen ihr ein: Die sind so empfindlich, sagt sie. Im Gebirge können sie überleben, aber wenn sie zum

Beispiel an unsere Erkältungsbazillen geraten … sie blicken sie forschend an, allesamt.

Jetzt kommt sie sich vor wie eine Idiotin. Hat das Gefühl, zu viel geredet zu haben. Obwohl die anderen finden, dass sie kaum ein Wort herausgebracht hat, das merkt sie ja.

Es ist total danebengegangen, das spürt sie jetzt. Nie im Leben wird sie an der Schule angenommen werden.

Ester Kallis stellte den leeren Topf neben ihr Bett. Jetzt musste sie hier sitzen und warten. Unsicher, worauf.

Das wird sich zeigen, dachte sie. Das ist wie Fallen. Es kommt von selbst.

Sie durfte die Lampe in ihrem Zimmer nicht einschalten. Durfte sich nicht bewegen.

Dort unten wurde jetzt gegessen. Wie eine äsende Rentierherde. Ohne zu ahnen, dass die Wolfsmeute sich näherte und den Fluchtweg abriegelte.

Pechschwarze Nacht draußen. Kein Mond. Ob sie die Augen öffnete oder schloss, machte kaum einen Unterschied. Ein wenig Licht von der Laterne unten fiel ins Zimmer.

Die Toten näherten sich. Oder näherte sie sich ihnen? Sie kannte mehrere von ihnen. Verwandte mütterlicherseits, denen sie nie begegnet war.

Und Inna. Nicht so weit fort, wie man meinen könnte. Vielleicht machte sie sich Sorgen um ihren Bruder. Aber da konnte Ester nicht viel tun. Sie musste an ihren eigenen Bruder denken.

Es war nicht lange her, dass Inna hier in Esters Zimmer gesessen hatte. Die Schwellung in ihrem Gesicht war langsam verschwunden. Die Blutergüsse hatten sich verfärbt, von Rot und Blau zu Grün und Gelb.

»Willst du nicht die Palette holen und mich malen?«, hatte sie gefragt. »Jetzt, wo ich so farbenfroh bin.«

Sie hatte sich in letzter Zeit verändert. War an den Wochenenden zu Hause geblieben. War nicht so fröhlich gewesen wie früher. Ab und zu hatte sie eine Weile bei Ester gesessen.

»Ich weiß nicht«, hatte sie gesagt. »Ich habe einfach alles so satt. Habe es satt und bin niedergeschlagen.

So hatte sie Ester gefallen. Niedergeschlagen.

Warum muss man immer froh sein, hätte sie Inna gern gefragt.

Diese Menschen. Froh und leichtlebig und viele Bekannte. Das war das Allerwichtigste.

Aber dennoch. Inna stellte diese Anforderung nur an sich. Nicht an Ester.

In dieser Hinsicht war Inna wie Mutter.

Sie haben mich beide sein lassen, wie ich bin, dachte Ester. Mutter. Sie hat dem Lehrer in der Schule versprochen, mir zu sagen, dass ich mir größere Mühe geben soll. Um Rechnen und Schreiben zu lernen. »Und sie ist doch so still«, sagte der Lehrer. »Hat keine Freunde.«

Als ob das eine Krankheit wäre.

Aber Mutter ließ mich in Ruhe. Ließ mich zeichnen. Fragte nie, ob ich eine Freundin hätte, die ich mit nach Hause bringen wolle. Es war natürlich, allein zu sein.

Auf der Kunstschule war das anders. Sie musste so tun, als wäre sie nicht allein. Damit die anderen nicht verlegen oder schuldbewusst zu sein brauchten.

Ester fängt an Idun Lovéns Kunstschule in Stockholm an. Gunilla Petrini hat Bekannte mit einer Wohnung in der Jungfrugata auf Östermalm, die renoviert werden soll. Diese Bekannten verbringen deshalb den Winter in der Bretagne. Die kleine Ester kann ein Zimmer benutzen, das ist kein Problem. Die Handwerker kommen frühmorgens, und wenn Ester aus der Schule nach Hause kommt, haben sie schon Feierabend.

Ester ist an Einsamkeit gewöhnt. Auf der Schule hat sie keine engen Freunde. Ihr ganzes fünfzehn Jahre langes Leben hat sie am Rand verlebt, hat an Wandertagen allein dagesessen und auf ihrem Brot herumgekaut. Sie hat schon früh aufgehört zu hoffen, dass sich im Bus jemand neben sie setzen würde.

Also ist es sicher ihr Fehler. Sie ist es nicht gewöhnt, Kontakt aufzunehmen. Und sie ist davon überzeugt, dass sie abgewiesen werden würde, wenn sie es versuchte. Ester sitzt in den Pausen allein. Sie fängt keine Gespräche an. Die anderen nehmen den Altersunterschied wahr und entschuldigen sich damit, dass Ester sicher Freunde in ihrem eigenen Alter hat, mit denen sie ihre Freizeit verbringt. Ester wacht allein auf. Zieht sich an und frühstückt allein. Im Gehen begegnet sie manchmal den blau gekleideten Männern, die die Wohnung renovieren. Sie nicken oder sagen Hallo, aber sie sind viele Meilen von ihr entfernt.

Es macht ihr nicht sehr zu schaffen, dass sie am Rand steht. Sie folgt dem Unterricht und lernt von den älteren Kurskameraden. Wenn die anderen Kaffee trinken gehen, bleibt sie oft im Atelier und wandert umher und schaut. Versucht festzustellen, warum die Linien der einen so leicht wirken und wie der andere die Farben bindet.

Wenn sie keinen Unterricht in Modellmalerei hat, wandert sie. Und dann ist es leicht, in Stockholm allein zu sein. Niemand kann ihr ansehen, dass sie außen steht. Es ist nicht wie in Kiruna, wo alle wissen, wer sie ist. Hier sind viele Menschen auf der Wanderschaft zu allerlei Zielen. Es ist eine Befreiung, in der Menge zu sein.

Auf Östermalm gibt es alte Damen, die Hüte tragen! Sie sind noch witziger als Hunde. Samstagsvormittags folgt Ester den Damen mit ihrem Skizzenblock. Sie zeichnet sie mit schnellen Strichen, die gebrechlichen Körper in dicken Nylonstrümpfen und feinen Mänteln. Wenn es dunkel wird, verschwinden sie von den Straßen wie ängstliche Kaninchen.

Ester geht nach Hause, als Abendessen gibt es Brot und Buttermilch. Danach geht sie wieder los. Die Herbstabende sind noch warm und schwarz wie Samt. Sie geht über die Brücken der Stadt.

Eines Abends steht sie auf Västerbron und schaut auf einen Parkplatz für Wohnwagen hinab. In einer Woche wird sie zurückkommen und eine Familie sehen, die dort wohnt. Der Vater sitzt auf einem Campingstuhl und raucht. Zwischen den Wohnwagen haben die Familien Wäscheleinen gespannt. Die Kinder spielen Fußball. Sie rufen einander Dinge in einer fremden Sprache zu.

Ester ertappt sich dabei, dass sie sich nach ihnen sehnt. Nach dieser Familie da unten, die sie nicht einmal kennt. Sie könnte auf ihre Kinder aufpassen. Ihre Wäsche zusammenlegen. Mit ihnen durch Europa fahren.

Sie ruft zu Hause an, aber das Gespräch stockt. Antte fragt, wie es ihr in Stockholm gefällt. Sie hört seiner Stimme an, dass sie schon zur Fremden geworden ist. Sie möchte gern erzählen, dass Stockholm gar nicht so schlecht ist. Dass der Herbst hier unten schön ist, mit Laubbäumen wie freundliche Riesen vor dem knallblauen Himmel. Die gelben Blätter, gröber als Esters Hand, ziehen mit trockenem Rascheln in Scharen durch die Straßen. Und in der Nähe ihrer Wohnung liegt ein kleiner Blumenkiosk, wo sie stehen und zusehen kann. Aber sie weiß, dass er das nicht hören will.

Und Mutter wirkt immer so beschäftigt. Ester weiß nicht, worüber sie reden soll, damit sie nicht das Gefühl hat, dass Mutter gleich auflegen wird.

Dann kommt der Winter. Wind und Regen in Stockholm. Die alten Damen sind nicht oft zu sehen. Ester malt eine Serie von Landschaften. Berge und Felder. Verschiedene Jahreszeiten mit ihrem Licht. Kuratorin Gunilla Petrini nimmt einige von ihnen mit nach Hause und zeigt sie ihren Freunden.

»Die sind aber einsam«, sagt jemand bei einem Fest.

Gunilla Petrini muss zustimmen.

»Ihre Zeichnungen sind anders. Aber sie hat keine Angst vor

der Einsamkeit. Sie ist ganz entspannt, wenn es um die Kleinheit der Menschen vor Natur und Welt geht, versteht ihr? Sie ist auch als Mensch so.«

Sie zeigt einige Zeichnungen. Die anderen sehen, dass Ester eine tüchtige Zeichnerin ist. Und wie viele Künstler gibt es jetzt überhaupt? Ester scheint mit einer Zeitmaschine gekommen zu sein. Sie glauben, Gustaf Fjæstads Wasserspiegelungen vor sich zu sehen, Bror Lindhs Winterwälder. Und dann kommen sie wieder auf die Einsamkeit ihrer Gemälde zu sprechen.

»Sie hat keine Probleme mit dem Alleinsein«, sagt Gunilla Petrinis Mann.

»Das ist eine gute Eigenschaft für eine Künstlerin«, sagt jemand.

Sie reden über ihre Herkunft. Über die psychisch kranke Frau, die von einem anderen Patienten ein Kind bekam. Einem Inder. Von dem kleinen Mädchen mit dem indischen Aussehen, das in einer samischen Familie aufgewachsen ist.

Ein älterer Mann auf dem Fest mustert die Bilder, schiebt sich die Brille auf der Nase hin und her. Ihm gehört eine Galerie auf Söder, er ist bekannt dafür, dass er Künstler einkauft, ehe sie ihren großen Durchbruch haben. Besitzt mehrere Ola Billgrens und hat Karin Mamma Andersson billig gekauft. Hat bei sich zu Hause einen lächerlich großen Gerhard Richter an der Wand. Gunilla Petrini hatte einen Hintergedanken, als sie ihn für diesen Abend eingeladen hat. Sie füllt sein Glas ein weiteres Mal.

»Ihre Gebirgslinien sind interessant«, sagt er. »Immer gibt es einen Spalt oder einen Riss oder ein Tal oder eine Schlucht in der Landschaft. Seht ihr? Hier. Und hier.«

»Eine Welt dahinter«, sagt jemand.

»Narnia vielleicht«, versucht jemand zu scherzen.

Und damit steht es fest. Ester bekommt eine eigene Ausstellung in der Galerie. Gunilla Petrini könnte vor Freude in die Luft springen. Das wird Aufmerksamkeit erregen. Esters Alter. Ihre Herkunft.

Rebecka fuhr Alf Björnfot zu dem Zimmer in der Köpmannsgata, in dem er übernachtete. Es hatte keinen Zweck, ins Bett zu gehen, er war noch nicht müde genug zum Schlafen. Außerdem war er ein wenig aufgekratzt. Der Besuch bei Rebecka Martinssons Nachbarn war angenehm gewesen. Er fühlte sich wie verwandt mit Sivving Fjällborg, der in seinen Heizungskeller gezogen war.

Deshalb fühlte er sich auch in seinem Zimmer in Kiruna so wohl, dort hatte er, was er brauchte, und nicht mehr. Darin lag eine Ruhe. In der Wohnung zu Hause in Luleå war das anders.

Seine Skier lehnten auf dem Flur an der Wand. Er konnte sie auch jetzt herrichten, dann könnte er morgen damit losziehen. Er legte sie mit der Lauffläche nach oben über zwei Stuhlrücken, legte Toilettenpapier darauf, übergoss es mit Wachsentferner, wartete drei Minuten und wischte sie dann ab.

Er hatte die Skier gewichst, die schmutzige Wäsche auf dem Sofa sortiert und den Abwasch erledigt, als plötzlich das Telefon klingelte.

Es war Rebecka Martinsson.

»Ich habe mir die Verkäufe von Kallis Mining in den letzten Monaten angesehen«, sagte sie.

»Bist du bei der Arbeit?«, fragte Alf Björnfot. »Musst du dich zu Hause nicht um einen Kater kümmern?«

Rebecka ignorierte diese Frage und redete weiter:

»Sie haben in kurzer Zeit eine Menge Minoritätsanteile von allerlei Projekten in aller Welt verkauft. Und in Colorado haben die Anklagebehörden eine Voruntersuchung gegen eine Tochtergesellschaft eingeleitet, Verdacht auf schwere Wirtschaftskriminalität. Die Tochtergesellschaft hat Aktiva für fünf Millionen Dollar gekauft. Die Anklagebehörden glauben, dass es sich um eine fiktive Rechnung handelt, und sie haben die Zahlung nicht zum angeblichen Verkäufer in Indonesien zurückverfolgen können, sondern zu einer Bank in Andorra.«

»Ach?«, sagte Alf Björnfot.

Er hatte das Gefühl, dass Rebecka von ihm erwartete, aus dem Gesagten eine Schlussfolgerung zu ziehen. Aber er hatte keine Ahnung, wie die aussehen könnte.

»Sieht aus, als müsste Kallis Mining Kapital flüssig machen. Und wollte keine Aufmerksamkeit dabei erregen. Deshalb verkaufen sie an allerlei Orten auf der Welt kleine Aktienposten. Und sie scheinen diese Gesellschaft in Colorado total ausgenommen zu haben. Und sie überführen Geld an eine Bank in Andorra. In Andorra gilt ein sehr strenges Bankgeheimnis. Und da frage ich mich doch: Warum braucht Kallis Mining Geld? Und warum überführen sie dieses Geld an eine Bank in Andorra?«

»Ja, warum?«

»Im vorigen Sommer sind drei Ingenieure von Milizen ermordet worden, als sie von der Grube von Kallis Mining in Nord-Uganda kamen. Gleich danach hat Kallis Mining seine Tätigkeit dort unten eingestellt, es wurde zu unruhig. Dann wurde alles nur noch schlimmer, und die Grube wurde von verschiedenen Gruppen umkämpft. Das galt auch für alle anderen Gruben im nördlichen Teil des Landes. Aber im Januar stabilisierte sich die Lage etwas. General Kadaga hat abermals die Kontrolle über die meisten Grubengebiete im Norden an sich gerissen. Joseph Cony und die LRA haben sich in den Süd-Sudan zurückgezogen. Andere Gruppen sind jetzt im Kongo und bekämpfen sich dort gegenseitig.«

Alf Björnfot hörte, dass Rebecka in Ausdrucken blätterte.

»Und jetzt«, sagte sie, »kommt das wirklich Interessante. Es gibt schon lange Meinungsverschiedenheiten zwischen dem Präsidenten und General Kadaga. Vor einem Jahr wurde Kadaga aus der Armee entlassen. Er blieb Kampala fern, aus Angst, der Präsident könnte ihn festnehmen lassen und ihm wegen irgendeines angeblichen Verbrechens den Prozess machen. Der Präsident will ihn loswerden. Kadaga kommt mit immer weniger Leuten einigermaßen zurecht. Jetzt aber wächst sein Privatheer, und sie haben sogar große Gebiete im Norden unter ihre Kontrolle bringen können. In New Vision steht, dass Präsident Museveni einem niederländischen Geschäftsmann vorwirft, Kadaga finanziell zu unterstützen. Dieser Geschäftsmann heißt Gerhart Sneyers, und er besitzt eine der stillgelegten Gruben in Uganda. Sneyers hat diese Vorwürfe natürlich entschieden zurückgewiesen. Er bezeichnet sie als grundlose Unterstellungen.«

»Ach?«, fragte Alf Björnfot wieder.

»Ich denke mir das so: Ich glaube, dass Mauri Kallis und Gerhart Sneyers und vielleicht noch andere ausländische Geschäftsleute Kadaga unterstützen. Viele sehen ihre Interessen in der Region gefährdet. Deshalb setzen sie so diskret wie möglich Kapital frei. Finanzieren Kadagas Feldzug gegen das Versprechen, dass ihren Gruben nichts passiert. Vielleicht hoffen sie, ihre Tätigkeit wieder aufnehmen zu können, wenn die Lage sich stabilisiert. Und wenn eine Bank in Andorra Kriegsherren Geld ausbezahlt, dann ist die Identität der Geldgeber durch das Bankgeheimnis geschützt.«

»Lässt sich das alles beweisen?«

»Das weiß ich nicht.«

»Na, bis auf weiteres verdächtigen wir jedenfalls Diddi Wattrang des Insiderhandels. Da fangen wir erst mal an«, erklärte Alf Björnfot.

MAURI KALLIS' ESSENSGÄSTE trafen am Freitagabend um kurz nach acht ein. Wagen mit getönten Scheiben rollten die Allee zum Herrensitz hoch. Die Leute von Sicherheitschef Mikael Wiik empfingen sie an den Toren.

Oben beim Gutshaus nahm Mauri Kallis zusammen mit seiner Frau und Ulrika Wattrang die Gäste in Empfang. Gerhart Sneyers, Bergwerks- und Ölgesellschaftsbesitzer und Vorstandsvorsitzender des African Mining Trust, Heinrich Koch, geschäftsführender Direktor von Gems and Minerals Ltd., Paul Lasker und Viktor Innitzer, beide Grubenbesitzer in Nord-Uganda, sowie General a. D. Helmuth Stieff. Gerhart Sneyers hatte die Sache mit Inna Wattrang gehört und sprach sein Beileid aus.

»Die Tat eines Wahnsinnigen«, sagte Mauri Kallis. »Uns kommt es noch immer unwirklich vor. Sie war eine loyale Mitarbeiterin und eine gute Freundin der Familie.«

Während des Händeschüttelns fragte er Ulrika:

»Kommt Diddi zum Essen?«

»Ich weiß nicht«, sagte Ulrika und reichte Viktor Innitzer ein Glas. »Ich weiß es wirklich nicht.«

Ich bin nicht drogensüchtig. Das hatte Diddi Wattrang sich im vergangenen halben Jahr immer häufiger gesagt. Drogensüchtige spritzen, und er war nicht drogensüchtig.

Am Montag hatte Mikael Wiik ihn am Stureplan abgesetzt. Er hatte von Montagnacht bis Freitag herumgesumpft, dann war er mit dem Taxi nach Hause gefahren. Jetzt war er in der

Dunkelheit erwacht, mit schweißnassen Haaren. Erst als er die Nachttischlampe einschalten konnte, begriff er, dass er zu Hause auf Regla war. Die vergangenen Tage und Nächte lagen wie fragmentarische Erinnerungsbilder hinter ihm. Schnappschüsse ohne logische Reihenfolge. Ein Mädchen, das in einer Bar laut lacht. Ein paar Typen, mit denen er ins Gespräch kommt und die er auf ein Fest begleitet. Sein Gesicht in einem Spiegel auf einer Toilette. Inna in seinem Kopf, gerade in diesem Moment, er feuchtet ein Stück Toilettenpapier an, gießt Amphetamin darauf, knüllt es zusammen zu einem Papierball, den er dann verschluckt. Ein dampfender Tanzboden in einem Lagerlokal. Hunderte von Händen in der Luft. Er erwacht auf dem Boden einer Wohnung der Gesellschaft in Stockholm. Auf dem Sofa sitzen vier Personen. Er hat sie noch nie gesehen. Weiß nicht, wer sie sind.

Danach muss er sich ein Taxi besorgt haben. Er glaubte, sich erinnern zu können, dass Ulrika ihm beim Aussteigen geholfen, dass sie geweint hatte. Aber das kann auch ein andermal gewesen sein.

Er war nicht drogensüchtig. Aber wer jetzt gesehen hätte, wie er seinen Medizinschrank durchwühlte, hätte ihn leicht dafür halten können. Er warf Alvedon und Pflaster und Thermometer und Nezeril und tausend andere Dinge auf den Boden, auf der Jagd nach Benzo. Er suchte in Schubladen, und er suchte hinter einer Kommode unten im Keller, aber diesmal hatte Ulrika alles gefunden.

Es musste irgendwo etwas geben. Aus Mangel an Benzo, Kokain. Aus Mangel an Kokain, Dope. Er war nicht besonders für Halluzinogene gewesen, aber jetzt hätte er gern Gras geraucht oder E eingeworfen. Etwas, das Schluss machen könnte mit diesem Schwarzen, das sich in ihm wand, sich durch ihn hindurchschlängelte.

Unten in der Küche fand er im Kühlschrank eine Flasche Hustensaft. Er trank in langen Zügen. Und dann stand jemand hinter ihm. Das Kindermädchen.

»Wo ist Ulrika?«, fragte er.

Sie antwortete und konnte den Blick nicht von der Medizinflasche in seiner Hand abwenden.

Das Essen. Herrgott. Mauris Essen.

»Wie findest du eigentlich Mauri Kallis?«, fragte er sie.

Und als sie keine Antwort gab, wiederholte er mit überdeutlicher Stimme:

»Eigentlich, meine ich!«

Und er packte ihre Schultern, um eine Antwort aus ihr herauszupressen.

»Du musst mich loslassen«, sagte sie mit ungewöhnlich fester Stimme. »Lass mich los. Du machst mir Angst, und das will ich nicht!«

»Verzeihung«, sagte er. »Verzeihung, Verzeihung. Ich werde … ich kann nicht … «

Er bekam keine Luft. Seine Luftröhre schien geschrumpft zu sein, als ob er durch einen Trinkhalm atmete.

Die Hustensaftflasche fiel auf den Boden. Sie zerbrach. Verzweifelt riss er an seinem Schlips.

Das Kindermädchen befreite sich aus seinem Zugriff. Er ließ sich auf einen Küchenstuhl fallen, versuchte, wieder zu Atem zu kommen.

Angst? Hatte sie das gesagt? Sie hat keine Ahnung. Hat absolut keine Ahnung von Angst.

Er dachte daran, wie er Mauri von Quebec Invest erzählt hatte. Dass Sven Israelsson von einem Spion in der SGAB wusste.

Mauri war erbleicht. Er war wütend geworden. Das war zu sehen gewesen, auch wenn er nichts gesagt hatte.

Alles ist persönlich, dachte Diddi. Mauri prahlt, dass er so ein »It's just business«-Typ sei. Aber gleich unter der Oberfläche liegt dieses Gefühl von Unterlegenheit auf der Lauer, das aus allem eine Beleidigung macht.

Mauri hatte gesagt, das könnten sie zu ihrem Vorteil nutzen. Wenn die Probebohrungen ein positives Resultat ergäben, würden sie die Quelle falsch informieren und Aktien kaufen, wenn Quebec Invest verkaufte und der Wert sank.

Diddi sollte sich darum kümmern und Mauris Namen aus der Sache heraushalten.

Aber die Sache sei idiotensicher, hatte Mauri gesagt. Denn wer würde schon plappern? Quebec Invest ja wohl kaum.

Diddi hatte gezögert. Wenn es so idiotensicher war, warum sollte dann er die Sache durchziehen und nicht Mauri?

Worauf Mauri ihn angelächelt hatte.

»Weil du viel besser überzeugen kannst«, hatte er gesagt. »Wir müssen Sven Israelsson auf unserer Seite haben.«

Dann hatte er erwähnt, welche Summe für Diddi dabei herausspringen könnte. Eine halbe Million mindestens, seiner Einschätzung nach. Gleich in die Tasche.

Und das hatte die Sache entschieden. Diddi brauchte Geld.

Vor zwei Wochen hatte Inna ihn mit der Sache konfrontiert. Es war bei ihrem letzten Besuch auf Regla gewesen. Sie hatten auf einer Bank an der Südseite ihres Hauses gesessen, sich an die Wand gelehnt. Dösig von der Frühlingssonne.

»Es war Mauri, was?«, hatte sie ihn gefragt. »Der die Kiste mit Quebec Invest durchgezogen hat?«

»Wühl da bloß nicht drin rum«, hatte Diddi gesagt.

»Ich überprüfe gerade, was er so treibt«, hatte Inna gesagt. »Ich glaube, er und Sneyers unterstützen Kadaga. Ich glaube, sie werden versuchen, Museveni zu stürzen. Oder ihn umbringen zu lassen.«

»Von mir aus, Inna«, hatte er gesagt. »Wühl da nicht drin rum.«

Mauri Kallis und seine Freunde vertraten sich vor dem Nachtisch ein wenig die Beine. Viktor Innitzer fragte General Helmuth Stieff nach Kadagas Aussichten, die Kontrolle über die Grubengebiete in Nord-Uganda zu behalten.

»Der Präsident kann das nicht zulassen«, sagte der General. »Es sind wichtige Rohstoffe für das Land, und er betrachtet Kadaga als seinen persönlichen Feind. Nach der Wahl wird er sofort weitere Truppen hinschicken. Das gilt auch für die anderen Kriegsherren. Sie haben sich nur vorübergehend zurückgezogen.«

»Wir wiederum«, fügte Gerhart Sneyers hinzu, »brauchen eine ruhige Situation im Land, um tätig werden zu können. Stromversorgung, funktionierende Infrastruktur. Museveni wird uns nicht wieder hereinlassen, es wäre naiv, das zu glauben. Seit vielen Monaten hat da unten niemand mehr tätig sein können. Wie lange könnt ihre eure Investoren bei der Stange halten und ihnen weismachen, dass es sich um ein vorübergehendes Problem handelt? Eine Periode von Wartung und Wiederherstellung? Die Probleme in Nord-Uganda werden nicht vom Zusehen gelöst. Museveni ist verrückt. Er sperrt seine politischen Gegner ins Gefängnis. Wenn er die Kontrolle über die Gruben an sich reißen kann, dann glaubt ja nicht, dass er sie uns zurückgeben wird. Er wird behaupten, sie seien verlassen und deshalb dem Staat zugefallen. Die UN und die Weltbank werden nicht einen Finger rühren.«

Heinrich Koch erbleichte. Die Aktienbesitzer saßen ihm im Nacken, genau wie Mauri. Außerdem hatte er so viel Eigenkapitel in Gems and Minerals gesteckt, dass der Verlust der Grube seinen Bankrott bedeuten würde.

Morgen würden sie ganz offen ihre Alternativen diskutieren. Und Gerhart Sneyers hatte ausdrücklich darauf hingewiesen, dass sie keine Diplomaten waren. Sie vertrauten einander und sprachen offen. Zum Beispiel würden sie überlegen, wer nach einem eventuellen Sturz des Präsidenten an dessen Stelle treten könnte. Und welche Möglichkeiten sie bei der kommenden Wahl hätten, wenn der derzeitige Präsident nicht zu den Kandidaten gehörte.

Mauri betrachtete Heinrich Koch, Paul Lasker und Viktor

Innitzer. Sie standen als kleiner Kreis von Bewunderern um Gerhart Sneyers herum. Schulbuben mit dem Härtesten in der Mitte.

Mauri Kallis hatte kein Vertrauen zu Sneyers. Es galt, sich den Rücken freizuhalten. Vor allem Koch und Innitzer saßen auf Sneyers' Schoß. Das hatte Mauri nicht vor.

Es war richtig gewesen, sich an Mikael Wiik zu wenden, als die Sache mit dem Journalisten Örjan Bylund aufgetaucht war. Mikael Wiik hatte sich als der Mann erwiesen, für den Mauri ihn bei seiner Anstellung gehalten hatte.

Diddi dagegen war verrückt geworden und hatte gedroht.

Diddi Wattrang wandert in Mauris Arbeitszimmer hin und her. Es ist der 9. Dezember. Mauri und Inna sind soeben aus Kampala zurückgekehrt. Mauri ist ein anderer als der, der hingefahren ist. Nach der Besprechung mit der Wirtschaftsministerin war er wütend, jetzt ist er ganz ruhig.

Er sitzt auf seiner Schreibtischkante und lächelt Diddi fast an.

»Verstehst du«, sagt Diddi. »Dieser Örjan Bylund hat Fragen nach Kallis Mining und der Sache mit Quebec Invest gestellt. Und jetzt bin ich fertig.«

Er presst sich die Faust gegen das Zwerchfell, er scheint Schmerzen zu haben.

Mauri versucht, ihn zu beruhigen.

»Niemand kann etwas beweisen. Quebec Invest kann nicht plaudern, denn die stecken genauso drin wie wir. Die wären erledigt, wenn das herauskäme. Und das wissen sie. Das gilt auch für Sven Israelsson, der außerdem einen fetten Knochen abgekriegt hat. Bleib also ganz ruhig. Sitz jetzt still im Boot.«

»Erzähl mir bloß nichts von ruhig bleiben«, faucht Diddi.

Mauri hebt überrascht die Augenbrauen. Ein Wutanfall von Diddi. Das hat er nicht mehr erlebt, seit Diddi ihn damals im Studentenheim aufsuchte und Geld wollte. Als diese Spanierin ihm den Laufpass gegeben hatte. Herrgott, das ist ein ganzes Leben her.

»Bilde dir ja nicht ein, dass ich die Schuld auf mich nehme, wenn die Geschichte herauskommt«, knurrt Diddi. »Ich werde mit dem Finger auf dich zeigen, da kannst du sicher sein.«

»Tu das«, sagt Mauri Kallis eiskalt. »Aber geh jetzt bitte.«

Er überlegt eine Weile, nachdem Diddi mit der Tür geknallt hat. Diddi hat ihm ein wenig Angst gemacht. Aber er hat nicht vor, in Panik zu verfallen. Er weiß, dass er rational und durchdacht handelt.

Das Letzte, was er im Moment braucht, ist ein Journalist, der in den Angelegenheiten der Gesellschaft herumschnüffelt. Wenn man es ein wenig zurückverfolgt, wird man Mauri Kallis bei denen finden, die nach dem Absprung von Quebec Invest Aktien von Northern Explore gekauft und nach der Meldung der Goldfunde verkauft haben. Wenn jemand die Geldströme anderer Geschäfte innerhalb der Gesellschaftssphäre untersucht, wird er sehen, dass die zu einer Bank in Andorra führen. Und dann ist er schon gefährlich dicht am Ziel. Wenn jemand einen Waffenlieferanten findet, der Informationen darüber heraus-rückt, dass die Bezahlung von Kadagas Waffen über Andorra gelaufen ist …

Als Mauri Kallis also das nächste Mal mit seinem Sicherheitschef spricht, sagt er:

»Ich habe ein Problem. Und ich könnte einen diskreten Mann mit deinen Fähigkeiten brauchen, um dieses Problem zu lösen.«

Mikael Wiik nickt. Er sagt nichts, er nickt nur. Am nächsten Tag gibt er Mauri eine Telefonnummer.

»Ein Problemlöser«, sagt er kurz. »Sag, du hast die Nummer von einem guten Freund.«

Auf dem Zettel steht kein Name. Nur eine Nummer. Die Vorwahl ist die der Niederlande.

Mauri kommt sich plötzlich vor wie in einem schlechten Film, als er am nächsten Tag diese Nummer anruft. Eine Frau meldet sich mit »hallo«. Mauri lauscht gespannt ihrer Stimme, ihrer Intonation, er horcht auf Hintergrundgeräusche. Sie hat einen Akzent, glaubt er. Die Stimme ist ein wenig belegt. Eine etwa vierzig Jahre alte tschechische Raucherin?

»Ich habe Ihre Nummer von einem Freund«, sagt er. »Einem guten Freund.«

»Eine Beratung kostet zweitausend Euro«, sagt die Frau. »Danach bekommen Sie ein Angebot.«

Mauri feilscht nicht um den Preis.

Mikael Wiik ließ die Sicherheitsleute in zwei Schichten essen. An der Organisation war nichts auszusetzen. Die schwedischen Jungs hatte er selbst ausgesucht, und sie bewunderten ihn. Sie beneideten ihn um seinen Job bei Mauri Kallis, der war wirklich erste Sahne. Er glaubte auch, bei den Jungs von Sneyers einen Unterschied zu bemerken. Größeren Respekt.

»Nice place«, sagte einer von ihnen mit einer Kopfbewegung, die den ganzen Herrensitz umfasste.

»Besser als ein Orden vom französischen Verteidigungsminister«, sagte ein anderer.

Das wussten sie also. Daher der neue Respekt. Zeichen dafür, dass auch Gerhart Sneyers den Überblick hatte, über Kallis und über seine Entourage.

Und sie hatten recht. Es war besser, für Kallis zu arbeiten als bei der Eingreiftruppe.

»Da unten war es hart, was? Es gehört ganz schön viel dazu, ehe die Franzosen einem Ausländer einen Orden geben.«

»Den hat doch der Chef gekriegt«, sagte Mikael Wiik ausweichend.

Er wollte nicht darüber reden. Seine Freundin weckte ihn manchmal nachts, schüttelte ihn. »Du schreist«, sagte sie dann. »Du weckst das ganze Haus.«

Und dann musste er aufstehen. In Schweiß gebadet.

Die Erinnerungen drängten sich auf. Sie warteten, bis er

schlief. Sie waren mit der Zeit nicht verblasst. Sondern im Gegenteil. Die Geräusche waren deutlicher geworden, die Farben und Geräusche schärfer.

Es gab Geräusche, die ihn wahnsinnig machten. Das Summen einer Fliege zum Beispiel. Einige Male hatte er einen ganzen Vormittag damit verbracht, in der Hütte seiner Freundin Fliegen zu jagen. Am liebsten war er im Sommer in der Stadt.

Wolken aus Fliegen. Das ist Kongo-Kinshasa. Ein Dorf in der Nähe von Bunia. Mikael Wiiks Gruppe ist zu spät gekommen. Die Bewohner des Dorfes liegen zerfetzt und zerhackt vor ihren Häusern. Körper ohne Kleider. Kinder mit aufgeschlitzten Bäuchen. Drei Mitglieder der verantwortlichen Miliz lehnen an einer Hauswand. Sie sind nicht mit ihren Leuten weitergezogen. Sie scheinen kaum zu registrieren, dass sie angesprochen werden. Werden nicht gequält von dem ekelerregenden Gestank oder den Wolken aus fetten Fliegen über den Leichen.

Mikael Wiiks Kommandant versucht es in verschiedenen Sprachen, Englisch, Deutsch, Französisch. »Aufstehen! Wer seid ihr?« Sie bleiben an die Wand gelehnt sitzen. Schwimmende Augen. Am Ende greift einer von ihnen zu der Waffe, die neben ihm auf dem Boden liegt. Er ist vielleicht zwölf Jahre alt. Er greift nach seiner Waffe, und sie erschießen ihn auf der Stelle.

Danach erschießen sie seine beiden Kameraden. Vergraben sie. Berichten, dass bei ihrem Eintreffen alle Angehörigen der Miliz schon geflohen waren.

Ab und zu konnte es der Regen sein, der gegen das Fenster schlug. Wenn es nachts zu regnen anfing, während er schlief, das war das Schlimmste. Dann träumte er von der Regenzeit.

Es gießt wochenlang. Das Wasser strömt aus den Bergen und bringt Lehm mit sich. Die Hänge erodieren, die Wege verwandeln sich in rote Flüsse.

Mikael Wiik und seine Kollegen reißen Witze darüber, dass sie nicht wagen, die Stiefel auszuziehen, weil vielleicht die Zehen daran hängen bleiben. Jede einzelne Blase wird zu einem bösen Geschwür. Die Haut löst sich auf, wird weiß, pellt sich in langen Flocken.

GPS und Funkgeräte funktionieren nicht mehr. Die technische Ausrüstung ist nicht für diesen Regen gemacht, sie können sie nicht schützen.

Sie operieren unter französischem NATO-Befehl, sollen eine Straße sichern, sitzen an einer Brücke fest. Aber wo zum Teufel stecken die Franzosen? Sie sind nur zu zehnt und warten auf Verstärkung. Die Franzosen sollen das andere Ufer sichern, aber wer jetzt da drüben steht, wissen sie nicht. Früher an diesem Tag haben sie drei Männer in Tarnanzügen gesehen, die im Dschungel verschwunden sind.

Das unheimliche Gefühl, dass sich um sie herum Milizen zusammenziehen, macht sich breit.

Mikael Wiik zog eine Packung Zigaretten hervor und bot Sneyers' Jungs davon an.

Damals endete es mit einem Schusswechsel. Er weiß nicht, wie viele er umgebracht hat. Erinnert sich nur an die Angst, als seine Munition zur Neige ging, an altes Gerede darüber, was diese Verrückten mit ihren Feinden machen, solche Dinge ließen ihn nachts hochfahren. Nach dem Einsatz hatten sie den Orden bekommen.

Es war ein seltsames Leben gewesen. Wenn man sich zwischen den Einsätzen in den Städten aufhielt. Mit den Kollegen in Bars herumlungerte. Man wusste, dass man zu viel trank, hatte aber noch nie mit so viel Wirklichkeit fertig werden müssen. Die kleinen schwarzen Mädchen, auch sie nur Kinder, versuchten, sich einzuschmeicheln, »Mister, Mister«. Man konnte sie für so gut wie nichts ficken. Aber zuerst wollte man in Ruhe mit den Kameraden trinken. Deshalb scheuchte man sie weg wie

Hunde, sagte dem Barmann, man werde das Lokal wechseln, wenn man hier nicht seine Ruhe habe. Und dann wurden die Kleinen verjagt.

Wenn man wollte, warteten draußen auf der Straße immer welche. Obwohl es nur so goss, pressten sie sich an die Hauswände, man konnte sie einfach mit ins Hotel nehmen.

In einer dieser Bars hatte er einen ehemaligen Bundeswehroffizier getroffen. Der war um die fünfzig gewesen, hatte eine Firma für Personen- und Objektschutz besessen. Mikael Wiik hatte schon von ihm gehört.

»Wenn du es satt kriegst, durch den Schlamm zu kriechen«, hatte der Offizier zu ihm gesagt und ihm eine Visitenkarte nur mit einer Telefonnummer gegeben. Sonst nichts.

Mikael Wiik hatte gelächelt und den Kopf geschüttelt.

»Nimm sie«, hatte der Offizier ihn gedrängt. »Man weiß nichts über die Zukunft. Es geht um kurze Einzelaufträge. Sehr gut bezahlt. Und viel einfacher als das, was ihr vor zwei Wochen gemacht habt.«

Mikael Wiik hatte die Karte in die Tasche gesteckt, um der Diskussion ein Ende zu setzen.

»Aber wohl kaum von der UN sanktioniert?«, hatte er gefragt.

Der Offizier hatte höflich gelächelt, vor allem, um zu zeigen, dass er nicht beleidigt war. Er hatte Mikael in den Rücken geschlagen und war gegangen.

Drei Jahre später, als Mauri Kallis Mikael Wiik gegenüber ein Problem erwähnt hatte, das er gern ein für allemal aus der Welt geschafft haben wollte, hatte Mikael sich an den deutschen Offizier gewandt und gesagt, ein Freund brauche dessen Dienste. Der Offizier hatte ihm eine Telefonnummer genannt, die Mauri anrufen könne.

Es war seltsam gewesen zu erleben, dass es diese Welt noch immer gab. Unruhen, Kriegsherren, Drogen, Malaria, Rotzgören mit leeren Augen. Und alles ging jetzt ohne ihn weiter.

Ich bin rechtzeitig ausgestiegen, dachte Mikael Wiik. Es gibt immer die, die kein anderes Leben führen können. Aber ich habe eine Freundin, eine richtige Frau mit einer richtigen Arbeit. Und ich selbst habe eine Wohnung und eine gute Stelle. Ich werde mit Alltag und Ruhe fertig.

Und wenn ich Kallis die Telefonnummer nicht gegeben hätte, dann hätte er sich die anderswo besorgt. Und was weiß ich, wozu er die gebraucht hat? Vermutlich hat er sie überhaupt nicht benutzt. Er hat sie doch schon Anfang Dezember bekommen. Lange, ehe Inna ermordet wurde. Und sie ... es kann kein Profi gewesen sein. Das war viel zu ... unordentlich.

Mauri Kallis überweist auf ein Konto in Nassau, Bahamas, fünfzigtausend Euro. Er bekommt keinen Bescheid, weder, ob das Geld angekommen ist, noch, ob der Auftrag ausgeführt wurde. Er hat gesagt, Örjan Bylunds Festplatte müsse gelöscht werden, aber ob das geschehen ist, weiß er auch nicht.

Eine Woche nachdem er das Geld bezahlt hat, findet er im *Norrländska Socialdemokraten* eine Notiz, dass der Journalist Örjan Bylund tot ist. Es scheint sich um eine Krankheit gehandelt zu haben.

Es war so leicht, und dann konnte es einfach weitergehen, dachte Mauri Kallis und lächelte, als seine Frau mit Gerhart Sneyers anstieß.

Mit Inna war es nicht leicht gewesen. In der vergangenen Woche hatte er sich immer wieder den Kopf über die Alternativen zerbrochen. Und immer war er zu dem Schluss gekommen, dass es keine gegeben hatte. Er hatte den notwendigen Schritt gemacht.

Es ist Donnerstag, der 13. März. In vierundzwanzig Stunden wird Inna Wattrang tot sein. Mauri ist zu Hause bei Diddi. Diddi liegt oben im Schlafzimmer im Bett.

Ulrika hatte bei Mauri und Ebba geklingelt. Sie weinte, trug keinen Mantel, nur eine Strickjacke. Das Kind hielt sie in den Armen, in eine Decke gewickelt, wie auf der Flucht.

»Du musst mit ihm reden. Ich kann ihn nicht wecken«, sagte Ulrika zu Mauri.

Mauri wollte nicht. Nach Quebec Invest und nach dem, was Diddi über den Journalisten Örjan Bylund erzählt hatte, hatten sie fast keinen Kontakt gehabt. Waren sie schon gar nicht alleine miteinander gewesen. Nein, seit sie Partners in crime sind, brauchen sie all ihr Geschick, um einander aus dem Weg zu gehen. Die gemeinsame Schuld bringt sie einander nicht näher, eher ist das Gegenteil der Fall.

Jetzt steht er in Diddis und Ulrikas Schlafzimmer und betrachtet den schlafenden Diddi. Er unternimmt keinen Versuch, ihn zu wecken. Warum sollte er? Diddi ist in Embryostellung in sich zusammengekrochen.

Mauri spürt eine zunehmende Gereiztheit, als er Diddi betrachtet.

Er schaut auf die Uhr und fragt sich, wie lange er hier stehen muss, ehe er zurückgehen kann. Wie lange würde er brauchen, wenn er ihn wecken würde? Sicher nicht sehr lange.

Und in diesem Moment, als er auf dem Absatz kehrtmachen will, klingelt das Telefon.

In dem Glauben, es sei Ulrika, die wissen will, wie es geht, greift er zum Hörer und meldet sich.

Aber es ist nicht Ulrika. Es ist Inna.

»Was machst du da?«, fragt sie.

Er hört nicht, wie anders sie klingt, das merkt er erst später. Er freut sich so, ihre Stimme zu hören.

»Hallo«, sagt er. »Wo bist du?«

»Wer bist du?«, fragt sie mit ihrer fremden Stimme.

Und jetzt hört er es. Dass sie eine andere Inna ist. Vielleicht weiß er es schon.

»Was meinst du?«, fragt er, obwohl er das nicht wissen will.

»Was ich meine!«

Sie atmet schwer, und dann kommt es.

»Vor einiger Zeit hat nur ein Journalist, Örjan Bylund, Fragen gestellt, warum sich Quebec Invest von Northern Explore zurückgezogen hat. Und über einige andere Dinge. Gleich darauf ist er gestorben.«

»Ach was?«

»Komm mir bloß nicht so! Ich dachte zuerst, es sei Diddi gewesen, aber der ist nicht clever genug. Nur geldgeil genug, um sich benutzen zu lassen, oder? Ich hab es überprüft, Mauri. Das war für mich leichter als für diesen Journalisten. Ich stecke ja im Unternehmen. Du hast aus der Gesellschaftsgruppe Geld abgezogen, hohe Beträge. Etliche Unterlagen für die Zahlungsströme sind fiktiv. Das Geld verschwindet auf einem geheimen Konto in Andorra. Und weißt du was? Ungefähr zu der Zeit, in der du angefangen hast, Geld verschwinden zu lassen, hat General Kadaga mit der Mobilmachung begonnen. Mehrere Räuberbanden haben sich ihm angeschlossen, weil er plötzlich Verpflegung und Sold liefern konnte. Loyalität ist nur eine Frage der Bezahlung. In Notizen, die kein Mensch außerhalb Zentralafrikas liest, steht, dass Waffen über die Grenzen zu diesen Gruppen geschmuggelt werden. Mit Flugzeugen! Wieso können die sich das leisten? Und sie haben die Kontrolle über das Grubengebiet in Kilembe an sich gerissen. Du hast sie bezahlt, Mauri. Hast Kadaga bezahlt und die Kriegsherren, die sich ihm angeschlossen haben. Damit sie deine Grube beschützen. Damit die nicht geplündert und zerstört wird. Wer bist du?«

»Ich weiß nicht, was du dir da in den Kopf gesetzt hast …«

»Weißt du, was ich noch getan habe? Ich habe Gerhart Sneyers in Mumbai auf der Indian Metal Conference getroffen. Wir haben abends ein paar Gläser getrunken. Und ich habe gesagt: Ja, und jetzt bist du zusammen mit Mauri ja wieder in Uganda aktiv. Weißt du, was er geantwortet hat?«

»Nein«, antwortet Mauri.

Er hat sich neben den schlafenden Diddi aufs Bett gesetzt. Die ganze Situation kommt ihm unwirklich vor.

Das hier passiert nicht, ruft es in ihm.

»Er hat nichts gesagt. Er hat gefragt: Was hat Mauri dir erzählt? Ich hatte wirklich Angst vor ihm. Und zum ersten Mal hat er sich nicht darüber verbreitet, dass Museveni ein neuer Mobutu ist, ein neuer Mugabe. Er hat überhaupt kein Wort über Uganda gesagt. Ich werde dir erzählen, was ich mir in den Kopf gesetzt habe. Ich habe mir in den Kopf gesetzt, dass du Kadaga zusammen mit Sneyers Geld und Waffen gibst, und ich habe mir in den Kopf gesetzt, dass ihr Museveni aus dem Weg räumen wollt. Hab ich recht? Wenn du mich belügst, dann schwöre ich dir, dass ich alles, was ich weiß, einer richtig hungrigen Mediengruppe erzähle, und die können dann die Wahrheit rausfinden.«

Die Angst packt Mauri mit scharfen Krallen.

Er schluckt. Er holt tief Luft.

»Das ist Eigentum der Gesellschaft«, sagt er. »Ich beschütze es. Du als Juristin hast doch wohl von Notwehr gehört?«

»Hast du schon von Kindersoldaten gehört? Du gibst diesen zugedröhnten Irren Geld für Drogen und Waffen. Diese Menschen, die gegen Bezahlung dein Eigentum beschützen, entführen Kinder. Schlachten deren Eltern ab.«

»Wenn der Bürgerkrieg im Norden nie ein Ende nimmt«, sagt Mauri hilflos, »wenn die Unruhen einfach immer weitergehen, wird die Bevölkerung nie zur Ruhe kommen. Dann wird es eine Generation von Kindersoldaten nach der anderen geben. Aber jetzt, gerade jetzt, besteht doch die Chance, dass ein Ende gemacht werden kann. Der Präsident hat keinerlei Unterstützung. Die Weltbank hat alle Gelder eingefroren. Er ist geschwächt. Die Armee hat kein Geld. Und die Armee ist gespalten. Musevenis Bruder beschäftigt sich damit, im Kongo Gruben auszuplündern. Mit einer anderen Regierung können die Kinder von morgen vielleicht Bauern werden. Oder Bergarbeiter.«

Inna schweigt eine Weile. Jetzt klingt sie nicht mehr wütend. Sondern eher zärtlich. Wie wenn ein Paar nach all den Stürmen endlich die Trennung beschließt. Dann gehen die Gedanken von dem, was ist, zu dem, was war. Und nicht alles war schrecklich.

»Erinnerst du dich an Pastor Kindu?«, fragt sie.

Mauri erinnert sich. Kindu war Pastor in der Bergwerkssiedlung in der Nähe von Kilembe. Als die Regierung mit ihren Schikanen anfing, wurde so ziemlich als Erstes die Müllabfuhr eingestellt. Es war die Rede von Streik, aber in Wirklichkeit waren die Müllarbeiter vom Militär bedroht worden. Nach nur einer Woche hing über dem Ort der süßsaure Gestank faulenden Abfalls. Die Ratten wurden zum Problem. Mauri, Diddi und Inna fuhren hin. Sie begriffen nicht, dass es nur der Anfang war.

»Du hast zusammen mit dem Pastor mehrere Lastwagen besorgt und den Abfall aus dem Dorf entfernt«, sagt Mauri, in seiner Stimme liegt ein trauriges Lächeln. »Als du zurückgekommen bist, hast du gestunken. Diddi und ich haben dich vor eine Hauswand gestellt und mit einem Schlauch abgespritzt. Die Putzfrauen standen im Fenster und lachten.«

»Er ist tot. Diese Männer, die du bezahlst, haben ihn ermordet. Danach haben sie seine Leiche angezündet und hinter einem Auto hergeschleift.«

»Ja, aber so was ist doch die ganze Zeit passiert. Sei nicht so naiv.«

»Ach, Mauri, ich ... habe dich wirklich respektiert.«

Er versucht es. Bis zum Schluss versucht er, sie zu retten.

»Komm nach Hause«, bittet er. »Damit wir reden können.«

»Nach Hause? Meinst du Regla? Dahin werde ich niemals zurückkehren. Verstehst du nicht?«

»Was hast du vor?«

»Ich weiß nicht. Ich weiß nicht, wer du bist. Der Journalist Örjan Bylund ...«

»Ja, aber du glaubst doch wohl nicht, dass ich damit etwas zu tun habe?«

»Du lügst«, sagt sie müde. »Ich habe doch gesagt, dass du nicht lügen sollst.«

Er hört ein deutliches Klicken, als sie auflegt. Es klang wie … es klang wie eine altmodische Telefonzelle. Wo zum Teufel kann sie stecken?

Er muss klar denken. Das hier kann ein richtig böses Ende nehmen. Wenn die Wahrheit ans Licht kommt, dann …

Er sieht eine Bilderserie vor sich. Wie er in der westlichen Welt zur persona non grata wird. Kein Investor will noch mit ihm zusammen genannt werden. Schlimmere Bilder: Ermittlungen, bei denen Interpol sich einschaltet. Er vor dem Gerichtshof für Menschenrechte.

Es hat keinen Zweck, die Schritte zu bereuen, die man früher gemacht hat. Die Frage ist, was jetzt zu tun ist.

Wo ist sie? In einer Telefonzelle?

Wenn er zurückdenkt, dann hört er im Hintergrund etwas …

Hunde! Einen Chor aus heulenden, bellenden Hunden. Schlittenhunde. Ein Hundegespann unmittelbar vor dem Aufbruch.

Und nun weiß er genau, wo sie ist. Sie ist in das Haus der Gesellschaft in Abisko gefahren.

Vorsichtig legt er auf. Jetzt will er Diddi nicht wecken. Dann hebt er den Hörer wieder hoch und wischt ihn mit einem Stück von Diddis Laken ab.

Ester schob den leeren Makkaronitopf unter das Bett. Sie zog die schwarzen Kleider an, die sie bei der Beerdigung der Mutter getragen hatte, ein Polohemd und eine Hose aus einem billigen Kaufhaus.

Die Tante hatte auf einem Rock bestanden, hatte aber nicht diskutieren wollen. Ester war stiller gewesen als sonst. Und das nicht nur aus Trauer. Sondern auch aus Wut. Die Tante hatte versucht zu erklären. »Sie hat uns gebeten, dir nichts zu sagen. Du solltest für deine Ausstellung malen. Nimm dir das nicht zu Herzen. Sie hat uns wirklich verboten, etwas zu sagen.«

Also sagten sie nichts. Bis es sich nicht mehr verschweigen ließ.

Es ist die Vernissage von Esters Ausstellung. Viele Menschen, die Punsch trinken und Pfefferkuchen essen. Ester begreift nicht, wie sie sich noch dazu die Bilder ansehen können, aber das ist vielleicht auch nicht der Sinn der Sache. Sie wird von zwei Zeitungen interviewt und fotografiert.

Gunilla Petrini zieht sie mit sich, um sie allerlei wichtigen Menschen vorzustellen. Ester trägt ein Kleid und kommt sich komisch vor. Als die Tante das Lokal betritt, freut sie sich.

»Das ist doch Wahnsinn«, flüstert die Tante beeindruckt und sieht sich um.

Dann schneidet sie eine Grimasse, als ihr aufgeht, dass der Punsch alkoholfrei ist.

»Hast du mit Mutter gesprochen?«, fragt Ester.

Und das Gesicht der Tante verändert sich. Ein Zögern, vielleicht weicht ihr Blick auch aus, jedenfalls fragt Ester jetzt:

»Was ist los?«

Und sie will, dass die Tante sagt: Nichts.

Aber die Tante sagt:

»Ich muss mit dir reden.«

Sie gehen in eine Ecke des Saales, in der es nicht von Leuten wimmelt, die Wangen küssen und Hände schütteln und ab und zu einen flüchtigen Blick auf Esters Bilder werfen, und es ist ziemlich laut und heiß, und Esters Antennen können nur einen Teil vom Gerede der Tante auffangen.

»Du hast ja gemerkt, dass ihr Dinge hinfallen ... und dass sie den Pinsel nicht mehr halten kann, dass du die Grundierung auftragen musstest ... wollte nicht, dass du es weißt, jetzt, mit der Ausstellung und allem… Muskelkrankheit… am Ende die Lunge… bekommt keine Luft mehr. «

Und Ester will fragen, warum, warum niemand etwas gesagt hat. Die Ausstellung! Wie hat irgendwer glauben können, sie interessiere sich für die verdammte Ausstellung!

Mutter stirbt am zweiten Weihnachtstag.

Ester hat sich verabschiedet. Sie und die Tante haben wie besessen im Haus in Rensjön geputzt und sind danach zum Krankenhaus in Kiruna gefahren. Ester versucht, hinter der starren Maske, die die Krankheit aus ihr gemacht hat, eatnažan zu finden. Die Muskeln unter der Haut bewegen sich nicht mehr.

Mutter kann sprechen, aber sie nuschelt, und sie wird sehr schnell müde. Sie will wissen, wie die Vernissage gelaufen ist.

»Die haben doch keine Ahnung«, faucht die Tante.

Es hat einige wenige Rezensionen gegeben, Die waren nicht gut. Unter der Überschrift »jung, jung, jung« hat ein Kritiker mitgeteilt, dass Ester Kallis für ihr Alter zwar tüchtig sei, aber nichts zu sagen habe. Ihre kleinen Naturbilder hätten ihn gänzlich unberührt gelassen.

So äußern sich alle. Ester Kallis ist ein Kind. Was ist der Zweck dieser Ausstellung? Eine Kritikerin stellt diese Frage dem Galeristen und Gunilla Petrini. Sie schreibt, dass Ester Kallis nicht das junge Genie sei, für das die beiden sie halten, und dass leider Ester den Preis für diese Geltungssucht bezahlen muss.

Gunilla Petrini rief Ester an dem Tag an, als die erste Kritik erschienen war.

»Scher dich nicht darum«, sagte sie. »Überhaupt rezensiert zu werden ist gut, viele schaffen nicht einmal das. Aber wir reden bei einer besseren Gelegenheit darüber. Kümmer dich jetzt um deine Mutter. Und grüß von mir.«

»Was hältst du davon«, sagt die Tante und zitiert laut aus einer Rezension. »Da steht, dass Ester Kallis ›unter Samen aufgewachsen‹ sei. Was soll das nun heißen? Klingt wie Mowgli, aufgewachsen unter Wölfen, kann aber nicht selbst Wolf werden, das ist eben eine Rassenfrage.«

Die Mutter sieht Ester mit ihrem fremden, ausdruckslosen Gesicht an, gibt sich Mühe, die Wörter zu finden.

»Das ist gut«, sagt sie knapp. »Dass du keinen samischen Namen hast, dass du nicht samisch aussiehst. Verstehst du? Wenn sie gewusst hätten, dass du Samin bist, hätten sie nicht gewagt, dich herunterzumachen. Dann wären deine Bilder ...«

» ... gut für ein Lappenmädchen«, fügt die Tante hinzu.

Aber die Mutter will eine bessere Erklärung liefern:

» ... Ausdruck unserer exotischen Kultur, keine echte Kunst. Du würdest niemals mit den gleichen Maßstäben gemessen werden. Es wäre vielleicht ein kleiner Vorteil, für den Anfang. Ein wenig Gratisaufmerksamkeit. Aber so kommt man nicht weiter ...«

»Als bis Luleå«, sagt die Tante und wühlt in ihrer Tasche nach den Zigaretten, bald muss sie auf den Balkon und eine rauchen.

»Vielleicht finden sie, dass sie unsere Kunst nicht richtig beurteilen können. Vielleicht werden deshalb die Mittelmäßigen genauso bewertet wie die Besten. Das ist gut für die Mittelmäßigen, aber du ...«

» ... musst dich mit den Besten messen«, sagt die Tante.

»Für mich wurde das zum Käfig. Niemand fand jemals, dass meine Sachen für andere Leute als Touristen oder eben Samen interessant sein könnten.«

Sie betrachtet Ester. Ester kann ihren Blick nicht deuten.

»Du hast viel von unserer Großmutter«, sagt sie.

»Das weiß ich«, sagt die Tante. »Genau wie áhkku. Das habe ich immer schon gesagt.«

Hinter sich hört Ester, wie die Tante zu weinen anfängt.

»Zu Hause in Rensjön«, sagt die Mutter. »Ich weiß noch, wie oft ich dich angesehen habe. Wie du dich bewegt hast. Wie du mit den Tieren umgehen konntest. Ich dachte. Herrgott, genau wie meine liebe Großmutter. Aber der bist du ja niemals begegnet.«

Ester weiß nicht, was sie antworten soll. In ihren frühesten Erinnerungen sind immer zwei Frauen in der Küche. Und die andere ist nicht die Tante, das weiß sie immerhin. Die Tante trägt keine Jorba und auch kein vorn geknöpftes geblümtes Kleid und keine Schürze.

Dann stirbt Mutter. Nicht sofort nach diesem Gespräch, eine Woche später ist es vorbei. Und Vater und Antte holen sie zurück. Als Tote gehört sie nur ihnen. Anttes Mutter, Vaters Frau. Ester darf bei der Erbauseinandersetzung nicht dabei sein. Die Tante auch nicht.

Nach dem Beerdigungskaffee kommt es zwischen Vater und Tante zum Streit. Ester hört sie durch die Tür der Gebetshausküche.

»Das Haus ist zu groß für mich und den Jungen«, sagt der Vater. »Und was soll ich mit dem Atelier?«

Er erzählt, dass er alles verkaufen wird. Auch die Rentiere. Ein Kumpel von ihm besitzt eine Hüttenstadt bei Narvik. Der Vater und Antte können sich dort einkaufen und für ihn arbeiten.

»Und Ester?«, faucht die Tante. »Wo soll die hin?«

»Für sie ist doch gesorgt«, wehrt der Vater ab. »Sie geht doch auf diese Kunstschule. Was soll ich denn machen? Ich kann ja wohl nicht mit ihr nach Stockholm ziehen. Oder ihr zuliebe alles hier behalten. Ich war auch nicht älter als sie, als ich auf eigenen Füßen stehen musste.«

Abends zu Hause in Rensjön, als sie vor dem Fernseher sitzen, der Vater, die Tante, Antte und Ester, zieht er seine Brieftasche heraus, streift das Gummiband ab, nimmt zwanzig Fünfhundertkronenscheine heraus und gibt sie Ester.

»Du kannst ja im Atelier nachsehen, ob du etwas mitnehmen willst«, sagt er.

Er rollt Esters Scheine auf. Zieht das Gummiband darüber.

»Verdammt«, sagt die Tante und springt auf, so dass die Kaffeetassen auf dem Tisch klirren. »Die Hälfte von allem gehört ihr. Zehntausend. Soll das Esters rechtmäßiges Erbe sein?«

Der Vater antwortet mit Schweigen.

Die Tante stürzt in die Küche und dreht die Wasserhähne weit auf, um den Abwasch zu erledigen, und Ester und Vater und Antte hören durch Klirren und Rauschen, dass sie laut weint.

Ester sieht Antte an, er ist kreideweiß im Gesicht, blau im Licht des Fernsehers. Sie versucht, es nicht zu tun. Sie will nichts wissen. Aber sie schwebt im Licht des Fernsehers zur Decke hoch, wie durch blaues Wasser. Und von dort oben blickt sie auf Antte und den Vater hinunter. Derselbe Fernseher, aber ein anderes Zimmer. Andere Möbel.

Es ist eine kleine Wohnung. Sie hängen auf einem Sofa und starren dösig in den Fernseher. Antte ist einige Jahre älter, und er ist ziemlich dick geworden. Der Vater hat einen verbitterten Zug um den Mund. Ester sieht, dass der Vater gehofft hatte, eine neue Frau kennenzulernen. Dass er geglaubt hatte, in der Hüttenstadt bei Narvik größere Chancen zu haben.

Keine Frau, denkt Ester. Und auch keine Hüttenstadt.

Als Ester landet, steht sie in der Küche. Die Tante weint nicht mehr und raucht unter dem Ventilator. Sie redet darüber, was aus Ester werden soll und dass sie so wütend auf den Vater ist. Und dann redet sie über ihren neuen Liebhaber.

»Jan-Åke hat mich nach Spanien eingeladen. Er spielt im Winter Golf. Ich kann ihn fragen, ob du bis zum Semesteranfang mitkommen kannst. Die Wohnung ist ja nicht groß, aber wir schaffen das schon irgendwie.«

»Das ist nicht nötig«, sagt Ester.

Die Tante ist erleichtert. Vermutlich ist die Liebe zwischen ihr und Jan-Åke keine von der Sorte, die einen Teenager im Haus ertragen kann.

»Bist du sicher? Ich kann ihn fragen.«

Ester beteuert, dass sie sicher ist. Und die Tante macht noch eine Weile weiter, so dass Ester lügen und behaupten muss, Freunde in Stockholm zu haben, Kurskameraden, die sie besuchen kann.

Dann ist die Tante endlich zufrieden.

»Ich rufe an«, sagt sie.

Sie bläst Rauch aus sich heraus und starrt in die winterliche Dunkelheit.

»Wir sind zum letzten Mal in diesem Haus«, sagt sie. »Das ist schwer zu begreifen. Hast du im Atelier nachgesehen, was du haben willst?«

Ester schüttelt den Kopf. Am nächsten Tag packt die Tante Esters Koffer voll mit Farbtuben und Pinseln und Papier. Sogar mit Ton, der doch so ungeheuer schwer ist.

Ester und die Tante nehmen im Stockholmer Hauptbahnhof Abschied voneinander. Die Tante hat ihr Ticket und will Silvester mit diesem Mann feiern, wie hieß er doch gleich? Ester hat es schon vergessen.

Ester schleppt ihren bleischweren Koffer zu ihrem Zimmer in der Jungfrugata. Die Wohnung ist leer und still. Die Handwerker arbeiten an den Feiertagen nicht. Die Schule wird erst in über drei Wochen wieder beginnen. Ester kennt keinen Menschen. Bis dahin wird sie also niemanden treffen.

Sie setzt sich auf einen Stuhl. Noch hat sie nicht um die Mutter geweint. Und es kommt ihr sehr bedrohlich vor, das gerade jetzt zu tun. Jetzt, da sie ganz allein ist. Sie wagt es einfach nicht.

Und so sitzt sie in der Dunkelheit. Wie lange, weiß sie nicht.

Nicht gerade jetzt, sagt sie sich. Ein andermal. Vielleicht morgen. Morgen ist Silvester.

Dann vergeht eine Woche. Ab und zu erwacht Ester, und draußen ist es hell. Ab und zu erwacht sie, und es ist dunkel. Ab und zu steht sie auf und setzt Teewasser auf. Steht daneben und schaut in den Topf, wenn es kocht. Ab und zu ertappt sie sich dabei, dass sie den Topf nicht von der Platte nimmt, sie steht nur da und sieht zu, während das Wasser verkocht. Dann muss sie neu anfangen, mit neuem Wasser im Kessel.

Eines Morgens wacht sie auf, und ihr ist schwindlig. Und sie weiß, dass sie schon lange nichts mehr gegessen hat.

Sie wandert zu einem 7-Eleven. Es ist unangenehm, aus dem Haus zu gehen. Sie hat das Gefühl, dass die Leute sie ansehen. Aber ihr bleibt nichts anderes übrig. Graues Wetter. Die Baumstämme sind feucht und schwarz. Nasser Kies auf den Wegen. Aufgeweichte Hundehaufen und Müll. Der Himmel ist schwer und nah. Unmöglich, sich vorzustellen, dass die Sonne da oben ist. Dass die Wolkendecke von oben aussieht wie eine Schneelandschaft im Spätwinter.

Im Kiosk schlägt ihr der Duft von süßem, frisch gebackenem Weizenbrot und Grillwürstchen entgegen. Ihr Magen krampft sich so heftig zusammen, dass es wehtut. Ihr wird wieder schwindlig. Sie packt eine Regalkante, aber das ist nur ein Plastikstreifen, auf dem Warenbezeichnungen und Preise angebracht werden, und sie fällt mit dem Streifen in der Hand zu Boden.

Ein anderer Kunde, ein Mann, der an der Kühltruhe gestanden hat, stellt rasch seinen Einkaufskorb weg und stürzt auf sie zu.

»Was ist passiert, Kleine?«, fragt er.

Er ist älter als Mutter und Vater, aber nicht alt. Er hat besorgte Augen und eine blaue Wollmütze. Für einen kurzen Moment liegt sie fast in seinen Armen, während er ihr auf die Beine hilft.

»Hier, setz dich. Möchtest du etwas?«

Sie nickt, und er bringt ihr Kaffee und ein frisch gebackenes Rosinenbrötchen.

»Oh, oh«, lacht er, als sie alles verschlingt, als sie den Kaffee in großen Zügen trinkt, obwohl er noch schrecklich heiß ist.

Ihr fällt ein, dass sie bezahlen muss, aber sie muss sich eingestehen, dass sie vielleicht kein Geld bei sich hat. Wie konnte sie von zu Hause weggehen, ohne daran zu denken? Sie sucht in ihren Jackentaschen, und da liegt das Geld, das Vater ihr gegeben hat. Eine Rolle aus zwanzig Fünfhundertern, zusammengehalten von einem Gummiband.

Sie zieht die Rolle hervor.

»Himmel«, sagt der Mann. »Zu Kaffee und Brötchen lad ich dich ein, aber nimm immer nur einen davon.« Er zieht einen Schein aus der Rolle und drückt ihn ihr in die Hand. Danach schiebt er die Rolle in ihre Tasche und zieht sorgfältig den Reißverschluss hoch, wie bei einem sehr kleinen Kind. Dann schaut er auf die Uhr.

»Kommst du jetzt allein zurecht?«, fragt er.

Ester nickt. Der Mann geht, und Ester kauft sich fünfzehn Rosinenbrötchen und Kaffee und geht zurück in ihr Zimmer in der Jungfrugata.

Am nächsten Tag zur gleichen Zeit geht sie wieder zum 7-Eleven und kauft wieder Rosinenbrötchen. Aber der Mann ist nicht da. Er kommt auch am folgenden Tag nicht. Und nicht am Tag darauf. Sie hofft vier Tage lang, dann geht sie nicht mehr hin.

Sie verschläft weiterhin die Tage. Es ist schwer, wach zu sein. Sie denkt an Mutter. Daran, dass sie zu niemandem und an keinen Ort mehr gehört. Sie fragt sich, ob das Haus in Rensjön jetzt leer steht.

Die Tante ruft zweimal an.

»Wie geht es dir?«

»Es geht«, antwortet Ester. »Und dir?«

In dem Moment, in dem sie fragt, weiß sie, dass die Tante immer weint, wenn Jan-Åke auf dem Golfplatz ist.

Es ist so seltsam, denkt Ester. Wir trauern so sehr um sie. Wie ist es möglich, dass wir so einsam in unserer Trauer sind?

»Es geht«, sagt die Tante. »Und Lars-Thomas hat natürlich nicht angerufen.«

Nein, Vater hat nicht angerufen. Ester wüsste gern, ob er und Antte miteinander reden können. Nein. Antte ist verstummt, als der Vater gesagt hat: »Wir müssen vorwärtsschauen«, und: »Es muss ja irgendwie gehen.«

Eines Morgens erwacht sie, und als sie durch die Diele zur Küche geht, um Teewasser aufzusetzen, stößt sie auf einen Handwerker. Er trägt eine blaue Arbeitshose und eine dicke Nylonjacke.

»Oh«, sagt er. »Du hast mich aber erschreckt. Ich wollte bloß etwas Werkzeug holen. Und es hat ja so geschneit.«

Ester schaut ihn überrascht an. Geschneit?

»Du, das muss mindestens ein Meter sein«, sagt er. »Schau doch mal aus dem Fenster. Wir hätten heute hier weitermachen sollen, aber es kommt ja niemand durch.«

Ester blickt aus dem Fenster. Es ist eine andere Welt.

Schnee. Es muss die ganze Nacht geschneit haben. Und noch länger. Sie hat nichts gemerkt. Die Autos auf der Straße sind nur kleine verschneite Haufen. Hoher Schnee auf der Straße. Die Straßenlaternen tragen dicke weiße Wintermützen.

Sie taumelt hinaus in dieses Weiß. Eine Mutter stapft mitten auf der Straße dahin, zieht ihr Kind auf einem Schlitten hinter sich her. Ein Mann in einem eleganten langen, schwarzen Mantel läuft auf Skiern. Ester muss darüber lächeln, wie er Skistock und Aktentasche in derselben Hand hält. Er lächelt zurück. Alle, denen sie begegnet, lächeln. Sie schütteln die Köpfe vor Staunen, dass es so wahnsinnig viel Schnee geben kann. Alle scheinen die Sache mit großer Ruhe aufzunehmen. Die Stadt ist so still. Kein Auto kommt durch.

In den Bäumen sitzen kleine Vögel. Jetzt, da es keine Autos gibt, kann Ester sie hören. Sie hat bisher nur Dohlen und Tauben gesehen, Elstern und Krähen.

Es ist richtiger Neuschnee, der auf Samisch »vahca« heißt. Locker, kalt, weich durch und durch. Ohne klitschiges Wasser darunter.

Eine Stunde später kommt sie wieder ins Haus. Ihr Kopf ist voller Schneebilder. Die Trauer ist einen Schritt zurückgetreten.

Sie könnte eine Leinwand brauchen. Eine ganz große. Und jede Menge weiße Farbe.

Zwischen Esszimmer und Mädchenzimmer haben die Bauarbeiter eine Wand eingerissen. Die liegt fast am Stück auf dem Boden. Ester betrachtet sie. Es ist eine alte Wand. Alte Wände sind aus gespannter Leinwand hergestellt.

Draußen in der Diele liegen einige Säcke Gips, das weiß sie genau.

Und sie scheint aufzulodern. Ein manischer Schaffensdrang, sie sucht sich einen Plastikeimer und schleppt einen Gipssack herein. Der ist schwer, sie bricht in Schweiß aus.

Sie lässt den Gips durch ihre Finger in den Eimer rieseln und rührt mit dem Arm um, ist bis zum Ellbogen weiß.

Sollte ihr Körper auch Fieber haben, so ist ihr Kopf doch erfüllt von eiskaltem Schnee. Und einem Wind, der über das Gebirge streift. Das Licht ist diesiggrau und arm an Farbe. Vielleicht kann man ganz weit rechts, unten am Rand, einige starre Birkenzweige sehen. Mitten auf dem Bild liegen eine Rentierkuh und ihr Kalb. Sie haben geschlafen und sind über Nacht eingeschneit. Der neue tiefe Schnee isoliert gegen die Kälte.

Ester gießt vorsichtig Gips über die große Wand. Sie verschmiert ihn mit den Händen. Sie arbeitet in Schichten, das Bild ist so groß. Wenn der Gips erstarrt, aber ehe er ganz steif geworden ist, wird er cremig, dann kann sie darin zeichnen. Sie zeichnet mit den Fingern, nimmt Schrott und Bauschutt, um den Hörnern Struktur zu geben, reißt Tapetenreste in Streifen und formt im Vordergrund die Zweige.

Sie braucht mehrere Tage, um dieses Bild zu vollenden. Ester arbeitet hart. Als der Gips erstarrt ist, durchsucht sie die Wohnung nach Grundierung. Die Maler haben die Schlafzimmerdecke grundiert, und die Farbe steht noch da, Sie ist perfekt.

Nach der Grundierung kann Ester Pigment auftragen, ohne dass der Gips birst. Sie holt Mutters Tuben aus ihrem Koffer, malt mehrere Schichten, die erste dünn, viel Terpentin und wenig Pigment aus der Tube. Kein Öl, es soll nicht glänzen. Matt, kalt, blau. Und Schatten darunter: gelb, braun, umbra. Es soll zu sehen sein, dass sich unter dem Schnee alle wohlfühlen.

Sie legt eine fettere Farbschicht auf, weniger Terpentin. Jetzt muss sie warten, bis es trocknet. Sie schläft angezogen ein, erwacht und trägt neue Schichten auf. Das Bild scheint sie zu wecken, wenn es für eine neue Schicht bereit ist. Sie wandert drumherum, isst, was immer sie in der Speisekammer findet. Trinkt Tee. Sie kann nicht nach draußen gehen, das spürt sie. Denn draußen ist das Wetter umgeschlagen, es hat getaut, der Schnee ist geschmolzen. Das kann sie nicht sehen. Sie lebt in einer Welt aus Schnee. In ihrem großen weißen Bild.

Aber eines Tages wird sie nicht vom Bild geweckt, sondern von der Kuratorin Gunilla Petrini.

Das Semester hat begonnen. Die Leiterin von Idun Lovéns Kunstschule hat Gunilla angerufen und sich nach Ester erkundigt. Gunilla Petrini hat die Tante angerufen. Sie hat auch Ester anrufen wollen, aber deren Mobiltelefon war nicht geladen. Die Tante und Gunilla haben sich große Sorgen gemacht. Gunilla Petrini hat die Besitzer der Wohnung angerufen, die Ester benutzen darf. Die haben ihr den Namen der Baufirma gegeben, die für die Renovierungsarbeiten zuständig ist, jemand von der Firma ist gekommen und hat die Tür aufgeschlossen. Jetzt steht er in der Türöffnung, während Gunilla Petrini erleichtert auf Esters Bettkante sinkt.

Herrgott, sie haben sich ja solche Sorgen gemacht. Sie dachten doch, ihr sei etwas zugestoßen.

Ester bleibt im Bett liegen. Sie setzt sich nicht sofort auf. Als Gunilla Petrini sie geweckt hatte, war sofort die wirkliche Welt wieder da. Sie will nicht aufstehen. Sie bringt es nicht über sich, auf ihren Beinen zu stehen und um ihre Mutter zu trauern.

»Ich dachte, du wärst bei deiner Familie«, sagt Gunilla Petrini. »Was hast du hier gemacht?«

»Ich habe gemalt«, sagt Ester.

Und als sie das sagt, weiß sie, dass es ihr letztes Bild ist. Sie wird nicht mehr malen.

Gunilla Petrini will es sehen, deshalb steht Ester auf, und sie gehen ins Esszimmer. Der Mann von der Baufirma kommt auch mit.

Ester sieht das Bild an und denkt erleichtert, dass es wirklich fertig geworden ist. Sie hat es nicht gewusst, aber jetzt sieht sie es.

Gunilla Petrini sagt zuerst kein Wort. Sie wandert um das riesige Bild herum, das auf dem Boden liegt. Rentierkuh und Kalb unter dem Schnee. Dann dreht sie sich zu Ester um. Ihr Blick ist forschend, fragend, seltsam.

»Ein Porträt von dir und deiner Mutter«, sagt sie.

Ester bringt keine Antwort heraus. Sie hütet sich davor, das Bild anzusehen.

»Schön«, sagt der Mann von der Baufirma begeistert. »Ein wenig zu groß, vielleicht.«

»Ich lass es rausschaffen«, sagt Gunilla Petrini mit der Stimme einer Weltenbeherrscherin. »Ich lass es in einem Stück herausschaffen. Wenn nötig, müsst ihr Wände einreißen.«

Wo soll ich nur hin, überlegt Ester.

Die Erkenntnis, dass sie nie wieder malen wird, landet in ihr wie ein Anker.

Nicht malen. Nicht zurück in die Schule.

Anna-Maria Mella und Sven-Erik saßen im Vanadis Hotel und redeten. Das Zimmer war ganz normal eingerichtet, mit Teppichboden und geblümter synthetischer Überdecke.

»Morgen nehmen wir uns Inna Wattrangs Eltern vor«, sagte Anna-Maria. »Und machen noch einen Versuch mit Diddi Wattrang. Man muss sich doch fragen, was in diesem Haus in Abisko passiert ist. In diesem Fall gibt es so viele seltsame Dinge. Wieso zum Beispiel trug sie unter dem Trainingsanzug diese elegante Unterwäsche?«

Inna Wattrang wühlt in ihrem Koffer. Es ist der 14. März. Sie hat am Vorabend mit Mauri telefoniert, aber im Moment bringt sie es nicht über sich, daran zu denken.

In zwei Stunden und fünf Minuten wird sie tot ein.

Es gibt andere Jobs, denkt sie.

Und sie denkt an Diddi. Sie muss ihn erreichen. Sie wird mit Ulrika sprechen.

Ich werde jetzt nicht mehr die Augen verschließen, denkt sie.

Sie wird einen alkoholfreien Monat einlegen, nächste Woche wird sie damit anfangen, und sie wird auch trainieren. Sie hat Trainingskleidung eingepackt, doch als sie ihr Gepäck durchsieht, geht ihr auf, dass sie die Sportunterwäsche vergessen hat. Das spielt keine Rolle. Sie wird eben in ihrer normalen Wäsche laufen und sie danach durchspülen.

Her mit den Turnschuhen.

Sie läuft an der Schneemobilspur draußen in Torneträsk entlang. Die Leute liegen vor ihren Archen und angeln. Oder sitzen auf Rentierfellen auf den Schneemobilschlitten und heben die Gesichter in die Sonne. Die Sonne sticht, und Inna schwitzt. Aber sie fühlt sich stark. Die Enttäuschung über Mauri strömt aus ihr heraus.

Es ist schön, denkt sie. Es gibt auch außerhalb von Kallis Mining ein Leben.

Die Berge auf dem anderen Seeufer leuchten rosa in der Nachmittagssonne. Blaue Schatten liegen über Klüften und Steilhängen. Der eine oder andere Wolkenfetzen ist an den Gipfeln hängen geblieben, sie sehen aus wie kleine Wollmützen.

Es wird schon alles in Ordnung kommen, denkt sie.

Als sie zurückkehrt, geht die Sonne unter. Die Sonne scheint ein Loch zu haben, und ihre leuchtende Füllung läuft über den Himmel auf den Horizont zu. Inna ist so in den Anblick der Sonne vertieft, dass sie den Mann vor der Hütte erst sieht, als sie den Hofplatz betritt.

Plötzlich ist er da. Er trägt einen hellen, dünnen Mantel.

»Excuse me«, sagt er und erklärt, dass sein Wagen oben auf der Straße liegen geblieben ist und dass sein Mobiltelefon kein Netz hat.

Ob er von ihrem Haus aus telefonieren darf?

Sie weiß, dass er lügt. Sie begreift es sofort. Sie erkennt, dass er gefährlich ist.

Es liegt an dieser tiefen Sonnenbräune und dem zu dünnen Mantel. An der Grimasse, die unter den leblosen Augen ein Lächeln darstellen soll. Und daran, wie er beim Reden immer näher kommt.

Sie kann nichts mehr tun. Er sieht den Schlüssel in ihrer Hand. Er hat sie schon erreicht. Er hat nicht einmal seinen Satz beendet. Es geht so schnell.

Der Mann heißt Morgan Douglas. Im Pass in seiner Tasche steht John McNamara.

Morgan Douglas wurde in der Nacht zum 14. März von seinem Mobiltelefon geweckt. Der Klingelton, das Klicken des Lichtschalters an der Nachttischlampe, das vertraute Rascheln auf dem Boden, als die Kakerlaken vor dem Licht fliehen, das Mädchen neben ihm, das etwas Unverständliches murmelt, den Arm über die Augen legt und weiterschläft, und dann im Telefon eine Stimme, die er kennt.

Die Frau begrüßt ihn sehr höflich und entschuldigt sich für die späte Störung. Und dann kommt sie zur Sache.

»Es geht um einen Job, der sofort erledigt werden muss. In Nord-Schweden.«

Er freut sich so verdammt darüber, ihre Stimme zu hören, gibt sich alle Mühe, beim Antworten langsam zu sprechen, will nicht verzweifelt klingen. Aber er steckt schon seit einer Weile in Geldschwierigkeiten, hat wenig zu tun, hat Schulden eingetrieben und so. Solche Jobs kann jeder Kanake erledigen, da gibt es nicht viel zu verdienen. Aber jetzt! Er wird eine ganze Weile gut davon leben können und aus diesem Loch in ein besseres Hotel umziehen.

»Bezahlung wie üblich auf Ihr Konto, nach Auftragserledigung. Karte, Information, Fotos und Reisekostenvorschuss von fünftausend Euro können im Coffee House in Schiphol abgeholt werden. Fragen Sie nach Johanna und grüßen Sie von…«

»Nein«, sagt er. »Ich will das alles schon in N'Djili auf dem Flugplatz haben. Wie soll ich sonst wissen, dass es kein Bluff ist?«

Sie verstummt. Das spielt keine Rolle. Soll sie ihn doch für paranoid halten. Die Wahrheit ist, dass er kein Geld für den Flug von Kinshasa nach Amsterdam hat, aber er hat nicht vor, das zuzugeben.

»Kein Problem, Sir«, sagt sie nach nur zwei Sekunden. »Wir arrangieren das ganz nach Ihren Wünschen.«

Sie endet mit Grüßen vom Major. Das gefällt ihm. Sie spricht voller Respekt mit ihm. Diese Leute begreifen, was es bedeutet, Fallschirmspringer in der britischen Armee gewesen zu sein. Es gibt so viele Trottel, die einen Scheißdreck kapieren. Die nie dabei waren.

Morgan Douglas zieht sich an und rasiert sich. Auf dem Badezimmerspiegel wachsen die blinden Stellen, bald wird er sein eigenes Spiegelbild nicht mehr sehen können. Der Hahn hustet Wasser aus, die Rohre dröhnen, und anfangs ist das Wasser braun. Eines Morgens, als er zum Pinkeln herkam, saß hier eine riesige Ratte, drehte sich träge um und sah ihn an. Dann verschwand sie in aller Ruhe unter der Badewanne.

Als er fertig ist, weckt er das Mädchen.

»You have to leave«, sagt er.

Sie setzt sich schlaftrunken auf die Bettkante, er liest ihre Kleider vom Boden auf und wirft sie ihr zu. Während sie sich anzieht, sagt sie:

»My little brother. He must go to doctor. Sick. Very sick.«

Sie lügt natürlich, aber er sagt nichts dazu. Gibt ihr zwei Dollar.

»You have little something for me, yes?«, fragt sie und schaut hungrig zu dem Stuhl hinüber, auf dem gestern seine Glaspfeife gelegen hat. Die hat er schon in ein Stück Stoff gewickelt und unter seine Kleider geschoben. Er muss das, was er braucht, in Manteltaschen und unter seiner Kleidung mitnehmen. Den Koffer muss er hierlassen, sonst wird der Typ an der Rezeption einen Höllenlärm wegen der Zimmerrechnung machen und behaupten, er wolle sich vor dem Bezahlen drücken, was er ja auch vorhat. Das hier ist ein Drecksladen, in den Wochen, in denen er hier gewohnt hat, ist das Zimmer kein einziges Mal saubergemacht worden. Das Bezahlen können sie vergessen.

»Nein, ich habe nichts«, sagt er und scheucht sie aus dem Zimmer.

Er macht ihr klar, dass sie leise sein soll, als sie die Treppe hinuntergehen. Der Portier schläft hinter seinem Tresen, vermutlich hat er tagsüber einen anderen Job. Der Nachtwächter ist auch nicht zu sehen. Wahrscheinlich schläft der ebenfalls.

Die Neonröhre surrt und blinkt kalt.

»I stay here«, flüstert das Mädchen. »Until tomorrow. It's not safe on the streets, you know.«

Sie zeigt auf einen Sessel in der schäbigen Hotelrezeption. Der ist so abgenutzt, dass die Federung aus dem Stoff ragt.

Morgan Douglas zuckt mit den Schultern. Wenn der Typ an der Rezeption vor ihr aufwacht, wird er ihr das Geld wegnehmen, aber das ist schließlich nicht sein Problem.

Er fährt mit einem Taxi zum Flugplatz. Nach zwei Stunden kommt ein Mann, der aussieht wie ein Botschaftsangestellter. Im Warteraum sind nicht viele Leute. Der Anzugträger kommt auf ihn zu und fragt, ob sie nicht einen gemeinsamen Bekannten hätten.

Morgan Douglas gibt die gewünschte Antwort, und der Mann reicht ihm einen Briefumschlag, dreht sich um und verschwindet, alles in einer einzigen Bewegung.

Morgan Douglas öffnet den Briefumschlag. Alle Informationen sind vorhanden, dazu der Vorschuss in Dollar, nicht in Euro. Gut. Noch anderthalb Stunden, bis sein Flug geht. Und es ist eine lange Reise.

Er kann noch etwas einkaufen. Nur, um sich auf der Reise entspannen zu können. Damit er später Kraft hat. Jetzt wird er sicher drei Tage ununterbrochen auf den Beinen und in Bewegung sein. Das gehört zu diesem Job dazu.

Er steigt wieder in ein Taxi und wird in einen Vorort gefahren. Es ist noch immer dunkel, als er bei seinem Dealer eintrifft. Der nicht einmal sagen kann, »keinen Kredit«, ehe Morgan Douglas ihm einige nicht zusammengefaltete Dollarscheine durch den Türspalt zuschiebt.

Und als der Morgen kommt und die Luft Blasen wirft wie glühend heißes Glas, sitzt Morgan Douglas im Flugzeug nach

Amsterdam. Rascher Rausch. Kein Wahn. Ruhiges Glück, ganz einfach. Er fühlt sich wahnsinnig gut.

In Amsterdam kauft er zwei Flaschen Smirnoff und trinkt die eine auf dem Flug nach Stockholm. Als alle anderen aufstehen, steht auch er auf.

Dann ist er an einem anderen Ort. Viele laufen an ihm vorbei, hin und her. Jemand nimmt seinen Arm.

»Mr John McNamara? Mr John McNamara?«

Es ist eine Flugbegleiterin.

»Boarding time, sir. The plane to Kiruna is ready for take-off.«

Anderthalb Stunden später steht er auf einer Toilette und spritzt sich kaltes Wasser in den Nacken. Jetzt muss er sich zusammen-reißen. Er fühlt sich einfach verdammt elend. Doch, er steht im Flughafen von Kiruna. Er mietet einen Wagen und sagt sich im-mer wieder »die E 10 nach Norden.« Er wird die Sache ganz schnell erledigen. Aber er könnte etwas brauchen, um in Form zu kommen, um wieder nach unten zu kommen.

Morgan Douglas sieht Inna Wattrang an. Er friert. Er wartet seit einer Ewigkeit. Fing schon an, nervös zu werden. Dachte bei sich, der Wagen könne nicht anspringen, wenn er zurück-fahren wollte. Aber jetzt ist sie da. Sieht aus wie auf dem Bild. Etwas über eins siebzig, zwischen sechzig und siebzig Kilo. Das wird kein Problem. Sie hält den Hausschlüssel in der Hand.

Er redet drauflos und gestikuliert, um ihre Aufmerksamkeit von der Tatsache abzulenken, dass die Schritte, die er in ihre Richtung macht, schnell und lang sind.

Und dann steht er bei ihr. Er tritt hinter sie, während er zu-gleich den linken Arm um ihren Hals presst. Er hebt sie rück-wärts, gerade so viel, dass der Schmerz sie auf die Zehenspitzen treibt. Sie hat das Gefühl, dass ihr Nacken bricht, wenn sie den

Kontakt zum Boden verliert, deshalb trippelt sie hinter ihm her und hängt dabei halb über seiner Hüfte.

Er geht jetzt auf die Tür zu. Sie registriert, dass sie nicht einmal seinen Füßen im Weg ist. Mit seiner freien Hand schließt er die Tür auf. Sie hat nicht bemerkt, dass er ihr den Schlüssel weggenommen hat.

Sie denkt, dass sie ihn ebenso wenig behindert, wie eine ältere Dame sich von ihrer Handtasche behindert fühlt. Das hier ist kein Verrückter, begreift sie. Das ist kein Vergewaltiger.

Ein Profi, denkt sie.

Er sieht sich im Gang um, und als er mit ihr auf die Küche zugeht, rutscht er ein wenig aus. Der Schnee unter seinen Schuhen hat eine Eissohle gebildet. Aber er findet das Gleichgewicht wieder und drückt sie auf einen Stuhl. Er steht hinter ihr, der Druck auf ihren Hals wird fester, und sie hört, wie Klebeband von der Rolle gerissen wird.

Es geht ungeheuer schnell. Er klebt ihre Handgelenke an die Armlehnen und die Füße an die Stuhlbeine. Er reißt oder schneidet nichts mehr ab, er lässt das Band von einer Hand zur anderen überwechseln, zu den Füßen als langes Stück Papier, lässt die Rolle auf den Boden fallen, als er fertig ist.

Dann tritt er vor sie.

»Please«, sagt sie. »Do you want money? I have …«

Weiter kommt sie nicht. Er schlägt sie auf die Nase. Es ist, als hätte er einen Hahn aufgedreht. Das Blut strömt heiß über Gesicht und Hals. Sie schluckt und schluckt.

»Wenn ich frage, antwortest du. Ansonsten hältst du die Klappe. Kapiert? Und wenn du das nicht schaffst, kleb ich dir den Mund zu. Dann kannst du versuchen, durch deine blutige Nase zu atmen.«

Sie nickt und schluckt wieder. Ihr Herz hämmert zwischen ihren Ohren.

Morgan Douglas schaut sich um. Er hätte sie sofort umgebracht, wenn es nicht zu seiner Aufgabe gehörten herauszufinden, ob sie jemandem erzählt hat, von… wie hieß der noch gleich, es war ein deutscher Name, glaubt er. Der steht in seinen Unterlagen.

Er muss ihr solche Angst machen, dass sie redet. Es ist leichter, Frauen Angst zu machen, wenn man ihnen Bilder von ihren Kindern zeigen kann, aber im Umschlag gab es keine Bilder. Er wird es aber trotzdem schaffen. Das hier geht sicher schnell.

Er durchwühlt die Küchenschubladen nach einem Messer, findet aber keins. Er geht hinaus auf den Gang. Auf der Kommode dort steht eine Lampe. Er zieht den Stecker aus der Dose und reißt die Leitung ab. Er schaut in seinen Umschlag, nach wem er sich erkundigen soll. »Gerhart Sneyers« steht da. Und »Uganda«.

Er schleift den Stuhl mit der Frau zu einer Steckdose.

Sie starrt ihn aus weit aufgerissenen Augen an, während er mit den Zähnen die Leitung teilt, die Plastikschicht abzieht, die beiden Kupferdrähte trennt und den einen um ihren Knöchel wickelt.

Er trägt flache Schuhe. Als er sich bückt, gleitet sein Hosenbein hoch. Inna sieht die Spuren am Knöchel.

»Ich habe erstklassiges Kokain in der Handtasche«, sagt sie rasch.

Er hält inne.

»Wo ist deine Tasche?«, fragt er.

»Im Flur.«

Er geht mit der Tasche auf die Toilette. Das ist vor allem eine alte Gewohnheit. Er hat auf Hunderten von Toiletten gestanden und alles Mögliche genommen. Als er noch zu Hause in London war, hat er den kleinen Mädels Angst gemacht, hat sich als Zivilfahnder ausgegeben, sie an eine Wand gedrückt, wenn sie von ihrem Dealer kamen, ihnen den Stoff abgenommen, die Standardfragen gestellt, »hast du da drinnen Waffen gesehen« und

»wie viele sind das«, hat auf Kumpel gemacht und sie dann mit einem »warum tust du dir das an, lass dir helfen« laufen lassen. Danach geradewegs auf die nächste Toilette, um sich ihren Stoff zu Gemüte zu führen.

Jetzt wühlt er in Inna Wattrangs Prada-Tasche wie ein Ameisenlöwe in einem Termitenhaufen. Er steckt ihr Mobiltelefon ein. Auch eine alte Gewohnheit, er nimmt alles, was sich leicht verkaufen lässt. Dann findet er drei kleine weiße Tütchen. Sein Herz tickt vor Erleichterung und Freude. Reiner, feiner Schnee. Er zieht zwei Linien auf ihrem Taschenspiegel und verbraucht alles, kein Grund zum Sparen. Es dauert nur zwei Sekunden, dann ist er ganz oben.

Er steht vor dem Spiegel und fühlt sich ruhig und überaus klar im Kopf.

Wieder in die Küche. Da sitzt sie und versucht, die Hände vom Klebeband zu befreien. Unmöglich natürlich. Wofür hält sie ihn eigentlich? Für einen Amateur? Er steckt den Stecker in die Dose. Aber als er sie gerade fragen will, ob sie über ihr Wissen mit irgendwem gesprochen hat, rutscht er aus. Der Schnee an seinen und an ihren Schuhen ist geschmolzen. Das Wasser hat den Boden glatt werden lassen.

Er landet auf dem Hintern. Seine Beine jagen in die Luft. Er kann noch an das Wasser und das stromführende Kabel denken, und er zappelt wie ein Fisch, als er versucht, wieder auf die Beine zu kommen, voller Angst, Strom abbekommen zu haben.

Inna Wattrang prustet los. Eigentlich weint sie vielleicht, aber was herauskommt, hört sich an wie hysterisches Lachen. Sie lacht und kann nicht aufhören. Die Tränen laufen über ihr Gesicht.

Es sah einfach zu komisch aus, wie er da plötzlich ausgerutscht ist, als ob jemand einen Teppich unter seinen Füßen weggezogen hätte. Und wie er sich abmüht, um wieder auf die Beine zu kommen. Die pure Slapsticknummer. Einfach zu köstlich. Sie lacht. Sie ist hysterisch. Es tut gut, hysterisch zu werden. Sie flieht aus der Angst in den Wahnsinn. In das wahnsinnige Lachen.

Jetzt hat er Angst. Und deshalb ist er außer sich vor Wut. Er kommt auf die Füße, und er kommt sich vor wie ein Idiot. Und sie lacht. Ein einziger Gedanke in seinem Kopf: Er wird sie zum Schweigen bringen. Er nimmt das Kabel und presst es gegen ihren Hals. Der Stromkreis fließt durch ihren Körper bis zu ihrem Knöchel. Ihr Lachen verstummt sofort, ihr Kopf wird nach vorn geworfen, die Finger spreizen sich, er hält fest, er bringt sie zum Schweigen. Und als er das Kabel wegnimmt, zuckt ihr Kopf noch immer hin und her. Ihre Hände öffnen und schließen sich, öffnen und schließen sich. Und dann erbricht sie sich auf ihren Pullover.

»Hör auf«, sagt er, denn er hat sie ja noch nicht nach Sneyers gefragt.

Der Stuhl kippt um. Er springt beiseite. Jetzt ist nur noch das Weiße in ihren Augen zu sehen, ihre Kiefer kauen und kauen, und erst nach einigen Sekunden geht ihm auf, dass sie ihre eigene Zunge zerbeißt.

»Hör auf«, schreit er und tritt ihr in den Bauch, als sie da auf dem Boden liegt.

Aber sie hört nicht auf, und nun weiß er, dass es an der Zeit ist, der Sache ein Ende zu machen. Er wird weiterreichen, dass sie mit niemandem gesprochen hat.

Im Wohnzimmer. Vor dem Kamin. Da stand ein Gestell mit einem eisernen Grillspieß. Den holt er ganz schnell. Als er zurückkommt, liegt sie noch immer an den Stuhl gefesselt auf dem Rücken und windet sich in Krämpfen. Er bohrt ihr den Spieß ins Herz.

Sie ist sofort tot. Trotzdem ziehen ihre Muskeln sich weiter zusammen.

Er schaut sich um, ihn überkommt das dumpfe Gefühl, dass

die Sache hier doch nicht so gut gelaufen ist. Es sollte aussehen wie ein zufälliges Verbrechen. Kein Verdacht, dass sie den Täter gekannt hat. Sie sollte nicht im Haus gefunden werden.

Das war wirklich Pech, aber doch keine Katastrophe. Die Küche sieht nicht allzu chaotisch aus, und der Rest des Hauses ist gänzlich unberührt. Das kann er schaffen. Er schaut auf die Uhr. Er hat noch immer Zeit genug. Bald wird es draußen dunkel sein. Er schaut durch das Fenster. Er sieht einen Hund herumlaufen. Er hat hier einige gesehen. Wenn er die Tote irgendwo draußen ablegt, wird einer von ihnen sie finden. Und dann kann die Polizei hinter ihm her sein, ehe sein Flugzeug gestartet ist. Aber ihm wird schon etwas einfallen ... unten auf dem Eis stehen diese Häuschen auf Kufen. Er kann sie zu einem hintragen, wenn es dunkel geworden ist. Wenn sie dann gefunden wird, ist er schon weit weg.

Jetzt bewegt sie sich nicht mehr.

Und nun erst findet er die Messer. Sie hängen an einer Magnetleiste neben dem Herd. Gut. Dann kann er sie losschneiden.

Als es dunkel geworden ist, trägt Douglas Morgan Inna Wattrang zu einer Arche auf dem Eis. Die Schneemobilspur ist hart, es ist leicht, darin zu gehen. Es ist leicht, die Arche aufzustochern. Drinnen legt er sie auf eine Pritsche. In der Tasche hat er eine Taschenlampe, die er im Besenschrank gefunden hat. Er deckt die Leiche mit Decken zu. Als er seine Schulter anleuchtet, sieht er auf seinem hellen Mantel einen roten Fleck. Er streift den Mantel ab, und als er die Bodenluke öffnet, sieht er ein Loch im Eis, es gibt nur eine dünne Eisschicht, die er einschlagen kann. Er presst den Mantel ins Loch, der wird unter dem Eis davontreiben.

Als er zum Haus zurückkommt, macht er sauber. Pfeift vor sich hin, während er den Küchenboden wischt. Steckt ihren Laptop, das zusammengeknüllte Klebeband, den Wischlappen und den Grillspieß in einen Müllsack und nimmt ihn mit zum Auto.

Zwischen Abisko und Kiruna bleibt er am Straßenrand stehen. Steigt aus. Es ist jetzt windig. Und eiskalt. Er geht einen Schritt auf den Wald zu, um den Müllsack wegzuwerfen. Versinkt sofort im tiefen Schnee, fast bis zur Taille. Er wirft den Sack zum Wald hinüber. Der Schnee wird ihn bald zugedeckt haben. Vermutlich wird er niemals gefunden werden. Ihr Mobiltelefon, das noch in der Tasche steckt, wirft er ebenfalls weg. Was hat er sich nur dabei gedacht, als er es mitgenommen hat? Danach muss er sich alle Mühe geben, um sich aus dem Schneeloch zu befreien. Er kriecht zu seinem Wagen und kann einigermaßen den Schnee abwischen.

Sein Auftrag ist ausgeführt. Was für ein verdammt kaltes Land.

Rebecka Martinsson hatte noch eine Weile gearbeitet, nachdem sie Alf Björnfot nach Hause gefahren hatte. Als sie dann ihr Haus betrat, wurde sie schon im Gang von Boxer überfallen, er bohrte seine scharfen Krallen in ihre teure Wolford-Strumpfhose. Sie zog schnell Jeans und ein altes Hemd an. Um halb zehn rief sie Anna-Maria Mella an.

»Hab ich dich geweckt?«, fragte sie.

»Nicht doch«, versicherte Anna-Maria. »Ich liege in einem frisch bezogenen Hotelbett und sehne mich nach dem Frühstück morgen.«

»Was hat es bloß auf sich mit Frauen und Hotelfrühstück? Rührei, billige Würstchen und Heißwecken. Ich kapier das nicht.«

»Zieh mal für ein paar Tage zu meinem Alten und meinen Kindern, dann wirst du das sehr gut verstehen. Ist etwas passiert?«

Anna-Maria setzte sich im Bett auf und schaltete die Nachttischlampe ein. Rebecka erzählte von ihrem Gespräch mit Sven Israelsson. Von Quebec Invest und dem Verkauf ihrer Anteile an Northern Explore AB. Davon, dass Kallis Mining offenbar Geld abzog, um militärische Aktivitäten in Uganda zu unterstützen.

»Kannst du das beweisen?«, fragte Anna-Maria Mella.

»Noch nicht. Aber ich bin zu neunundneunzig Prozent sicher, dass ich recht habe.«

»Na gut, gibt es eine Handhabe für eine Festnahme oder eine Hausdurchsuchung? Oder irgendetwas, womit ich winken kann, damit sie mich auf Regla hereinlassen? Sven-Erik und ich waren heute da und mussten am Tor kehrtmachen. Angeblich ist Diddi Wattrang in Kanada. Aber ich glaube, er ist zu Hause in Deckung gegangen. Ich will ihn fragen, worüber er am Abend vor dem Mord mit Inna gesprochen hat.«

»Diddi Wattrang steht unter dem Verdacht schweren Insiderhandels. Du kannst Alf Björnfot um ein Haftbegehren bitten, er leitet ja die Voruntersuchung.«

Anna-Maria sprang aus dem Bett und zog ihre Jeans an, das Telefon hatte sie zwischen Schulter und Ohr festgeklemmt.

»Das mache ich«, sagte sie. »Und dann fahr ich sofort hin, verdammt noch mal.«

»Ganz ruhig bleiben«, sagte Rebecka.

»Wieso denn?«, fauchte Anna-Maria. »So, wie die mich gereizt haben.«

Kaum hatte Rebecka nach ihrem Gespräch mit Anna-Maria Mella aufgelegt, klingelte das Telefon. Es war Maria Taube.

»Hallo«, sagte Rebecka. »Seid ihr schon in Riksgränsen?«

»Ja, meine Güte. Hörst du uns nicht? Skilaufen ist vielleicht nicht unsere Stärke, aber wir wissen, was man in einer Bar macht.«

»Ach, dann fühlt Måns sich sicher wohl.«

»Sehr wohl, möchte ich meinen. Er sitzt gleich beim Barmann, und Malin Norell hängt um seinen Hals. Also muss es ihm doch glänzend gehen.«

Eine kalte Faust schloss sich um Rebeckas Herz.

Sie gab sich alle Mühe, ihre Stimme munter klingen zu lassen. Munter und normal. Munter und leicht.

»Malin Norell«, sagte sie. »Wer ist das denn?«

»Spezialistin für Firmenrecht. Ist vor anderthalb Jahren von Winges gekommen. Sie ist ein bisschen älter als wir, siebenunddreißig, achtunddreißig oder so. Geschieden. Sechs Jahre alte Tochter. Ich glaube, sie und Måns hatten was miteinander, als sie neu war, aber ich weiß nicht … kommst du morgen?«

»Morgen? Nein, ich … ich habe im Moment so viel Arbeit, dass … und ich fühl mich auch nicht so ganz wohl … ich glaube, ich kriege eine Erkältung.«

In Gedanken fluchte sie. Zwei Lügen sind immer eine zu viel. Eine Ausflucht reicht, wenn man sich einen Ausweg freilügen muss. »Nein, wie traurig«, sagte Maria. »Ich habe solche Sehnsucht nach dir.«

Rebecka nickte. Sie musste dieses Gespräch beenden. Jetzt gleich.

»Bis dann«, presste sie heraus.

»Was ist los?«, fragte Maria und klang plötzlich besorgt. »Ist etwas passiert?«

»Nicht doch. Alles in Ordnung. Ich muss nur eben …«

Rebecka verstummte. Ihr Hals tat weh. Ein Kloß steckte darin, der den Worten den Weg versperrte.

»Wir reden ein andermal weiter«, flüsterte sie. »Ich ruf dich an.«

»Nein, warte«, bat Maria Taube. »Rebecka?«

Aber sie bekam keine Antwort. Rebecka hatte aufgelegt.

Rebecka stand vor dem Spiegel auf der Toilette. Sie sah die Narbe an, die sich von ihrer Lippe zu ihrer Nase zog.

»Was hast du denn geglaubt?«, fragte sie sich. »Was zum Teufel hast du geglaubt?«

Måns Wenngren saß in der Bar des Hotels Riksgränsen. Malin Norell saß neben ihm. Sie hatte gerade etwas gesagt, und sie hatte gelacht und ihre Hand auf seinem Oberschenkel gelegt, und dann hatte sie sie zurückgezogen. Ein kurzes Signal. Sie gehörte ihm, wenn er das wollte.

Er wünschte wirklich, dass er wollte. Malin Norell sah gut aus und war intelligent und witzig. In ihrer ersten Zeit in der Kanzlei hatte sie ihr Interesse deutlich gezeigt. Und er hatte sich einfangen, hatte sich erwählen lassen. Es war eine Weile gut gegangen. Sie hatten zusammen in Barcelona Silvester gefeiert.

Aber die ganze Zeit hatte er an Rebecka gedacht. Rebecka war aus dem Krankenhaus entlassen worden. Als sie dort gewesen war, hatte er sie angerufen, aber sie hatte nicht mit ihm sprechen wollen. Und während seiner kurzen Beziehung mit Malin Norell war ihm das nur recht gewesen. Er hatte gedacht, Rebecka sei zu kompliziert, zu deprimiert, zu verdammt anstrengend.

Aber er hatte die ganze Zeit an sie gedacht. Als er mit Malin in Barcelona Silvester gefeiert hatte, hatte er Rebecka angerufen. Hatte gewartet, bis Malin kurz das Zimmer verlassen hatte.

Malin war phantastisch. Sie hatte nicht geweint und keinen Ärger gemacht, als er ihre Beziehung beendet hatte. Er hatte ihr irgendwelche Ausreden serviert. Und sie hatte ihn in Ruhe gelassen.

Und sie war da, wenn er wollte. Ihre Hand war auf seinem Oberschenkel gelandet.

Aber morgen würde Rebecka kommen.

Die Kanzlei hatte eigentlich nach Åre fahren wollen. Aber er hatte dafür gesorgt, dass es Riksgränsen wurde.

Er dachte die ganze Zeit an Rebecka. Er konnte nicht dagegen an.

»Hilf mir«, sagte Diddi zum Kindermädchen.

Er saß auf dem Küchentisch und sah unschlüssig zu, wie sie die Scherben der Medizinflasche vom Boden auflas, in den Mülleimer warf und den Boden mit Küchenpapier aufwischte.

Ihm war klar, dass er in ihren Augen nur ein ziemlich alter Kerl war. Sie irrte sich gewaltig, aber wie sollte er ihr das begreiflich machen?

»Du solltest vielleicht wieder ins Bett gehen«, sagte sie.

Er schüttelte den Kopf. Schüttelte den Kopf, weil es darin jetzt Stimmen gab. Es waren keine eingebildeten Stimmen, Phantasieprodukte, es waren Erinnerungen. Erinnerungen an seine eigene Stimme, schrill und eindringlich. Atemlos und beleidigt. Und die Erinnerung an eine sanfte, aber entschiedene afrikanische Frauenstimme. Ugandas Wirtschaftsministerin.

Er hasste Mauri. Er hasste den kleinen selbstzufriedenen Scheißkerl. Er wusste, dass Mauri Inna umgebracht hatte. Er hatte es sofort begriffen. Aber was konnte er schon tun? Er konnte es nicht beweisen. Und selbst, wenn er Mauri wegen Wirtschaftsvergehen ins Gefängnis bringen könnte, so war er doch bis über beide Ohren darin verwickelt. Dafür hatte Mauri sehr gescheit gesorgt. Und Diddi musste an seine Familie denken.

Er steckte fest. Das war bei Innas Tod sein vorherrschendes Gefühl gewesen. Natürlich hatte er um sie getrauert. Aber vor allem war da dieses panische Gefühl gewesen, nicht loszukommen. Die Estonia, die gerade untergeht. Alle Ausgänge blockiert, die Welt kippt um, und Wasser strömt herein.

Er hatte drei Tage gesumpft. Er war gerannt, von der einen Bar zur anderen, vom einen Menschen zum anderen, vom einen Fest zum anderen. Die Erkenntnis war auf dem Fuße gefolgt. Die Erkenntnis, dass Inna tot war.

Er konnte sich jetzt an immer mehr aus diesen Tagen erinnern.

»Ich kann dich nicht rächen«, hatte er zu der toten Inna gesagt. Obwohl er sich tausend Möglichkeiten ausgedacht hatte, um Mauri zu töten und zu quälen, hatte er eingesehen, dass er dazu niemals in der Lage sein würde. »Ich bin doch nur ein Weichei«, hatte er zu ihr gesagt.

Aber jetzt fing er an, sich an etwas ganz Besonderes zu erinnern. Es begann mit der Stimme von Ugandas Wirtschaftsministerin.

Er hatte einen Zugriff auf Mauri haben wollen. Und er hatte etwas falsch gemacht. Etwas, das sehr gefährlich war.

Er hatte Ugandas Wirtschaftsministerin angerufen. Das musste gestern gewesen sein. Oder?

Es war nicht schwer gewesen, durchgestellt zu werden. Der Name Kallis Mining war ein hervorragender Türöffner. Und Diddi hatte ihr erzählt, dass Mauri General Kadaga finanzierte.

Sie hatte ihm nicht geglaubt.

»Das sind doch nur aus der Luft gegriffene Unterstellungen«, hatte sie gesagt. »Wir haben das größte Vertrauen zu Kallis Mining. Wir haben eine gute Beziehung zu den Investoren in unserem Land.«

Ihm fiel ein, dass seine Stimme schrill geworden war. Empört, weil sie ihm nicht glauben wollte. Er verlangte, dass sie ihn ernst nahm, er plapperte, und all sein Wissen strömte einfach aus ihm heraus.

»Sie planen einen Staatsstreich. Oder den Mord an Präsident Museveni. Sie zahlen Geld auf ein geheimes Konto ein. Das Geld wird von dort weitergeleitet. I know this for a fact. He killed my sister. He is capable of anything.«

»Staatsstreich? Wer sind diese ›sie‹, die einen Staatsstreich planen? Das sind doch nur haltlose Unterstellungen.«

»Ich weiß nicht, wer sie sind. Gerhart Sneyers. Er und Kallis und einige andere. Sie planen ein Treffen. Sie werden über die Probleme in Nord-Uganda sprechen.«

»Wer außer Sneyers? Ich glaube kein Wort von dem, was Sie hier sagen. Wo soll diese Besprechung denn stattfinden? In welchem Land? In welcher Stadt? Sie erfinden das doch nur, um Kallis Mining in Verruf zu bringen. Wie können Sie verlangen, dass ich Sie ernst nehme? Und wann? Wann soll dieses angebliche Treffen stattfinden?«

Diddi Wattrang presste die Fingerspitzen auf die geschlossenen Augen. Das Kindermädchen nahm vorsichtig seinen Arm.

»Soll ich dir nach oben helfen?«, fragte sie.

Ungeduldig riss er seinen Arm zurück.

Herrgott, dachte er. Habe ich gesagt, dass die Besprechung hier stattfindet? Und zwar heute Abend? Was habe ich gesagt?

Ugandas Wirtschaftsministerin Florence Kwesiga, Präsident Museveni und General Joseph Muinde sind zu einer Eilbesprechung zusammengekommen.

Die Wirtschaftsministerin hatte von Diddi Wattrangs Anruf berichtet.

Sie schenkt aus einer dünnen Porzellankanne Tee mit viel Milch und Zucker ein. Der Präsident hebt abwehrend die Hand. General Muinde nimmt eine Tasse Tee. Die Ministerin findet die zerbrechlichen kleinen Tassen in den großen Händen witzig. Er kann den Finger nicht durch den Henkel schieben, sondern stellt sich die Tasse auf die Handfläche.

»Was für einen Eindruck hattest du von Wattrang?«, fragt der Präsident.

»Dass er verzweifelt und verwirrt war«, sagt Kwesiga.

»Verrückt?«

»Nein, nicht verrückt.«

»Zwei Dinge sind bestätigt worden«, sagt General Muinde.

»Erstens: Wattrangs Schwester ist ermordet worden. Zweitens: Gerhart Sneyers' Flugzeug hat Landeerlaubnis für Schiphol und Arlanda.«

»Uns bleiben weniger als vierundzwanzig Stunden«, sagt Ministerin Kwesiga. »Was können wir machen?«

»Wir werden das absolut Notwendige in die Wege leiten«, sagt der Präsident. »Wir wissen nicht, wer außer Sneyers und Kallis noch mit der Sache zu tun hat. Das ist vielleicht unsere einzige Chance. Um sich zu verteidigen, muss man manchmal auf fremdem Territorium Krieg führen. Wenn wir von Israel etwas gelernt haben, dann ja wohl das. Oder von den USA.«

»Für die gelten aber andere Regeln«, sagt Ministerin Kwesiga.

»Diesmal nicht.«

»Ich habe Wattrang überzeugen können, dass ich ihm nicht glaube«, sagt Kwesiga zum General. »Ich habe sogar gelacht. Er hatte das Gefühl, nicht ernst genommen zu werden. Also kann er unmöglich damit rechnen, dass wir auf irgendeine Weise aktiv werden. Ich dachte, falls er alles bereut und jemandem von diesem Anruf erzählt, so werden die ihre Pläne nicht ändern, wenn ich gesagt habe, dass ich ihm nicht glaube.«

»Das war ganz richtig«, sagt General Muinde. »Sehr gut gemacht.«

Er stellt vorsichtig die Teetasse hin.

»Weniger als vierundzwanzig Stunden«, sagt er. »Das ist nicht viel Zeit. Es wird eine Gruppe aus fünf Personen. Nicht meine eigenen Leute. Falls es Komplikationen gibt, ist es besser so. Wir haben Waffen in der Botschaft in Kopenhagen. Sie müssen dort landen und mit dem Wagen nach Schweden fahren. Die Überquerung der Grenze ist total unproblematisch.«

Er erhebt sich mit einer leichten Verbeugung.

»Ich muss einiges erledigen, wenn ihr also entschuldigt…«

Er salutiert. Der Präsident nickt nachdenklich.

Und der General verlässt den Raum.

Diddi erscheint mitten beim Dessert beim Essen auf dem Herrensitz Regla. Plötzlich steht er in der Türöffnung zum Esszimmer. Der Schlips baumelt wie ein lockerer Fetzen um seinen Hals, das Hemd hängt halb aus der Hose, die Jacke am Zeigefinger, vielleicht wollte er sie anziehen, hat es aber vergessen, und jetzt schleift er sie hinter sich her wie einen verletzten Schwanz. Die ganze Gesellschaft verstummt und sieht ihn an.

»Verzeihung, excuse me«, sagt er. »Tut mir leid.«

Mauri erhebt sich. Er ist wütend, aber beherrscht.

»Du gehst bitte sofort«, sagt er auf Schwedisch in einem äußerst liebenswürdigen Tonfall.

Und Diddi steht in der Türöffnung wie ein Kind, das aus einem bösen Traum erwacht ist und die Eltern beim Essen stört. Er ist rührend, als er in gepflegtem Englisch bittet, für einen Moment mit seiner Frau sprechen zu dürfen.

Dann fügt er auf Schwedisch in dem gleichen sanften Tonfall hinzu:

»Sonst mache ich eine Szene, Mauri. Und da wird dann Innas Name erwähnt. Verstehst du?«

Mit einem kurzen Nicken fordert Mauri Ulrika auf, zu ihrem Mann zu gehen. Sie bittet um Entschuldigung und verlässt den Tisch. Ebba schickt ihr ein kurzes, mitfühlendes Lächeln hinterher.

»Domestic problems«, sagt Mauri bedauernd zur Tafelrunde.

Die Herren lächeln. Das kommt schließlich in den besten Familien vor.

»Lass mich wenigstens andere Schuhe anziehen«, jammert Ulrika, als Diddi sie über den Hofplatz zieht.

Sie spürt, wie die Feuchtigkeit durch die glitzernden Riemchensandalen von Jimmy Choo steigt.

Dann weint sie. Es ist ihr egal, dass Mikael Wiik, der vor dem Haus auf der Veranda sitzt, sie hört. Diddi zieht sie weg vom Hofplatz, fort vom Licht der Laternen.

Sie weint, weil Diddi dabei ist, ihr gemeinsames Leben zu zerstören. Aber sie sagt nichts. Es hat keinen Zweck, sie hat den Versuch aufgegeben. Mauri wird ihn feuern. Und dann haben sie nichts, wovon sie leben können, und keinen Ort zum Wohnen.

Ich muss ihn verlassen, denkt sie. Und dann weint sie noch mehr. Denn sie liebt ihn wirklich immer noch, aber das hier geht nicht, das ist vollständig unmöglich. Und was hat er sich nun schon wieder in den Kopf gesetzt?

»Wir müssen weg hier«, sagt Diddi, als sie sich ein Stück vom Haus entfernt haben.

»Lieber Diddi«, fleht Ulrika und versucht, sich zusammenzunehmen. »Wir reden morgen über alles. Ich gehe jetzt zurück und esse mein Dessert und …«

»Nein, du verstehst das nicht«, sagt er und packt ihre Handgelenke. »Ich meine nicht, dass wir wegziehen müssen. Ich meine, wir müssen weg hier. Sofort!«

Ulrika hat Diddis Paranoia schon häufiger erlebt, aber jetzt macht er ihr wirklich Angst.

»Ich kann das nicht erklären«, sagt er mit einer solchen Verzweiflung, dass sie wieder in Tränen ausbricht.

Dieses Leben war so perfekt. Sie liebt Regla. Sie liebt ihr schönes Haus. Sie und Ebba sind gute Freundinnen geworden. Sie kennen viele nette Menschen und unternehmen lustige Dinge miteinander. Ulrika war diejenige, die Diddi Wattrang gekapert hat, die Götter wissen, wie viele vor ihr es versucht hatten. Es war, wie olympisches Gold zu erringen. Aber er will das alles nicht mehr, macht alles kaputt.

Jetzt murmelt er in ihre Haare. Hält sie in seinen Armen.

»Liebe, Liebe«, sagt er. »Verlass dich auf mich. Wir machen jetzt, dass wir wegkommen, wir gehen in ein Hotel. Morgen kannst du mich fragen, warum.«

Er schaut sich um. Überall ist es dunkel und still. Aber die Unruhe prickelt in ihm.

»Du brauchst Hilfe«, schluchzt sie.

Und er verspricht ihr, Hilfe in Anspruch zu nehmen, wenn sie nur jetzt mitkommt. Schnell. Sie werden den Kleinen holen und dann zum Auto laufen und wegfahren.

Ulrika bringt es nicht über sich, Widerstand zu leisten. Wenn sie jetzt gehorcht, lässt er morgen vielleicht mit sich reden. Das Essen ist für sie ohnehin ruiniert. Besser, sich Mauris Blick zu ersparen, wenn sie zurückkommt und ihre Entschuldigungen murmelt.

Zehn Minuten darauf sitzen sie in dem neuen Hummer und fahren auf die Ausfahrt zu. Ulrika fährt. Ihr Prinzlein schläft im Kindersitz neben ihr. Sie brauchen zwei Minuten, um zum Tor zu fahren, aber als Ulrika auf ihre Fernbedienung drückt, öffnet sich das äußere Tor nicht.

»Jetzt streikt das schon wieder«, sagt sie zu Diddi und hält einige Meter vor dem Tor an.

Diddi steigt aus. Er geht auf das Tor zu. Ins Licht der Autoscheinwerfer. Ulrika sieht seinen Rücken. Dann kippt er vornüber.

Ulrika stöhnt ganz leise. Sie hat das so satt. Sie hat Saufereien und Rausch und Kater und Angst satt. Hat Reue, Gejammer, Durchfall und Verstopfung satt. Hat übersteigerten Sexualtrieb und Impotenz satt. Sie hat es so satt, dass er stürzt, dass er nicht aufstehen kann. Sie will ihm nicht mehr Kleider und Schuhe ausziehen müssen. Und sie hat es satt, dass er sich nicht hinlegen kann, ist seiner Perioden des manischen Wachseins überdrüssig.

Sie wartet darauf, dass er wieder auf die Beine kommt. Aber das tut er nicht. Nun überkommt sie ein heftiger Zorn. O verdammt, sie spielt mit dem Gedanken, ihn zu überfahren. Einige Male hin und her.

Dann seufzt sie und steigt aus dem Auto. Ihr schlechtes Gewissen wegen ihrer gemeinen Gedanken macht ihre Stimme weich und fürsorglich.

»Hallo, Lieber. Was ist los?«

Aber er gibt keine Antwort. Jetzt bekommt Ulrika es mit der Angst zu tun. Sie macht einige rasche Schritte auf ihn zu.

»Diddi, Diddi, was ist los?«

Sie beugt sich über ihn, legt die Hand zwischen seine Schulterblätter und schüttelt ihn ein wenig. Und die Hand wird nass.

Sie versteht nicht. Sie schafft es nicht mehr, das zu verstehen.

Ein Geräusch. Ein Geräusch oder etwas, das sie dazu bringt, hochzuschauen und den Kopf zu bewegen. Eine Silhouette vor dem Licht der Scheinwerfer. Ehe sie die Hand vor die Augen heben kann, um nicht geblendet zu werden, ist sie tot.

Der Mann, der sie erschossen hat, flüstert in sein Headset:

»Male and female out. Car. Engine running.«

Er richtet die Taschenlampe in das Wageninnere.

»There's an infant in the car.«

Am anderen Ende der Leitung sagt der Gruppenleiter:

»Mission as before. Everybody. Shut the engine and advance.«

Ulrika liegt tot im Kies. Sie braucht das nicht mitzuerleben.

Und oben in der Dunkelheit ihres Zimmers steht Ester am Fenster und denkt.

Noch nicht. Noch nicht. Noch nicht. Jetzt!

Rebecka liegt im Schnee vor dem Haus ihrer Großmutter in Kurravaara. Sie trägt die alte blaue Nylonjacke der Großmutter, lässt die Jacke aber offen. Es tut gut zu frieren, es nimmt den inneren Druck. Der Himmel ist schwarz und sternenklar. Der Mond über ihr ist kränklich gelb. Wie ein geschwollenes Gesicht mit Dellen in der Haut. Irgendwo hat Rebecka gelesen, dass Mondstaub nach altem Schießpulver stinkt.

Wie kann man für einen anderen Menschen so empfinden, fragt sie sich. Wie kann sie das Gefühl haben, sterben zu wollen, weil er sie nicht liebt? Er ist doch nur ein Mensch.

Weißt du, sagt sie zu ihrem Gott. Ich will ja nicht klagen und quengeln, aber jetzt will ich bald nicht mehr. Niemand liebt mich, und das ist besonders schwer zu ertragen. Schlimmstenfalls lebe ich noch sechzig Jahre. Was soll aus mir werden, wenn ich sechzig Jahre lang allein sein muss?

Ich war ein Stück weit gekommen, das hast du ja gesehen. Ich arbeite. Ich stehe morgens auf. Ich esse gern Haferbrei mit Preiselbeermarmelade. Aber jetzt weiß ich nicht mehr, ob ich das weiterhin ertrage.

Dann hört sie das Geräusch von Pfoten im Schnee. Gleich darauf ist Bella neben ihr, läuft einmal um sie herum, springt dann auf sie drauf, tritt sie ins Zwerchfell, dass es wehtut, stupst sie rasch mit der Schnauze an, überzeugt sich davon, dass ihr nichts fehlt.

Und dann bellt sie. Sagt Herrchen Bescheid, natürlich. Rebecka springt eilig auf die Beine, aber Sivving hat sie schon gesehen. Er kommt auf sie zugelaufen.

Bella ist schon weitergestürmt. Tobt glücklich über die alte Wiese, der Neuschnee stiebt auf.

»Rebecka«, ruft er und kann die Angst in seiner Stimme nur mit Mühe verbergen. »Was machst du denn da?«

Sie öffnet den Mund, um zu lügen. Um einen Scherz zu machen, zu sagen, dass sie sich die Sterne ansieht, aber es kommt kein Wort heraus.

Ihr Gesicht kann sich nicht verstellen. Ihr Körper versucht gar nicht erst, etwas zu verbergen. Sie schüttelt nur den Kopf.

Er will alles wiedergutmachen. Sie begreift ja, dass er sich um sie sorgt. Und mit wem kann er schon sprechen, jetzt, da seine Maj-Lis nicht mehr da ist?

Sie bringt es nicht über sich. Will nicht diesen Wunsch in ihm sehen, dass sie froh sein soll, dass es gutgeht, dass sie glücklich sein wird.

Ich bringe es nicht über mich, glücklich zu sein, will sie sagen. Ich schaffe es ja kaum noch, unglücklich zu sein. Mein großes Projekt ist es, mich auf den Beinen zu halten.

Und jetzt wird er sie fragen, ob sie mit ihm einen Spaziergang machen will. Oder zum Kaffee zu ihm kommen. In einigen Sekunden wird er es sagen. Und sie muss Nein sagen, weil es einfach nicht geht. Und er wird den Kopf hängen lassen, und dann wird sie auch ihn unglücklich gemacht haben.

»Ich muss fahren«, sagt sie. »Ich muss bei einer Frau in Lombolo eine Vorladung abliefern.«

Es ist eine dermaßen gesuchte und schlechte Lüge, dass sie fast das Gefühl hat, sich außerhalb ihres Körpers zu befinden. Eine andere Rebecka tritt neben sie und fragt:

»Wo zum Teufel hast du das denn her?«

Aber Sivving scheint ihr auf den Leim zu gehen. Er hat ja eigentlich keine Ahnung davon, worin ihre Aufgaben bestehen.

»Na gut«, sagt er nur.

»Du«, sagt sie. »Ich habe einen kleinen Kater im Haus. Du kümmerst dich doch um ihn, ja?«

»Ja, aber«, sagt Sivving. »Wie lange bleibst du denn fort?«

Und als sie zum Auto geht, ruft er hinter ihr her:

»Willst du dich nicht umziehen?«

Sie fährt auf die Straße nach Kiruna. Und sie registriert, dass sie nicht überlegt, wohin sie fahren soll. Denn sie weiß es. Sie wird nach Riksgränsen fahren.

»Was ist das denn da?«, fragt Anna-Maria Mella.

Sven-Erik Stålnacke sitzt auf dem Beifahrersitz, und jetzt schaut er zu den ersten Toren von Regla hinüber. Im Licht der Autoscheinwerfer ihres Passat sieht er auf der anderen Seite einen Hummer stehen.

»Sind das diese Sicherheitstypen oder was?«, fragt er.

Sie halten vor dem Tor. Anna-Maria steigt aus, lässt den Motor aber an. »Hallo«, ruft sie.

Sven-Erik Stålnacke steigt ebenfalls aus.

»Jesus«, sagt Anna-Maria. »Herr Jesus!«

Zwei Körper, mit dem Gesicht nach unten. Sie sucht unter ihrer Jacke nach ihrer Waffe.

»Was zum Teufel ist denn hier passiert?«, fragt sie.

Dann tritt sie rasch aus dem Scheinwerferlicht.

»Bleib aus dem Licht weg«, sagt sie zu Sven-Erik. »Und dreh den Motor aus.«

»Nein«, sagt Sven-Erik. »Rein ins Auto, dann fahren wir von hier weg und rufen Verstärkung.«

»Ja, tu das«, sagt Anna-Maria. »Ich seh mich ein bisschen um.«

Das äußere Tor versperrt nur die Straße. Die inneren Tore weiter hinten in der Allee sind in Mauern eingelassen. Anna-Maria geht um den Torpfosten herum, bleibt aber ein Stück von den Körpern entfernt stehen. Will nicht weitergehen, solange sie im Licht ihres Wagens baden.

»Setz zurück«, sagt Anna-Maria zu Sven-Erik. »Ich seh mich nur schnell ein bisschen um.«

»Komm ins Auto«, knurrt Sven-Erik. »Dann rufen wir Verstärkung.«

Und so geraten sie in Streit. Plötzlich stehen sie da und zanken sich wie ein altes Ehepaar.

»Fahr endlich los, oder dreh den verdammten Motor aus«, faucht Anna-Maria.

»Wir haben unsere Vorschriften. Setz dich ins Auto!«, befiehlt Sven-Erik.

Unprofessionell. Das werden sie später denken. Sie bringen sich gegenseitig in äußerste Gefahr. Wann immer das Gespräch darauf kommen wird, wie blödsinnig man sich in einer Stresssituation verhalten kann, werden ihre Gedanken dahin zurückkehren.

Und am Ende geht Anna-Maria einfach ins Scheinwerferlicht. Mit ihrer SIG-Sauer in der einen Hand tastet sie mit der anderen die Hälse der beiden ab, die da auf dem Boden liegen. Kein Puls.

Mit eingezogenem Kopf macht sie einige Schritte auf den Hummer zu und schaut hinein. Ein Kindersitz. Ein totes kleines Kind. Durch das Gesichtchen geschossen.

Sven-Erik sieht, wie sie sich mit der freien Hand gegen das Autofenster stützt. Ihr Gesicht ist im Scheinwerferlicht des Passat aschgrau. Sie schaut ihm mit einem dermaßen verzweifelten Blick in die Augen, dass sein Herz sich zusammenzieht.

»Was?«, fragt er.

Aber gleich darauf geht ihm auf, dass er keinen Laut herausgebracht hat.

Dann beugt sie sich vor. Ihr ganzer Körper zieht sich zusammen wie in einem schmerzhaften Krampf. Und sie sieht ihn an. Anklagend. Als wäre das hier seine Schuld.

Gleich darauf ist sie verschwunden. Wie ein Fuchs ist sie aus dem Lichtkegel des Passat geschlüpft, und er weiß nicht, was aus ihr geworden ist. Es ist so verdammt schwarz. Dicke Nachtwolken sperren das Mondlicht aus.

Sven-Erik wirft sich ins Auto und schaltet den Motor aus. Alles wird still und schwarz.

Er richtet sich auf und hört Schritte, die auf das Gutshaus zurennen.

»Anna-Maria, zum Teufel«, ruft er hinter ihr her.

Aber er wagt nicht, sehr laut zu rufen.

Er will hinter ihr her. Dann kommt er zur Besinnung.

Er bittet um Verstärkung. Der Teufel soll sie holen! Das Telefongespräch dauert zwei Minuten. Er hat dabei eine Sterbensangst. Angst, irgendwer könnte ihn hören. Irgendwer, der ihm eine Kugel in den Kopf jagt. Er krümmt sich während des Anrufs neben dem Auto zusammen. Versucht zu horchen. Versucht, in der Dunkelheit etwas zu sehen. Entsichert seine Waffe.

Als er das Gespräch beendet hat, rennt er hinter Anna-Maria her. Er versucht in den Hummer zu blicken, um festzustellen, was sie zu ihrer Reaktion veranlasst hat, aber es ist zu dunkel, jetzt, da die Autoscheinwerfer ausgeschaltet sind. Er sieht nichts.

Er bleibt am Straßenrand, als er sich dem Gutshaus nähert, läuft leise durch das Gras. Wenn nur sein Atem nicht so laut wäre wie ein Blasebalg, sonst könnte er vielleicht etwas hören. Er hat solche Angst, dass ihm schlecht wird. Aber was zum Teufel hat er jetzt für eine Wahl? Wo ist sie?

Ester sieht jemanden im Spiegel. Etwas, das ihr selbst ähnelt. Nach wissenschaftlichen Erkenntnissen gibt es in uns keinen harten Kern. Der Mensch ist ein Brei aus vibrierenden Saiten. Und die Luft, die uns umgibt, ist ebenfalls ein Brei aus vibrierenden Saiten. Es ist bemerkenswert, dass wir nicht jeden Tag einfach durch Mauern gehen und mit anderen Existenzen verschmelzen.

Sie hat sich überlassen. Wem oder was, kann sie nicht sagen. Sie weiß es nur, in einer tieferen Schicht als dem Verstand. Mit jedem Schritt ist die Abmachung unterschrieben worden. Sie ist in Mauris Mansarde gezogen. Sie hat ihren Körper trainiert. Sie hat sich mit Kohlehydraten voll gestopft. Und jetzt muss der Kopf den Füßen folgen und nicht umgekehrt.

Ihr Kopf darf sich ausruhen, während die Füße die Kellertreppe hinunterjagen.

Zugleich kommen fünf Männer auf das Gutshaus zu. Alle sind schwarz gekleidet. Ihr Anführer ist der, den Ester in Gedanken den Wolf genannt hat. Er und drei von den anderen sind mit kleinen Maschinenpistolen bewaffnet. Der fünfte ist ein Scharfschütze.

Der Scharfschütze legt sich ins Gras und nimmt Sicherheitschef Mikael Wiik aufs Korn. Er müsste sich nicht hinlegen, das Ziel bewegt sich überhaupt nicht.

Mikael Wiik steht auf der Treppe zum Gutshaus und horcht in Richtung Straße. Diddi und seine Frau sind mit dem Wagen losgefahren. Vermutlich sind Diddi und Mauri aneinandergeraten. Das kommt verdammt ungelegen, aber Diddi ist im Moment total unberechenbar.

Er hat gehört, wie der Wagen unten vor dem äußeren Tor angehalten hat und dann der Motor ausgeschaltet wurde. Er fragt sich, warum sie nicht weiterfahren. Vermutlich sitzen sie im Wagen und haben den Streit des Jahrhunderts.

Ich kümmere mich um meine Arbeit, denkt Mikael Wiik. Und das da ist nicht meine Arbeit.

Ich mische mich nicht ein, denkt er. Und ich habe auch nichts damit zu tun. Auch nicht mit Inna. Ich habe Mauri diese Telefonnummer gegeben. Aber egal, was danach passiert ist, ich habe wirklich nichts damit zu tun.

Er hatte Innas Leichnam im Leichenschauhaus von Kiruna gesehen. Es war eine grobe Stichwunde.

Das kann kein Profi gewesen sein, sagt er sich. Sie ist aus einem anderen Grund gestorben. Es hatte nichts mit Mauri Kallis zu tun.

Er holt Atem. Der Frühling liegt wie schwarze Streifen in der Nachtluft. Der Wind ist warm und führt grüne Düfte mit sich. Im Sommer wird er sich ein Boot kaufen. Mit seiner Freundin durch den Schärengürtel segeln.

Dann denkt er nicht mehr. Als er vornüberkippt und auf die Steintreppe knallt, ist er bereits tot.

Der Scharfschütze ändert seine Position. Geht auf die andere Seite des Hauses. Große Esszimmerfenster. Er macht sich ein Bild vom Raum. Nur ein Wächter an der Wand im Esszimmer. Die anderen Gäste sitzen still da. Er teilt mit, dass die Bahn frei ist.

Ester Kallis legt den Hauptschalter um. Mit einigen raschen Bewegungen dreht sie die drei wichtigsten Sicherungen heraus. Sie wirft sie unter ein in der Nähe stehendes Regal. Sie hört, wie sie über den Boden rollen und liegen bleiben. Die Dunkelheit ist undurchdringlich.

Sie holt Atem. Ihre Füße laufen die Treppe hoch. Sie braucht nichts zu sehen. Ihre Füße jagen über einen schwarzen Pfad.

Und während ihre Füße dem schwarzen Pfad folgen, lebt sie selbst in einer anderen Welt. Man könnte es als Erinnerung bezeichnen, aber es passiert jetzt. Wieder. Es passiert jetzt ebenso sehr wie damals.

Sie steht mit eatnážan an einem Hang. Es ist im späten Frühling. Nur hier und da liegt noch ein wenig Schnee. Die ganze Zeit rufen Vogelscharen in der Luft. Die Sonne wärmt den Rücken der beiden Frauen. Sie haben ihre Jacken aufgeknöpft.

Sie schauen zu einem Bach hinunter. Durch das Schmelzwasser ist er mehrere Meter breit. Und er ist sehr schnell. Eine Rentierkuh geht ins Wasser und schwimmt an das andere Ufer. An Land stellt sie sich auf und ruft ihr Kalb. Sie lockt und lockt, und am Ende wagt das Kalb sich ins Wasser. Aber die Strömung ist zu stark. Das Kalb kann nicht an das andere Ufer springen. Ester und die Mutter sehen, wie die Strömung es mit sich reißt. Aber dann springt die Kuh wieder ins Wasser und holt das Kalb ein. Sie schwimmt um es herum, presst es mit dem Körper gegen die Strömung und schwimmt Seite an Seite mit ihm. Die Strömung ist stark, die Kuh streckt ihren Hals aus dem Wasser. Es ist wie ein Hilfeschrei. Als sie das andere Ufer erreichen, schwimmt sie auf der Stelle und hält die Strömung auf, damit das Kalb an Land klettern kann. Endlich stehen beide am anderen Ufer.

Ester und die Mutter sehen die beiden an. Sie sind so erfüllt vom Mut der Kuh. Von ihren starken Gefühlen für ihr Kalb. Und vom Vertrauen des Kalbes, wie es sich vor der Strömung gefürchtet hat und doch ins Wasser gesprungen ist. Sie sagen nichts, während sie zurück zur Rentierhirtenhütte wandern.

Ester geht hinter der Mutter. Versucht, ebenso lange Schritte zu machen, damit ihre Füße genau die Stellen berühren wie die der Mutter.

Mauri Kallis fragt seine Gäste, was sie zum Kaffee möchten. Gerhart Sneyers bittet um einen großen Cognac, Heinrich Koch und Paul Lasker ebenfalls. Viktor Innitzer trinkt Calvados, und General Helmuth Stieff wünscht einen Single Malt.

Mauri Kallis bittet seine Frau, sitzen zu blieben, und übernimmt selbst die Aufgabe, seine Gäste mit Getränken zu versorgen.

»Ich tausche die Kerzen aus«, sagt Ebba und geht mit den Leuchtern in die Küche, leicht gereizt, weil das gemietete Personal nicht bemerkt hat, dass sie fast heruntergebrannt sind.

Im Esszimmer steht ein Leibwächter. Er arbeitet für Gerhart Sneyers. Als Mauri Kallis sich erhebt und an ihm vorbeigeht, merkt er, wie diskret der Mann seine Aufgabe erledigt. Mauri hat während des ganzen Essens nicht einmal daran gedacht, dass er da war.

Deshalb wirkt es fast komisch, als der Leibwächter fällt, er reißt einen Wandbehang aus dem 16. Jahrhundert mit zu Boden. Mauri kann gerade noch an einen Jungen denken, der im dritten

Schuljahr beim Luzia-Umzug zusammengebrochen ist. Gleich darauf erreicht das Geräusch von zerbrechendem Glas sein Bewusstsein. Danach erscheinen zwei Männer in der Türöffnung, und das alberne Ploppen eines Kugelhagels ist zu hören.

Dann erlischt alles Licht. In der Dunkelheit ertönen Paul Laskers wahnsinnige Schmerzensschreie. Und noch jemand schreit hysterisch, danach ist es plötzlich still. Der Kugelhagel hört auf, und nach zwei Sekunden sucht der Strahl einer Taschenlampe im Zimmer nach den kriechenden, rufenden, krabbelnden Menschen, die versuchen, sich zusammenzukrümmen und zu entkommen.

General Helmuth Stieff hat die Waffe des toten Leibwächters zu fassen bekommen und schießt auf das Licht, jemand fällt zu Boden, und die Taschenlampe erlischt.

Es ist stockfinster. Mauri stellt fest, dass er auf dem Boden liegt. Und als er sich aufrichten will, geht das nicht. Seine Hand ist nass, sein Hemd ist nass.

Ich bin am Bauch getroffen worden, denkt er, dann geht ihm auf, dass er sich mit Whisky übergossen hat. Weil er nichts sehen kann, sind die Geräusche lauter. Frauen schreien in der Küche vor Angst, dann kommt wieder dieses Ploppen, und es wird still und Mauri denkt, Ebba, und dann muss er weg hier, das ist sein einziger Gedanke. Weg hier.

Er hört, wie die Eindringlinge draußen in der Halle die Lichtschalter betätigen, aber nichts passiert. Ganz Regla liegt im Dunkeln.

Und Paul Lasker schreit ununterbrochen. Unter dem Tisch stoßen zwei der Herren gegeneinander. Es ist eine Frage von Sekunden, bis die anderen wieder im Esszimmer sein werden.

Mauri ist an der Hüfte getroffen worden. Aber er kann sich mithilfe der Hände davonschleppen. Esszimmer und Salon liegen nebeneinander, und da der Barschrank das Gegenstück zum Kachelofen im Salon ist, weiß Mauri, dass er sich jetzt in der Nähe der Salontür befindet. Er zieht sich über die Schwelle, hier hätten sie jetzt alle ihren Kaffee trinken sollen. Nach zwei weiteren Metern sind seine Kräfte erschöpft.

Und jetzt legt jemand vorsichtig die Hand auf seinen Rücken. Er hört, wie Ester ihm ins Ohr flüstert:

»Sei still, wenn du leben willst.«

Und der General hält im Esszimmer noch immer stand, er gibt blindlings eine Salve aus der Türöffnung in die Halle ab. Jetzt steht jemand auf der anderen Seite der Tür und hält eine Taschenlampe, während die anderen schießen. Paul Lasker ist verstummt. Der General schießt, aber sparsam. Er hat nicht mehr viele Schüsse, bald können sie allem ein Ende machen.

Ester hilft Mauri, sich auf ein hartes Sofa aus dem 18. Jahrhundert zu setzen. Im Protokoll der Voruntersuchung werden die Blutflecken erwähnt werden, die er dort hinterlässt, es wird Spekulationen um einen möglichen Handlungsverlauf geben. Ester geht vor ihm in die Hocke und hebt ihn auf ihre Schultern.

Ich hebe, denkt sie. Eins, zwei, drei.

Er ist nicht so schwer. Der Salon liegt neben der Bibliothek, die Bibliothek ihrerseits neben einem noch nicht eingerichteten Zimmer, das als Abstellraum dient. Von dort aus führt eine Tür in den Garten. Ester kann diese Tür öffnen und geht mit langen Schritten hinaus in die Dunkelheit.

Sie kennt den Weg. Immer wieder ist sie mit verbundenen Augen durch das Wäldchen gelaufen. Ihr Gesicht hat sie sich an den Baumstämmen zerkratzt, aber jetzt kennt sie ihren schwarzen Pfad. Wenn sie nur den Hofplatz und den mit Gras bewachsenen Hang zum Wald hinter sich bringen kann.

Der Anführer leuchtet die Männer im Esszimmer mit der Taschenlampe an. Der Lichtkegel wandert von einem Gesicht zum anderen. General Helmuth Stieff ist tot, Paul Lasker ebenfalls.

Heinrich Koch liegt an der Wand. Seine Hand ist eine leblose Kralle über einem wachsenden roten Fleck auf der weißen

Hemdbrust. Entsetzt starrt er den Mann mit dem geschwärzten Gesicht an, der die Taschenlampe in der linken Hand hält. Er atmet kurz und keuchend.

Der Anführer zieht seine Glock und schießt ihm zwischen die Augen. Jetzt werden die beiden Überlebenden redseliger. Er registriert, dass Viktor Innitzer vor Entsetzen aufschreit.

Innitzer scheint körperlich unversehrt zu sein. Er sitzt an der Wand und presst sich die Arme auf die Brust.

Gerhart Sneyers liegt unter dem Tisch auf der Seite.

Der Anführer macht eine Kopfbewegung, und einer der Männer packt Sneyers' Füße und zieht ihn vor die des Anführers. Da liegt er auf der Seite, die Knie leicht angezogen, die Hände zwischen den Oberschenkeln. Seine Stirn ist schweißnass. Schweißperlen lösen sich und laufen über sein Gesicht. Sein ganzer Körper bebt wie vor Kälte.

»Name?«, fragt der Anführer auf Englisch. Dann wechselt er auf Deutsch über.

»Ihr Name? Und wer sind die anderen?«

»Verfaul doch einfach«, sagt Sneyers auf Niederländisch, und als er den Mund öffnet, um diese Wörter zu äußern, schießt Blut heraus.

Der Anführer bückt sich und erschießt auch ihn. Dann dreht er sich zu Viktor Innitzer um.

»Please, don't kill me«, bettelt Innitzer.

»Who are you? Und wer sind die anderen?«

Und Innitzer sagt, wer er ist, und nennt die Namen, als die Taschenlampe die toten Gesichter anleuchtet. Der Anführer hält ihm ein kleines Tonbandgerät hin, und Innitzer spricht so deutlich er kann, die ganze Zeit starrt er den Anführer ängstlich an.

»Fehlt hier noch jemand?«, fragt der Anführer.

»Ich weiß nicht … ich weiß nicht, wenn Sie mir nicht mehr ins Gesicht leuchten … ich … Kallis! Mauri Kallis!«

»Sonst niemand?«

»Nein.«

»Und wo ist Kallis?«

»Er hat eben dort gestanden.«

Viktor Innitzer zeigt in der Dunkelheit in Richtung Barschrank.

Der Anführer leuchtet den Barschrank an, dann die Tür daneben. Er zielt mit der Pistole auf Innitzers Kopf, der Mann kann ihm jetzt nichts mehr nützen, und drückt ab. Dann winkt er den anderen, und sie laufen in den Salon.

Sie durchsuchen den Salon sorgfältig mithilfe ihrer Taschenlampen. Es sieht aus wie ein einstudierter Tanz, wie sie sich dort Rücken an Rücken bewegen, im Kreis, im Kreis und vorwärts, die Taschenlampen leuchten in verschiedene Richtungen.

Sie könnten besseres Licht brauchen, vor allem, wenn Kallis es aus dem Haus heraus geschafft hat. Sie können nur hoffen, dass er verletzt ist.

»Hol den Hummer«, sagt der Anführer ins Headset. »Der kann im Gelände fahren.«

Anna-Maria Mella hat soeben Diddi Wattrangs toten Sohn im Hummer der Familie gesehen. Sie läuft auf das Gutshaus zu. Eigentlich läuft sie nicht, denn es ist stockfinster. Sie hebt sorgfältig die Füße, um nicht zu stolpern, sie hat keine Lust, mit einer entsicherten Waffe in der Hand zu fallen.

Was ist hier denn bloß passiert, fragt sie sich.

Die Laternen auf dem Hofplatz sind erloschen. Die Häuser weiter oben ruhen in undurchdringlicher Dunkelheit.

Als sie ein Stück weitergekommen ist, sieht sie das Licht einer Taschenlampe. Jemand leuchtet den Weg vor sich an und kommt in hohem Tempo auf sie zu. Sie weicht zur Seite aus und lässt sich in einen Graben fallen. Reißt sich die Jacke vom Leib, die voller Reflexe ist, und wirft sie mit dem Futter nach oben auf den Boden. Sie kann nicht weglaufen, denn dann würde die Person dort oben sie hören. Sie kriecht im Graben zusammen, das Gras des Vorjahres presst sich an den Boden und bietet keinen Schutz, aber es gibt ein wenig Gestrüpp, ein paar Zweige. Wenn die Person nicht in ihre Richtung leuchtet, wird alles gutgehen.

Das Wasser im Graben ist eine Handbreit tief. Sie spürt, wie es sofort durch ihre Schuhe und ihre Jeans dringt. Sie gräbt mit der freien Hand im Schlamm und schmiert sich so viel Schmutz ins Gesicht, wie sie nur kann, damit es im Schein der Taschenlampe nicht weiß aufleuchtet. Sie muss hochblicken, bereit zum Schießen sein, wenn die Person da oben sie entdeckt und die Waffe auf sie richtet. Sie hält die Pistole mit beiden Händen. Dann liegt sie ganz still da. Ihr Herz hämmert wie besessen.

Die Person geht zwei Meter an ihr vorbei. Sieht sie nicht. Es ist ein Mann. Sie sieht ihm hinterher, als er vorbeigerannt ist, und erkennt eine schulterbreite Silhouette. Das Geräusch der Stiefel im Kies wird leiser und leiser.

Freund oder Feind? Sie hat keine Ahnung. Ist es einer von Kallis' Sicherheitsleuten? Hat er soeben Diddi Wattrang und dessen Familie erschossen?

Sie weiß es nicht. Und er läuft zum Tor weiter, zu dem Wagen mit dem toten Kind auf dem Vordersitz. Zu Sven-Erik!

Sie kommt auf die Beine, ihre Jacke bleibt im Graben liegen, sie klettert auf den Weg. Knie und Füße sind triefnass.

Jetzt rennt sie dem Mann hinterher, der auf den Hummer zuläuft, bleibt im Gras neben dem Weg. Wenn er seine Waffe auf Sven-Erik richtet… ja, das weiß sie. Dann wird sie ihm eine Kugel in den Rücken feuern.

Der Mann hat den Hummer erreicht. Er setzt sich hinein und lässt den Motor an. Die Scheinwerfer werden eingeschaltet, und die ganze Umgebung scheint plötzlich in kaltem Licht zu baden. Herrgott, können zwei Autoscheinwerfer so viel Licht erzeugen?

Sven-Erik ist nicht zu sehen.

Der Mann setzt zurück. Sie begreift, dass er keine Zeit mit

Wenden vergeuden will, er hält einfach rückwärts auf das Gutshaus zu.

Anna-Maria lässt sich wieder in den Graben fallen. Presst sich flach auf den Bauch, als das Auto an ihr vorbeifährt. Geht in die Hocke und schaut ihm hinterher. Er ist voll damit beschäftigt, sich umzusehen, er kann nicht in ihre Richtung blicken. Und was für ein Fahrer! Er setzt im Spitzentempo auf der Allee zum Herrenhof zurück. O verdammt, das geht ja vielleicht schnell. Und er hält den Hummer schnurgerade in der Spur.

Dann fällt ihr ein, dass er neben dem Kindersitz mit dem durch den Kopf geschossenen kleinen Kind sitzt. Das ist ein so widerlicher und abscheulicher Gedanke. Was sind das nur für Menschen?

»Sven-Erik«, ruft sie leise. »Sven-Erik!«

Aber es kommt keine Antwort.

Sven-Erik hat eben Verstärkung erbeten.

Jetzt schleicht er den mit Gras bewachsenen Straßenrand entlang. Natürlich ist es schwer, wenn man nichts sieht, aber in seinem Körper stecken die vielen Jahre im Beerenwald. Wie oft ist er schon im Stockfinstern dort unterwegs gewesen. Und jetzt trägt er nicht einmal eine Beerenkiepe auf dem Rücken.

Es ist ein gekrümmtes, breitbeiniges, meterverschlingendes Schleichen, auf das sein Körper sich plötzlich verlegt. Er fühlt den Weg auf der einen und die Lindenbäume auf der anderen Seite eher, als dass er sie sieht.

Als der Mann mit der Taschenlampe angerannt kommt, lässt Sven-Erik sich nicht in den Graben fallen, sondern versteckt sich hinter einer Linde, bis der andere vorüber ist.

Ohne es zu wissen, begegnen sich Anna-Maria und Sven-Erik. Aber sie laufen auf verschiedenen Seiten des Weges. Anna-Maria läuft dem Mann mit der Taschenlampe hinterher. Sven-Erik ist unterwegs in die andere Richtung, hinauf zum Gutshaus. Es trennen sie kaum mehr als vier Meter, aber sie sehen einander nicht. Und sie hören nur ihre eigenen Schritte, ihren eigenen Atem.

Sie ist draußen im Garten. Ester hält Mauris Arme und Beine in festem Griff, er liegt wie ein Joch über ihrer Schulter. Als sie um den Nordflügel biegt, sieht sie das Licht der Taschenlampen hinter dem Salonfenster. Sie sind nicht weit hinter ihr. Aber jetzt wird Ester von der Dunkelheit beschützt. Sie muss sich still bewegen. Sie überquert den Hofplatz, weicht dem Kies aus.

Sie muss durch den Apfelgarten und dann weiter zum dichten Wald. Durch den dichten Wald zum alten Steg. Siebenhundert Meter in unwegsamem Terrain, mit dem Gewicht eines anderen Menschen auf ihren Schultern, und wenn sie erst die Bäume erreicht hat, kann sie langsamer gehen.

Als sie die Apfelbäume fast erreicht hat, fährt der Hummer auf den Hofplatz. Sie sieht ihn wie ein rotäugiges Tier kommen, sie braucht eine Sekunde, um zu begreifen, dass sie die Rücklichter vor sich hat. Der Hummer kommt im Rückwärtsgang die Allee hoch.

Und sie landet im Licht der Scheinwerfer. Plötzlich sieht sie die knorrigen Apfelbäume im Lichtschein, macht einige eilige, schwere Schritte, um zu entkommen. Immer vorwärts. Zurück zum dunklen Pfad. Auf den Wald zu.

Der Fahrer des Hummer teilt per Headset den Kollegen mit, dass er zwei fliehende Personen sieht. Er fährt über die Pflanzen auf den Hang zum Obstgarten.

Vor dem Obstgarten muss er anhalten. Es geht zu steil bergab, er kann die Steinterrassen nicht hinunterfahren, dann würde er stecken bleiben.

Er setzt einen guten Meter zurück, schaltet, fährt ein Stück, nimmt das Auto als Scheinwerfer, sucht die Umgebung methodisch ab, mahnt die Kollegen zur Eile. Zwei melden, dass sie unterwegs sind. Die beiden anderen sind unterwegs zu den anderen Häusern. Sie haben soeben das Kindermädchen erschossen, das im Wohnzimmer Kerzen angezündet hatte und sich im Bücherregal gelassen etwas zu lesen suchte, weil der Fernseher nicht mehr funktionierte.

Anna-Maria schlägt das Herz bis zum Hals. Der Hummer hält jetzt am Rand des Obstgartens. Im Scheinwerferlicht sieht sie eine Person, die eine andere auf den Schultern trägt und sich auf den Wald zubewegt. Sie sieht das nur eine Sekunde lang, dann sind die beiden aus dem Lichtkegel verschwunden. Der Hummer dreht sich geschickt um und scheint sie zu suchen, jetzt ist das Fernlicht eingeschaltet. Zwei schwarz gekleidete Personen tauchen daneben auf, warten zwei Sekunden und spähen zu den Apfelbäumen hinunter.

Anna-Maria geht in die Hocke und versucht, nicht zu keuchen. Sie ist nur zwanzig Meter von den anderen entfernt.

Durch den Motorenlärm können sie mich nicht hören, denkt sie.

Und dann passiert alles gleichzeitig: Die Person im Garten gerät wieder ins Licht, und einer der Männer beim Wagen jagt einen Kugelhagel los. Der andere hebt ein Gewehr an die Schulter, kann aber keinen Schuss mehr abgeben, denn die Person verschwindet wieder in der Dunkelheit. Der Hummer setzt zurück, dreht sich, es dauert zwei Sekunden.

Der Mann mit der Maschinenpistole springt wie ein Panther über die Terrasse, setzt den armen Fliehenden da unten nach. Der Scharfschütze steht noch immer neben dem Auto. Schussbereit.

Anna-Maria versucht, dort unten jemanden zu sehen, aber sie erkennt nur Baumstämme, die im gespenstischen Licht der Autoscheinwerfer ihre winterschwarzen Äste recken.

Sie denkt eigentlich nicht. Kann keinen Entschluss fassen.

Aber sie trägt in sich die Gewissheit, dass die Fliehenden da unten bald erschossen werden, wenn sie nichts unternimmt.

Und in diesem Wagen, der sich mit suchenden Mordlichtern dreht wie eine Maschine mit eigenem Leben, in diesem Auto sitzt ein totes kleines Kind.

In ihren Schritten liegt eine verzweifelte Wut, als sie mit gezogener Waffe auf den Wagen zurennt. Ihre Füße bohren sich in den Boden, es ist wie ein Traum, in dem man läuft und läuft und nie ans Ziel kommt.

Aber sie kommt ans Ziel, in Wirklichkeit braucht sie nur einige Sekunden.

Sie haben sie nicht entdeckt, ihre Aufmerksamkeit konzentriert sich in eine andere Richtung. Sie schießt den Scharfschützen in den Rücken. Er fällt kopfüber zu Boden. Noch zwei schnelle Schritte, und sie schießt dem Fahrer durch das Seitenfenster in den Kopf.

Der Motor verstummt, aber das Fernlicht flutet noch immer. Sie denkt nicht daran, dass noch andere da sein könnten, es gibt keine Angst, sie rennt im Lichtstrom die Terrasse hinunter. Auf den Obstgarten zu. Zwischen die Bäume. Folgt dem Mann mit der Maschinenpistole, der die Person mit der anderen auf den Schultern verfolgt.

Sie hat noch sieben Schüsse. Das ist alles.

Sven-Erik Stålnacke geht in der Dunkelheit in die Hocke, als der Hummer zum Gutshaus hochfährt. Er sieht, dass er zur Terrasse fährt und vor dem Obstgarten anhält, zurücksetzt und weiterfährt. Er sieht nicht die Person, die sich mühsam durch den Obstgarten kämpft, mit dem anderen Menschen auf dem Rücken, aber er sieht den Mann mit der Maschinenpistole, der auf etwas schießt und dann die Terrasse hinunterrennt. Er sieht den Scharfschützen, der schussbereit und spähend neben dem Hummer steht. Er schaut auf die Uhr und fragt sich, wie lange es dauern wird, bis die Kollegen eintreffen.

Er kann kaum begreifen, was er sieht, als er den Schuss hört und der Scharfschütze vornüberfällt, dann erschießt jemand den

Fahrer. Er versteht erst, dass es Anna-Maria war, als er sie im Licht des Autos auf den Obstgarten zurennen sieht.

Sven-Erik richtet sich auf. Er wagt nicht, ihren Namen zu rufen.

Herrgott, sie ist im Licht doch deutlich zu sehen. Totaler Wahnsinn. Er ist wütend!

Und während er noch diesem Gefühl nachhängt, richtet der Scharfschütze sich auf. Die Angst rauscht wie eine Schockwelle durch Sven-Erik. Sie hat ihn doch erschossen. Dann geht ihm auf, dass der Mann eine kugelsichere Weste trägt.

Und da rennt Anna-Maria, wie eine lebende Zielscheibe mitten im Licht.

Sven-Erik wird schneller. Für sein Alter und sein Gewicht bewegt er sich sehr leise und schnell. Und als der Scharfschütze auf Anna-Maria zielt, bleibt Sven-Erik stehen und hebt seine Waffe. Näher ist er nicht gekommen.

Es kann gehen, sagt er sich.

Er hält die Waffe mit beiden Händen, atmet tief durch, merkt, wie er vor Angst, Anstrengung und Anspannung zittert. Und er hält den Atem an, als er abdrückt.

Eine der Kugeln aus der Maschinenpistole trifft Ester. Sie spürt, wie die Kugel in ihren Oberarm eindringt. Es ist ein Stoß und fühlt sich an wie ein Brand. Es verfehlt den Knochen. Es verfehlt die großen Adern. Es irrt durch das Gewebe.

Nur einige kleine Blutgefäße werden zerfetzt, und sie ziehen sich vor Schock zusammen. Es wird noch dauern, bis die Blutung einsetzt. Die Kugel durchschlägt den Arm und bleibt auf der anderen Seite gleich unter der Haut stecken. Wie ein Klumpen. Es gibt kein Austrittsloch.

Sie wird an dieser Verletzung verbluten. Kleine Wunden und arme Freunde soll man nicht verachten. Aber es wird noch eine Weile dauern. Sie wird Mauri noch ein Stück tragen.

Ich heiße Ester Kallis. Das hier ist nicht mein Schicksal. Es ist meine Entscheidung. Ich trage Mauri auf dem Rücken, und bald sind wir im Wald. Es sind noch vierhundert Meter.

Er ist ganz still, aber ich mache mir keine Sorgen. Ich weiß, dass er leben wird. Ich trage ihn. Und ich trage den kleinen Jungen, den ich bei unserer ersten Begegnung gesehen habe. Den zweijährigen Jungen, der sich an den Rücken eines erwachsenen Mannes klammerte, als der unsere Mutter besteigen wollte. Der kleine weiße, magere Rücken in der Dunkelheit. Dieses Kind trage ich.

Der Schmerz im Arm ist stechend und rot, die Farbe ist Caput mortuum und Krapplack in dieser Dunkelheit, durch die wir uns weiterkämpfen. Aber ich werde nicht an den Arm denken. Ich zeichne in meinem Kopf Bilder, während meine Beine uns über den Pfad tragen, den sie schon kennen.

Ich zeichne Rensjön.

Ich mache eine einfache Bleistiftzeichnung von Mutter, die vor dem Haus sitzt und Felle bearbeitet, die Haare von der Haut kratzt, die eingeweicht worden ist, bis die Haarbeutel verfault waren.

Mutter ist in der Küche, die Hände im Spülwasser, die Gedanken weit weg auf Wanderung.

Ich zeichne Musta, die gewohnt kühn die Rentierherde wie mit einem Messer teilt, zwischen Beinen herumläuft, nach den Nachzüglern schnappt.

Ich zeichne mich selbst. Nachmittags, als ich endlich zu Hause in Rensjön aus dem Schultaxi steigen darf und der Wind mich ins Gesicht beißt und ich von der Straße auf das Haus zulaufe. Im Sommer, wenn ich am Ufer sitze und zeichne und erst abends feststelle, dass die Mücken mich zerstochen haben, wie ich weine und mich kratze und Mutter mich mit Salubrin waschen muss.

Ich bekomme auch Bilder von Mauri. Das liegt am Körperkontakt. Das weiß ich ja.

Er sitzt in einem Büro in einem anderen Land. Aus Angst vor den Männern, die jetzt hinter uns sind, vor den Männern, die uns diese Männer geschickt haben, muss er sich für den Rest seines Lebens verstecken.

Seine Hände sind vom Alter gefleckt. Die Sonne draußen sticht. Keine Klimaanlage, nur ein Ventilator. Draußen auf dem Hofplatz scharren einige Hühner im roten Staub. Eine magere Katze huscht über den ausgedörrten Rasen.

Es gibt auch eine junge Frau. Ihre Haut ist schwarz und weich. Wenn er nachts aufwacht, singt sie mit dunkler, leiser Stimme Choräle. Das beruhigt ihn. Ab und zu singt sie Kinderlieder in der Sprache ihres Volkes. Sie und Mauri haben eine Tochter.

Dieses Mädchen.

Ich trage auch sie. Sie ist noch so klein. Weiß nicht, dass es falsch ist, im Haus Türen zu öffnen und zu schließen, ohne sie zu berühren.

Ich sehe eine Polizeiwache in Schweden. Ich sehe aufeinandergestapelte Ordner. Sie enthalten alles, was die Polizei über den Mord an Inna Wattrang und die vielen Toten von Regla ermitteln konnte. Aber niemand wird zur Rechenschaft gezogen. Sie fassen keinen Schuldigen. Ich sehe eine Frau mittleren Alters, mit einer Brille an einer Schnur um den Hals. Ihr bleibt noch ein Jahr bis zur Pension. Daran denkt sie, während sie diese vielen Ordner mit den Ermittlungsunterlagen auf einen Wagen packt, den sie dann in ein Archiv schiebt.

Bald haben wir den alten Anleger erreicht.

Ich muss eine kurze Pause einlegen, in meinem Kopf wird es für zwei Sekunden schwarz.

Ich gehe weiter, obwohl mir plötzlich so schwindlig ist.

Jetzt blutet die Rückseite meines Armes heftig. Es ist klebrig, heiß, unbehaglich.

Es ist schwer. Meine Füße sinken ein. Ich friere so schrecklich, und ich habe Angst zu fallen. Es ist, wie in Schnee zu waten.

Noch einen Schritt, denke ich. So, wie Mutter das gesagt hat, wenn ich in den Bergen todmüde war und quengelte. »So, ja, Ester, noch einen Schritt.«

Der Schnee ist so tief. Noch einen Schritt, Ester. Noch einen Schritt.

Ebba Kallis überrascht sich selbst. In der Küche ist ein Fenster angelehnt. Es wurde so heiß, als der gemietete Koch das Essen zubereitet hat. Als alles dunkel wird und sie die Schüsse hört, überlegt sie nicht eine Sekunde. Sie lässt sich aus dem Küchenfenster fallen. Drinnen schreien alle vor Panik. Und nach einer Weile sind alle still.

Aber da liegt sie schon vor dem Fenster im Gras. Sie rappelt sich auf und rennt weiter, bis sie die Mauer um den Hofplatz erreicht hat. Der folgt sie bis zum Ufer. Am Strand tastet sie sich zum alten Steg weiter. In ihren hochhackigen Schuhen geht das nicht schnell. Sie friert in dem dünnen Kleid. Aber sie weint nicht. Sie denkt an die Jungen, die sind bei ihren Eltern, und sie geht weiter.

Sie erreicht den alten Steg. Steigt ins Boot und sucht im Achterschott. Wenn sie nur eine Taschenlampe fände, dann würde sie auch den Zündschlüssel finden. Sonst muss sie rudern. Als ihre Hand sich um die Taschenlampe schließt, hört sie Schritte auf den Steg zukommen, sie sind schon sehr nah.

Und sie hört eine Stimme etwas sagen, das sich wie »Ebba« anhört, oder »Ebba, er …« Oder so.

»Ester?«, fragt sie vorsichtig und richtet sich im Boot auf und schaut über den Rand des Stegs. Aber sie kann in der Dunkelheit nichts sehen.

Als keine Antwort kommt, denkt sie, ja, zum Teufel, und knipst die Taschenlampe an.

Ester. Mit Mauri auf den Schultern. Sie scheint nicht einmal auf die Taschenlampe zu reagieren. Und dann sinkt sie zu Boden.

Ebba zieht sich auf den Steg. Sie leuchtet die bewusstlosen Halbgeschwister an.

»Herrgott«, sagt sie. »Was soll ich mit euch machen?«

Ester packt ihr Seidenkleid.

»Lauf«, flüstert sie.

Nun sieht Ebba zwischen den Bäumen das Licht einer Taschenlampe.

Jetzt geht es ums Leben.

Sie packt Mauris Jacke und zieht ihn über den Steg. Bum, bum, bum macht es, als seine Hacken über die Bretter schleifen.

Sie wirft ihn ins Boot. Er landet mit einem Knall, Ebba kommt er ohrenbetäubend vor. Sie hofft, dass er nicht auf das Gesicht gefallen ist. Das Licht der Taschenlampe wird auf sie gerichtet. Ester kann sie vergessen. Ebba löst die Vertäuung und springt ins Wasser. Sie watet hinter dem Boot her, schiebt es hinaus. Am Ende sind sie so weit draußen, dass es von selbst treibt. Ebba ist stark, das hat sie dem Reiten zu verdanken. Aber nur mit Mühe und Not kann sie sich ins Boot ziehen.

Sie packt die Ruder. Legt sie in die Dollen. Gott, was macht das für einen Krach. Die ganze Zeit denkt sie: Jetzt werden wir erschossen. Dann rudert sie. Sie ist weit weg vom Ufer. Sie ist gut in Form, und ihr Kopf bleibt klar. Sie weiß genau, wohin sie Mauri bringen kann. Sie ist klug genug, um zu erfassen, dass sie das hier ohne Krankenhaus und Polizei erledigen muss. Bis er selbst sagen kann, was geschehen soll.

Und der Mann mit der Taschenlampe, der zum Steg unterwegs ist, kommt niemals dort an. Per Headset wird ihm mitgeteilt, dass die Operation abgebrochen wird. Zwei Mitglieder der Gruppe sind erschossen worden, die anderen drei verlassen Regla in aller Eile. Als die Polizei dort eintrifft, sind sie verschwunden.

Es schneit. Ester kämpft sich durch den tiefen Schnee. Jetzt kann sie bald nicht mehr. Und dann glaubt sie, vor sich etwas zu erahnen. Jemand kommt ihr im Schneesturm entgegen, bleibt ein Stück von ihr entfernt stehen.

Sie ruft nach der Mutter. »Eatnážan«, ruft sie, aber der Wind saugt ihre Stimme auf, und die verschwindet.

Jetzt lässt sie sich zu Boden sinken. Der Schnee treibt über sie hinweg, und gleich darauf ist sie von einer dünnen weißen Schicht bedeckt. Und während sie noch daliegt, spürt sie ein Keuchen an ihrem Gesicht.

Ein Rentier. Ein zahmes Rentier, das sie anstupst, das ihr ins Gesicht bläst.

Dort vorn stehen die Mutter und eine andere Frau. Ester sieht sie nicht durch den wirbelnden Schnee, aber sie weiß, dass sie auf sie warten. Und sie weiß, dass die andere Frau eatnážans Großmutter ist. Ihre áhkku.

Sie kommt auf die Beine. Zieht sich auf den Rücken des Rentiers. Liegt quer darüber, wie ein Bündel. Jetzt hört sie ein vertrautes Bellen. Es ist Musta, die weiter vorn um die beiden Frauen herumspringt. Mustas eifriges, eindringliches Gebell, jetzt will sie los. Ester hat Angst, die anderen könnten ohne sie aufbrechen. Verschwinden.

Lauf, sagt sie zum Rentierbullen. Sie packt sein dichtes Fell.

Und dann setzt er sich in Bewegung.

Bald wird sie die anderen einholen.

Anna-Maria Mella entdeckt plötzlich, dass sie in einem stillen schwarzen Wald umherirrt. Sie läuft schon lange nicht mehr. Ihr ist klar, dass sie keine Ahnung hat, wie lange sie hier schon umherwandert, und sie weiß, dass sie hier nichts finden wird. Das bestimmte Gefühl überkommt sie, dass alles vorbei ist.

Sven-Erik, denkt sie. Ich muss zurück.

Aber sie findet den Weg nicht. Ihr ist nicht ganz klar, wo sie ist. Sie sinkt an einem Baumstamm in sich zusammen.

Ich muss warten, denkt sie. Bald wird es hell.

Das Bild des toten kleinen Kindes drängt sich ihr auf. Sie versucht, es zu verdrängen.

Sie hat schreckliche Sehnsucht nach Gustav. Sie will ihn an sich drücken, seinen warmen Körper.

Er lebt, sagt sie sich. Sie sind zu Hause. Wenn sie ihre Jacke hätte, könnte sie Robert anrufen, das Telefon steckt in der Jackentasche, aber die Jacke liegt im Graben.

Sie schlingt sich die Arme um den Leib und bohrt die Finger in die Oberarme, um nicht zu weinen. Und während sie so dasitzt, schläft sie plötzlich ein. So erschöpft ist sie.

Als sie nach einer Weile aufwacht, merkt sie, dass es etwas heller geworden ist. Mit steifen Gliedern richtet sie sich auf und macht sich auf den Weg zum Gutshaus.

Oben auf dem Hofplatz stehen drei Streifenwagen und ein Einsatzbus, der der nationalen Eingreiftruppe gehört. Die Eingreiftruppe hat die Umgebung gesichert und untersucht das Gelände.

Anna-Maria kommt mit Zweigen in den Haaren und Erde im Gesicht auf das Haus zu. Als die Kollegen ihre Waffen auf sie richten, merkt sie nur, wie erschöpft sie ist. Hände hoch, sie nehmen ihr die Pistole ab.

»Sven-Erik?«, fragt sie. »Sven-Erik Stålnacke?«

Ein Polizist hält locker ihren Arm fest, mit einem Griff, der fester werden kann, wenn sie Ärger macht oder Widerstand leistet.

Der Kollege macht ein verlegenes Gesicht. Er scheint in Sven-Eriks Alter zu sein. Aber er ist größer.

»Dem geht es gut, aber du kannst jetzt nicht mit ihm reden«, sagt er. »Leider nicht.«

Sie versteht. Wirklich. Sie hat zwei Menschen erschossen, und Gott weiß, was sonst noch passiert ist. Natürlich muss das erst untersucht werden. Aber sie muss Sven-Erik sehen. Vielleicht vor allem ihretwegen. Sie muss jemanden sehen, den sie gern hat.

Jemanden, der sie gern hat. Sie will nur, dass er sie anlächelt und kurz nickt, als Zeichen dafür, dass alles in Ordnung kommen wird.

»Bitte«, fleht Anna-Maria. »Das war kein Picknick. Ich will nur wissen, dass es ihm gutgeht.«

Der Polizist seufzt und gibt sich geschlagen. Wie könnte er auch Nein sagen?

»Komm mit«, sagt er. »Aber denk dran, kein Austausch von Informationen darüber, was heute Nacht hier geschehen ist.«

Sven-Erik lehnt an einem Streifenwagen. Als er Anna-Maria sieht, wendet er sich ab.

»Sven-Erik«, ruft sie.

Er dreht sich zu ihr um.

Sie hat ihn noch nie so wütend gesehen.

»Du und deine verdammten Einfälle«, ruft er. »Der Teufel soll dich holen, Mella! Wir hätten auf Verstärkung warten müssen. Ich…«

Er ballt die Fäuste und schüttelt sie vor Wut und Frustration.

»Ich kündige«, ruft er.

Und als er das sagt, sieht Anna-Maria gleichzeitig, wie die Kollegen beim Hummer den Mann mit dem Gewehr anleuchten, den Scharfschützen. Er liegt auf dem Boden, jemand hat ihm in den Kopf geschossen.

Aber ich habe doch auf seinen Rücken gezielt, denkt Anna-Maria Mella.

»Ach was«, sagt sie abwesend zu Sven-Erik.

Worauf Sven-Erik sich auf die Motorhaube des Streifenwagens setzt und in Tränen ausbricht. Er denkt an den Kater, an Boxer.

Er denkt an Airi Bylund.

Er denkt, wenn Airi ihren Mann nicht vom Seil geschnitten und den Arzt überredet hätte, über die Todesursache zu lügen, dann wäre Örjan Bylund obduziert worden, und sie hätten eine

Mordermittlung eingeleitet, und dann wäre das hier vielleicht nicht passiert. Und dann hätte er keinen Menschen töten müssen.

Und er fragt sich, ob er das alles ertragen und Airi lieben kann. Er weiß es nicht.

Und er weint sich die Seele aus dem Leib.

Rebecka Martinsson steigt vor dem Hotel Riksgränsen aus dem Wagen. Ihr Magen krampft sich zusammen vor Nervosität.

Es spielt keine Rolle, sagt sie sich. Ich muss das hier tun. Ich habe nichts zu verlieren außer meinem Stolz. Und wenn sie an ihren Stolz denkt, sieht sie einen mitgenommenen, verschlissenen Gegenstand ohne Wert.

Rein mit dir, sagt sie sich.

Volles Rohr in der Bar, als sie die Tür öffnet, hört sie eine Coverband mit einem alten Stück von Police.

Sie bleibt in der Rezeption stehen und ruft Maria Taube an. Wenn sie Glück hat, dann hat Maria einen neuen Typen an der Angel und lässt ihr Mobiltelefon keine Sekunde aus den Augen.

Sie hat Glück. Maria Taube meldet sich.

»Ich bin's, Rebecka.«

Ihre Stimme ist ein wenig atemlos vor Nervosität, aber auch darauf kann sie keine Rücksicht nehmen.

»Kannst du Måns suchen und ihn bitten, in die Rezeption zu kommen?«

»Ach was«, sagt Maria. »Bist du hier?«

»Ja, ich bin hier. Aber ich will niemanden sehen, nur ihn. Sag ihm bitte Bescheid.«

»Okay«, sagt Maria zögernd und sieht zugleich ein, dass sie etwas übersehen hat, irgendetwas hat sie nicht begriffen. »Ich such ihn sofort.«

Zwei Minuten vergehen.

Wenn nur sonst niemand kommt, denkt Rebecka.

Sie muss pinkeln, sie hätte zuerst auf die Toilette gehen sollen. Und sie hat schrecklichen Durst, wie soll sie reden können, wenn ihre Zunge an ihrem Gaumen klebt?

Sie sieht sich im Spiegel und entdeckt zu ihrem Entsetzen, dass sie die alte Nylonjacke ihrer Großmutter trägt. Sie sieht aus wie eine, die im Wald wohnt und ökologischen Landbau betreibt und sich mit allen Behörden anlegt und verlassene Katzen adoptiert.

Fast gibt sie dem Impuls nach, zum Auto zu stürzen und zu verschwinden, aber da klingelt das Telefon. Es ist Maria Taube.

»Er kommt«, sagt sie kurz und legt auf.

Und dann kommt er.

Rebecka kommt sich vor wie ein Aquarium voller elektrischer Aale.

Er sagt nicht »hallo, Martinsson« oder so etwas. Er scheint zu verstehen, dass es jetzt ernst ist. Er sieht so gut aus. Sieht aus wie früher. Nur selten ist er in Jeans zu sehen.

Sie holt tief Luft und versucht, ihre zu langen Haare zu vergessen, die geschnitten, gestutzt, gefärbt werden müssen. Versucht, die Narbe zu vergessen. Und diese verdammte Jacke.

»Komm mit«, sagt sie. »Ich bin hergekommen, um dich zu mir nach Hause zu holen.«

Sie denkt, dass sie mehr sagen müsste, aber sie bringt einfach nicht mehr heraus.

Er lächelt ein wenig. Aber dann wird er ernst. Und ehe er etwas sagen kann, steht Malin Norell hinter ihm.

»Måns?«, fragt sie und lässt ihren Blick von ihm zu Rebecka wandern. »Was ist denn hier los?«

Er schüttelt bedauernd den Kopf.

Rebecka weiß nicht, für wen dieses Kopfschütteln bestimmt ist. Für sie oder für die Frau hinter ihm.

Doch dann lächelt er sie an und sagt:

»Ich hol nur schnell meine Jacke.«

Aber sie hat durchaus nicht vor, ihn jetzt entkommen zu lassen. Nicht für eine Sekunde.

»Nimm meine«, sagt sie.

Sie sitzen im Wagen. Der Schnee draußen fällt wie ein weißer Theatervorhang, sie können überhaupt nichts sehen. Rebecka fährt vorsichtig. Sie sagen nicht viel. Måns mustert die verschlissenen Ärmel der Nylonjacke, die er jetzt anhat. Es ist bestimmt die hässlichste Jacke, die er in seinem Leben je gesehen hat.

Dann sieht er Rebecka an. Sie ist wirklich etwas ganz anderes. Total verrückt. Und er prustet los. Er kann nicht aufhören.

Sie lacht ebenfalls. Sie lacht so sehr, dass ihr die Tränen übers Gesicht laufen.

Und viel später. Als sie in seinen Armen liegt, fängt sie an zu weinen. Es fließt einfach über. Zuerst macht er Witze und fragt:

»War es so gut?«

Und da muss sie lachen, aber dann weint sie wieder.

Er drückt sie ganz fest an sich. Drückt sie an sich und streichelt ihre Haare, küsst die Narbe über ihrer Lippe.

»Ist schon gut«, sagt er. »Lass es doch einfach kommen.«

Und sie weint, bis sie sich ausgeweint hat. Und er ist voller guter Vorsätze. Er wird sich um sie kümmern. Sie wird zurück nach Stockholm kommen und wieder in der Kanzlei anfangen. Alles wird gut.

Nachts erwacht sie und sieht ihn an. Er schläft auf dem Rücken, mit weit offenem Mund.

Gerade jetzt ist er hier, denkt sie. Ich werde versuchen, ihn nicht so festzuhalten, dass er sich losreißen will. Ich werde mich darüber freuen.

Dass er jetzt hier ist.

Dank

Die halbe Serie ist geschrieben. Das ist ein seltsames Gefühl. Ich sehe die beiden früheren Bücher und den Manuskriptstapel des dritten an und habe das Gefühl, dass eine andere sie geschrieben hat. Wie immer ist alles gelogen. Einzelne Personen gibt es in Wirklichkeit, aber das, was ich über sie schreibe, ist erfunden.

Viele haben mir geholfen, und bei einigen möchte ich mich hier bedanken: Bei Oberarzt Lennart Edström, der mir unter anderem bei Rebeckas Krankheitsverlauf geholfen hat, bei den Oberärzten Peter Löwenhielm und Jan Lindberg, die mir bei Verletzungen und meinen Toten geholfen haben, bei Dozentin Marie Allen, für vergnügliche Plaudereien über Blutreste und Haare, Staatsanwältin Cecilia Bergman, Hundeführer Peter Holmström und den Künstlerinnen Anita Ponga, Maria Montner und Camilla Jüllig, die alle ihr Wissen mit mir geteilt haben. Und ich möchte betonen, dass Esters Familie nicht die von Anita Ponga ist.

Die Fehler sind wie immer allein mir zuzuschreiben.

Mein Dank geht auch an: Lektorin Rachel Åkerstedt, schonungslos und wunderbar. Alle herrlichen Menschen im Verlag, man ist einfach froh, wann immer man dort durch die Tür geht. Der phantastischen Bonnier Group Agency, die es geschafft hat, meine Bücher in die Welt hinaus zu verkaufen. Elisabeth Ohlson Wallin und John Eyre für den Originalumschlag.

Danke, Mama, Eva Jensen, Lena Andersson und Thomas Karlsén Andersson, weil ihr gelesen und Salto geschlagen und mich gelobt habt. Ich brauche das doch so sehr. Und ihr habt es mit mir ausgehalten. Danke, Papa und Mona, die gelesen und die Kiruna-Szenen überprüft haben.

Und schließlich: Danke, Per. Endlich ist das Buch fertig. Und jetzt schnapp ich mir dich.

DIE ZORNIGE AUS KIRUNA

Tobias Gohlis besucht Åsa Larsson

Wenn mittags das Dampfschiff aus Stockholm kommend über den Mälarsee tuckert und zum Klang von Matrosenliedern am Steg von Mariefred festmacht, denkt niemand an Mord und Totschlag. Segelboote schaukeln, die Häuser im Ort sind rot gestrichen, der Kirchturm ist spitz, und im Wasser spiegeln sich die roten Ziegelsteinmauern von Schloss Gripsholm. Als Kurt Tucholsky es zum ersten Mal sah, so um 1929, »stand es leuchtend da, seine runden Kuppeln knallten in den blauen Himmel«. Heute, im Juni 2008, ist das nicht anders.

Schloss Gripsholm kennt fast jeder, zumindest dem Namen nach, den Ort Mariefred kaum jemand. Hier lebt Åsa Larsson. Mit Pudel Trassel und Tochter Stella (9) und Sohn Leo (7) in einem dieser Holzhäuser, die innen so hell sind, dass man darin sogar einen Polarwinter überstehen könnte. Und schreibt dort betörende Kriminalromane über eine Ecke der Welt, die selbst viele Schweden kaum kennen: Kiruna in Lappland.

Kiruna liegt 1300 Autokilometer weiter nordwärts, noch nördlich des Polarkreises. Die kalte Bergbaustadt, die ihre Existenz einer der reichsten Eisenerzminen der Welt verdankt, ist um eine Jahreszeit vom warmen Mariefred entfernt. »Kiruna ist für mich absolut die schönste Stadt der Welt«, schwärmt Åsa Larsson. »Die Straßen folgen den alten Pfaden und sind nicht, wie im Süden, schachbrettartig angelegt. Allerdings mache ich mir Sorgen, wie die neue Stadt wohl aussehen wird.« Der Kern von Kiruna muss nämlich um vier Kilometer verlegt werden, weil in fünfhundert Metern Tiefe die Erzmine, Lebensader der Stadt, weiter vorangetrieben wird. Das hat es noch nie gegeben: eine ganze Stadt wird verlegt – und mit ihr die Schauplätze einiger der spannendsten und literarisch anregendsten Kriminalromane, die in den letzten Jahren in Schweden erschienen sind.

Drei Romane hat Åsa Larsson bisher veröffentlicht. Während dies geschrieben wird, wird der vierte in Schweden gerade redigiert. *Bis dein Zorn sich legt* wird er heißen – und Zorn ist ein gutes Stichwort zum Verständnis von Larssons Schreiben. Wie aus struktureller Gewalt Mord entsteht, ist bei kaum einem zeitgenössischen Autor so eindringlich zu erfahren wie bei ihr. Unerbittlich genau, mit alttestamentarischer Wucht schildert sie 2004 in ihrem Erstling *Sonnensturm* die Machtstrukturen in einer freikirchlichen Gemeinde Kirunas. Der Pfarrer, der die Glaubensbegeisterung junger Mädchen nutzt, um sie zu verführen – das kennt man noch als Klischee. Wie dieser aber die schwangere Siebzehnjährige an der Abtreibung hindern und das ungeborene Kind der Gemeinde übereignen will, das ist so scharf beobachtet, dass die innere Struktur der Heuchelei als unerschütterliche Selbstgerechtigkeit offenbar wird.

Als doppelter Hohn muss der »Kindsmörderin« die Begründung vorkommen, mit der sie aus der Gemeinde geekelt wird: Ihre Gegenwart konfrontiere den Pastor und Kindsvater ständig mit seiner Verfehlung. Rebecka Martinsson kommt sieben Jahre später als erwachsene Frau zurück. Sie hat seitdem Jura studiert, den Glauben verloren, aber nichts vergessen. Zwar ist sie Steueranwältin und nicht Strafverteidigerin, aber ihre psychisch labile, einst engste Freundin Sanna besteht auf Unterstützung. Sie wird verdächtigt, ihren Bruder, einen charismatischen Heiler und Prediger, erstochen und die Hände abgeschnitten zu haben. In dieser verhuschten, weinerlichen, zu allen praktischen Entscheidungen unfähigen Sanna, die es in demonstrativer Schwachheit wunderbar versteht, Mitleid zu wecken und andere für sich handeln zu lassen, hat Åsa Larsson unvergesslich jenen in Demut unterdrückten Frauentyp porträtiert, der den weiblichen Nährboden männlicher Allmacht abgibt.

Mit ähnlich unnachsichtiger Klarheit ist Mildred Nilsson im

zweiten Roman *Weiße Nacht* (2006) gezeichnet. Diese Pfarrerin muss einfach umgebracht werden. Nicht weil sie aus einer müden Ehe in eine lesbische Beziehung wechselt. Auch nicht, weil sie als Feministin traditionelle männliche Domänen wie die Jagdhoheit oder die Verfügung über die Ökonomie der Kirche in Frage stellt. Sondern weil sie besserwisserisch, unsensibel und ebenso hochmütig ist wie ihre männlichen Pendants – und dann noch auf einen Mann stößt, dessen Selbstbewusstsein zu schwach ist, um mit den eingebildeten Demütigungen klarzukommen.

Åsa Larssons Kunst hat ein Erfahrungsfundament in ihrer Biographie. Sie ist selber im Milieu der schwedischen Freikirchen groß geworden. Ihre Großeltern, väterlicherseits wie mütterlicherseits, gehörten der besonders in Lappland verbreiteten Kirche der Laestadianer an, die sich ursprünglich der Missionierung der Samen verschrieben hatte. Åsa Larsson: »Mein Großvater Erik Larsson war so etwas wie ein religiöser Prominenter. Als Langläufer hat er 1936 in Garmisch-Partenkirchen olympisches Gold gewonnen. Danach hatte er ein Erweckungserlebnis. Er gab seine Skikarriere auf, weil er fühlte, dass es nicht richtig war, um die Ehre dieser Welt zu konkurrieren: Vor Gott zählen keine Goldmedaillen.« Gegen diese Strenge der Lebensführung protestierten Åsas Eltern, indem sie atheistisch und links wurden. Worauf die junge Åsa wieder protestierte, indem sie Gott fand und sich der Missionskirche anschloss. Beinahe 20 Jahre, von 1970 bis 1989, hat Åsa Larsson, die am 28. 6. 1966 in Uppsala geboren wurde, in Kiruna gelebt. Während des Jura- und Wirtschaftsstudiums und später als Finanzfachanwältin löste sie sich von der engen Welt ihres Jugendglaubens, aber nicht von ihrer lappländischen Heimat.

Auch wenn sie jetzt im idyllisch-kleinstädtischen Mariefred höchst angenehm lebt, träumt sie von einer Rückkehr nach Kiruna. Bis dies Wirklichkeit wird, schreibt sie sich in die Landschaft ihrer Jugend zurück. Kein schwedischer Krimiautor hat so sprachmächtig wie Åsa Larsson die Natur Schwedens beschrieben, Larssons Romane sind keine Stadt-, sondern Land- und sogar Wildnisliteratur. Der Schnee, die Weite, die Kälte und vor allem die Tiere, von denen Larsson unglaublich lebendig zu erzählen weiß, bilden einen ungeheuren, grandiosen Resonanzboden für die archaischen Menschenkräfte, die sich in Mord und Raserei austoben. Larssons Hauptfiguren, die Inspektorin und spätere Kommissarin Anna-Maria Mella und die Juristin Rebecka Martinsson, sind beide tief in der lappländischen Welt verankert. Die mütterliche, pragmatische Anna-Maria repräsentiert die lebenszugewandte, Rebecka die grüblerische, katastrophische Seite der Autorin. Rebecka fühlt sich in der feinen Stockholmer Welt der reichen Leute fehl am Platz, die Trennung von Kiruna nagt an ihr. In den ersten vier der geplanten sechs Romane ist Anna-Maria die Bodenständige. Rebecka hingegen befindet sich auf einer gewaltsamen, mit traumatischen Erlebnissen verbundenen Reise zurück. In *Sonnensturm* muss sie ihr Leben und das zweier anvertrauter Kinder retten, indem sie drei Männer in einer einsam gelegenen Berghütte tötet. In *Weiße Nacht* wird sie fast von einem ausgerasteten Jagdleiter erschlagen. Erst in *Der schwarze Steg* findet sie als ehrfurchtgebietende Workaholikerin und Hilfsstaatsanwältin in Kiruna etwas Ruhe. Und auch im vierten Roman gerät sie, nunmehr als in Kiruna fest angestellte Justizbeamtin, in Lebensgefahr. Åsa Larsson: »Ich glaube, dass es in der Persönlichkeit von Rebecka Martinsson etwas gibt, das sie immer wieder in solchen Situationen enden lässt, etwas Destruktives in ihr selbst. Manchmal sind Menschen so. Als mein Sohn traurig war, nachdem mein Partner und ich uns getrennt hatten, fiel er immer wieder hin und tat sich weh. Eigentlich sind das keine Unglücksfälle.« Solche Alltagsbeobachtungen entwickeln sich unter Åsa Larssons Schreibhand zu wunderbar präzisen, höchst lebendigen und vollständig klischeefreien Figuren, denen man als Leser(-in) auf Schritt und Tritt ausgeliefert ist. Denn Åsa Larsson erklärt nichts, kein Dozieren unterbricht die Unmittelbarkeit von Handlung und Dialog. Dabei serviert Larsson dem Leser Erstaunliches. Fast alle ihrer Figuren verfügen über Vorahnungen oder sogar ausgeprägter über das zweite Gesicht. Im neuesten Roman tritt eine ermordete Taucherin als Ich-Erzählerin auf und stört so lange Rebeckas Träume, bis diese die Ermittlungen aufnimmt. Åsa Larsson glaubt, dass dies an der Offenheit der Menschen im Norden liegt und der größeren Stille: »Wir sind häufiger in der Natur, und es passieren Dinge mit uns Menschen, wenn wir dem Gewässer begegnen, der Sonne, dem Berg, all das – dann öffnet sich in uns etwas.«

Åsa Larsson erzählt vom Übersinnlichen ebenso selbstverständlich wie vom Leben der Tiere. So ist in *Weiße Nacht* die Geschichte einer Wölfin eingewoben. Verstoßen von ihrem Rudel wandert sie aus der finnischen Nordmark nach Norbotten ein. Und diese poetische Miniatur hat doch ihren genauen Platz im Kriminalgeschehen. Überhaupt: Alles Lob für die immensen handwerklichen und imaginativen Qualitäten darf nicht verdecken, dass es sich bei Larssons Büchern um außergewöhnlich spannende, bewegende und bis ins letzte Detail stimmig konstruierte Kriminalromane handelt. Dafür wurden *Sonnensturm* als bestes Debüt und *Weiße Nacht* als bester Krimi des Jahres in Schweden ausgezeichnet. Åsa Larssons Kriminalromane sind kleine Wunder. Als ich ihre beiden Kinder Stella und Leo in Mariefred in den Obstbäumen herumklettern sah, während wir im Wohnzimmer miteinander redeten, begriff ich: Larssons Romane ähneln ihren Kindern. Sie sind neugierig, aufgeweckt, beweglich, phantastisch, witzig – und einzigartig.

© Tobias Gohlis, Krimikolumnist der ZEIT,
Sprecher der KrimiWelt-Bestenliste

PRESSESTIMMEN

»Der neue Krimi-Star aus dem Norden.« *Bunte*

»Eine ernstzunehmende Konkurrenz für die norwegischen Ermittlerinnen von Karin Fossum und Anne Holt.« *NDR*

»Fulminant.« *Tages-Anzeiger*

»Mit ihrer weiblichen Hauptfigur, der Rechtsanwältin Rebekka Martinsson, gelang der 1966 geborenen Schwedin auf Anhieb der Sprung in die Bestsellerlisten. Zu Recht, denn Åsa Larsson schreibt nicht einfach nur spannende Krimis, sondern auch psychologisch anspruchsvolle Charakterstudien.« *Sonntagsblick*

»Åsa Larsson beschreibt die ärmlichen Verhältnisse in der kleinen lappländischen Gemeinde ebenso präzise wie die überraschend traditionellen Geschlechterbeziehungen, die so gar nicht zum öffentlichen Bild Schwedens passen wollen. […] Ihr Roman bezieht seine Spannung nicht aus temporeicher Handlung, sondern baut sie subtil durch das stimmige und dichte Beziehungsgeflecht der beteiligten Personen auf.« *Tagesspiegel*

»Die Bücher von Larsson sind kleine Wunder.« *Tobias Gohlis, Die Zeit*

»Åsa Larsson schreibt ungewöhnlich plausibel klingende Dialoge für ungewöhnlich lebensnah wirkende Charaktere. […] Das gehört schon zur gehobenen Schreibkunst. « *Sylvia Staude, Frankfurter Rundschau*

»Ein Krimi der höchsten Klasse: ein mitreißendes literarisches Meisterwerk.« *Passauer Neue Presse*

»Åsa Larsson kann sehr fesselnd erzählen. Hinter dem Erzählten aber öffnet sich ein weiter Raum für Imagination und Interpretation. Ein offenes Kunstwerk par excellence – und doch klassischer Krimi. Das gibt es also auch.« *taz*

»Eine feine Beobachterin der Nuancen zwischenmenschlicher Beziehungen.« *Berliner Morgenpost*

»Larssons Sprache ist so kühl und klar wie die Gegend, in der ihre schaurigen Krimis spielen, irgendwo nördlich des Polarkreises.« *Glamour*

»Sie hat eine unkonventionelle Krimi-Heldin erfunden und Geschichten voller Düsternis, aber auch von urwüchsiger Kraft.« *Kieler Nachrichten*

»Larsson setzt mit der bodenständigen Polizistin Anna Maria Mella und der sensiblen Rebecka Martinson zwei interessante, vielschichtige Frauen auf die Fährte – und wirft einen klugen Blick auf Männerbünde, Einsamkeit und Dorfklüngel.« *Kölnische Rundschau*

»Larsson verknüpft brillant familiäre mit geschäftlichen Dramen – eine facettenreiche Erzählung über Schuld und Versagen.« *Hamburger Abendblatt*

»Thriller der Extraklasse. Wer anfängt, kann nicht mehr aufhören.« *Für Sie*

ÅSA LARSSON

Bis dein Zorn sich legt

Aus dem Schwedischen
von Gabriele Haefs

Gebunden, 352 Seiten
ISBN 978-3-570-01084-6
C. Bertelsmann

ÅSA LARSSON

Bis dein Zorn sich legt

ROMAN

Aus dem Schwedischen von Gabriele Haefs

LESEPROBE

Ach, dass du mich im Totenreich verwahren und verbergen wolltest, bis dein Zorn sich legt, und mir ein Ziel setzen und dann an mich denken wolltest!

Meinst du, ein toter Mensch wird wieder leben? Alle Tage meines Dienstes wollte ich harren, bis dass meine Ablösung kommt.

Du würdest rufen und ich dir antworten, es würde dich verlangen nach dem Werk deiner Hände.

Dann würdest du meine Schritte zählen, aber hättest doch nicht Acht auf meine Sünden. Du würdest meine Übertretung in einem Bündlein versiegeln und meine Schuld übertünchen.

Ein Berg kann zerfallen und vergehen und ein Fels wird von seiner Stätte weichen, Wasser wäscht Steine weg, und seine Fluten schwemmen die Erde weg:

So machst du die Hoffnung des Menschen zunichte.

Du überwältigst ihn für immer, dass er davonmuss, entstellst sein Antlitz und lässt ihn dahinfahren.

Sind seine Kinder in Ehren, das weiß er nicht, oder ob sie verachtet sind, des wird er nicht gewahr.

Nur sein eigenes Fleisch macht ihm Schmerzen, und nur um ihn selbst trauert seine Seele.

(Hiob, Kapitel 14, Vers 13 – 22)

Ich erinnere mich, wie wir gestorben sind. Ich erinnere mich und ich weiß es. So ist das jetzt. Manche Dinge weiß ich, obwohl ich selbst nicht mit dabei war. Aber ich weiß nicht alles. Das nun wirklich nicht. Es gibt keine Regeln. Wie bei Menschen, zum Beispiel. Manchmal sind sie offene Räume, in die ich hineingehen kann. Manchmal sind sie verschlossen.

Es war der 9. Oktober. Die Luft war kalt. Der Himmel sehr blau. Ein Tag, den man gern in ein Glas gießen und trinken würde.

Ich war siebzehn Jahre alt. Simon fast neunzehn. Wir hatten keine Ahnung davon, dass wir sterben würden. Dass ich mit dem Mund voller Wasser schreien würde. Dass uns nur noch fünf Stunden blieben.

Der Waldweg endete beim Sevujärvi. Wir luden das Auto aus. Immer wieder musste ich kleine Pausen einlegen und mich umsehen. Es war so überirdisch schön. Ich hob meine Hände zum Himmel, schaute mit zusammengekniffenen Augen in die Sonne.

»Was machst du?«, fragte Simon.

Noch immer die Augen und Arme zum Himmel gerichtet, antwortete ich: »Das hier gibt es in fast allen Religionen. Dass man nach oben schauen und die Hände heben soll. Es tut einfach gut. Versuch es mal!«

Er lachte und schüttelte den Kopf. Er sah mich an. Ach, ich weiß noch, wie er mich ansah. Als könne er sein Glück nicht fassen. Und es stimmt ja auch. Ich war kein x-beliebiges Mädchen.

Wir wanderten zum See Vittangjärvi hoch. Vorsichtig stellten wir unsere Lasten ab und blieben lange stumm stehen, um auf den See hinauszuschauen. Das Eis lag wie eine dicke schwarze Glasscheibe über dem Wasser. Der Frost hatte in jeden Grashalm und jeden dünnen Zweig gekniffen, bis sie brüchig und knisternd weiß geworden waren. Es war unwirklich still.

Ich rannte hinaus aufs Eis und glitt weit, weit. Danach legte ich mich auf den Rücken und schaute eine Weile zum Himmel. Streichelte das Eis liebevoll. Dort unten lag ein Flugzeug. Und niemand wusste davon, außer uns. Das glaubten wir zumindest.

Ich stand auf und begegnete seinem Blick.

Du und ich, sagten seine Augen.

Du und ich, blickte ich zurück.

Wir trugen Schläuche, Atemregler, Taucherbrillen, Schnorchel, Flossen und die schwarzen betagten Militärtaucheranzüge aufs Eis hinaus. Simon ging mit seinem GPS voraus.

Im August waren wir mit dem Kajak hier gewesen. Als wir die Stelle gefunden hatten, gab Simon sie unter »Wilma« ins GPS ein. Aber im Sommer war der alte Hof am Westufer von Sommergästen bewohnt.

»Wenn wir jetzt tauchen, wird die ganze Gegend das in null Komma nix erfahren. Aber sobald sie für den Winter dicht machen, legen wir los. Dann können wir auch ihr Boot benutzen.«

Aber dann kam das Eis und wir mussten warten, bis es dick genug war, um zu tragen. Wir konnten unser Glück kaum fassen, als es nicht schneite, jetzt würde auch die Sicht nicht ganz schlecht sein. Einige Meter wenigstens.

Simon schlug mit der Axt ein Loch ins Eis. Dann griff er zum Fuchsschwanz. Eine Motorsäge hatten wir nicht mitschleppen können, außerdem hätte die einen Höllenlärm gemacht, und Aufmerksamkeit zu erregen, war wirklich das Letzte, was wir wollten. Es war wie ein Buchtitel: *Wilma, Simon und das Geheimnis des Flugzeugs.*

Während Simon das Loch sägte, nagelte ich zwei Latten zu einem Kreuz zusammen, das wir über das Loch legen wollten, um die Markierungsleine daran zu befestigen.

Wir stiegen in die Taucheranzüge. Dann setzten wir uns an den Rand des Lochs.

»Geh direkt auf vier Meter Tiefe«, sagte Simon. »Das

Schlimmste, was passieren kann, ist Luftstopp, wenn der Atemregler gefriert. Die Gefahr ist gleich unter der Oberfläche am größten.«

Ich wollte ihm nicht zuhören. Ich wollte tauchen. Jetzt gleich.

Er war kein Profi-Taucher. Aber er hatte viel gelesen. »Zweimal an der Leine ziehen bedeutet: aufsteigen.«

»Okay. «

»Vielleicht finden wir das Wrack sofort, vermutlich aber nicht.«

»Okay, okay.«

Und dann tauchen wir.

Das kalte Wasser ist wie ein Pferdetritt ins Gesicht. Simon legt das Holzkreuz mit der Rettungsleine über das Loch im Eis. Beim Abstieg überprüft er das Messgerät. Zwei Meter. Taghell. Das Eis über uns ist wie ein Fenster für das Sonnenlicht. Als wir oben standen, war es schwarz. Von unten ist es hellblau. Zwölf Meter. Dunkel. Fünfzehn Meter. Finsternis. Simon fragt sich sicher, wie mir zumute ist. Aber er weiß, dass ich zäh bin. Siebzehn Meter.

Wir stoßen sofort auf das Flugzeugwrack. Landen darauf.

Das Flugzeug scheint einfach da gelegen und auf uns gewartet zu haben. Aber natürlich. Wir haben gelotet. Wir wussten, dass es hier sein müsste.

Aber jetzt erscheint alles ganz unwirklich. Wir folgen der Tragfläche und stoßen auf die Motoren. Das kommt mir auf irgendeine Weise nicht richtig vor. Etwas stimmt hier nicht, etwas wirkt… wir schwimmen zurück. Jetzt finden wir das Fahrgestell. Oben auf der Tragfläche.

Simon sieht sich nach mir um und dreht seine ausgestreckte Hand um hundertachtzig Grad. Ich verstehe, was er meint. Das Flugzeug liegt auf dem Rücken. Beim Aufprall muss es sich um sich selbst gedreht haben. Bei der Landung waren sie vermutlich allesamt sofort tot.

Wir schwimmen zur Nase. Die Fenster des Cockpits sind zerbrochen. Es ist nicht ganz leicht, hindurchzusteigen. Aber es geht. Simon leuchtet mit der Taschenlampe. Irgendwo dort drinnen schwimmen die Überreste der Besatzung herum.

Ich mache mich stark, um den Anblick dessen zu ertragen, was vom Piloten vielleicht noch übrig ist. Aber im Cockpit ist nichts zu sehen.

Simon leuchtet mit der Taschenlampe seine Hand an. Zeigt auf mich. Zeigt dann gerade nach unten. Bleib hier, bedeutet das. Dann öffnet und schließt er seine Hand zweimal. Zehn Minuten.

Ich leuchte meine Hand an und hebe den Daumen. Dann werfe ich ihm vom Atemregler aus eine Kusshand zu.

Er schiebt die Arme durch das Fensterloch, packt mit den Händen die Rückenlehne des einen Pilotensitzes und zieht sich geschmeidig in das Flugzeug hinein.

Ich sehe Simon im Flugzeug verschwinden. Dann schaue ich auf die Uhr.

Mir kommen Gedanken, die ich energisch zu verdrängen versuche. Zum Beispiel daran, was in einem Wrack, das seit über sechzig Jahren auf dem Seegrund liegt, passieren kann, wenn man hinein schwimmt und plötzlich Bewegung erzeugt.

Nein, nein. So darf ich nicht denken. Es wird supergut gehen. Und nächstes Mal bin ich verdammt noch mal diejenige, die ins Flugzeug schwimmen darf.

Ich leuchte ein wenig mit der Taschenlampe hin und her. Aber das Licht reicht in der Dunkelheit nicht sehr weit. Außerdem haben wir jede Menge Schlamm aufgewühlt und die Sicht ist schlecht. Schwer vorstellbar, dass dort oben, nur einige Meter entfernt, die Sonne über dem funkelnden Eis leuchtet.

Dann merke ich, dass die Markierungsleine schlaff in meiner Hand liegt. Ich ziehe daran. Aber sie spannt sich nicht. Ich hole die Leine ein. Einen Meter, zwei Meter. Drei. Hat sie sich vom Holzkreuz gelöst? Wir hatten sie doch sorgfältig angebunden.

Ich ziehe immer schneller. Jetzt habe ich das andere Ende in der Hand. Ich sehe es an. Starre es an.

Herrgott, ich muss nach oben und sie befestigen. Wenn Simon aus dem Flugzeug kommt, haben wir keine Zeit, um unter dem Eis herumzuschwimmen und das Loch zu suchen.

Ich fülle den Anzug mit ein wenig Luft, so dass ich langsam nach oben steige. Ich halte Ausschau nach dem Loch, dort müsste Licht durch das Eis fallen, aber ich sehe es nicht. Stattdessen sehe ich einen Schatten. Ein schwarzes Viereck.

Etwas liegt über dem Loch. Das Holzkreuz ist verschwunden. Statt seiner liegt eine Tür über dem Loch. Eine Sekunde lang denke ich, dass diese Tür irgendwo herumlag und vom Wind hierher geweht wurde. Aber sofort danach weiß ich, wie falsch dieser Gedanke ist. Da oben ist ein windstiller, sonniger Tag. Wenn eine Tür über dem Loch liegt, dann, weil jemand sie dorthin gelegt hat. Und was kann das für ein Witzbold sein?

Ich versuche mit beiden Händen, die Tür zur Seite zu schieben. Leine und Taschenlampe habe ich losgelassen, sie sinken langsam zum Grund hinab. Die Tür lässt sich nicht bewegen. Mein heftiger Atem dröhnt in meinen Ohren. Ich begreife, dass der Witzbold darauf steht. Jemand steht auf der Tür.

Ich ziehe mein Tauchermesser hervor. Fange an, ein Loch ins Eis zu hacken. Das ist schwer. Meine Stöße haben keine Kraft. Ich bohre mit dem Messer. Am Ende stoße ich durch. Dann geht es leichter, ich lasse das Messer im Loch rotieren, kratze mit der Klinge an den Seiten. Das Loch wird größer.

Simon schwimmt im Wrack so vorsichtig er kann. Er befindet sich jetzt in der Kabine. Er glaubt, ein leises Rucken am Seil zu spüren. Er überlegt, ob das Wilma gewesen sein kann. Zweimal ziehen bedeutet Aufstieg, hat er doch gesagt. Aber was, wenn sie einen Luftstopp hat? Jetzt wird er unruhig und beschließt, hinauszuschwimmen. Er kann hier ja doch nichts sehen. Es ist, wie durch grüne Suppe zu schwimmen. Er zieht an der Leine, um sie zu straffen und ihr hinauszufolgen. Aber sie spannt sich nicht. Er holt mehr und mehr Leine ein, Meter um Meter. Dann hat er ein Ende in der Hand.

Die Angst beißt wie eine Schlange in sein Zwerchfell. Keine Leine, der er folgen kann. Wie soll er zum Cockpitfenster zurückfinden? Er sieht doch rein gar nichts. Wie soll er hinausgelangen?

Er schwimmt, bis er gegen eine Wand stößt. Er zögert. Er stößt mit etwas zusammen, das nicht fest hängt. Das sich seitwärts bewegt. Er leuchtet es an. Sieht nichts. Bildet sich ein, es sei ein Leichnam. Zappelt. Schwimmt weg. Schnell, schnell. Bald schwimmt er zwischen Gliedern, die umhertreiben. Armen und Beinen, die sich von ihren Körpern gelöst haben. Er muss versuchen, ganz ruhig zu bleiben, aber wo ist er? Wie lange ist er schon hier unten? Wie lange reicht die Luft noch?

Voller Panik schwimmt er hin und her. Das Seil, das an seinem Bleigürtel befestigt ist, steckt hier und dort kurz fest, bleibt in den Haken am Boden hängen, mit denen Ladung festgezurrt werden konnte. Dann fängt er an, gegen das Seil zu schwimmen. Verfängt sich darin. Es zieht sich wie ein Spinngewebe durch das Flugzeug. Und er findet nicht hinaus. Er stirbt dort drinnen.

Ich habe mit dem Tauchermesser ein Loch ins Eis hacken können. Als es so groß ist wie meine Hand, schaue ich auf den Druckmesser. Noch zwanzig Bar.

Ich darf nicht soviel atmen. Ich muss mich beruhigen. Ich schiebe die Hand durch das Loch. Es gibt keinen Gedanken. Die Hand streckt sich aus eigenem Willen nach Hilfe aus.

Jemand da oben packt sie. Diese Person zieht an meiner Hand, biegt sie vor und zurück. Und nun begreife ich, dass ich feststecke. Ich komme hier nicht weg. Ich drücke die Knie gegen das Eis. Meine gefangene Hand zwischen den Beinen. Und dann stoße ich mich ab. Jetzt komme ich los. Die Hand gleitet aus dem Taucherhandschuh. Kaltes Wasser. Uäh!

Ich schwimme unter dem Eis weiter. Jetzt bin ich wieder unter der Tür. Ich schlage dagegen. Es muss einen anderen Ausweg geben. Eine Stelle, wo das Eis dünner ist. Ich schwimme weiter.

Aber er rennt hinter mir her. Ist das überhaupt ein Er? Ich sehe die Person durch das Eis. Vage.

Dann friert der Atemregler ein. Die Luft spritzt aus dem Mundstück. Ich höre auf zu schwimmen. Der Schlauch leert sich in zwei Minuten. Und dann ist Schluss. Meine Lunge droht zu bersten. Ich fuchtele mit den Armen. Das letzte, was ich im Leben tue, ist, Atemregler und Taucherbrille wegzureißen. Dann sterbe ich. Meine Augen im Wasser sind offen. Jetzt sehe ich die Person dort oben. Ein Gesicht, das sich gegen das Eis presst und mich ansieht. Aber ich verstehe nicht, was ich sehe. Mein Bewusstsein zieht sich zurück wie das Wasser bei sinkender Tide.

Schnee, dachte Staatsanwältin Rebecka Martinsson und schauderte vor Wohlbehagen, als sie auf dem Hof in Kurravaara aus dem Auto stieg.

Es war sieben Uhr abends. Die Schneewolken am Himmel hüllten den Ort in ein behagliches Dunkel. Und der Schnee fiel nicht. Nein, er stürzte hinunter. Trockene, weiche kalte Flocken kamen aus dem Himmel gerast, als ob sie dort oben jemand zusammenfegte, putzte.

Oma, natürlich, dachte Rebecka und lächelte. Bestimmt bohnert die den Boden unseres Herrn, fegt und ist immer am Werk. Ihn selbst hat sie sicher auf die Vortreppe verbannt.

Das graue Eternithaus der Großmutter versteckte sich im Dunkeln. Nur die Lampe über der grün angestrichenen Treppe sagte leise: Willkommen daheim, Mädel.

Ihr Telefon piepste. Sie zog es aus der Tasche. SMS von Måns: »Scheißregen in Stockholm«, stand dort. »Bett leer + öde. Komm her. Ich will deine Brüste lecken + dich umarmen. Kuss auf all deine schönen Stellen. « Sie verspürte ein Prickeln.

»Verdammter Kerl«, tippte sie ein. »Muss arbeiten. Nicht an dich denken.«

Sie lachte. Er war wunderbar. Sie sehnte sich nach ihm. Vor etlichen Jahren hatte sie in der Anwaltskanzlei Meijer & Ditzinger für ihn gearbeitet. Er fand, sie solle zurückkommen und wieder als Anwältin tätig werden.

»Du würdest dreimal soviel verdienen wie jetzt«, sagte er immer.

Sie schaute zum Fluss hinüber. Im Sommer hatte er dort mit ihr auf dem Steg gekniet und die Flickenteppiche der Großmutter mit der Wurzelbürste geschrubbt. Danach hatten sie sich ausgezogen und waren wie glückliche Hunde zusammen mit den Teppichen im Wasser herumgeschwommen.

Sie versuchte, ihm klarzumachen, dass sie so leben wollte: »Ich will hier draußen auf dem Hof stehen und den Blick heben und auf den Fluss hinausschauen können. Ich will im Sommer vor der Arbeit auf meiner Vortreppe Kaffee trinken. Ich will im Winter mein Auto freischaufeln und Eisblumen an den Fenstern haben. «

»Das kannst du doch alles behalten«, wandte er dann ein. »Wir können nach Kiruna fahren, so oft du willst.«

Aber das würde niemals dasselbe sein. Das wusste sie genau.

Ich brauche das hier, dachte sie. Ich bin so viele anstrengende Personen. Die liebeshungrige Dreijährige, die eiskalte Juristin, die einsame Wölfin und die, die wieder verrückt werden möchte, die sich danach sehnt, in den Irrsinn zu fliehen. Es ist gut für mich, unter dem funkelnden Nordlicht klein zu sein, klein neben dem mächtigen Fluss. Natur und Universum sind hier so nahe. Meine Sorgen und Probleme schrumpfen. Ich bin gern unbedeutend.

Durch das Schneegestöber kam ein Vorsteherhund in vollem Galopp auf sie zu. Als er eine Querdrehung machte, um Rebecka zu begrüßen, rutschte er auf dem Eis aus, das unter dem Schnee lag,

»Aber hallo, Bella«, sagte sie mit dem Arm voller Hund. »Wo hast du denn dein Herrchen gelassen?«

Jetzt war ein wütendes Rufen zu hören: »Hierher, hab ich gesagt! Hörst du denn nicht?«

Sivvings Gestalt löste sich aus dem Schneegestöber. Er kam breitbeinig angelaufen, hatte Angst, zu fallen. Seine müde Seite wurde ein wenig hinterhergeschleppt, der eine Arm hing schlaff nach unten. Seine weißen wolligen Haare waren unter einer gestrickten grünweißen Pudelmütze versteckt. Die Mütze trug ihrerseits eine kleine weiße Mütze aus Schnee. Rebecka gab sich alle Mühe, um ein Lächeln zu unterdrücken. Er sah einfach wunderbar aus.

»Wo?«, keuchte er.

Aber Bella war schon im Schneegestöber verschwunden.

»Ach, die kommt schon zurück, wenn sie Hunger kriegt«, sagte er dann lachend. »Wie ist das mit dir? Ich will Mehlklöße braten. Die reichen auch für dich.«

Einige Jahre zuvor war Sivving Fjällborg in seinen Heizungskeller umgezogen.

»Man findet, was man sucht, und Ordnung halten ist leicht«, sagte er immer.

Das Haus darüber war sauber und aufgeräumt und wurde nur benutzt, wenn Kinder und Enkelkinder zu Besuch kamen.

Der Heizungskeller war spärlich möbliert. Gemütlich, dachte Rebecka, zog die Schuhe aus und setzte sich auf die Holzbank, die neben dem Tisch stand.

Ein Tisch, Ein Stuhl, ein Hocker, eine Küchenbank. Mehr war nicht nötig. In der Ecke stand ein gemachtes Bett. Flickenteppiche auf dem Boden hinderte die Kälte daran, durch den Kellerboden einzudringen.

Sivving stand vor der Kochplatte. Er schnitt die Mehlklöße in angemessen dicke Scheiben. Er ließ einen dicken Klecks Butter in der heißen Bratpfanne herumzischen.

Rebeckas Telefon piepste wieder. Noch eine SMS von Måns.

»Du kannst sonstwann arbeiten. Ich will dich um die Taille fassen und dich küssen, dich auf den Küchentisch heben und dein Kleid hochschieben.«

»Ach, ist das aus dem Büro?«, fragte Sivving.

»Nein, das ist von Måns«, sagte Rebecka leichthin. »Er möchte wissen, wann du runterfahren und ihm eine Sauna bauen kannst.«

»Puh, der schlaue Teufel. Sag, er soll lieber herkommen und schaufeln. Der ganze Schnee und kaum eine Pause. Das kannst du ihm sagen.«

»Werd ich«, sagte Rebecka und schrieb:

»Mmmm … mehr«

Sivving gab die Kloßscheiben in die Pfanne. Sie zischten und das Fett spritzte hoch.

»Und ich mit meinem Arm«, sagte Sivving. »Da soll doch der Teufel eine Sauna bauen. Nein, man sollte es so machen wie dieser Arvid Backlund.«

»Was hat er denn gemacht?«, fragte Rebecka.

»Vorige Woche ist er zweiundachtzig geworden. Er hat ausgerechnet, wie viel Holz er noch für den Rest seines Lebens braucht. Dann bestellte er die Ladung Holz und ließ sie im Haus stapeln. Auf diese Weise hat er das Holz zur Hand. Kann sich in seinen noch verbleibenden Wintern wärmen.«

»Im Wohnzimmer?«

»Riesiger Haufen mitten auf dem Parkett, verdammt noch mal.«

»Ich nehme an, er hat keine Frau«, sagte Rebecka lachend.

Sie lachten eine Weile miteinander. Das Lachen nahm ihr ein wenig von ihrem schlechten Gewissen darüber, dass sie ihn zu selten besuchte und dass ihm das nicht gefiel.

Plötzlich schlug Sivvings Stimmung ins Gegenteil um.

»Jetzt kommt er zu Hause wenigstens zurecht«, sagte er wütend. »Klar sollte er lieber sein Holz im Holzschuppen lagern, wie alle anständigen Menschen. Eines Morgens rausgehen, ausrutschen und sich das Bein brechen. Dann kommt man aus dem Krankenhaus doch nie wieder zurück. Wird danach ins Pflegeheim abgeschoben. Wenn man jung und gesund ist, kann man leicht lachen.«

Er hat Angst, dachte Rebecka.

Sie hätte ihm gern gesagt, dass sie niemals nach Stockholm zurückziehen würde. Hätte ihm versprochen, sich um seinen Hof zu kümmern und für ihn einzukaufen, wenn es so weit wäre. Genau wie er sich um Oma gekümmert hat. Als ich weggezogen bin und sie hier verlassen habe. Er hat sich um sie gekümmert und ihr Gesellschaft geleistet. Obwohl sie am Ende verwirrt und ängstlich war. Ich will eine sein, die sich kümmert. Diese Art Mensch will ich sein.

Es schneit noch immer, als sie nach Hause geht. Aber jetzt hat sich die Lage beruhigt. Der Schnee stürzt nicht mehr vom Himmel, sondern rieselt in einem genießerischen Tanz. Das ist ein Schneefall, der glücklich machen kann. Große Flocken, die auf ihren Wangen schmelzen.

Es ist nicht dunkel, obwohl es schon spät ist. Der Himmel ist von den Schneewolken grau verhangen. Die Konturen von Häusern und Bäumen verwischen. Als wären sie auf feuchtes Aquarellpapier gemalt.

Ohne Vorwarnung wird sie von einem reinen weißen Glück überwältigt. Dieses Glück fährt durch ihren Körper wie ein Wind durch ein Gebirgstal. Kraft strömt aus dem Boden. Durch den Körper und in die Hände. Sie steht ganz still da. Wagt nicht, sich zu bewegen, aus Angst, diesen Augenblick dadurch zu verjagen.

Sie ist eins mit dem Rest. Mit dem Schnee, mit dem Himmel.

Mit dem Fluss, der verborgen unter dem Eis strömt. Mit Sivving, mit den Leuten aus dem Dorf. Mit allen.

Ich gehöre dazu, denkt sie. Vielleicht ist es so, dass ich dazu gehöre, egal, was ich will oder empfinde.

Sie schließt die Tür auf und geht die Treppe hoch.

Das andächtige Gefühl ist noch immer vorhanden. Zähneputzen und Gesichtwaschen sind ein heiliges Ritual, die Gedanken haben angehalten, nur das Geräusch der Zahnbürste und des fließenden Wassers. Sie kleidet sich in ihren Schlafanzug wie in ein Taufgewand. Sie nimmt sich die Zeit, das Bett frisch zu beziehen. Måns versucht einmal, sie anzurufen, aber sie meldet sich nicht.

Sie schlüpft zwischen Laken, die sich ein wenig ungewohnt steif anfühlen und die sauber duften.

Danke, denkt sie.

Gegen vier Uhr wacht sie auf. Auf dem Bett sitzt ein junges Mädchen. Es ist nackt. Ihre roten Haare sind nass. Aus den Haaren läuft Wasser wie ein kleiner Bach ihr Rückgrat hinunter. Als sie spricht, strömt unaufhörlich Wasser aus ihrem Mund und ihrer Nase.

Das war kein Unfall, sagt sie zu Rebecka.

Nein, sagt Rebecka und setzt sich im Bett auf. Ich weiß.

Er hat mich weggebracht. Ich bin nicht im Fluss gestorben. Sieh dir meine Hand an.

Sie hält Rebecka die eine Hand hin. Die Haut ist weggescheuert. Das Blut weggeflossen. Die Knochen ragen aus dem grauen Fleisch heraus. Die junge Frau betrachtet traurig ihre Hand.

Ich habe mir die Nägel am Eis abgebrochen, als ich versucht habe, mich durchzukratzen, sagt sie.

Es war nur ein Traum, sagt Rebecka sich. Sie legt sich wieder ins Bett und versucht, in anderen Träumen zu verschwinden.

Ein offener Himmel über ihrem Kopf. Schwarze Vögel, die aus Tannenwipfeln auffliegen.

Ich suche die Staatsanwältin auf. Sie ist die Erste, die mich seit meinem Tod sieht. Sie ist weit offen. Sieht mich deutlich, als ich mich auf ihr Bett setze. Ihre Großmutter steht in der Kammer. Sie ist die erste Tote, die ich seit meinem eigenen Tod gesehen habe. Ja, die ich überhaupt jemals gesehen habe. Die Großmutter sieht mich mit festem Blick an. Hier kann man nicht einfach nach Lust und Laune kommen und gehen und alles durcheinander bringen. Die Staatsanwältin hat eine starke Beschützerin. Ich bitte die Großmutter um Erlaubnis, mit ihrer Enkelin zu sprechen.

In dieser Nacht ist mein Leichnam gefunden worden. Vielleicht wird jetzt im Dorf geredet werden. Endlich.

© 2008 by Åsa Larsson
© der deutschsprachigen Ausgabe 2009 by C. Bertelsmann Verlag, München, in der Verlagsgruppe Random House GmbH

btb

Ævar Örn Jósepsson

Dunkle Seelen

Kriminalroman. 416 Seiten
ISBN 978-3-442-73476-4

Nach einem Disko-Besuch in Reykjavík verschwindet
die allein erziehende Mutter Brigitta spurlos. Der Chef
der Mordkommission setzt alles daran, die Computer-
spezialistin so schnell wie möglich zu finden. Die
Mitarbeiter der Kripo sind eher verwundert über den
Eifer ihres Vorgesetzten bei diesem Fall. Schließlich
entdecken die Suchtrupps Brigitta tot in einem Kanalrohr.
Und Kommissar Árni und seine Kollegen von der Kripo
stoßen auf einen Sumpf aus politischen Interessen,
krankhafter Eifersucht und persönlicher Rache …

Nominiert für den Skandinavischen Krimipreis

»Ein herausragender Thriller. Jósepsson bietet interessante,
lebensnahe Charaktere gepaart mit Hochspannung.«
Morgunbladid

www.btb-verlag.de

btb

Ulrich Ritzel

Forellenquintett

Roman. 384 Seiten
ISBN 978-3-442-75182-2

Die enthauptete Leiche einer Frau in Krakau. Ein Mann
ohne Vergangenheit in Berlin. Ein verschollener Junge vom
Bodensee. Was haben die drei Ereignisse miteinander
zu tun? Wo laufen die Fäden zusammen? Kriminalkommissarin
Tamar Wegenast, Nachfolgerin des in Rente gegangenen
Kommissar Berndorf, ermittelt.

»Ein schwäbischer Maigret.«
Peter Münder, Der Spiegel

Uferwald

Roman. 379 Seiten
ISBN 978-3-442-73667-6

Ulm: In einer Wohnung der Gemeinnützigen Heimstätte
wird eine ältere Frau tot aufgefunden. Ein Routinefall, scheint es.
Charlotte Gossler ist eines natürlichen Todes gestorben.
Doch dann stößt Kommissar Kuttler auf ein Tagebuch ihres Sohnes
Tilman, der vor Jahren bei einem Unfall ums Leben gekommen
ist und der Fall nimmt eine unerwartete Wendung …

»Kein Zweifel: Von diesem Autor möchte man mehr lesen!«
Die Zeit

www.btb-verlag.de